DE DUISTEREN

POLITISCHE ÜBERSICHT
von
EUROPA.

Maafsstab = 1 / 24,000,000

Deutsche Meilen, 15 = 1 Aequatorgr.

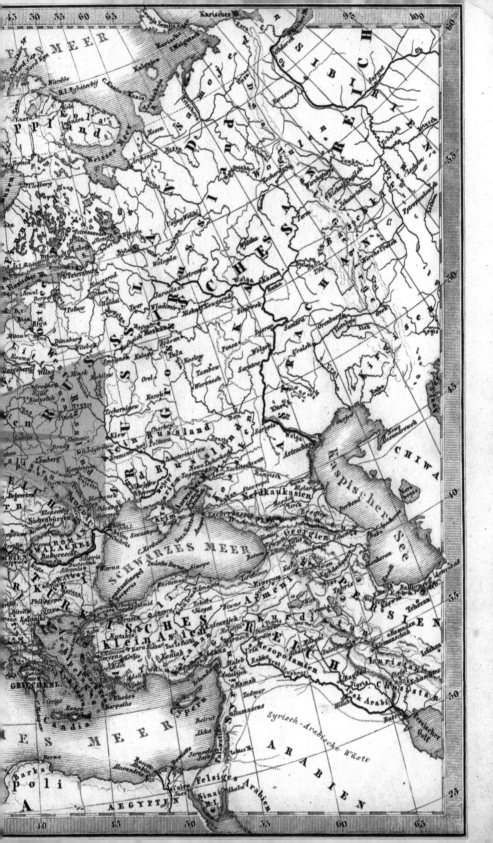

Ralf Isau

DE DUISTEREN

WERELDBIBLIOTHEEK · AMSTERDAM

Vertaald uit het Duits door Dineke Bijlsma

Omslagontwerp Bureau Beck
Omslagillustratie © Vincent MacNamara / Trevillion Images

Oorspronkelijke titel *Die Dunklen*
© 2007 Piper Verlag GmbH, München
© 2009 Nederlandse vertaling Dineke Bijlsma en
Uitgeverij Wereldbibliotheek bv
Spuistraat 283 · 1012 VR Amsterdam

www.wereldbibliotheek.nl

ISBN 978 90 284 2289 6

Nergens wordt aan de wetten van de muziek getornd
zonder ook de hoogste wetten van de staat aan het wankelen te brengen.

Plato

Voor Ursula en Manfred,
twee bijzondere musici

Onlangs ontdekte ik in de ruïnes van de muziekgeschiedenis de resten van een mozaïek. De afzonderlijke fragmenten waren te groot om willekeurig te zijn, maar voor een betrouwbare reconstructie van het oorspronkelijke beeld waren ze te klein. Daarom rangschikte ik de brokstukken net zolang totdat er niet één meer over was. Dit boek is het resultaat. Alle personen die hierin voorkomen zijn dus louter een product van de fantasie – al zal menig lezer er hier en daar nog elementen van de mogelijke werkelijkheid in herkennen.

R.I.

PRELUDIUM

———

Parijs

✻

Liszt [...] zag eruit alsof hij in het orthopedisch instituut had gelegen, en daar was rechtgezet; hij had zoiets spinachtigs, demonisch, en zoals hij daar achter de piano zat, bleek en met een gezicht vol brandende passie, kwam hij me voor als een duivel die zijn ziel vrij spel liet! Elke toon stroomde hem regelrecht uit hart en ziel, het leek wel alsof hij werd gefolterd [...] Toch kwam er wanneer hij speelde leven in zijn gezicht, het was alsof uit het demonische de goddelijke ziel opsteeg.

Hans Christian Andersen, 1840, over Franz Liszt

Proloog

[...] overigens hebben zelfs diegenen die het minst over Liszt te spreken
waren, allang gezegd dat hij alles kan.

— Hector Berlioz, 1836, over Franz Liszt

PARIJS, 15 MAART 1866, 18.42 UUR

Toen Franz Liszt naar de dirigentenlessenaar liep, weergalmde de Saint-Eustache van het applaus en gejuich. Er was lang met spanning op de Franse première van zijn *Missa solemnis* gewacht. Rond de vierduizend mensen uit bijna alle lagen van de bevolking zaten in de gotische kathedraal. Om de aandacht te vragen stak de componist zijn lange armen in de lucht; hij zag eruit alsof hij wilde opstijgen. Heel wat van zijn vurige bewonderaars zouden hem daar zeker toe in staat hebben geacht. Voor hen was hij een god. Maar er waren ook anderen onder het publiek, die hem eerder voor de duivel aanzagen.

De aanblik van zijn zwarte soutane hulde de vrome concertgangers in een respectvol stilzwijgen. Zelfs overtuigde vrijdenkers voelden de kracht die de musicerende abbé als een elektriserende aura omgaf. Met zijn roofvogelgezicht, de weelderige peper-en-zoutkleurige haardos en zijn spinachtige gestalte had hij voor velen dan ook iets magisch. Binnen een mum van tijd heerste er stilte in de grootse kerk.

'Er is een wijziging vanavond,' verkondigde Liszt, nadat hij met een buiginkje zijn publiek had begroet.

Een gekreun steeg op uit de rijen.

'Anders dan in het programma staat aangekondigd,' ging hij verder, 'zal mijn nederige persoon de paus vandaag een toontje lager laten zingen.'

Er volgde een verbluft stilzwijgen. Maar daarna begon het tot de meesten toch wel door te dringen, hoewel de uitdrukking in het Frans een beetje bizar klonk, wat de componist bedoelde: door zijn overweldigende afmetingen werd het orgel van de Saint-Eustache *Le Pape* – de Paus –

genoemd. De spanning van de menigte ontlaadde zich in donderend applaus en schaterend gelach. Alleen een fervent katholieke minderheid keek gepikeerd.

Franz Liszt maakte opnieuw een buiging, dit keer zelfs een heel diepe; hij wist wel dat niet iedereen in het publiek hierin het dankbetoon van een bescheiden kunstenaar zag. Sommige van de glimlachende gezichten waren slechts maskers, waarachter vreselijke bedoelingen schuilgingen.

Terwijl hij langzaam weer overeind kwam, liet hij zijn blik door de kerk dwalen. Alle uitgangen werden door geüniformeerde wachtposten bewaakt. In het zuidelijk dwarsschip stond zelfs een hele afdeling soldaten, compleet met ransel en wapens. De infanteristen hadden ook een aantal muziekinstrumenten meegebracht, waarschijnlijk om wat minder bedreigend over te komen op de concertgangers. Hij had op zijn gevoel moeten vertrouwen en moeten vluchten toen hij die Nekrasov onder de bezoekers ontdekte...

Vermoedelijk zat die Rus erachter, dat al die troepen in de kerk waren. Hij was uit op het geheim, op de muziekbladen die in de speeltafel van het orgel zaten verstopt. Er moest een verrader zijn die hem erover verteld had. Als de Broederschap der Aar zich zo ver buiten haar veilige haven waagde, was ze tot alles in staat. Liszt beefde inwendig. Er was maar één manier om levend de kerk uit te komen zonder het geheim prijs te geven: hij moest de tegenstander met zijn eigen wapens bestrijden.

Daarnet nog had hij met zijn vriend, Adolphe, in alle haast de strategie doorgesproken, had hem gezegd zijn oren met kaarsenwas dicht te stoppen. Het was een wanhopig plan, maar de vijand liet hem geen andere keus.

Liszt vuurde een ijzige blik op de Rus af, die op de buitenste stoel van de derde rij was gaan zitten, en begaf zich met afgemeten stappen naar de speeltafel van het orgel. Hier, op de kruising van het korte dwarsschip en de drie langschepen van de kerk, had de kapelmeester van de Saint-Eustache zijn tachtigkoppige orkest verzameld. Het meer dan dubbel zo sterke koor van mannen en knapen stond in de oostvleugel voor het hoofdaltaar.

De kapelmeester pakte zijn dirigeerstok. Het werd stil. En toen begon het meest uitzonderlijke concert dat de Saint-Eustache ooit had meegemaakt.

De eerste maten waren heel rustig. Hoewel Liszt elke noot van zijn *Graner Messe* uit zijn hoofd kende, kreeg hij er deze avond een vreemd, onheilspellend gevoel bij. Toen de hoorns opklonken, weergalmde het voor hem als een waarschuwend 'Wie is het?' door een donker bos.

De strijkers antwoordden dreigend: 'Het zijn de Duisteren.'

Driemaal zond het orkest de vraag het hoge gewelf van de kathedraal in, en even zo vaak volgde het griezelige antwoord. Daarna pas steeg het plechtige Kyrie uit het koor op.

Op dit punt mengde de componist zich hoogstpersoonlijk in het gebeuren; zijn vingers daalden neer op de toetsen. Franz Liszt kon in elke melodie een gouden draad inweven, die zowel mannen als vrouwen fascineerde. Met deze unieke gave wist hij elk gevoel los te maken waartoe mensen maar in staat waren: liefde en haat, vrijgevigheid en hebzucht, bewondering en afschuw.

Al had hij de kapelmeester van zijn plan 'een beetje te improviseren' op de hoogte gebracht – 'Blijft u maar gewoon verder dirigeren' –, deze kromp abrupt ineen toen uit de orgelpijpen opeens een wanklank knalde, die als het salvo van een vuurpeloton de stemmen van het koor neermaaide.

Liszt hield zich even wat in. Hij mocht het niet overdrijven. Met de vaardigheid die hem eigen was, ondersteunde hij een paar maten lang de strijkers en hoornblazers. Zijn blik zocht naar Nekrasov, maar kon hem niet vinden in het publiek en dwaalde verder naar het zuidelijk dwarsschip... Liszt huiverde.

Nekrasov was naar de commandant van de militaire eenheid gesneld en speelde hem op een herdersfluit iets voor. Het draait dus uit op een tweestrijd, dacht Liszt, over de vraag wiens klanken der macht het sterkst zijn. Om de controle over de kathedraal te krijgen, heeft Nekrasov de officier en zijn mensen nodig. Als een slangenbezweerder dringt hij al fluitend zijn wil aan hun onderbewustzijn op.

Het orgel weergalmde harder. Alleen al het pure geweld van het geluid was een machtig wapen. Liszt richtte zich weer op de manualen, zodat zijn gave zich ongehinderd kon ontvouwen. Op het orgel schiep hij een betoverend vlechtwerk van klanken dat nog nooit op een muziekblad had gestaan.

Slechts enkele maten later voltrokken zich tussen de hemelbestormende pijlers van de kerk merkwaardige dingen. Uit het zuidelijk dwarsschip weerklonk tromgeroffel. Het publiek werd onrustig. Niet zozeer omdat de militaire kapel het heilige werk van de grote componist verstoorde, maar vanuit een plotselinge, volkomen onverklaarbare behoefte van de mensen om zich te laten horen. Zelfs de dames en heren uit de hogere kringen begonnen vrolijk met elkaar te kletsen. Enkele beschermheren van de Saint-Eustache stonden van hun stoel op, bepaald niet om het onbehoorlijke gedrag een halt toe te roepen, maar om de collectebussen, die ze hun vrouwen uit handen hadden gerukt, als tamboerijnen te gebruiken.

Terwijl de bestuursleden van de kathedraal rinkelend met hun geldbussen tussen de rijen door liepen, werden de premièregasten ineens bijzonder vrijgevig. Overal werden beurzen getrokken. Algauw vulden munten en zelfs bankbiljetten de schalen der barmhartigheid, allemaal voor het welzijn van de arme kinderen uit het tweede arrondissement.

Liszt glimlachte tevreden. Als hij dan de klanken der macht voor zichzelf gebruikte, dan moesten de armsten der armen er ook iets aan hebben. Hij draaide zich naar zijn vriend om.

Adolphe Sax zat op een ereplaats niet ver van het orgel. Er stonden zweetdruppels op zijn hoge voorhoofd. Hij leek onzeker, zelfs van slag. De kaarsenwas in zijn oren beschermde hem redelijk goed tegen het schokkende klankgeweld, maar hij kon alles nog steeds prima zien. De meester knikte hem bemoedigend toe.

Het Kyrie liep ten einde en het tweede deel van de mis, het Gloria, begon. De commandant in het zuidelijk schip probeerde uit alle macht de discipline onder zijn mannen te handhaven. Sommigen werden naar de geldbussen getrokken, anderen waren luidruchtig manoeuvres aan het evalueren. Ook in het orkest heerste al een behoorlijke chaos; de behoefte onder de mensen in de kerk om zich te laten horen greep om zich heen en werd op zeer uiteenlopende wijze geuit. Talloze instrumentalisten waren eenvoudigweg opgehouden te spelen en praatten met elkaar. Sommigen waren zelfs aan het ruziën. Anderen droegen weer aan de vertoning bij door eigen, niet altijd even harmonische variaties te spelen. Doordat het koor qua ledenaantal groter was, bleef er onder de zangers nog voldoende stemkracht over om God te eren. Maar ook daar zou algauw verandering in komen.

Toen de tenor het Credo aanhief, snauwde de officier opeens: 'Geweer over schouder!'

Meer als in een reflex dan uit vrije wil volgden ettelijke infanteristen het bevel op. Heel even verzetten de marionetten zich tegen de touwtjes waarmee ze door Liszt en Nekrasov heen en weer werden getrokken. Maar het effect op het soldateske onderbewustzijn was van korte duur. De bewegingen van de soldaten werden zienderogen ongecontroleerder. De commandant zwaaide met zijn sabel en brulde nog een bevel, dat echter nauwelijks nog iemand hoorde en waar uiteindelijk ook niemand op reageerde.

Tijdens het Sanctus veranderde de kerk in een kermis. Zelfs de muziekcritici waren opgehouden naar het concert te luisteren, dat deze naam sowieso niet meer verdiende. De mensen dáchten nog wel een mis te horen, maar in werkelijkheid bevonden ze zich in een trance die hen van ieder oordeelsvermogen beroofde. Ze droomden met hun ogen open.

Het stond Liszt enorm tegen de macht der klanken op deze manier te gebruiken, maar wat moest hij anders? Met een hoofdknik gaf hij Sax een teken.

De dankzij de offerkaarsenwas geïmmuniseerde orkestleider hees zijn corpulente lichaam uit de stoel omhoog en haastte zich naar de speeltafel. Onbehaaglijk keek hij naar de vingers van de meester, die als derwisjen over de manualen dansten.

Het Sanctus was afgelopen. Snel trok Liszt met zijn linkerhand tussen het bovenste manuaal en de muzieklessenaar een zwarte map vandaan. Daar zaten de bladen in waar het lot van de wereld van afhing. Terwijl hij een meeslepende variatie van het Agnus Dei speelde, liet Sax de map onder zijn zwarte rokkostuum verdwijnen. Hij knikte de meester toe en liep via het lange hoofdschip in westelijke richting weg, langs honderden mensen, die wakend droomden en niet op hem letten.

Ook voor de soldaten bij de uitgang bleef hij onzichtbaar. Hij deed de zware deur van het middenportaal open, draaide zich nog eenmaal om en schudde zijn hoofd. De Saint-Eustache was een gekkenhuis geworden.

Adolphe Sax liep naar buiten om de geheimzinnige muziekbladen naar de door de meester genoemde boodschapper te brengen. Liszts indringende woorden waren overduidelijk geweest.

'Je moet de windroos voor me in veiligheid brengen. Er is een bibliotheek in Weimar...'

INTRODUZIONE

WEIMAR

✳

Nu [...] wil ik graag eerst aan Weimar denken, aan mijn vaste ster, waarvan de weldadige stralen mijn lange weg verlichten.

Franz Liszt, 1846

I

Telkens weer vragen we ons af of het waar is wat we horen en zien; beide
zintuigen zullen nauwelijks genoeg zijn om ons ervan te overtuigen dat
deze enorme snelheid, dit samenvoegen van de massa's, werkelijk bestaat.
Het suist aan ons voorbij als droomfiguren, daarvan nemen we alleen het
diepste besef mee, dat een geest deze vormen beheerst [...]

— Ludwig Rellstab, 1842, over Franz Liszt

Van de illusionisten staan de musici het dichtst bij de magische kunst. Niemand wist dit beter dan Sarah d'Albis. Zelfs binnen de kleine groep van 's werelds beste pianisten gold zij als een uitzonderingsgeval. Haar spel was als het zonlicht dat de kleuren van de regenboog zichtbaar maakt. Wanneer zij de donkere materie van haar instrument met de bewogen geest van een grote compositie bezielde, ontwaakten bij haar toehoorders als vanuit het niets de meest heftige emoties.

Het speciale gevoel voor de suggestieve kracht van klanken zat Sarah in het bloed, al kon ze die avond nauwelijks weten dat dit ook letterlijk zo was. Toch had ze vaag het idee dat ze binnen een paar minuten iets bijzonders, misschien wel unieks zou ervaren. Dit onbewuste gevoel had ze niet meer kunnen kwijtraken sinds ze een paar uur geleden een korte blik op de partituur had mogen werpen, die zo meteen voor de allereerste keer in het openbaar ten gehore zou worden gebracht en daarna in de grote foyerzaal in het originele handschrift van de componist zou worden gepresenteerd. Alles in Sarah snakte ernaar om als gastsoliste mee te mogen spelen op het podium van het eerbiedwaardige Deutsches Nationaltheater in Weimar, maar uitgerekend in dit stuk zat geen enkele noot voor de piano. Ze had het gevoel alsof men haar toverstaf had afgepakt.

Ze zat nu op de eerste rij, ingesloten tussen een bijna tweehonderdvijftig kilo zware minister en een graatmagere muziekcritica, wier ellebogen even scherp waren als haar beruchte pen. Sarah betrapte zich erop dat ze was onderuitgezakt in haar stoel en haar benen had uitgestrekt om tenminste nog met haar tenen dat te raken wat helemaal haar element was: het voetlicht. Daarbij ving ze van de columniste een geamuseerde blik op die tot een interview leek uit te nodigen.

Snel ging Sarah weer rechtop zitten en waande zich een vis: ze luisterde naar het geruis van de zee, zo dichtbij en toch zo oneindig ver weg, omdat ze met een walvis en een langoest de kleine ruimte van een viskist op het strand moest delen. Om zich niet meer in de kaart te laten kijken en de uitgestoken voelsprieten van haar buurvrouw geen verkeerde signalen meer te geven, deed ze alsof ze ineens enorm geïnteresseerd was in de inrichting van het theater.

De hoge zaal had een wit, honingraatachtig plafond uit de tijd van de DDR, met vierkante lichtstalactieten. De sfeer van het lichte eikenhout daaronder straalde onmiskenbaar de charme uit van de late jaren zeventig van de vorige eeuw. Toen Sarah zich niet meer bekeken voelde, richtte ze haar blik weer op het podium. De musici speelden nog steeds allemaal door elkaar, zogenaamd om hun instrumenten te stemmen.

Daarnet was voor de derde keer het einde van de pauze aangekondigd, niet door een bel, zoals in andere gebouwen gebruikelijk was, maar door een fanfare van de toenmalige kapelmeester van Weimar, Richard Strauss. De laatste treuzelaars haastten zich naar de zaal. Algauw waren alle plaatsen bezet. Het geroezemoes bedaarde. Iedereen keek verlangend uit naar het hoogtepunt van deze bijzondere avond: de oeruitvoering van een compositie die pas kortgeleden opnieuw was ontdekt.

De met wilde pennenstreken op papier gezette noten hadden, achter een ingelijste kaart van Europa, in een meer dan honderdvierentwintigjarige doornroosjesslaap verkeerd. Hieraan was een bruut einde gekomen toen op 2 september 2004 een vernietigende brand de rococozaal van de Herzogin-Anna-Amalia-Bibliotheek verwoestte. Meer dan zestigduizend oude boeken, handschriften, kaarten en muziekstukken liepen daarbij schade op of gingen zelfs onherstelbaar verloren. De genoemde landkaart was echter vrijwel onaangetast gebleven. Toen men hem uit de beschadigde lijst haalde, kwam er iets opzienbarends achter vandaan: vierentwintig muziekbladen van de hand van Franz Liszt!

De meester had zijn werk *Grande Fantaisie Symphonique sur 'Devoirs de la vie' de Louis Henri Christian Hoelty* genoemd – 'Grote symfonische Fantasie over 'Lebensplichten' van Ludwig Heinrich Christoph Hölty'.

Dergelijke omvangrijke titels waren bij componisten uit de negentiende eeuw geen zeldzaamheid. Volgens de wens van de meester had de oeruitvoering van zijn stuk, vreemd genoeg, ondanks het winterse jaargetijde al op 13 januari 1881 op de binnenplaats van het residentieslot in Weimar moeten plaatsvinden, maar om onverklaarbare redenen was het achter de landkaart terechtgekomen en vergeten. De opbrengsten van de oeruitvoering nu moesten bijdragen aan het herstel van juist dat gebouw dat door de stormen der tijd bescherming aan het werk had geboden.

In gedachten verzonken tastte Sarah naar de hanger onder de zachte wol van haar trui. Eigenlijk was ze hier dankzij dit erfstuk, dat, zoals in een brief van haar moeder stond, ooit van haar 'grote voorvader Franz Liszt' was geweest. Sarah had nog steeds haar twijfels over deze bewering, die haar de wanhopige poging van een nog wanhopiger vrouw toeleek om haar dochter meer dan alleen wat scherven na te laten. Ook daarom had Sarah haar geheim lang voor zich gehouden. Totdat een paar maanden geleden uitgerekend Hannah Landnal – de langoest rechts van haar, 'magere Hannah genoemd' – erachter was gekomen.

Eigenlijk had Sarah zich zelf verraden. In het interview was de muziekcritica telkens weer over haar 'frappante gelijkenis met de pianogod uit de negentiende eeuw' begonnen. De zinnelijk donkere ogen onder de fraai gevormde wenkbrauwen, de aristocratisch lange, slanke neus tussen de beschaafd geprononceerde jukbeenderen, de kleine mond en de spitse kin – dat alles was op een zachte, vrouwelijke manier 'typisch lisztiaans', had Landnal gezegd, en ze had er snel aan toegevoegd: 'Maar natuurlijk volkomen absurd. La d'Albis en Franz Liszt bloedverwanten? Wie, behalve ik, bedenkt nu zulke onzin!'

Als antwoord op de uitdaging was Sarah maar één ding te binnen geschoten: 'Mijn moeder.'

Met deze lichtvaardige opmerking had het lot zich voltrokken. Wanneer een operadiva als Joséphine d'Albis iets dergelijks had beweerd, dan moest het wel waar zijn. Niemand stoorde zich eraan dat deze kroongetuige in eigen zaak nergens meer naar gevraagd kon worden, omdat ze al bijna twintig jaar dood was. Haar dochter droeg de bewijzen tenslotte in haar gezicht. Talloze deskundigen boden zich aan om Hannah Landnals theorie degelijk te onderbouwen. Zo speelde de bekende computerkunstenares Lilian F. Schwarz het zelfs klaar om via *morphing* Sarahs gezicht uit Liszts portret tevoorschijn te toveren. En omgekeerd. Zo vaak als ze maar wilde! Met deze techniek liet een verwantschap tussen Winston Churchill en elke willekeurige bulterriër zich ook bewijzen, maar door dat soort futiliteiten hebben de media zich nog nooit een groot verhaal door de neus laten boren.

Inmiddels twijfelde nauwelijks nog iemand eraan, afgezien van Sarah, dat ze van de grote virtuoos en componist afstamde. Je kunt je wel voorstellen hoe verrukt ze deze avond was geweest om haar ereplaats uitgerekend naast de magere Hannah te vinden...

Sarahs gedachtegang stokte. In haar gepeins had ze het orkest tot nu toe alleen maar gezien als een groot kakofonisch geheel van klanken, maar zoeven waren haar helemaal rechts achterin twee donkere ogen opgevallen, waarmee ze hypnotiserend werd aangestaard. Ze huiverde. Sinds er vorig jaar een stalker in haar Parijse woning had ingebroken, haar kasten had doorzocht en zich aan haar ondergoed had vergrepen, had ze de neiging hysterisch te reageren als mannen haar zo aangaapten.

Haar optredens in het openbaar waren altijd eerder speels dan bescheiden geweest, maar na die traumatische weken waarin ze door deze stalker was achtervolgd, had ze ervoor gekozen zo min mogelijk op te vallen. Met weinig succes.

Ze had nu eenmaal iets speciaals, waardoor mensen haar opmerkten als ze ergens binnenkwam. Dit had niet zozeer met uiterlijkheden te maken. Zeker, haar figuur mocht er zijn. Sarah was slank, zonder schonkig te zijn, maar had met haar één meter zeventig nu ook niet bepaald de voorgeschreven lengte van een model. Toch waren het niet deze dingen die haar zo aantrekkelijk maakten voor het andere geslacht, maar wel haar natuurlijke uitstraling.

Deze avond droeg ze haar lange, gladde lichtbruine haar in een eenvoudige paardenstaart, en daarbij had ze een coltrui van leikleurige alpacawol, een lichtgrijze broek en pumps aan. Niets spectaculairs dus, maar de paukenist fixeerde haar desalniettemin als een roofdier zijn buit.

De reus was een opvallende verschijning. Hij had een kaal hoofd, een borstelige snor en een postuur als van een worstelaar. Zijn rokkostuum zat zo strak als het drukpak van een ruimtevaarder; waarschijnlijk had hij het gehuurd.

Al toen de musici binnenkwamen, had de aanwezigheid van Valéri Tiomkin Sarah verrast. De uit Rusland afkomstige Fransman maakte eigenlijk deel uit van het Orchestre de l'Opéra National de Paris, dat ze als soliste al herhaaldelijk had begeleid. Bijna net zo goed kende ze de staatskapel van Weimar; nog maar vijf dagen geleden had ze op deze zelfde plek een benefietconcert gegeven. Het ensemble beschikte over twee paukenisten.

Zelfs wanneer er eentje uitviel, hoefde men dus niet op een vervanger uit een vreemd orkest terug te vallen. En al helemaal niet op een musicus uit Parijs. Het was allemaal meer dan vreemd.

Demonstratief richtte Sarah haar blik op de eerste vioоliste, maar haar gedachten dwaalden af naar het verleden. Ze vocht tegen een ander akelig gevoel dat ze ineens kreeg toen het tot haar doordrong dat ook de stalker die haar het afgelopen jaar het leven tot een hel had gemaakt een Rus was geweest: Oleg Janin, een Moskouse muziekprofessor die...

'Zien we elkaar ook weer bij het *Amsterdams Voorjaarsontwaken*?' viel Hannah Landnal – de muziekcritica – met zogezegd bruut geweld de onrustige herinneringen van haar buurvrouw binnen. De vraag sloeg op een klassiek festival dat iedere twee jaar in de eerste week van april in Amsterdam werd georganiseerd.

'Nee, ik heb deze keer een time-out genomen,' antwoordde Sarah, en ze rekende al op het typische journalistenantwoord: 'Waarom?', maar werd gered door het applaus van het publiek.

Jac van Steen, de algemeen muziekdirecteur en eerste dirigent van de staatskapel van Weimar, was zojuist het podium op gestapt. Hij wilde de kans niet voorbij laten gaan om op deze speciale avond het orkest persoonlijk te leiden. De rijzige Nederlander maakte een buiging. Het zaallicht ging uit. Hij draaide zich om en hief zijn armen op. Het applaus ebde weg. Sarah deed haar ogen dicht. En de muziek begon.

Heel zachtjes. De klank van een enkele dwarsfluit zweefde donker en vol door de concertzaal. Onwillekeurig werd Sarah aan de eerste maten van Maurice Ravels *Bolero* herinnerd. Voor haar geestesoog werd de melodie in de verte als een reeks kleurige bolletjes en banen naar ergens boven op de tweede rang de lucht in gegooid; sierlijk als een zijden sjaal rolde hij zichzelf nu van het plafond naar beneden uit en gleed langzaam aan Sarah voorbij.

Dergelijke waarnemingen waren voor haar normaal, want ze kon muziek in kleurige vormen en vlakken zien.

Velen beschouwden dit als magie, anderen als hallucinaties, maar het was noch het een noch het ander. Sarahs hersenen vertaalden een prikkel gewoon in twee verschillende zintuiglijke indrukken. Daarvoor hoefde ze geen toverformules te mompelen, het gebeurde vanzelf. Wetenschappers noemen dit vermogen synesthesie, wat letterlijk 'samen waarnemen' betekent; de betrokkenen onderling noemen elkaar 'synnies'. Er bestaan mensen voor wie letters en cijfers per definitie gekleurd zijn. Sarah kende een fluitiste die intervallen kon proeven. En net als zij, de begenadigde pianiste, zagen de meeste synnies klanken in kleurige vormen. Daarom wordt dit type synesthesie ook wel *audition colorée* genoemd, ofwel 'kleurenhoren'.

Maar in één opzicht waren Sarahs dubbelwaarnemingen toch wel heel bijzonder: als voor haar geestesoog de uit klanken ontstane beelden verschenen, dan was het timbre hierop van wezenlijke invloed. Dezelfde melodie zag er voor haar dus steeds anders uit, afhankelijk van de wijze waarop de klankkleur door muziekinstrument en ruimte werd beïnvloed. Een concert met een piccolofluit in een heel kleine ruimte was slechts een vage kleurpotloodschets, de overeenkomstige orgelpartij in een kathedraal daarentegen een weelderig olieverfschilderij. Sarahs veel geprezen uitdrukkingskracht bij haar interpretatie van grote meesters schreef ze grotendeels toe aan dit bijzondere functioneren van haar brein.

De klanken die ze op dit moment waarnam leken, al naar gelang de duur, op fluwelen bollen en banen. Een zilveren dwarsfluit zou ongetwijfeld als glas glinsterende vormen hebben opgeleverd. Liszts instrumentatie was excentriek, een waar anachronisme. Sarah vroeg zich af of hij aan de in zijn tijd al antieke barokdwarsfluit van hout de voorkeur had gegeven boven een modern instrument van metaal omdat hij net als zij een synnie was geweest.

Als een puber in de bioscoop zakte ze weer verder onderuit in haar stoel. De korte blik van gisteren op de partituur was genoeg geweest om haar een globaal idee te geven van hoe het stuk zou verlopen. Het dromerige begin was bedrieglijk. Zo meteen zou het Nationaltheater op zijn kop staan.

Opeens barstten alle instrumenten uit in een ontzettend kabaal. De jonge pianiste moest een glimlach onderdrukken. Het abrupte forte fortissimo van het orkest had tot op zolder de doden wel kunnen opwekken. En dat was alleen nog maar het akoestische effect. Voor Sarah kwamen er bij de donderslag ook nog eens een kleurige bolbliksem en banen die gloeiden als het noorderlicht. Achter dit alles hing een purperkleurige regen.

Even plotseling als het spektakel was begonnen hield het ook weer op. Alleen de strijkers bleven over en ontrolden voor het volgende onderdeel een magisch klankentapijt in verschillende groenschakeringen.

Maar toen zette de harp in.

Op het glazen scherm in Sarahs hoofd verschenen kleurige druppels, die in elkaar overliepen. Na de eerste klanken schrok ze even en fronste verbaasd haar voorhoofd. Haar spieren spanden zich. Zoiets had ze nog nooit gezien. De gekleurde stippen verschenen bepaald niet willekeurig, zoals dat gebruikelijk was bij audition colorée. In plaats daarvan keek ze naar een harmonisch samenspel van lijnen die de harp als het ware met een brede kalligrafeerpen in haar geest tekende. Sarah sperde haar ogen open.

Maar daar verdween het verontrustende beeld niet mee; er kwam er alleen nog maar eentje bij: de kaalhoofdige paukenist in het orkest, die haar aangaapte alsof hij haar met zijn blik wilde doorboren.

Ze ging kaarsrecht zitten, hapte naar adem en greep naar haar borst. Naast haar vroeg een stem of het wel goed met haar ging. Sarah negeerde hem. Haar bewustzijn drong alles naar de achtergrond, deed Hannah Landnal, de paukenist en het hele theater bij het geheel van licht en kleur in het niet vallen.

Het was een oplichtend symbool, zo duidelijk dat ze het zou kunnen vastpakken.

Wat de oningewijde waarschijnlijk spontaan als een grote Z interpreteerde, was in feite een samensmelting van de letters F en L. Het leek alsof een laserstraal de zwierig gevormde letters in de lucht had gebrand. Maar ze waren, zoals Sarah heel goed wist, enkel een neuronale vonkenregen in haar brein, een concreet geworden harpgeluid.

En niettemin een getrouwe weerspiegeling van de werkelijkheid.

Sarahs linkerhand sloot zich om de hanger onder haar trui, die volmaakte miniatuur van het beeld dat de harp net had getekend, een gouden kleinood met acht saffieren, dat haar moeder al had gedragen tot het moment dat het in het duister van een grote envelop was opgehouden te schitteren.

Je vertegenwoordigt de zesde generatie in het nageslacht van je grote voorvader Franz Liszt. Houd zijn signet in ere. Maar laat het aan niemand zien totdat de dag van de openbaring is aangebroken!

Deze geheimzinnige waarschuwing in haar moeders afscheidsbrief was Sarah altijd een raadsel geweest. Maar nu had ze met de oeruitvoering van de zo lang verdwenen partituur haar openbaring gekregen: een compositie, die zonder twijfel van Franz Liszts hand was, toonde haar precies dat signet dat ze als hanger om haar nek droeg. Ze beefde van opwinding.

Behalve zij kon vermoedelijk niemand anders in de zaal dit bewijs van haar afkomst zien, want de waarnemingen van elke synestheet waren zo persoonlijk als een vingerafdruk. Aan de andere kant... hoe had Liszt dit symbool dan kunnen creëren?

Terwijl een deel van Sarahs bewustzijn nog met deze tegenstrijdigheid aan het worstelen was, namen andere regionen al een verandering in het spel van de harp waar. De nagalm van de snaren die het monogram secondenlang voor Sarahs geestesoog hadden gehouden, werd opeens door een reeks snelle akkoorden overstemd. Als in een flipboekje dat je snel doorbladert, kiepte het FL-signet geleidelijk achterover, maakte een halve draai, en zag er weer uit als tevoren.

Ongelooflijk! Sarahs hart ging tekeer. Een overweldigend geluksgevoel doorstroomde haar. Deze harmonie van klanken overtrof alles wat ze ooit met haar nauw met elkaar verweven zintuigen had waargenomen.

De symmetrie in het assenkruis van het embleem was haar daarentegen tien jaar geleden aan de hanger van haar moeder al opgevallen. Je kon het horizontaal of verticaal draaien en kreeg toch steeds weer hetzelfde signet te zien. Ze had toentertijd meteen aan het beroemde spiegelmonogram van Johann Sebastian Bach moeten denken. Elk van de drie beginletters van zijn naam kwam daarin tweemaal voor: één keer rechtop staand en één keer op zijn kop. De maker van het FL-signet was dit echter met slechts twee tekens gelukt.

Met de klank van de laatst getokkelde harpsnaar verdween ook het symbool.

Sarah dacht dat ze hiermee de grootste verrassing van de avond wel had gehad, maar het signet was slechts de aanloop tot een nog veel aangrijpender klankschildering. Bij de strijkers voegden zich nu de kleuren van andere instrumenten: het geel van de hout- en koperblazers en zelfs het diepe rood van de pauk namen hun plaats in het levendige fresco in. Sarah had amper ademgehaald toen een nieuw 'visioen' haar perplex deed staan.

Voor haar ogen verscheen een reeks lettertekens, alsof een onzichtbare hand een onheilspellende waarschuwing op een glazen wand schreef, die langzaam aan haar voorbijschoof. Klanken werden gekleurde stippen, die weer hoofdletters werden, en uit de grote beginletters ontstonden woorden, die algauw zinnen vormden.

Zonder punten en komma's openbaarde zich tijdens het concert een zeer verontrustend gedicht:

KLEURENHOORDERS NEEM JE IN ACHT
DE ZWARTE MELODIE DER MACHT

STAAT VOOR VERRAAD DAT ALLEEN HIJ KAN VERIJDELEN
DIE DE PURPERPARTITUUR KAN BEGRIJPEN

OM HEM TE SPELEN NA HEM TE VINDEN
MAAK JE TOT KONING ALLER BLINDEN

ALLEEN ZO VOERT JE MEESTERS INSTRUMENT
JE VAN AS TOT N + BALZAC EN TOT HET END

SPOED DE WIL VAN HET VOLK VLECHT REEDS ALEXANDERS KRANS
BINNEN SLECHTS TWEE MAANDEN WAAIT HIJ OP ZIJN GRAF FRANZ

Met het laatste woord eindigde ook het concert, alsof de meester het met zijn naam had ondertekend. Sarah was in shock. Klam van het zweet zat ze in haar stoel, niet in staat zich te verroeren.

De toehoorders in de zaal begonnen te applaudisseren. Eerst alleen hier en daar. Blijkbaar had Franz Liszt het publiek met zijn gedurfde harmonieleer weer eens verdeeld. Al tijdens zijn leven riepen zijn extravagante klankcreaties, die aan de atonaliteit grensden, evenzeer bittere tegenstand als vurige bewondering op. Nog steeds werd noch zijn leven door de historici, noch zijn werk door de muziekanalytici volledig begrepen. Misschien omdat al deze deskundigen een groot stuk van de puzzel misten? Namelijk dat deel van de muziek dat zo-even voor Sarahs geestesoog was verschenen?

In het Deutsches Nationaltheater won de sensatie het uiteindelijk van de irritatie. Het hele publiek applaudisseerde nu. Alleen de pianiste op de eerste rij klapte niet. De klankboodschap had haar letterlijk verlamd.

Vooral met het slotvers had ze grote moeite. Was het zoals het klonk: een waarschuwing voor een moordcomplot? Hoe zou je het anders moeten opvatten, wanneer Liszt de dood van die Alexander al twee maanden van tevoren had aangekondigd?

'... u niet onmiddellijk iets zegt, dan roep ik een arts.'

De gebiedende stem van Hannah Landnal drong eindelijk tot de hogere regionen van Sarahs bewustzijn door. Ze knipperde met haar ogen en merkte nu pas dat het in de zaal weer licht was geworden. Achter zich hoorde ze het gerumoer van een stuk of wat mensen die enorm veel haast hadden om als eerste bij de garderobe aan te komen. In het orkest legden enkele musici hun instrumenten neer. De paukenist was er al stilletjes vandoor gegaan.

Sarah draaide haar hoofd naar rechts en zag twee kersrode lippen die onophoudelijk bewogen. 'I-ik voel me prima,' hakkelde ze.

'Zo ziet u er anders niet uit,' bracht de critica ertegen in.

'De *Fantasie* van mijn... ik bedoel, Liszts compositie heeft me... verpletterd. Zo zeg je dat toch in jullie taal?' Sarah kende het woord maar al te goed. Behalve haar moedertaal sprak ze vloeiend Duits en Engels, evenals – zij het in iets mindere mate – Italiaans.

'Ja, zo zeg je dat,' antwoordde Landnal, en ze nam haar met toegeknepen ogen op.

Sarah dwong zichzelf tot een glimlach, stond met overdreven zwier op van de aardbeikleurige stoel, omklemde met beide handen de dubbele riem van haar zwarte handtas en zei vol overtuiging: 'Er is niets aan de hand. Echt niet!'

De argwaan verdween van het rimpelige gezicht van de critica. Onder het opstaan toverde ze met de gratie van een goochelaarster een pen en notitieblok uit haar handtasje tevoorschijn. 'Ik ben het trouwens met u eens, madame d'Albis. Het lijkt me dat Liszt in zijn graf in zijn vuistje lacht, omdat hij de muziekwereld weer eens op zijn kop heeft gezet. Dit werk levert waarschijnlijk stof voor zo'n honderd proefschriften op. Hebt u aan uw oordeel van daarnet misschien nog iets toe te voegen? Wat betreft de compositie van uw voorvader, bedoel ik.'

'Excuse me, madame d'Albis,' klonk opeens een vreemde stem in het Engels vanuit de achtergrond op, en hij maakte daarmee ook meteen een eind aan de verwoede poging van de magere Hannah om een interview met haar te beginnen.

Sarah, blij dat ze op een nette manier aan de critica kon ontkomen, draaide zich om. Voor haar stond een jongeman, die op een eigenaardig nadrukkelijke maar niet onprettige manier naar haar glimlachte. In zijn hand hield hij een ansichtkaartgrote foto van haar, een van de vele die voorafgaand aan haar laatste concert waren verspreid. Hij was ongeveer midden dertig, was een halve kop groter dan zij en had vol zwart haar en blauwe ogen. Zijn scherpe gelaatstrekken leken te bevestigen wat het zware accent waarin hij zich had verontschuldigd al had doen vermoeden.

Alweer een Rus, dacht Sarah, en ze verbeterde zichzelf meteen: maar wel een Rus die er behoorlijk goed uitziet.

Daarna namen de reflexen van de mediaster de controle over haar handelen over. Ze schonk de man een professionele glimlach, nam de kaart uit zijn hand, draaide zich om en griste de stift uit de hand van de tot een zoutpilaar verstijfde, grimmig kijkende critica. Geroutineerd zette ze haar handtekening op de foto.

'Madame d'Albis, ik moet u beslist iets vertellen,' probeerde de Rus nog eens in het Engels.

Sarah reikte hem de kaart weer aan, en al maakte hij geen aanstalten die aan te pakken, toch glimlachte ze nogmaals. Vriendelijke afstandelijkheid was de beste manier om je privésfeer te beschermen. Fans konden als klitten zijn als je je tot een gesprek met hen liet verleiden. Toen de Rus diep ademhaalde om het verhaal, dat hij vermoedelijk dagenlang had ingestudeerd, toch nog kwijt te kunnen, was Sarah hem – eveneens in het Engels – te snel af.

'Neemt u me alstublieft niet kwalijk, maar ik heb vandaag nog heel wat verplichtingen.' Dat was niet eens gelogen. De intendant van de schouwburg had haar uitgenodigd voor een drankje in zijn kantoor. Sarah had op dit ogenblik echter geen enkele behoefte aan smalltalk en roze champagne. Nog steeds warrelden de geheimzinnige woorden van de klankboodschap als kleurige glitter door haar hoofd. Ze wilde alleen zijn, wilde eindelijk over al die verwarrende indrukken nadenken.

'Maar...' begon de Rus opnieuw. Terwijl Sarah zich nog afvroeg waarom hij de kaart met haar handtekening erop niet aanpakte, kwam Landnal tussenbeide.

'Neemt u me niet kwalijk, jongeman, maar ik ben van de pers en ik was het eerst met madame d'Albis in gesprek.' Ook de critica beheerste de Engelse taal. Om haar recht te benadrukken, manoeuvreerde ze haar magere lichaam in een tactisch gunstiger positie tussen de fan en de pianiste. Daardoor had ze haar flank niet in de gaten gehouden en gaf ze een andere Sarah d'Albis-bewonderaar de gelegenheid tot de aanval over te gaan.

'Excusez-moi, madame d'Albis,' zei de paukenist in het Frans.

Sarah slaakte innerlijk een kreet van woede. Hebben ze soms allemaal dezelfde tekst geleerd, om me gek te maken? Uiterlijk bleef ze vriendelijk en ze deed alsof ze verrast was.

'Monsieur Tiomkin!' De geënerveerde ondertoon had iedereen in het gezelschap wel gehoord. De blik in de vaalblauwe ogen van de paukenist gaf Sarah een akelig gevoel, alsof hij de spot met haar dreef. Terwijl ze naar een mogelijkheid zocht om te ontsnappen, vertelde de kaalhoofdige reus haar – nog steeds in het Frans – op onderhoudende toon hoe verrast hij wel was geweest een zo prominente collega en landgenote in de zaal te ontdekken. Zijn diepe, vleierige stem leek op een contrabas waar het slijm vanaf droop. Maar opeens werd hij gortdroog, haast dreigend.

'Wat vond u van het concert, madame?'

Ze draaide zich met een ruk om en keek in zijn vragende gezicht. Aarzelend antwoordde ze in haar moedertaal: 'Ik was onder de indruk.'

'Dat is me opgevallen.'

Sarah verslikte zich in haar eigen speeksel. Landnal klopte haar ijverig op haar rug.

De Russische fan had blijkbaar weer moed gevat en zei in het Engels: 'Het is echt dringend, madame d'Albis!'

Maar haar interview ging voor, drong de critica nog eens aan – nu zelfs in meerdere talen.

'Wat ik vooral zou willen weten is wat Liszts *Fantasie* bij u heeft losgemaakt,' preciseerde de Russisch-Franse paukenist onverstoorbaar.

Een koude rilling liep over Sarahs rug. Wist hij soms...?

'Neemt u me niet kwalijk, madame d'Albis,' zong een prettige bariton het inmiddels bekende liedje in een onmiskenbaar Zwitsers getint Duits.

Sarah draaide zich weer om en haalde opgelucht adem. Het gezicht met de baard van drie dagen en de vriendelijke ogen beloofde redding nu de nood het hoogst was. 'Meneer Märki! U vroeg zich vast al af waar ik bleef.'

Stephan Märki was de directeur-intendant van het Deutsches Nationaltheater en de staatskapel van Weimar. Hij fronste zijn voorhoofd. Het was hem aan te zien dat hij iets wilde zeggen in de trant van 'Zo veel haast hebben we nu ook weer niet', maar toen besefte hij waarschijnlijk in wat voor lastig parket Sarah zat en antwoordde hij opgewekt: 'In mijn kantoor ligt een verrassing op u te wachten, als dank voor uw geduld. Komt u maar, madame, dan vergezel ik u naar boven.'

Sarah schonk de groep bewonderaars een betoverende glimlach en hief voor de laatste keer het motief van de avond aan: 'Neemt u me niet kwalijk.' Toen ging ze er, eindelijk bevrijd, vandoor.

In gezelschap van de intendant verliet ze de zaal. Märki nam haar door een wit gesausd trappenhuis mee naar de volgende verdieping. Nu pas werd Sarah zich ervan bewust dat ze nog steeds de gesigneerde foto van de Rus in haar hand hield. Even voelde ze spijt een fan te hebben teleurgesteld. Aangezien er geen prullenmand in de buurt was, deed ze haar tas open om de foto daar eerst maar in te stoppen. Daarbij viel haar blik op de achterkant van de kaart. Onder de officiële tekst met een korte biografie en de gegevens van haar benefietconcert stond in het Engels een met de hand geschreven notitie:

Madame d'Albis!
Ik moet u waarschuwen. U verkeert in groot gevaar! Maar misschien kan
ik u helpen.
O. Janin.
ojanin@arts.msu.ru

EXPOSITIE

———

WEIMAR

❋

De grote mannen die door hun verblijf Weimar beroemd hebben gemaakt,
hebben daar wel hun magische sporen nagelaten, maar die zijn nog niet heel
diep [...]. Tegenwoordig is Weimar slechts een geografisch gegeven, een toe-
vluchtsoord, in ere gehouden vanwege de verwachtingen, die misschien in plaats
van de herinneringen zouden kunnen komen; een neutraal gebied [...]

Franz Liszt

2

De wonderen van je persoonlijke boodschap zou je zo moeten zien te
behouden, dat ze los van je leven als persoon stonden [...]
— Richard Wagner aan Franz Liszt

Een bijtende wind sloeg haar in het gezicht toen ze tussen de pilaren vandaan stapte. Sarah zette haar kraag op en duwde de kartonnen koker goed onder haar linkeroksel: de 'verrassing' van de intendant. Kordaat liep ze de paar treden af die van het hoofdportaal naar het theaterplein leidden. Het zou die nacht waarschijnlijk gaan vriezen. In elk geval regende het niet.

Ze besloot niet meteen naar het Russischer Hof terug te gaan. Het grand hotel was een prima plek om te verblijven, maar op dit moment had ze behoefte aan iets anders. Een kleine wandeling in de frisse lucht en misschien ook een glas rode wijn in een gezellig café zouden de donkere wolken in haar hoofd waarschijnlijk veel eerder verdrijven. Wat ze deze avond had meegemaakt, was niet zo gemakkelijk te verwerken: eerst het in elk opzicht visionaire concert en dan ook nog het bericht van die stalker...

Oleg Janin heette hij, muziekprofessor uit Rusland. Hij had Sarah het afgelopen jaar tot op de rand van een zenuwinzinking gebracht. Eerst door brieven, toen door telefoonterreur en ten slotte met de inbraak in haar Parijse woning. Samen met haar vriendin Hélène had zij hem op heterdaad betrapt toen hij door haar ondergoed zat te snuffelen. Met de hulp van een buurman hadden ze de perverseling vastgehouden totdat de politie zich eindelijk verwaardigde hem te arresteren. Omdat de man verder nergens van verdacht werd, was hij alleen tot een flinke geldboete en therapie veroordeeld. Bovendien had hij een gerechtelijk verbod gekregen om niet dichter dan driehonderd meter bij Sarah in de buurt te komen.

En nu probeerde die zieke vent haar door akelige onheilsboodschappen opnieuw van haar stuk te brengen. Gelukkig had ze met de hulp van een psychotherapeut beter met dit soort achtervolgingsgedrag leren om te gaan. Ze was hier niet de schuldige, maar het slachtoffer. Of de stalkers nu onder haatgevoelens of de emoties van een onbeantwoorde liefde leden, je moest ze in geen geval aanmoedigen. 'Mocht hij u in een bewoond gebied te na komen, schreeuw dan zo hard als u kunt. Maar meestal valt zo'n escalatie wel te voorkomen. Reageer er gewoon niet op als hij u lastigvalt en ga elk contact met hem uit de weg,' had de psycholoog haar op het hart gedrukt. 'Licht uw buren in, uw vrienden- en kennissenkring. Maar noteer vooral elk telefoontje, bewaar elke brief van hem, wis niet zijn berichten van het antwoordapparaat of de e-mails van uw computer. Dat zijn allemaal belangrijke bewijsmiddelen.'

Hoewel het corpus delicti Sarah tegenstond, had ze het naar een zijvak van haar handtas verbannen en besloten voorlopig maar even niet meer aan het onverkwikkelijke voorval te denken. Ongelooflijk dat deze psychopaat nu zelfs nietsvermoedende landgenoten opstookte om zijn terreurbrieven te bezorgen! Of zat de Rus, die ze misschien ten onrechte als fan had ingeschat, ook in het complot? Hoe dan ook, als Oleg Janin haar ook nog maar één keer lastigviel, zou ze ervoor zorgen dat hij in de gevangenis belandde.

Weimar was een kleine stad en het theaterplein was rond dit avondlijke uur zo goed als uitgestorven. Terwijl ze het overstak, liet ze het Goethe-Schiller-monument links liggen. Het toonde de beide dichter-koningen in een verbondenheid die ze tijdens hun leven volgens talloze geleerden nooit hadden gekend. Wellicht bestond er ook over de pianovirtuoos Franz Liszt een onjuist of op z'n minst onvolledig beeld. Zoals de verborgen klankboodschap in zijn *Fantasie* bewees, was hij vermoedelijk in zaken verwikkeld geweest die in geen biografie vermeld werden.

Terwijl Sarah op een steeg aan de overkant van het plein afstevende, draaide er een eindeloos bandje in haar hoofd. Niet alleen kon ze elke klank van het concert uit haar geheugen oproepen, maar ook, door de herinnering eraan, haar synesthetische ervaring in gedachten herbeleven. Liszts *Fantasie* zat vol met symbolische aanduidingen. Wie was de kleurenhoorder tot wie hij zich met zijn zo geniaal gecodeerde boodschap had gericht? Wat was de purperpartituur? En welke Alexander, die met zijn ene been al in het graf had gestaan, kon hij hebben bedoeld? Liszts jarenlange patroon en beschermheer in Weimar, de groothertog Carl Alexander soms? Als dat zo was, dan had de waarschuwing de ontvanger zeker bereikt, want de landsvorst had de noodlottige datum met ten minste twintig jaar overleefd.

Nee, verbeterde Sarah zichzelf, en ze omklemde de kartonnen koker die haar door de intendant van het Deutsches Nationaltheater met een beroep op haar begrip was overhandigd nog steviger: 'Beschouwt u het als een kleine goedmaker van de Klassik Stiftung Weimar, omdat we u zo lang hebben ontzegd het werk te bestuderen.' De medewerkers van het theater en de staatskapel, die in Märki's kantoor aanwezig waren geweest, hadden geapplaudisseerd en daarna was er met roze champagne een toost op de pianiste uitgebracht. De Zwitserse intendant stelde zeer uitdrukkelijk dat la d'Albis als geen andere nakomelinge van Liszt het erfgoed van de grote virtuoos belichaamde. Sarah vond het onprettig zo te worden opgehemeld en had zich dan ook vrij snel geëxcuseerd.

Zodra ze weer een beetje tot rust was gekomen, zou ze de partituur van haar geniale voorvader grondig bestuderen. Ook enkele schetsen, die vanavond niet waren gespeeld, zaten in de rol. En als bekroning van zijn geschenk had de theaterintendant er zelfs een kleurenkopie van de kaart van Europa bij gedaan waarachter het werk zo lang verborgen had gezeten. Terwijl Sarah zich naar de westelijke uitgang van het plein begaf, stelde ze zich voor hoe in de volop verlichte classicistische foyerzaal op de eerste verdieping van het Deutsches Nationaltheater op dat moment honderden premièrebezoekers en persvertegenwoordigers hun neus platdrukten tegen de vitrine waarin de originelen van de Lisztfantasie tentoongesteld lagen.

Eindelijk was ze bij de poort, met zijn twee hoekige stijlen, naar de Zeughof aangekomen, een aflopend straatje waarvan het laatste stuk alleen voor voetgangers toegankelijk was. Aan haar linkerhand lag het Bauhaus-Museum en rechts het gele Wittumspalais, waar hertogin Anna Amalia ooit had gewoond. De hakken van Sarahs pumps ketsten op het kinderkopjesplaveisel toen ze zich door het smalle, slecht verlichte gedeelte haastte.

Opeens hoorde ze voetstappen. Ze draaide zich om, maar de donkere steeg was verlaten. Vlug liep ze naar de tweede poort, en ze was blij toen ze de Zeughof eindelijk uit was.

Even bleef ze besluiteloos op de kleine kruising staan om zich te oriënteren. Links van haar zag ze een geel huis en daarvoor, op een plein dat naar de straat toe met kettingen en palen was omsloten, een bronzen sculptuur: een moeder met twee kinderen, het ene op haar arm, het andere aan haar hand.

Het beeld riep gemengde gevoelens bij Sarah op. Zelden had ze bij haar eigen moeder zoveel lichamelijke nabijheid mogen voelen als deze twee kleintjes. Joséphine d'Albis was in de laatste jaren van haar leven een in zichzelf gekeerde vrouw geweest.

De operadiva had haar carrière opgegeven nadat ze zwanger was geworden, en had zich onder een valse naam met haar pasgeboren kind op de Kleine Antillen teruggetrokken. Sarah kon zich nauwelijks herinneren haar moeder ooit vrolijk te hebben gezien. Joséphine leek in een onverklaarbaar verdriet gevangen te zitten, als een paradijsvogel die in een gouden kooi haar leven sleet.

De dochter had dit allemaal niet aangekund, had zichzelf de schuld van de depressies van haar moeder gegeven. Een tijdlang was zelfverminking de enige taal waarin het meisje haar gevoelens tot uiting wist te brengen. Maar Joséphines langzame sterven was daarmee niet tegen te houden geweest. Op de leeftijd van nog maar zevenendertig jaar verdween de eens zo gevierde sopraanzangeres op St.-Bartolomé onopgemerkt van het wereldtoneel.

Sarah was net negen geworden. Het huis aan het strand was nu van haar, had een onbewogen notaris tegen het aangeslagen kind gezegd. Maurice en Céline Frachet, goede vrienden van Joséphine, hadden haar toen naar Martinique gehaald en algauw daarna geadopteerd. Céline was pianolera- res en Maurice gepromoveerd astrofysicus. Over zijn vrouw en zichzelf zei Maurice altijd dat ze allebei musici waren, want volgens hem was muziek gewoon een ander woord voor harmonie. Hij had daarmee spontaan de nieuwsgierigheid van het weeskind gewekt, dat met een verlegen 'Waarom?' had gereageerd. 'Het is een geheim. Iedereen moet het voor zichzelf door- gronden,' antwoordde hij, en hij knipoogde samenzweerderig.

Maar Maurice had Sarah niet alleen laten staan met het raadsel. Hij was een geduldige en slimme leraar, kende talloze anekdotes uit het leven van grote astronomen, en bij ieder sterrenbeeld kon hij een verhaal vertellen. Als hij met Sarah naar de nachtelijke hemel keek, zei hij soms: 'Sst! Kun je het horen?' Ze was gek op dit spel, kroop nog dichter tegen aan hem aan en vroeg braaf: 'Wat dan, papa?' Hij antwoordde dan altijd met een onderdrukte glimlach: 'De *musica mundana*, de kosmische muziek.' En als ze nog niet te moe was, vertelde hij over de pythagoreeërs, die geloofden dat de hemellichamen zich volgens bepaalde harmonische getalsverhoudingen bewogen en daardoor de 'muziek der sferen' deden weerklinken. Voor nor- male mensen was die onhoorbaar, zei hij, maar niet voor een sterrenkind als zijn kleine Sarah.

Van Céline kreeg de wees niet minder aandacht. Aan haar dankte ze haar liefde voor de piano. Wanneer Sarahs vingers over het oppervlak van ivoor en ebbenhout dansten of haar blik langs de nachtelijke hemel dwaalde, vergat ze al het verdriet dat ze ooit had gehad. Haar afwijkende gedrag was algauw slechts een schaduw uit het verleden. Ook Joséphine vervaagde al snel in de herinnering van haar dochter.

Pas toen Sarah meerderjarig was geworden en ze door de onbewogen notaris een bruine envelop overhandigd had gekregen, drong haar moeder weer met kracht haar bewustzijn binnen. De oorzaak daarvan was de raadselachtige brief met de hanger. Vermoedelijk had het sieraad, zoals aan de sporen op de achterkant te zien was, oorspronkelijk op een ring van Franz Liszt gezeten, deelde Joséphine daarin mee. Hoewel deze in haar afscheidswoorden nog herhaalde malen de naam van haar 'grote voorvader' noemde, was Sarah er tot op deze avond niet echt van overtuigd geweest dat het FL daadwerkelijk voor de initialen van de beroemde musicus stond.

Ze sloeg links af de Geleitstraße in, omdat ze aan het eind ervan de lichtjes van enkele restaurants had gezien. De bronzen sculptuur van de liefhebbende moeder liet ze evenals de herinneringen aan haar eigen kinderjaren achter zich. En daarmee ook het lantaarnlicht.

Met elke stap werd de duisternis dichter. Er waren noch andere voetgangers, noch voertuigen te bekennen. Sarah stapte van het trottoir af, naar het midden van de smalle keitjesstraat. Snel liep ze langs oude, liefdevol gerestaureerde gevels van huizen de gezellig aandoende lichtjes aan het eind van het straatje tegemoet. Toen ze bijna haar doel had bereikt, werd haar aandacht getrokken door een grappig beeld dat aan de rechterkant een gevel sierde. Sarah vergat even haar beklemde gevoel toen ze naar de oude vrouw met de lange schort keek, die een schaal met Thüringse noedels voor zich hield.

Plotseling hoorde ze achter zich een motor ronken.

Instinctief sprong ze naar links om de weg vrij te maken. Pas op de stoep, waar ze zich veilig waande, draaide ze zich om naar het voertuig dat op haar af kwam stuiven. De auto reed zonder lichten. Hoewel ze dat vreemd vond, voelde ze nog geen argwaan. Maar opeens remde de donkere limousine abrupt af en kwam hij slippend naast haar tot stilstand. Geschrokken deinsde ze achteruit tegen de muur.

De getinte ruit aan de bestuurderskant verdween zoemend in het portier, en uit het donker van de auto zag Sarah het gezicht van de paukenist opdoemen.

'Tiomkin! Wat heeft dit gangstergedoe te betekenen?' viel ze in het Frans tegen hem uit.

'U was al weg toen ik op het premièrefeest verscheen.'

'Ja, en?'

'Ik zocht u omdat ik u wilde uitnodigen voor een kort gesprek.'

'Een gesprek? Dan vergist u zich toch echt, meneer. Er valt niets te bespreken. En laat me nu alstublieft met rust.'

'Was het concert zo schokkend?'

Sarah huiverde. 'Geen idee wat u bedoelt.'

'Ik heb het over de dingen die u bij het horen van de Lisztfantasie hebt waargenomen.'

Verontwaardigd keerde ze de paukenist de rug toe en kwam weer in beweging om de veiligheid van een restaurant op te zoeken.

De auto reed met een schok een stukje naar voren en sneed haar de pas af. Toen de paukenist zich opnieuw uit het zijraampje boog, bromde hij: 'Ons gesprek is nog maar net begonnen. Stapt u in, madame!'

Voordat Sarah antwoord kon geven, hoorde ze aan het eind van de straat opeens een luid gerinkel. Het kwam van heel dichtbij.

'Ik ga helemaal nergens met u naartoe,' zei ze, en ze maakte rechtsomkeert en vluchtte richting Zeughof.

De paukenist zette de auto in z'n achteruit, reed met een boog om haar heen en versperde haar nogmaals de weg. 'Instappen!' gromde hij.

'Hou op met die onzin, of ik schreeuw de hele buurt bij elkaar,' dreigde Sarah. Ondanks de snijdende kou brak het angstzweet haar uit. Ze was qua kracht lang niet tegen die boom van een kerel opgewassen.

'Ik zeg het nog één keer: nu onmiddellijk instappen!' beval de paukenist op scherpe toon.

Sarah zag door het open zijraampje iets opflitsen. De Rus hield een of ander voorwerp tegen zijn buik, iets glads, donkers, ronds... Haar adem stokte. Had die vent soms een pistool?

Ze wilde zich omdraaien om toch nog op de een of andere manier weg te kunnen komen, maar bleef met de hak van een pump tussen de straatstenen steken, verzwikte haar enkel en viel languit op de grond. Nu heeft hij je, dacht ze, en ze verwachtte elk moment gegrepen te worden of ter plekke met kogels te worden doorzeefd, toen er plotseling van links een schim in haar gezichtsveld opdook. Ze ontwaarde een krachtige gestalte met een hoed en een lange zwarte jas. In panische angst krabbelde Sarah overeind; ze dacht al dat het een handlanger van de paukenist was, maar er gebeurde iets wat ze totaal niet had verwacht.

De man trippelde – verbazingwekkend lichtvoetig – naar de passagierskant van de auto, waar een wit licht opflikkerde. Sarah keek verrast op.

Het vermeende wapen was alleen maar een staaflamp. Een fractie van een seconde gleed er een bundel licht over het gezicht van de onbekende, te kort om het te kunnen herkennen. Desondanks huiverde Sarah, want het deed haar vaag aan iemand denken. En toen – ze kon haar ogen niet geloven – haalde de vreemdeling opeens een lang, metalig glanzend voorwerp onder zijn jas vandaan.

Een zwaard!

Het lemmet suisde omhoog en kwam met bruut geweld op de voorruit van de auto neer. Er klonk gekraak. Een groot aantal scheuren veranderden het veiligheidsglas in een spinnenweb.

'Schiet op, rennen!' riep de zwaarddrager.

De hele situatie kwam op Sarah over als een bizarre droom. De rare mengeling van een soort moderne operascène en de realiteit ging haar van angst verlamde verstand te boven. *U verkeert in groot gevaar!* De woorden op de achterkant van de gesigneerde foto schoten haar door het hoofd. Eindelijk ging ze er half struikelend vandoor, met maar één schoen, want de andere pump zat nog steeds tussen de straatstenen vast. Ze sleepte zich hinkend twee, drie stappen voort.

'Rennen nu!' riep de held met de jas en het zwaard.

Beduusd staarde ze hem aan. Het gebaarde gezicht in de schaduw van de hoedrand kwam haar nu duidelijk bekend voor. Toen werd haar blik naar de vernielde auto getrokken doordat de bestuurder hem opeens in z'n achteruit gooide en met gierende motor op de vlucht sloeg. Sarahs redder achtervolgde hem met geheven zwaard. Nu pas draaide ze zich om en hinkte in tegengestelde richting weg.

Na een paar stappen was ze aan het eind van het straatje. Rechts van haar lag het restaurant Scharfe Ecke en voor haar een Tex-Mex-restaurant. Ze zag af van haar oorspronkelijke plan om in een van de etablissementen te vluchten, trok ook haar andere schoen uit en sloeg links af. De kou drong ijzig door haar dunne nylonkousen heen, maar naar het hotel was het maar een paar honderd meter.

Vlak om de hoek van de straat viel haar schuin aan de overkant een gebroken etalageruit op. Verbaasd vertraagde ze haar pas. Een wapenhandel. Tussen de scherven lagen messen, pistolen en andere gevechtswapens. Hier had de 'zwarte ridder' dus zijn blinkende zwaard vandaan. Beduusd liep ze door.

Ze was nog niet ver gekomen toen achter haar een luide schreeuw opklonk.

'Madame d'Albis, wacht even!'

Ze bleef staan en draaide zich om. Het was haar beschermer, de ridder in zijn zwarte jas. Maar ditmaal zonder zwaard. In plaats daarvan zwaaide hij met haar schoen, terwijl hij op haar af kwam snellen. Hij was zichtbaar buiten adem. Toen hij al redelijk dichtbij was, nam hij kuchend zijn hoed van zijn hoofd.

De schrik sloeg Sarah om het hart. De forse man, die rond de zestig was, maar – zoals hij net had bewezen – allesbehalve afgetakeld, was niemand minder dan Oleg Janin, de Moskouse muziekhistoricus met een tweede woning in Parijs. De schrijver van de dringende waarschuwing die haar in het theater was toegespeeld. De inbreker en lingeriesnuffelaar. De veroordeelde stalker. Geen wonder dat zijn gezicht haar bekend was voorgekomen.

'Ú?' spuwde Sarah sissend uit.

'Ja, ik,' antwoordde Janin berouwvol. Ongeveer drie stappen bij haar vandaan kwam hij wankelend tot stilstand en bromde: 'Ik word zo langzamerhand te oud voor zulke escapades.'

Sarah staarde hem aan, verbijsterd over de brutaliteit waarmee hij het gerechtelijk bevel negeerde. Ja, het was zonder twijfel dezelfde man die Hélène en zij zo'n tien maanden geleden op heterdaad hadden betrapt. Oleg Janin had een rond gezicht met een plat, gerimpeld voorhoofd, borstelige wenkbrauwen en een brede neus met grove poriën. De donkere, met een paar zilveren haren doorweven volle baard was, in tegenstelling tot voorheen, nu netjes geknipt. De tand des tijds had ook het haar op zijn hoofd vrijwel onberoerd gelaten, maar zijn haargrens week al terug tot bijna op zijn achterhoofd. Hij was ruim één meter tachtig lang, had een zwaar postuur en een trage manier van doen, zolang hij tenminste niet met een zwaard auto's aanviel. Janins verschijning leek op die van een goedaardige oom uit een sprookje. Een stalker stelde je je anders voor.

'Van mij hebt u niets te vrezen,' zei hij met een bezwerend gebaar toen Sarahs woedende blikken hem blijkbaar te veel werden.

Reageer er gewoon niet op als hij u lastigvalt en ga elk contact met hem uit de weg. De gedragsregels van de psychologe weergalmden als een hemels klavier in Sarahs hoofd. Wat moest ze doen? Zich gewoon omdraaien en weglopen?

'Waar denkt u nu aan?' vroeg de Rus.

'Aan een celesta.'

'Een hemels klavier? Dat noem ik nog eens creatief!' Janin trok geamuseerd zijn mondhoek omhoog.

'Heeft niemand u ooit laten zien hoe ver driehonderd meter is, monsieur Janin?'

Hij spreidde zijn handen uit. 'Ik ben echt ongevaarlijk, madame. Mijn therapeut zegt dat ik genezen ben. Los daarvan: als ik me aan het bevel van de rechter had gehouden, was u nu al ontvoerd, en in het ergste geval zelfs dood.'

Er liep een ijskoude rilling over Sarahs rug. Tot op dat moment had ze de manier waarop ze door de paukenist was lastiggevallen als een bijzonder lompe variant beschouwd van dat wat de meeste mannen verstaan onder 'een beetje lol maken', maar niet...

'U moet in deze tijd van het jaar 's nachts niet op blote voeten rondlopen,' drong Janins stem haar verwarde gedachten binnen. Hij kwam glimlachend twee stappen dichterbij en gaf haar haar schoen aan.

'Ik draag kousen,' zei ze opstandig. Desondanks trok ze hem de pump uit zijn hand.

Terwijl ze haar schoen aanschoot, zei de Rus: 'Luister, madame d'Albis, we kunnen maar beter van de straat af gaan. De kleurenhoorder zou zich kunnen bedenken en terugkomen.' Hij probeerde haar bij haar elleboog te pakken, maar ze draaide zich van hem af.

'U denkt toch niet serieus dat ik met ú ergens naartoe ga...?' Opeens stokte ze. 'Kleurenhoorder?'

Janin vatte haar verrassing verkeerd op. 'Daar hebt u nooit van gehoord? Een vraag, madame. Ik weet dat u vanavond de première van Liszts stuk hebt bezocht...'

'Ha!' lachte Sarah geïrriteerd. 'Doet u toch niet zo schijnheilig. Dat u mij bespioneert, heb ik zelfs zwart op wit. Uw Hermes heeft mij gevonden.'

'Wie?'

'Nou, die kerel die u op me af hebt gestuurd.'

De dikke wenkbrauwen van de professor trokken zich als donkere on- weerswolken samen. 'Die... "kerel"?'

'Monsieur Janin,' zei Sarah ongeduldig. 'Wat moet dit voorstellen, dit absurde gedoe, die onheilspellende waarschuwingen, dat gevecht van daar- net? En wat heeft de première met dit alles te maken?'

'Hebt u tijdens de uitvoering vanavond iets speciaals gezien, madame d'Albis?'

'Wat...?' Sarahs mond bleef openstaan. De rest van haar vraag ging spon- taan in rook op. Eerst de paukenist en nu Janin; hoe wisten die mannen van haar bijzondere waarnemingen tijdens het concert?

De professor knikte veelbetekenend. 'Ja dus. Dat vermoeden had ik al. Dat is de reden, mijn lieve kind, waarom ze u in hun macht willen krijgen.'

Sarah negeerde de onverwacht vertrouwelijke toon. 'Ze? Over wie hebt u het eigenlijk?'

'Mijn god, dat heb ik toch al gezegd? Over de kleurenhoorders...!' Janin draaide abrupt zijn hoofd om. Vlakbij was net een motor begonnen te loeien. Je kon horen dat er een voertuig aankwam. Hij keerde zich weer naar Sarah toe. De woorden kwamen nu zomaar zijn mond uit rollen: 'De paukenist heeft vast en zeker versterking opgetrommeld. Ze zoeken u nog steeds. Laten we naar dat restaurant daar gaan en wachten totdat het gevaar geweken is.'

Sarah kon niet geloven in wat voor situatie ze was beland. Ze deed haar ogen dicht en beet op haar onderlip. *Ga elk contact met hem uit de weg.* De schelle stem van de stalkingsdeskundige scheen niet in haar geest, maar naast haar te klinken. Maar had ze dan een keus? Sarah schudde berustend haar hoofd en keek gespannen naar het gezicht van de professor.

'Ik waarschuw u, monsieur Janin! Haalt u zich niets in het hoofd.'

De Rus glimlachte opgelucht. 'Maakt u zich geen zorgen, madame. Het is voor uw eigen bestwil.'

Hij wilde haar nogmaals bij haar elleboog pakken, maar weer ontweek ze hem. Niettemin ging ze met hem mee naar het restaurant, dat slechts enkele passen verderop lag. De naam van de zaak luidde Anno 1900.

3

Zonder ideëel gehalte kan men in deze wereld noch goedgezinde, noch slechtgezinde hartstochten oproepen.

— Heinrich Heine, 1837

Wereldreizigers die het smalle, langgerekte, rechthoekige gebouw van één verdieping voor het eerst naderden, kregen waarschijnlijk spontaan het idee dat ze hier met een klassieke, luxe variant van een Amerikaanse *diner* te maken hadden. Vooral de dubbele rij grote, in diverse vlakken onderverdeelde boogramen aan de straatkant bevestigde deze verkeerde conclusie, waar men echter bij het binnengaan van de Anno 1900 al snel van terugkwam.

De ambiance herinnerde aan de 'zilveren eeuw', waar Liszt ook zijn stempel op had gedrukt en de daaropvolgende jaren voor de Eerste Wereldoorlog eveneens: een bijeengeraapte verzameling van meubels uit overgrootmoeders tijd, kandelaars vol kaarsenwas, lampen van barnsteenkleurig glas, leien met het menu van de dag en weelderige kamerpalmen. Nu, bij avond, lag over dit alles een zwak, flatterend licht, als een ragfijne sluier. Het restaurant was in 1890 geopend als wintertuin van een hotel, kwam Sarah te weten terwijl ze zogenaamd naar de drankjes op de kaart keek. Ze gluurde over de rand van het menu.

Oleg Janin was net bezig de binnenzakken van zijn geruite jasje te doorzoeken. Zijn colbert van geelgroene grove wol, uitgevoerd in Engelse-landherenstijl, deed haar denken aan een militaire luchtfoto, die in wijnrode kaartvierkanten was verdeeld. De professor was tegenover haar op een bank gaan zitten, waarop hij er in zijn eentje een beetje verloren uitzag.

Omdat alle andere tafeltjes bezet waren had de serveerster hen naar de 'conferentiehoek' gestuurd, die zich links achterin in een aanbouw van het restaurant bevond. Elke donderdagavond – zo ook nu –, had de stroblonde serveerster verteld, speelden jonge artiesten uit Weimar hier piano. Dat kon je moeilijk ontgaan.

Sarah zat op een van de zes conferentiestoelen. Haar kartonnen koker met de bladmuziek had ze naast zich op tafel gelegd, niet zozeer als wapen voor als de Rus haar zou aanvallen, maar meer om het vluchtige karakter van dit tête-à-tête aan te duiden. Achter haar dreunde de piano, en ze vroeg zich af wat ze hier in godsnaam te zoeken had.

Haar blik dwaalde nerveus door het vertrek. Toen hij over de dubbele rij ramen gleed, reed er net een auto langs. Zou de paukenist haar zoeken? Sarah schudde geërgerd haar hoofd. Ze moest zien te bedaren. Als ze niet meteen weer de kleurenhoorder tegen het lijf wilde lopen, kon ze maar beter de raad van haar 'zwarte ridder' opvolgen. Nu ze hier toch met hem zat te wachten, kon ze net zo goed antwoord zien te krijgen op een paar brandende vragen.

Om boven het kabaal van de piano uit te komen, boog ze zich over de ovale tafel en riep: 'Achtervolgt u me soms nog steeds, monsieur Janin? Waarom bent u in Weimar?'

De Rus op zijn canapé aarzelde, alsof hij eerst eens goed over zijn antwoord moest nadenken, maar zei toen met een volle, luide stem: 'Ik denk om dezelfde reden als u, madame d'Albis.'

Hoewel het in het restaurant klef warm was, huiverde Sarah opeens. De oude man scheen eropuit te zijn haar te intimideren, maar hij kon toch moeilijk weten waarom ze al bijna twee weken door het oude 'Athene aan de Ilm' zwierf. Ze had eindelijk licht in het duister van haar familiestamboom willen brengen, en geen plaats was daarvoor geschikter dan Weimar. Franz Liszt had hier van 1842 tot 1860 de functie van 'hofkapelmeester van de groothertog in buitengewone dienst' bekleed en had de residentiestad ook later nog regelmatig bezocht. In het Goethe-Schiller-Archiv werd zijn schriftelijk erfgoed bewaard, op de Hochschule für Musik Franz Liszt menige oude partituur, en in het archief van de Herzogin-Anna-Amalia-Bibliotheek bevond zich zijn persoonlijke boekenverzameling. Sarah had heel wat dagen geprobeerd om in dit labyrint van herinneringen door te dringen, zonder ook maar iets te hebben gevonden. Ontwijkend antwoordde ze: 'Heeft de première u hierheen gebracht?'

Janins gebaarde gezicht vertrok zich tot een fijn lachje. Hij knikte. 'Ja, de première. Ik heb trouwens ook uw benefietconcert van zaterdag bezocht. Heel lofwaardig dat u zich zo voor de restauratie van de beschadigde schatten van de Anna Amalia inzet. De brand was inderdaad een tragedie van ronduit epische omvang...'

'Monsieur Janin,' onderbrak Sarah de professor, en beheerste zich met moeite, 'ik heb enorm veel zin om naar de politie te stappen en u aan te geven. Tegen het uitdrukkelijke bevel van de rechtbank in volgt u me naar Duitsland, bezoekt mijn concert en stuurt me onheilspellende berichten.'

Weer reageerde Janin verward toen Sarah over de gesigneerde foto met de waarschuwing erop begon, maar voordat hij iets kon zeggen kwam de serveerster om hun bestelling op te nemen. Sarah koos voor een bordeaux, de professor bestelde een donker bier en een aquavit. Terwijl de serveerster wegliep, hield ook de muziek op. De pianist gunde zichzelf en het publiek even een pauze. Sarah haalde opgelucht adem. Ze hoefden nu tenminste niet meer te schreeuwen.

De professor had van de onderbreking gebruikgemaakt om iets op een grijs visitekaartje te krabbelen, dat hij nu zwijgend over de tafel schoof.

'Wat moet ik daarmee?' vroeg Sarah geërgerd.

Zijn glimlach bleef onverstoorbaar. 'Het is duidelijk dat u me niet vertrouwt, madame d'Albis, en daar heb ik ook alle begrip voor. Het beste middel tegen een gespannen verhouding, is zoals bekend openheid.' Hij wees naar het kaartje dat nu voor Sarah lag en dat ze bekeek alsof het een giftig insect was. 'Op de achterkant heb ik mijn kamernummer in het Elephant voor u opgeschreven. Voor het geval u me wilt bellen. Mocht u me in het hotel niet kunnen bereiken, stuurt u me dan een e-mail.'

Sarah pakte het visitekaartje aan en stopte het weg, als bewijsstuk nummer twee. Toen pas antwoordde ze: 'En wat als ik niet in een "verhouding" tussen ons tweeën ben geïnteresseerd?'

Janin liet zich tegen de rugleuning van de bank achteroverzakken, spreidde zijn handen uit en lachte hartelijk. 'U kunt me natuurlijk aangeven. En de paukenist het liefst meteen ook. Maar verbaas u er alstublieft niet over als de politie uiteindelijk ú oppakt. De kleurenhoorders hebben namelijk meer macht en invloed dan u ook maar kunt vermoeden. Hoe dan ook, u zou er nooit achter komen wat er vanavond met u gebeurd is. En ik kan me niet voorstellen dat u dat wilt.'

Sarah keek de professor met haar donkerbruine fonkelende ogen nijdig aan. Natuurlijk interesseerde het haar wat de verontrustende gebeurtenissen van de afgelopen anderhalf uur te betekenen hadden. Ze bedwong haar afkeer van de Rus en vroeg: 'Wie of wat zijn de kleurenhoorders?'

Hij boog ver naar voren en keek naar de andere tafeltjes, alsof hij naar spionnen zocht. Zachtjes antwoordde hij: 'Een geheime orde, die sinds het begin der tijden de "klanken der macht" bewaakt en daarmee mensen manipuleert.'

Even was Sarah sprakeloos, maar toen moest ze zich beheersen om niet in hysterisch lachen uit te barsten. 'Het wordt steeds gekker! Eerst duikt u als Braveheart op met een zwaard en dan vertelt u me deze onzin over een geheim genootschap. De stalkingsdeskundige zei wel dat u een verstoord waarnemingsvermogen had, maar dit...' Ze schudde verbijsterd haar hoofd.

Janin bleef onbewogen. 'Werd ík nu net bijna ontvoerd of u?'

'Misschien was de paukenist ook alleen maar in mijn ondergoed geïnteresseerd. Die dingen schijnen voor te komen.'

'Als u daarmee op mij doelt: ik ben niet uw huis binnengedrongen om me aan uw lingerie te vergrijpen, madame d'Albis,' antwoordde Janin koeltjes.

Er ontsnapte haar een kort lachje. 'Ach! Niet? Precies dát hebt u voor de rechtbank bekend.'

'Had u dan liever gehad dat ik u publiekelijk voor schut had gezet door te zeggen dat u de erfgename van een grootmeester van de Kleurenhoorders bent?'

Sarah staarde de Rus met open mond aan.

Die knikte veelbetekenend. 'Toegegeven: het ontbreekt me tot dusver aan een waterdicht bewijs dat Franz Liszt de leider van de Broederschap is geweest, maar alles wijst in die richting. Toen in de pers bekend werd dat u van hem afstamt, zag ik mijn kans schoon. Ik hoopte documenten bij u te vinden, of wat dan ook dat mijn theorie zou bevestigen.'

'Ach, en toen hebt u gewoon bij me ingebroken.'

'Ik heb u voor die tijd wekenlang geprobeerd te benaderen. Maar in uw haast paranoïde verkramptheid hebt u mij altijd alleen maar als de stalker gezien die u achternazat.'

'Nee,' sprak Sarah tegen, denkend aan wat haar tijdens de eindeloze uren therapie was ingehamerd. 'Niet ík ben hier de schuldige, maar u, monsieur Janin. Waarom hebt u zich in uw brieven en telefoontjes niet duidelijker uitgedrukt? U wilde me beslist ontmoeten; hebt u enig idee hoeveel fans dat dag in dag uit proberen?'

'Wat ik over de Kleurenhoorders weet, kan ik noch aan het papier, noch aan de telefoon toevertrouwen.'

'Dan lijkt me dit nu het geschikte moment om me in te lichten. En begin alstublíéft niet over de "klanken der macht".'

Janin keek haar medelijdend aan. 'Uitgerekend u ontkent de suggestieve werking van de muziek, terwijl de media toch vol staan met berichten over la d'Albis en haar synesthesie? Ik heb laatst zelf meegemaakt met hoeveel kracht u uw publiek in de ban weet te houden. U bent het zich misschien niet bewust, mijn kind, omdat u de mensen niet opzettelijk manipuleert...'

'Manipuleert?' bracht Sarah hijgend uit. 'Het is toch wel heel iets anders of je je toehoorders graag wilt betoveren of dat ze tegen hun wil ergens toe worden gedwongen. De mensen komen naar mijn concert of kopen mijn albums om van de muziek te genieten, een beetje plezier te hebben en hun zorgen van alledag te vergeten. Precies dat is wat ik ze geef, en meer niet.'

De professor grinnikte geluidloos in zijn baard. 'Ja, ja, het is goed. Het kan zijn dat u uw gave alleen intuïtief gebruikt, maar gelooft u alstublieft een kenner: zelfs onder Kleurenhoorders is zo'n buitengewoon talent als het uwe een zeldzaamheid. Wat u van nature hebt meegekregen, is de essentie van dat wat de Orde al sinds eeuwen benut en verfijnt: de kunst om mensen enkel en alleen door middel van melodieën en klankenreeksen naar hun hand te zetten.'

'Onzin!'

'Niet zo haastig, mijn kind. Wat het hardst wordt ontkend, ligt vaak het dichtst bij de waarheid. Hebt u in de Bijbel nooit over David gelezen, hoe die met zijn harpspel koning Saul verlichting bezorgde, zodat diens kwade geest uit hem week? En de muren van Jericho stortten onder bazuinklanken in...'

'Kunnen die "klanken" dan nu ineens zelfs stenen breken?'

'Als het bolwerk een metafoor is voor de weerstand van mensen, dan wel, ja. Ik weet het, het stuit de meesten tegen de borst de muziek zo'n macht toe te kennen. Neem alleen maar de legende van de rattenvanger van Hamelen. Historici hebben over het ontstaan daarvan alle mogelijke theorieën opgesteld, omdat ze gewoon niet wilden geloven dat de vreemdeling enkel met zijn fluitspel de kinderen van de stad achter zich aan lokte. Maar geloof me: voor een Kleurenhoorder is dat een koud kunstje.'

Sarah zweeg. Ze was in verwarring. Janin had haar talent beter geanalyseerd dan het een Hannah Landnal ooit gelukt zou zijn. De voorbeelden uit het met sagen doorspekte verleden klonken in eerste instantie weliswaar absurd, maar als je er eenmaal over na begon te denken, dan kwamen er steeds meer verhalen over de, zoals hij het noemde, 'klanken der macht', bij je naar boven...

'Wat gaat er nu in u om?' vroeg de professor.

'Ik moest net aan de muziek der sferen van Pythagoras denken. Daar heeft mijn pleegvader me over verteld.'

Janin knikte. 'Het lijkt me dat we op dezelfde golflengte zitten. Wanneer u uw ogen opent, neemt u, om het maar eens synesthetisch uit te drukken, overal de echo van de Kleurenhoorders waar: in de door u genoemde sferenharmonie, in Isaac Newtons wiskundige formules wat betreft klankvibraties en de golflengten van het licht, in de kleurenleer van de wellicht beroemdste synestheet, Johann Wolfgang von Goethe...'

Aan de opsomming van de professor kwam abrupt een einde doordat er buiten een politieauto met sirene en zwaailicht voorbijraasde. Allebei draaiden ze zich om naar de ramen. Misschien had iemand in het Tex-Mex-restaurant de politie gewaarschuwd.

Eindelijk werden hun drankjes gebracht. Sarah nam direct een grote slok rode wijn. Het liefst zou ze dit absurde gesprek meteen hebben beëindigd, maar de politiesirene had haar van de ernst van de situatie doordrongen. 'Waarom heb ik nooit iets van de Kleurenhoorders geweten?' vroeg ze toen de serveerster weer buiten gehoorsafstand was.

Janin dronk in één teug zijn glas aquavit leeg. In gedachten verzonken keek hij naar het witte Maltezer kruis dat in een rood ovaal op het slanke borrelglas prijkte, voordat hij opvallend kalm antwoordde: 'Omdat ze meesters in het vermommen zijn. Je kunt ze alleen indirect zien, door de sporen die ze achterlaten.'

'Bijvoorbeeld?'

Hij hield haar het glas voor en wees met zijn vrije hand naar het merkteken. 'Het achtpuntige kruis van de johannieters – van de latere Maltezer ridders – is een van hun favoriete symbolen. Het getal acht speelt bij de Kleurenhoorders sowieso een centrale rol. U hoeft alleen maar bewust door het leven te gaan en het zal u verbazen hoe vaak u afbeeldingen van de zon of welke ster dan ook met acht punten ziet. Ook de windroos moet u in deze context zien.'

'Wacht even, niet zo snel,' onderbrak Sarah de professor. 'Wat hebben de johannieters met dat geheime genootschap te maken?'

'De Kleurenhoorders waren van oudsher een kleine, elitaire groep. Om hun krachten effectief te doen gelden, maakten ze telkens weer gebruik van organisaties met een goed netwerk. De johannieters zijn de oudste geestelijke ridderorde. Ze bezaten ooit zeer veel macht, net als de Arme Ridderorde Christi van de Tempel van Salomo.'

'De tempeliers. En dat waren allemaal Kleurenhoorders?' vroeg Sarah ongelovig.

Janin schudde zijn hoofd. 'Nogmaals: de Kleurenhoorders maakten alleen gebruik van de infrastructuur van de Orden: hun systeem van nieuwsvoorziening, hun geldwezen, hun vestingen, hun systeem van geheimhouding. Later infiltreerden ze in de Orden van de Rozenkruisers, illuminaten en vrijmetselaars. Ook hun loges hebben uiteindelijk alleen als dekmantel voor hen gefungeerd.'

'Wat je in een paar doodgewone symbolen al niet allemaal kunt zien,' spotte Sarah.

Bedachtzaam zette de professor zijn glas aan de kant, voordat hij antwoordde: 'U moet uw onwetendheid niet al te hard verkondigen, mijn kind. Let goed op wat ik nu doe.' Voordat ze het kon voorkomen, had hij de kartonnen koker gepakt en een balpen tevoorschijn gehaald. Met een paar vlugge streken tekende hij iets op de adressticker en draaide daarna de koker om, zodat Sarah zijn kleine kunstwerk kon bewonderen. 'Wat ziet u?'

Het was onmiskenbaar een johannieterkruis of Maltezer kruis, blauw gearceerd om het beter te laten uitkomen. En dat zei ze ook.

Janin knikte bevestigend, draaide het etiket weer naar zich toe, veranderde zijn pen in een potloodstift en begon nogmaals te krabbelen, terwijl hij mompelde: 'Kijk goed! Ik trek langs de buitenranden alleen een paar rechte lijnen... zo en zo... en voilà...' Deze keer legde hij de kartonnen koker recht onder Sarahs neus.

'Dat had ik niet gedacht!' zei ze verbaasd. Het kruis was daadwerkelijk in een achtpuntige ster veranderd, waarin je met een beetje fantasie zelfs een windroos kon herkennen.

Dat de jonge vrouw zo verrast was, deed Janin zichtbaar plezier. 'Alles ligt in alles verborgen,' zei hij diepzinnig. 'Je moet alleen goed kijken om de verbanden te doorzien.'

Sarahs verbijstering maakte haar minder kregelig. Eerder mat dan strijdlustig vroeg ze: 'Kunt u misschien verdere kunstjes overslaan en me gewoon vertellen hoe het met die "verbanden" zit?'

De professor glimlachte opgelucht. 'Daarvoor ben ik tenslotte naar Weimar gekomen.' Hij boog naar voren en begon zachtjes over Jubal te vertellen, de oprichter en eerste grootmeester van de Kleurenhoorders. Hij zei dat in het eerste boek van de Bijbel, in Genesis 4:21, deze afstammeling van Kaïn 'de stamvader van allen die op de lier of de fluit spelen' wordt genoemd. In de symboliek van de Broederschap zijn deze twee instrumenten van oudsher van bijzonder grote waarde geweest. De titel van hun leider was dan ook: 'meester der harpen'.

Om zijn kennis over de macht van de muziek aan zijn volgelingen door te geven, heeft Jubal deze in een 'klankleer' samengevat. Het ging daarbij om een unieke melodie, die door de Kleurenhoorders ook als de 'koningin der klanken' werd bestempeld. Eeuwenlang werd deze klankerfenis van Jubal enkel van harpmeester op adepten doorgegeven door voorspelen en beluisteren. Op straffe des doods was het verboden om de klankenreeks op schrift te stellen.

Deze misschien wel oudste melodie ter wereld kon alleen worden 'gelezen' door mensen die met een zeer zeldzame vorm van audition colorée waren gezegend. De uitverkorenen – overigens behorend tot beide geslachten – noemde men 'meesters zoals Jubal'. Aangezien synesthesie erfelijk is en het kleurenhoren over het algemeen vaker bij vrouwen dan bij mannen voorkomt, bleef het leiderschap van de Orde vaak generatieslang in handen van de vrouwelijke nakomelingen van een harpmeester.

Binnen de Kleurenhoorders bestaat een strikte hiërarchie, opklimmend van de graad van neofiet – de nog niet ingewijde leerling – tot de adepten, de kleine kring potentiële opvolgers rond de zittende meester der harpen. Al naar gelang de rang wijdt deze zijn medebroeders in een bepaald repertoire van de klanken der macht in. Er bestaat bijvoorbeeld een melodie die de toehoorders ertoe aanzet als een kip zonder kop te vluchten. Een andere brengt mensen bijeen op een bepaalde plek. Sommige roepen stemmingen als blijheid, verdriet, haat of spraakzaamheid op. En één, besloot Janin, gebiedt zelfs de leider te doden...

'Dat klinkt alsof die Jubal en zijn volgelingen de ideale samenzweerders waren,' onderbrak Sarah de professor.

'Volgens de codex van de geheime kring dienen vernietigende krachten van de volkeren op aarde te worden weggehouden, om deze op de lange termijn naar een nieuwe, betere orde te leiden. Vindt u dat oneervol?'

'Niet per se. Ik zou zeggen: het hangt van de methoden af.'

'Gaat u er maar van uit dat als de Kleurenhoorders niet bestonden, de wereld niet was zoals hij nu is. De Orde heeft zich volgens zijn regels lange tijd voor het welzijn van de mensen ingezet. Helaas zijn er ondanks de hoge eisen die aan het karakter van de neofieten worden gesteld ook altijd wel weer een paar onwaardige personen toegelaten.'

'Egomanen, die niet aan de verleiding van de macht konden weerstaan?'

'Ja. Jubal heeft wijs gehandeld toen hij zijn klankleer in een vorm goot die maar voor een enkeling toegankelijk is. Zo is die eeuwenlang geheim gebleven. Totdat een lid van de Orde in de zeventiende eeuw heiligschennis pleegde.'

'U bedoelt...?'

Janin knikte. 'Hij heeft de klankleer van Jubal op perkament in notenschrift vastgelegd. In de zogenoemde "purperpartituur".'

Sarah had het gevoel alsof ze door de bliksem was getroffen. Purperpartituur? Deze vreemde naam was ook in Liszts klankboodschap opgedoken! Ze kneep onder de tafel in haar hand om haar innerlijke spanning in pijn om te zetten. Zo onschuldig mogelijk vroeg ze: 'Waarom eigenlijk precies die kleur?'

'Die heeft betrekking op het purper,' legde Janin uit. 'Een kardinaal heeft een intrige tegen de Kleurenhoorders beraamd en uiteindelijk een adept van de harpmeester zover gekregen dat hij de klankleer van Jubal voor hem in noten opschreef. De kerkvorst verwachtte dat de geheime kennis van de Broederschap hem onbegrensde macht zou geven, maar zijn gekonkel liep uit de hand. Het leidde tot de "oorlog van de Kleurenhoorders", waardoor de Orde zo goed als verdween. De aanstichter heeft de purperpartituur nooit voor zichzelf kunnen gebruiken omdat noch hij noch zijn trawanten de bijzondere gave van de audition colorée bezaten.'

'Dus is de klankleer voorgoed verloren gegaan?'

'Bij mijn weten was er maar één exemplaar van, en dat is zoek, wat niet helemaal hetzelfde is als "verloren gegaan". De weinige overlevenden van de Kleurenhoorders hebben de Orde nieuw leven ingeblazen, en hun nakomelingen zijn tot op de dag van vandaag op zoek naar de koningin der klanken. Overal ter wereld kijken ze uit naar kinderen met een bijzondere synesthetische gave. Tegelijkertijd maken ze variaties op de bekende klanken der macht en wordt er gezocht naar geheel nieuwe methoden om de suggestieve werking van muziek te doorgronden.'

'U weet wel verbazingwekkend veel over de Kleurenhoorders.'

'Ik heb tientallen jaren van mijn leven aan de bestudering van hun Orde gewijd. Tenslotte gaat het om een van de grootste geheimen van de mensheid. Het is algemeen bekend dat muziek een enorme invloed op ons heeft, alleen heeft niemand tot nu toe afdoende weten te verklaren waarom dat zo is.'

'En als je de mechanismen eenmaal begrijpt, kun je er doelbewust gebruik van maken. Geheime diensten en het leger zullen er ontzettend blij mee zijn.'

De professor schudde resoluut zijn hoofd. 'Mijn werk dient uitsluitend vreedzame doelen, en de leiding van mijn faculteit aan de Moskouse Lomonossov Universiteit ziet dat net zo. Ze hebben me daar van mijn doceertaak ontslagen, zodat ik me volledig aan mijn onderzoek in Parijs kan wijden.'

'Waarom uitgerekend Parijs?'

'Omdat de geheime Orde in de centra van de macht altijd de meeste invloed heeft gehad: in Babylon, Rome, Byzantium en later in het rijk van de Franken. Een wetenschapper als ik komt nergens zo dicht bij de Kleurenhoorders als in Parijs. De meeste schriftelijke verwijzingen naar hen stammen uit het Frankrijk van na het schisma.'

'Schisma?'

Janin nam een grote slok van zijn donkere bier. 'De in ere herstelde Orde had zich in twee fracties opgesplitst, te weten de "Lichten" of "Witten", die zichzelf vaak als "Zwanen" betitelden, en de "Adelaars", in sommige bronnen ook wel de "Duisteren" of "Zwarten" genoemd, de keuze van de dieren en kleuren vloeit voort uit een oeroude symbolische taal. De Witten wilden hun ideeën op basis van een nieuwe benadering van muziek openlijk, in het licht, verbreiden. De Zwarten daarentegen hingen de traditionele instelling van de Orde aan, namelijk dat alleen een geheim, in het duister functionerend genootschap de nodige mogelijkheden tot de ontwikkeling van een nieuwe wereldorde kon creëren. In tegenstelling tot de passieve Zwanen neigen ze ook meer naar radicale methoden, tot aan een soort wereldbrand toe, oftewel een zuivering van apocalyptische omvang.' Janin haalde diep adem en sloeg ineens een verrassend beminnelijke toon aan. 'Aan welke weg geeft u de voorkeur, madame d'Albis?'

'Is die vraag serieus bedoeld?' snoof Sarah.

Hij dronk zijn glas bier in één teug leeg en veegde met de rug van zijn hand over zijn lippen. 'Neemt u me mijn gebrek aan tact alstublieft niet kwalijk. U hebt net een schokkende ervaring achter de rug, en ik zit u hier met mijn navorsingen te vervelen.'

Sarah kon geen hoogte van de Rus krijgen. Af en toe vond ze hem bijna sympathiek. Daarnet op straat had hij toch maar het een en ander voor haar geriskeerd. Iets vriendelijker zei ze: 'Wat is er van de beide groeperingen van de Kleurenhoorders terechtgekomen? Hoort de paukenist bij de Adelaars of bij de Zwanen?'

'Of de laatsten nog bestaan, weet ik niet zeker. Maar de Duisteren zijn nog altijd actief. Volgens mijn informatie is Tiomkin de rechterhand van de zittende meester der harpen, ene Sergej Nekrasov, en die zou er alles voor doen om in het bezit van de verdwenen purperpartituur te komen.'

'Misschien is die allang vernietigd.'

Janin schudde bedachtzaam zijn hoofd. 'Blijkbaar hecht Nekrasov geloof aan de geruchten uit de negentiende eeuw volgens welke een harpmeester van de Witten de plek wist waar de purperpartituur was verstopt en die in een document heeft beschreven.'

'U zei daarstraks dat Franz Liszt een grootmeester van de Kleurenhoorders is geweest. Denkt u dat hij de maker van deze... schatkaart was?'

'Het een en ander wijst daarop. Hoewel een dergelijk geschrift nooit is gevonden.' Janin zuchtte. 'Misschien is het ook beter zo, want in de verkeerde handen zou de koningin der klanken een wapen kunnen worden, vergeleken waarbij alle atoomkoppen van deze wereld op een kistje voetzoekers zouden lijken.'

Sarah nipte nerveus aan haar glas. Ze had de doos van Pandora graag gesloten gehouden en wenste dat het scenario dat Janin had beschreven niet meer dan een product van zijn verhitte fantasie was. Maar hoe viel het door het concert opgeroepen visioen dan te verklaren?'

'Wilt u me excuseren?' zei de professor, en hij stond moeizaam van de bank op.

Sarah keek hem vragend aan.

Hij glimlachte zuur: 'Ik moet even aan een menselijke behoefte gehoor geven. Mannen van mijn leeftijd hebben wat dat betreft helaas weinig speelruimte.'

Ze knikte begripvol.

Voordat hij naar rechts de hoofdzaal in en naar de wc liep, draaide hij zich nog eens naar haar om. 'Wanneer ik terug ben, vertelt u me hopelijk over uw indrukken tijdens de oeruitvoering van vanavond.'

Ze verstijfde even en glimlachte toen gelaten.

Oleg Janin verdween.

Sarah telde in stilte tot tien, stond vastberaden op, pakte haar jas en handtas, evenals de kartonnen koker, drukte de serveerster in het voorbijgaan een biljet van tien euro in haar hand en vloog het restaurant uit. Het

Russischer Hof lag op maar een paar passen afstand, meteen aan de andere kant van de Goetheplatz. Ze kon er dus redelijk gerust op zijn dat ze deze avond niet nog een keer zou worden lastiggevallen.

4

Muziek heeft van alle kunsten de grootste invloed op het gemoed, een
wetgever zou haar daarom het meest moeten ondersteunen.

— Napoleon I

Elke nacht trok ze een glinsterend negligé aan, de *Ville Lumière* – de Licht-
stad –, om zowel bewoners als bezoekers te verlokken om voor haar betoverende schoonheid hun slaap en rust op te offeren. Onberoerd door dit alles
heerste in het Parijse hoofdkwartier van de firma Musilizer al anderhalf uur
voor middernacht achter alle ramen duisternis. Met een enkele uitzondering. Aan een zware werktafel in het directiekantoor zat in een rolstoel een
stokoude man met sneeuwwit haar.

De Musilizer SARL verdiende zijn geld voornamelijk met muziek. Om
precies te zijn met functionele muziek. Of om het nog nauwkeuriger te ver-
woorden: met die mengeling van klanken die op vliegvelden en treinstations,
in supermarkten en liften uit de luidsprekers stroomde om mensen onbewust te beïnvloeden, ze dus in geduldiger passagiers, kooplustiger klanten of
minder claustrofobische liftgebruikers te veranderen. Naast de Muzak LLC
was Musilizer wereldwijd de belangrijkste van dit soort ondernemingen,
maar werkte in tegenstelling tot de marktleider aanzienlijk discreter.

Als een fabriek zijn werknemers tot betere prestaties wilde aanzetten,
voerde de weg in eerste instantie naar Muzak, maar wanneer een politicus
zich voor de kiezers onweerstaanbaar wilde maken, wendde hij zich tot
Musilizer. Uit gewoonlijk goed geïnformeerde kringen was te vernemen
dat de aan de Avenue Pablo Picasso gevestigde firma zijn klanten inmiddels
een grote verscheidenheid van *subliminals* te bieden had. Deze middelen
hebben ten doel mensen via het gehoor of het gezichtsvermogen beneden
de waarnemingsdrempel te manipuleren. Bijna tachtig van de honderd oc-
trooien die alleen al in de Verenigde Staten onder de categorie 'onbewuste

beïnvloeding en bewustzijnscontrole' waren geregistreerd, stonden op naam van Musilizer. Niet alles wat binnen de firma gebeurde, was legaal.

Daarom ook keek de spichtige oude man op de bovenste verdieping altijd uit naar de tijd na kantoorsluiting. Wanneer zelfs zijn secretaresses allang naar huis waren en in de zaken- en bankenwijk La Défense de polsslag minder snel was dan in de rest van Parijs, kon hij eindelijk ongestoord werken. Het hoge kantoorgebouw lag aan de westkant van een rotonde te midden van winterkale bomen. Er waren werkelijk betere plekken om de Ville Lumière in haar negligé te bewonderen.

De bureaulamp in het kantoor van de baas van Musilizer kon nauwelijks het werkblad van het forse schrijfmeubel verlichten; de rest van het grote vertrek lag in het duister. Zo op het oog deed de grijsaard helemaal niets. Hij zat met gesloten ogen als versteend in zijn rolstoel, zijn ellebogen op tafel steunend, de knokkels van zijn benige vingers tegen elkaar gedrukt en met zijn kin op zijn gestrekte duimen rustend. Maar zijn grijze cellen knetterden van activiteit. Zo kon hij urenlang blijven zitten. Soms bereikte hij tijdens het mediteren een toestand waarin hij het verval van zijn lichaam vergat en zich weer jong voelde.

Sergej Nekrasov was de oudste man ter wereld.

Hij dankte zijn buitengewoon lange leven noch aan de genen van zijn voorouders, noch aan de stimulerende kracht van de muziek. Meer dan honderdvijftig jaar geleden was hij opgenomen in de kleine kring van vertrouwelingen van een broederschap die zich de 'Orde der Schemering' noemde. Deze elite telde slechts een dozijn mannen, en een dertiende was de leider: lord Belial. Hij beschikte over kundigheden en vermogens die het normale menselijke voorstellingsvermogen ver te boven gingen. Met zijn geheime kennis had hij de vitaliteit van zijn grootste vertrouwelingen gebundeld en met dit millenniumverbond hun levensverwachting, zoals beloofd, met het twaalfvoudige van de normale menselijke leeftijd verlengd. Zijn plan om de mensheid van alle kwaad te zuiveren was echter ten slotte door een machtige tegenstander op een mislukking uitgelopen. Deze vijand, een Engelsman genaamd David Camden, had de geheime Broederschap een vernietigende slag toegebracht en hun leider gedood. Zo verloor ook het millenniumverbond zijn kracht. Alleen Sergej Nekrasov was overgebleven, met de naderende dood voor ogen.

Als telg van een Russische artiestenfamilie had hij al in zijn kinderjaren geleerd nooit zonder vangnet of dubbele agenda te werken. Daarom was hij al vroeg tot verscheidene andere geheime genootschappen toegetreden: de huidige illuminaten, de Duitse Unie, de Italiaanse Carbonari, de Franse vrij-metselaars, de Goud- en Rozenkruisers, evenals de 'Broederschap der Aar'.

Zo wordt in de taal van de poëzie de adelaar genoemd.

In deze Orde van Duistere Kleurenhoorders had Nekrasov de gelijk-gezinden gevonden die, net als hij, de mensheid een nieuwe start wilden geven. Omdat hij de gave van de audition colorée bezat, lagen ook de hogere graden voor de volgelingen van Jubal binnen zijn bereik, en al na korte tijd behoorde hij tot de geheime top daarvan. Tussen het moment dat hij de stap naar de hoogste graad van dit verbond had gezet en het heden lag intussen al meer dan een mensenleven. Na zoveel jaar, zoveel strijd, zoveel tegenslag begon Sergej Nekrasov voor het eerst weer iets van gespannen verwachting te voelen. Binnenkort zou hij de vruchten van zijn geduldige inspanningen oogsten...

De telefoon ging over.

Nekrasov keek met zijn groene ogen strak naar het toestel. Aan een rode lichtdiode kon hij zien dat de beller gebruikmaakte van de afluistervrije lijn. Hij pakte de hoorn op, maar zei geen woord.

Aan de andere kant meldde Valéri Tiomkin zich met de vraag: 'Wat doet de hemel zingen?'

'De lier,' antwoordde Nekrasov met ritselende stem.

'U had gelijk,' zei de paukenist kortaf.

'Ze heeft dus iets gezien?' vergewiste de oude man zich.

'Zeker weten. La d'Albis ging bijna uit haar bol toen ze de muziek zag.'

'En daarna?'

De paukenist vertelde hoe de pianiste het theater uit was geslopen en hij haar met een gestolen auto had opgewacht. Ook dat zijn voorruit door Oleg Janin was vernield verzweeg hij niet.

'Maak je daar niet druk over,' zei Nekrasov. 'Heeft het voorval de aan-dacht getrokken?'

'Dat kun je wel zeggen. De politie zet de hele binnenstad van Weimar op zijn kop, maar als ze al iets vinden, dan hoogstens een grondig gesloopte auto met vals kenteken.'

'Hoe zit het met de windroos?'

'Daar zorg ik zo meteen voor.'

'Geweldig. Ik weet het, broeder: je brengt een groot offer door je op deze manier te compromitteren, maar het is nodig om de laatste stap te zetten. De Broederschap der Aar zal niet vergeten wat je op dit moment voor hen doet.'

'Ik zie mijn bescheiden bijdrage als een grote eer.'

'Mooi.'

Even was het stil. Toen de oude man niets meer aan zijn eenlettergrepige antwoord toevoegde, vroeg de paukenist: 'Hebt u misschien nog nieuwe instructies voor me?'

'Nee,' antwoordde Nekrasov. 'Madame d'Albis heeft onze *Aufforderung zum Tanz* ontvangen. We gaan verder volgens plan.'

5

Als ze je beroert, heeft alle muziek, zelfs slechte, iets onheilspellends. Ze raakt meteen het oergevoel.

— Karl Schaffler

Het traditierijke Weimarse grand hotel Russischer Hof behoorde tot de beste adressen van de stad. Sarah d'Albis hoopte binnen de muren ervan momenteel vooral veiligheid te vinden. Toen ze via de glazen deur de statige foyer binnenstapte, voelde ze zich dan ook op slag opgelucht. Haar blik dwaalde zoals al zo vaak naar de bronzen plaquette in de glimmende granietstenen vloer. Het ronde, licht gewelfde medaillon was zo groot als een paellapan.

'*Bonsoir*, grootvader,' beantwoordde ze fluisterend de avondgroet. Opeens leek dit stuk metaal voor haar iets vreemds uit te stralen. Weliswaar had ze in de hotelannalen gelezen dat de plaquette een herinnering zou zijn aan Franz Liszts ontmoeting met Robert en Clara Schumann – met de woorden 'Bonsoir, waarde vrienden' had hij het muzikantenechtpaar hier begroet –, maar door haar aangrijpende ervaring in het Deutsches Nationaltheater voelde ze zich hierdoor ook zonder meer persoonlijk aangesproken.

'Hebt u uw sleutelkaart bij de hand, madame d'Albis?' vroeg een beschaafde stem rechts van haar.

Terwijl Sarah zo in gedachten naar de bronzen plaat had staan kijken, was uit een zijvertrek achter de receptie een blonde jonge vrouw tevoorschijn gekomen. De prominente pianiste was welbekend in het vijfsterrenhotel. Ze glimlachte naar de receptioniste, diepte het gecodeerde plastic kaartje uit haar handtas op en stak het, tussen haar wijs- en middelvinger geklemd, triomfantelijk omhoog. 'Daar is hij al!'

'Kan ik verder misschien nog iets voor u doen, madame?'

Sarah wilde al bedanken, maar vroeg toen: 'Er zit toch de hele nacht iemand bij de receptie, hè?'

'Uiteraard. We staan altijd voor u klaar.'

'Dat is fijn,' mompelde Sarah, en ze liep verder. Het 'Slaap lekker!' van de hotelmedewerkster registreerde ze al niet meer.

Hoewel ze op de eerste verdieping logeerde, stevende ze op de liften af. Op weg daarnaartoe kwam ze langs een mozaïek in de vloer. Onwillekeurig liep ze met een boog om de tweekoppige Russische adelaar heen, alsof ze door erop te gaan staan misschien wel de Duistere Kleurenhoorders zou oproepen.

Even later stapte ze uit de lift en ging links af. Sarah logeerde in de kamers 129 en 130, die door een verbindingsdeur tot een suite waren samengevoegd. Ze had een afkeer van al te benauwde of bescheiden ruimtes. Vaak moest ze tijdens haar concertreizen interviews in haar hotel geven en ze had er een hekel aan wildvreemde mannen naast haar bed te ontvangen. Met haar codekaart verschafte ze zich toegang tot haar toevluchtsoord en met haar rug drukte ze de kamerdeur in het slot. Nu pas voelde ze zich echt veilig.

Tegelijk met het gevoel van geborgenheid kwam ook de uitputting. De laatste uren waren naar haar smaak een beetje té opwindend geweest. Achteloos liet ze haar tas en de kartonnen koker naast zich op de grond glijden en bracht haar hand naar haar gezicht om haar lange gespreide vingers te bekijken. Ze trilden.

Wat wilde je ook, dacht ze. De uren bij de stalkingsdeskundige vorig jaar hadden haar aangetaste zenuwgestel nog lang niet hersteld, maar hoogstens de scherpe kantjes van alles af gehaald. Na een vervelende infectie afgelopen september en oktober, waarvoor volgens de doktersverklaring haar door stress verzwakte immuunsysteem verantwoordelijk was, had ze aan de noodrem getrokken: zes maanden 'creatieve pauze'– zo noemde men een langere time-out in kunstenaarskringen.

Het benefietconcert in het Nationaltheater vijf dagen geleden was een uitzondering geweest, omdat ze zich voor haar stamboomonderzoek toch al in Weimar had verschanst en de restauratie van de beschadigde collectie van de Herzogin-Anna-Amalia-Bibliotheek haar bovendien na aan het hart lag. Ze had geen idee gehad dat deze reis, die eigenlijk als ontspannende afwisseling was bedoeld, haar hele leven op zijn kop zou zetten.

Moest ze de politie bellen? Oleg Janin had haar dat ten sterkste afgeraden. Vreemd genoeg was hij, de veroordeelde stalker, meer bezorgd om haar geweest dan om zichzelf. Als ze de paukenist aangaf, zouden de Kleuren-hoorders volgens hem hun invloed laten gelden om haar in de problemen te brengen. De boodschap die ze tijdens het concert had waargenomen, maakte het er voor Sarah bepaald niet gemakkelijker op om de muziekhistoricus alleen als geestelijk verward mens te zien.

Maar rechtvaardigde zijn bizarre verhaal de inbraak in haar huis? Niet echt. Aan de andere kant zou hij niet de eerste wetenschapper zijn die na jarenlang onderzoek naar illegale middelen greep om zich in zijn laatste spurt naar het einddoel niet door een onverwacht obstakel te laten tegen-houden. In elk geval had hij haar ervoor behoed in handen van een of andere obscure groepering te vallen. Misschien moest ze zijn waarschuwing maar serieus nemen.

Afgezien daarvan kwam alles in haar ertegen in opstand om binnen een jaar nog een keer op het politiebureau te moeten verschijnen en zich over de meest intieme dingen te laten uithoren, alsof zij de perverseling was en haar kwelgeesten slechts arme verleide manspersonen. Ongetwijfeld zou ze de hele ellende van de laatste maanden nog eens moeten doormaken. En trouwens, hoe moest ze de smerissen over haar synesthetische waarnemingen tijdens de oeruitvoering vertellen? De politieagenten zouden haar, zoals ze uit ervaring wist, voor een voodooheks verslijten.

Sarah schudde haar hoofd. Nee, het was beter er eerst nog maar eens een nachtje over te slapen. Morgen kon ze altijd nog aangifte doen.

Ze zette zich met haar schouders van de deur af en liep het vertrek door. Ondertussen trok ze haar jas uit, die ze over een stoelleuning gooide. Aan de andere kant van de kamer stond naast het linker van de twee ramen een niet helemaal echt classicistisch bureau van rood hout met gouden applicaties, waarop ze – een eclatante stijlbreuk – haar matzilveren platte laptop van het nieuwste type neerlegde. Ze was verknocht aan haar computer. Ze ging nooit zonder hem op reis.

Internetten was voor Sarah net zo vanzelfsprekend als 's morgens in de spiegel kijken. Ze kon met haar laptop niet alleen draadloos op het net surfen en per e-mail contact met haar agent houden, maar ook bellen. Ze gebruikte hem eveneens als 'akoestische spiegel', als controle voor zichzelf, door via een microfoon of een claviatuur die ze erop aansloot, haar oefeningen op te slaan om ze later kritisch te kunnen beluisteren. Bovendien was hij haar 'wandelende bibliotheek': duizenden digitale foto's, haar complete verzameling klassieke en moderne cd's, evenals diverse naslagwerken stonden erop. En wat voor haar op dit moment nog het belangrijkste was: alle gegevens die ze over Franz Liszt had vergaard waren op de harde schijf vastgelegd, waaronder ook een in het Engels vertaalde selectie van ongeveer zeshonderd van zijn brieven.

Haar vingers jeukten om haar laptop open te slaan en meteen met de ontcijfering van de klankboodschap te beginnen.

Even zweefde haar hand boven de klep van de computer, maar toen merkte ze het getril weer op en schudde krachtig haar hoofd. Nee, als ze zo opgewonden was kon ze toch niet helder nadenken. Morgen was er weer een dag. Ze zou een pil innemen en gaan slapen.

Toen ze zich omdraaide, viel haar oog op de kartonnen koker, die nog naast de deur tegen de muur stond. Bij de feestelijke overhandiging had ze de muziekbladen alleen voor de vorm bekeken, uit beleefdheid. Een paar seconden bleef haar blik verlangend op de houder rusten. Ten slotte kreeg haar nieuwsgierigheid weer de overhand. Ze pakte de rol en ging op een zandkleurige bank zitten, die samen met twee gestoffeerde stoelen en een aandoenlijk filigraan glazen tafeltje een fraai ontvangsthoekje rechts van de ramen vormde.

Sarah opende de koker en spreidde de inhoud op het tafeltje uit.

Kort bekeek ze het *Staatkundig overzicht van Europa*. De gekleurde kopergravure, waarachter een onbekende Liszt-compositie verborgen had gezeten, was voor Sarah niet meer dan een mooi, maar oninteressant tijdsdocument. Op de achterkant van het ongeveer dertig bij twintig centimeter grote vel ontdekte ze een facsimile van een met de hand in zwarte inkt geschreven notitie:

Afdruk uit: Stieler's Schul-Atlas über alle Theile der Erde und über das Weltgebäude
(Stielers Handatlas van de gehele aarde en het heelal)
Zesenveertigste druk, verbeterd en aangepast door dhr. Berghaus
32 geïllumineerde kaarten in kopergravure.
Uitgeverij: Gotha: Justus Perthes. 1866.

Het enige opvallende aan de korte aantekening was de onderstreepte naam Berghaus. Sarah kon er geen wijs uit worden en schoof de kleurenkopie naar de rand van de tafel.

Vervolgens wijdde ze zich aan de muziekbladen. Al menig onervaren muziekstudent was bij de aanblik van Liszts wilde gekrabbel tot wanhoop gedreven. De componist had de gewoonte partituren – zelfs gedrukte exemplaren – steeds weer te veranderen. Zelfs zijn secretaris had vaak nog eens navraag moeten doen als hij een door de meester goedgekeurde versie in het net overschreef. Ook het door Liszt met de hand geschreven stuk, dat uit het vuur was gered, zag er tamelijk chaotisch uit. Op de ene plek waren notenbalken uit de losse hand en weinig secuur verlengd, op de andere had Liszt hele maten geschrapt. Verschillende kleuren gaven bovendien bepaalde bewerkingsstadia weer. Algauw ging Sarah helemaal op in de vele opwindende details.

Opmerkelijk genoeg was de compositie van twee dateringen voorzien: 1866 en 1880. Het grootste gedeelte stamde uit de eerste periode. Zelfs een paar schetsen aan het eind van de *Fantasie* hadden al in de jaren zestig van de negentiende eeuw bestaan. Veertien jaar na het eind van de eerste fase was toen de versie ontstaan waarin de omineuze waarschuwing lag verborgen.

SPOED DE WIL VAN HET VOLK VLECHT REEDS ALEXANDERS KRANS
BINNEN SLECHTS TWEE MAANDEN WAAIT HIJ OP ZIJN GRAF FRANZ

De 'dialoog' met de muziekbladen van haar voorvader deed Sarah huiveren. Ze kon de onheilspellende woorden letterlijk zien, bijna zo duidelijk als voorheen in het theater.

Het van-het-blad-lezen was aan het Parijse Conservatoire National de Musique een van haar lievelingsvakken geweest. Daardoor was ze ook in staat zich zonder instrument een zeer precieze voorstelling van de klanken en kleuren van een stuk te maken. Ze las partituren zoals andere vrouwen modetijdschriften, en kon na het lezen ervan zelfs moeilijke werken nog weken later uit haar hoofd spelen. Wanneer ze bovendien een klankenreeks hoorde, werd deze onuitwisbaar in haar geheugen gegrift. En het verbazingwekkendste was: haar audition colorée liet haar bij klanken in haar herinnering dezelfde beelden zien als toen ze deze voor het eerst hoorde. Daarom trok nu, bij het lezen van Liszts *Fantasie*, de klankboodschap ook weer aan haar geestesoog voorbij.

Het was haar nu tenminste duidelijk waarom ze zich gisteren na een korte inspectie van het werk zo onrustig had gevoeld. Ze was er flink door van haar stuk gebracht, waarschijnlijk omdat ze onbewust al het vermoeden had gehad dat niet alleen het – om het voorzichtig uit te drukken – moderne karakter van de impressionistische klanken van creatieve moed getuigde. Liszt gold sowieso als wegbereider van de avant-garde van de twintigste eeuw, maar de *Fantasie* over Hölty's 'Lebenspflichten' was een polyfoon vuurwerk, dat haar spontaan aan een schilderij van Vincent van Gogh had doen denken.

Sarah bestudeerde de details van elk van de vierentwintig muziekbladen. Die zaten vol met merkwaardigheden, zoals Liszts expliciete keuze voor een bezetting met een 'traverso (Buchsbaum, J.D.)'. In de onvoltooide ontwerpen van het slot was de houten dwarsfluit zelfs het melodievoerende instrument geweest. Sarah nam zich voor de initialen J.D. grondig na te trekken zodra ze de kans kreeg.

Onder de uitnodigende titel van het stuk las ze de woorden *Ce vers ne s'adressent qu'à un petit nombre* – 'Deze verzen richten zich tot slechts weinigen'. Een citaat van de schrijver Alphonse de Lamartine, zoals Sarah zich herinnerde. Ze was de zin bij Liszt al eens tegengekomen; hij had hem aan zijn *Harmonies* vooraf laten gaan. Destijds had ze meteen moeten denken aan de geheimzinnige taal van de muziek, die in Liszts beleving in essentie het allerdiepste begrip van de natuur en een gevoel voor de oneindigheid omvatte. In zijn *Fantasie* over Hölty's gedicht ging dit alles nog verder, moest het de ingewijde attent maken op het gedicht dat achter de klanken verborgen lag.

Eigenaardig was ook het dynamische teken 'balzante' direct aan het begin van de partituur. Dit soort speelaanwijzingen helpen orkestleiders om het stuk zo getrouw mogelijk volgens de oorspronkelijke ideeën van de componist uit te voeren. Tegen het midden van de achttiende eeuw had zich in Frankrijk en Italië een omvangrijk vocabulaire ontwikkeld om tempo, toonsterkte, speeltechniek en andere aanduidingen van een componist zo zorgvuldig mogelijk te omschrijven. Maar Sarah kon zich niet herinneren ooit ergens het dynamische teken 'balzante' te zijn tegengekomen. Toch beheerste ze het Italiaans goed genoeg om het woord met 'huppelend' of 'springend' te kunnen vertalen. Precies zo uitbundig had het orkest het stuk ook gespeeld.

Mogelijk was dit alles slechts een uiting van de eigenaardigheden van een excentrieke componist, zonder verdere betekenis. Veel verbazingwekkender daarentegen was de vaardigheid waarmee Franz Liszt een synesthetische boodschap in klanken had weten te verwerken. Misschien, dacht Sarah, ligt er nog wel meer in de ontwerpen verborgen.

Algauw ging ze helemaal op in de passages die de eindversie niet hadden gehaald. Elk van de klankenreeksen liet ze in haar hoofd weerklinken. Bij sommige nam ze vage patronen waar wanneer ze zich de klank van Liszts bezetting van instrumenten voorstelde. Het liefst had ze de betreffende partijen in haar computer ingevoerd, om met behulp van een koptelefoon een betere indruk te krijgen.

Toen ze van de bladen opkeek om een hunkerende blik op haar laptop te werpen, brandden haar ogen. Van buiten drong het geluid van een politie-sirene in de verte door. Zouden ze nog steeds naar de paukenist op zoek zijn? Sarah keek op haar horloge. Het was een halfuur na middernacht. Terwijl ze de compositie had zitten bestuderen, was de tijd stilletjes voorbijgegaan.

Sarah besloot de stem van de rede te volgen en naar bed te gaan. Ze liet de bladen, die op het sierlijke tafeltje waren uitgespreid, gewoon liggen en stapte via de verbindingsdeur het aangrenzende vertrek binnen. Dit was smaller en fungeerde als slaapkamer. Even later lag ze in haar grijze zijden pyjama in bed te wachten totdat de slaappil zou gaan werken.

Zo ging ongeveer anderhalf uur voorbij.

Toen hoorde ze in de verte iemand fluit spelen.

In een hotel is dat niets ongewoons, zei ze tegen zichzelf. Ze had er al zo vaak last van gehad dat er vanuit aangrenzende vertrekken nog op een laat tijdstip muziek in haar kamer doordrong. Synesthesie laat zich niet als een nachtlampje uitdoen, ook niet als je je gehoor kunt uitschakelen. Integen-deel, Sarah nam achter gesloten oogleden menige kleurige hersenschim al-leen maar des te duidelijker waar. Het zou beslist overdreven zijn geweest om de zachte, prettig klinkende fluitmelodie als ernstige storing op te vatten.

En toch klopte er iets niet.

Sinds het brute optreden van de paukenist was Sarah op van de zenuwen. Haar spieren spanden zich terwijl ze luisterde. Het klonk als een... herders-fluit? Het fluwelige geluid was verleidelijk. Kwam het uit de hotellobby? Dat was niet goed te bepalen, want plotseling hield het op.

Met gesloten ogen bleef Sarah luisteren. Haar hart schilderde een snelle reeks bleekrode stippen in haar geest; verder waren haar oren blind. Totdat ze opeens voetstappen hoorde.

Haar hart begon te bonzen. Was het alleen maar een nachtbraker? Of een gast op zoek naar een sigarettenautomaat? De nauwelijks zichtbare bruinrode spetters op het scherm van haar waarneming waren niet door het groengele gedruppel van de liftbel voorafgegaan. Ook was er geen deur dichtgeklapt. Er moest iemand de trap op zijn geslopen.

Ineens hoorde Sarah geknars. Het geluid kwam via de verbindingsdeur, die op een kier stond, uit de kamer ernaast. Op slag zat ze kaarsrecht in bed.

Iemand probeerde haar suite binnen te dringen... Haar hart veranderde in een pauk, die een dik rood SOS in haar bewustzijn roffelde. Wat moest ze doen?

Ze zwaaide haar benen uit bed en als vanzelf glipten haar voeten in de klaarstaande viltpantoffels. Haar blik flitste naar de telefoon op het ronde tafeltje bij het raam. Had ze nog genoeg tijd om het alarmnummer te draaien?

Toen ze het gekraak van versplinterend hout hoorde, liet ze die vraag varen. In plaats daarvan sloop ze naar de verbindingsdeur om die dicht te trekken en snel op slot te doen. Halverwege gaf ze ook dit plan op.

Een witgele lichtstraal bewoog onrustig achter de spleet. De inbreker had een zaklamp en liep kennelijk op de deur af.

Sarah wilde een kreet slaken, maar iets in haar achterhoofd zei dat ze zich daarmee waarschijnlijk alleen maar problemen op de hals zou halen.

Opeens hoorde ze een *poef*, zoals ze dat alleen uit Hollywood-thrillers van een schot uit een pistool met een geluiddemper kende. Drie of vier keer kort na elkaar. Er rinkelde iets. Ze werd duizelig van angst. Dit was geen gewone inbreker, maar een moordenaar! Je moet hier weg, schoot het door haar heen. Nu meteen!

Ze vloog naar de uitgang en duwde de deurschuif zo stilletjes mogelijk naar achteren. Het loshalen van de ketting veroorzaakte een zacht gerinkel. Sarah bestierf het bijna van angst. Voorzichtig deed ze de deur open en trok hem, nadat ze de kamer uit was geglipt, meteen weer dicht. Bij de liften brandde de hele nacht een gedempt licht. Hopelijk had de indringer het niet via de verbindingsdeur opgemerkt.

Snel liep Sarah naar de brede trap tegenover de liftdeuren. Toen haar voetzolen het gladde zwarte graniet raakten, dankte ze God voor haar zachte viltpantoffels. Maar ze had te vroeg gejuicht.

Vlak voordat ze met haar hoofd onder het vloerniveau wegdook, zag ze een vermomde gestalte uit haar kamer komen. De moordenaar droeg zwart, de kleur die alle klanken in het niets deed verdwijnen... en die van de dood. Zijn ogen waren vanuit de gaten in het masker op Sarah gericht. Ze slaakte een schrille kreet en rende weg.

Toen ze een verdieping lager de verlichte foyer bereikte, stond haar de volgende schok te wachten. Ze had gehoopt dat de portier, gealarmeerd door haar geschreeuw, naar haar toe zou komen. In plaats daarvan stond hij met een glazige blik volkomen roerloos midden op het wapen met de dubbelkoppige adelaar. De jonge breedgeschouderde man zag eruit als een wassen beeld. Verbijsterd sloeg Sarah op de vlucht.

Omdat ze niet om de gehypnotiseerde man – of wat er dan ook maar met hem was gebeurd – heen naar de uitgang durfde te lopen, rende ze in tegenovergestelde richting langs een gouden tafeltje met een bloemstuk het atrium in, dat naar een nieuw gedeelte van het gebouw leidde. Weer hoorde ze achter zich een gedempt schot. De bloemenvaas knalde uit elkaar. Onwillekeurig trok Sarah haar hoofd in, maar de kogel had haar bij lange na niet geraakt.

Ze liep onder het glazen dak door, schampte een afgedekte vleugelpiano. In de groene salon keek ze gejaagd om zich heen. Links, waar 's morgens het ontbijtbuffet stond opgesteld, ontdekte ze een achteruitgang, zwak belicht door een groen nooduitgangpictogram.

De moordenaar schoot nog eens. Het projectiel sloeg een paar meter naast Sarah in in een stoel. Ze gilde het uit en rende verder.

Na een paar stappen was ze de ontbijtzaal door en sloeg met haar linker-hand de deurkruk omlaag, terwijl ze zich tegelijkertijd tegen het houten vlechtwerk van de deurbetimmering gooide. Het obstakel zwaaide licht-jes naar buiten. Sarah stormde erdoorheen en smeet de deur achter zich dicht.

Oppervlakkig ademend staarde ze even gedesoriënteerd naar een smalle liftdeur. Toen wist ze weer waar ze was. De lift werd maar zelden door gasten gebruikt. Links af was richting fitness-folterzaal, dus sloeg ze rechts af. Op een witte deur prijkte in gouden letters het woord SERVICE. Toen Sarah hem opendeed en erdoor liep, werd de nooduitgang van de groene salon ook al opengegooid.

Een moment lang keek ze in een paar donkere ogen; toen maakte de dichtvallende deur een eind aan het blikken-intermezzo. Ze rende door een kale gang naar de achterzijde van het gebouw. Door een glazen deur viel een beetje licht vanaf de binnenplaats naar binnen. Achter Sarah kreunden scharnieren. Ze trok de veiligheidshendel naar beneden, duwde de deur open en stormde naar buiten.

Ineengedoken haastte ze zich naar rechts langs een paar voertuigen en een gebouw naar de uitgang van de parkeerplaats. Opnieuw hoorde ze ach-ter zich de geluiddemper, en weer miste het projectiel. Gelukkig was de moordenaar een beroerde schutter.

Toen Sarah bij de smalle straat aankwam, kreeg ze knikkende knieën. Weimar was zo'n stadje waar 's avonds helemaal niets te doen was. Nergens was ook maar een auto of voorbijganger te bekennen. Wel hoorde ze achter zich de zware voetstappen van haar achtervolger.

'Help!' riep Sarah uit alle macht, en ze rende naar rechts. Misschien zou ze op de Goetheplatz in elk geval door een taxichauffeur worden opgemerkt. Zo'n twintig passen verder – ze had onderweg haar wanhoopskreet nog een paar keer laten horen, en had tot overmaat van ramp ook nog een pantoffel verloren – bereikte ze eindelijk het brede plein.

Het was uitgestorven.

Sarah strompelde verder; ze ging nog eens rechts af, waardoor ze weer bij de voorkant van het Russischer Hof uitkwam. Van haar luide geschreeuw bleef algauw niet veel meer over dan een moedeloos gejammer. De tranen liepen haar over de wangen. De ijzige wind blies door haar pyjama, en de koude straatstenen onder haar naakte voetzolen voelden als een speldenkussen aan. Ze wilde het al opgeven. Had het überhaupt nog zin om te vluchten...?

Toen ze bij de hoofdingang van het hotel aankwam, bleef ze even staan. Ongelovig draaide ze zich om. Waar was haar achtervolger gebleven? Hij had toch allang achter het gebouw vandaan moeten komen? *Mocht hij u in een bewoond gebied te na komen, schreeuw dan zo hard als u kunt.* Kennelijk werkte wat tegen stalkers hielp ook prima bij moordenaars.

Sarah draaide haar hoofd naar links en keek de hal van het Russischer Hof in. Vanaf de andere kant van de glazen deur staarde een tamelijk verrast lijkende nachtportier haar aan.

6

De nachtportier keek verbaasd toen Sarah d'Albis in haar zijden pyjama
en met maar één pantoffel aan haar voeten de hotelhal binnenstapte. De
concertpianiste maakte een nogal ontredderde indruk. Maar haar bleke
gezicht bracht hem vanwege de winterse temperaturen minder in verwarring dan haar begroeting.

'Hoe gaat het met u?'

Hij schudde verbijsterd zijn hoofd. 'U wilt weten hoe het met míj gaat?
Dat wilde ik ú juist vragen, madame d'Albis! Wat zoekt u in 's hemelsnaam
om deze tijd in uw nachtgoed op straat? Bent u slaapwandelaar?'

Haar blik dwaalde door de foyer, alsof ze daar het antwoord zocht.
Ten slotte schudde ze haar hoofd, keek hem weer aan en mompelde:
'Niet dat ik weet. Iemand heeft geprobeerd me te vermoorden. Ik moest...
vluchten.'

De portier beheerste zich. Hij was wel het een en ander gewend van
prominente gasten. Velen van hen spoorden niet helemaal. Sommigen gebruikten drugs. Die indruk maakte madame d'Albis weliswaar niet, maar
misschien was ze toch een slaapwandelaar. Begripvol antwoordde hij: 'Ik
was de hele tijd hier. Denkt u niet dat zoiets me had moeten opvallen?'

Ze liet een vreemd lachje horen. 'Hoe dan? Hij heeft u met zijn fluit in
slaap gewiegd. Gehypnotiseerd.'

'Wie?' Zo langzamerhand begon de jonge nachtportier zich ernstige
zorgen over het geestelijk welzijn van de gaste te maken.

'Ik neem aan dat het de paukenist was.'

'Dan heeft dus een paukenspeler me met een fluit gehypnotiseerd en u daarna de straat op gejaagd,' vatte de portier geduldig samen wat hij tot dusver te weten was gekomen. Zijn blik was strak op de blote voet van Sarah gericht.

Sarah keek hem met flikkerende ogen kwaad aan, deed haar mond open om waarschijnlijk nog meer onzin uit te kramen, maar hield zich opeens stil en spitste haar oren.

Nu hoort ze vast stemmen, dacht de portier. Toen hoorde echter ook hij een geluid. Er naderde een sirene. Vanuit zijn maag trok er een onbehaaglijk gevoel door hem heen. Dat was al de derde keer deze nacht dat ze waren uitgerukt en al de vierde sinds gistermorgen vroeg; iemand had tijdens zijn ochtendwandeling een lijk in het Ilm-park gevonden...

'Snel, ga naar buiten en roep de politie,' eiste de pianiste plotseling.

'Wat? Ik kan toch niet...'

Ze wees naar de kapotgeschoten bloemenvaas in de doorgang naar het atrium. 'En hoe verklaart u dát daar? De moordenaar heeft uw halve hotel gesloopt om me te pakken te krijgen.' Ze stond met haar wijsvinger heen en weer te zwaaien. 'Die smerissen daar buiten komen vanwege mij. Ik heb om hulp geroepen. Gaat u nu toch!'

Hoewel de kapotte bloemenvaas de portier niet in het minst interesseerde en hij zich uitsluitend om de geestestoestand van de jonge vrouw zorgen maakte, kon hij haar dwingende blik toch niet langer weerstaan. Hij liep de straat op, net op tijd om de bestuurder van de auto, die eraan kwam stuiven, toe te wenken.

Het wit-groene voertuig stak over en stopte voor het hotel. Een agent boog zijn hoofd uit het raampje en keek de nachtportier vragend aan.

'Bent u uitgerukt omdat een vrouw om hulp heeft geroepen?'

'Ja. Hebt ú ons gebeld?' reageerde de politieagent.

De portier begreep de wereld niet meer. Waarom had híj niets gemerkt? Hij schudde zijn hoofd, wees door de glazen deur en antwoordde: 'Nee. Maar de persoon in kwestie is een gaste van ons hotel. Ze is daarnet in haar pyjama en half blootsvoets van buiten gekomen.'

De bestuurder fronste zijn voorhoofd. 'Half blootsvoets?'

Anders dan Sarah gevreesd had, herhaalde zich niet wat haar een paar maanden geleden op een Frans politiebureau was overkomen. Na de inbraak van Oleg Janin had de ondervraging door de Franse politie meer op een verhoor geleken. Hier daarentegen was de aanvankelijke scepsis van de agent op slag verdwenen toen ze Sarahs suite waren binnengestapt. De opengebroken deur, een met kogels doorzeefd bed en een aan flarden geschoten kroonluchter zetten haar verklaring toch enige kracht bij.

Inmiddels was ook de *chef de réception* van het Russischer Hof op de hoogte gesteld, die zijn geschokte gaste meteen verzekerde dat het hotel er alles aan zou doen om de narigheid die ze had moeten doorstaan te helpen verzachten. Zijn aanbod Sarah in de luxueuze Tsarensuite op de bovenste verdieping onder te brengen nam ze dankbaar aan.

Daar werd ze vervolgens door een noodarts met een, zoals hij het noemde, 'lak-aan-alles-spuitje' emotioneel knock-out geslagen. Het kalmeringsmiddel vermengde zich met de bordeaux en de slaappil, die nog niet geheel waren uitgewerkt, tot een interessante cocktail, die niet alleen Sarahs knieën deed knikken, maar ook haar geest in een marshmallow veranderde.

Intussen arriveerde er een rechercheur van de Weimarse politie, die zich al snel bekendmaakte als 'leidinggegevend politieambtenaar in deze zaak'. Om te bewijzen dat ze goed met vrouwelijke slachtoffers wist om te gaan, had ze een joggingpak meegebracht, wat Sarah behoorlijk opbeurde. Als reden voerde de inspecteur van politie aan dat het nog wel eens een poosje kon duren voordat de plaats delict door de technische recherche zou worden vrijgegeven. De blonde vrouw van midden veertig heette Monika Bach. Bach, zoals de componist. Sarah vond dit – dankzij het 'lak-aan-alles-spuitje' – geestige toeval buitengewoon troostrijk.

Om het slachtoffer een zo stressvrij mogelijke omgeving te bieden, vond de ondervraging in de salon van de Tsarensuite plaats. Sarah zat met opgetrokken benen in een licht- en donkerrood gestreepte stoel. Bach deelde de bijpassende tweezitsbank met een collega. Terwijl de vrouwelijke inspecteur in een zwart notitieboekje zat te bladeren, beloofde ze dat ze zich tot het hoognodige zou beperken. Ze moest de opsporing van de dader met enkele feiten onderbouwen: hoe hij eruit had gezien en wat hij precies had gedaan...

'Ik heb er nog wel het meeste belang bij dat u deze moordenaar te pakken krijgt,' zei Sarah met een dubbele tong. Inmiddels geloofde ze echt dat de Kleurenhoorders haar achternazaten en dat de nieuwe tegenslag de bende eerder tot nog bruter geweld dan tot opgeven zou aanzetten. Toen de rechercheur haar vroeg of ze misschien vijanden had of iemand als dader verdacht, antwoordde Sarah zonder te aarzelen: 'Het was de paukenist.'

Vanaf dat moment werden haar beschrijvingen steeds breedvoeriger, waarbij ze haar plaatselijk verdoofde verstand door herhaalde waarschuwingen bij de afgrond van de willoosheid vandaan probeerde te houden: misschien zijn die smerissen wel spionnen van de Kleurenhoorders en heeft de arts je een waarheidsserum ingespoten. Blijf wakker, Sarah! Vertel de Duisteren niets wat ze niet toch al weten! Haar met psychofarmaca doordrenkte brein kon waarheid en waan nauwelijks meer van elkaar onderscheiden.

Als eerste deed ze verslag van Valéri Tiomkins overval in de Geleitstraße. De beide rechercheurs wisselden een lange blik, die zelfs Sarah in haar benevelde toestand niet ontging.

'Wat is er?' vroeg ze.

'U hebt het over dé Valéri Tiomkin, de musicus van de Parijse opera, die vanavond de paukenist van de staatskapel heeft vervangen?' vroeg de inspecteur voor de zekerheid.

Sarah knikte.

'Is het u bekend wat de reden van deze onverwachte verandering in de bezetting was, madame d'Albis?'

'Nee.'

'De vaste paukenist van het ensemble werd vandaag... nee, gistermorgen vroeg, dood in het Ilm-park aangetroffen. Hij lag met zijn gezicht naar beneden in de rivier.'

Hoewel Sarahs brein voor haar gevoel warm in watten was verpakt, kreeg ze de koude rillingen. 'Is hij... verdronken?'

Bach schudde haar hoofd. 'Ik denk het eigenlijk niet, al zijn de resultaten van de lijkschouwing nog niet binnen. Als u me even wilt excuseren?'

De politieagente deed een paar stappen bij haar vandaan en belde kort met haar gsm. Sarah nam een slok mineraalwater en luisterde. Ze kon maar enkele flarden van het gesprek opvangen, maar hoorde duidelijk een paar keer Tiomkins naam. De paukenist stond dus meteen al op de opsporingslijst. Mooi zo.

Nadat ze het telefoongesprek had beëindigd, liep de politieagente naar het zitje terug en wendde zich opnieuw tot Sarah. 'Vertelt u me alstublieft iets meer over Tiomkins aanval. Hoe bent u aan hem ontkomen?'

Sarah beschreef Oleg Janins toneelwaardige optreden met het zwaard.

Weer keken de beide inspecteurs elkaar veelbetekenend aan.

'U wilt toch niet beweren dat u de professor ook kent?' vroeg Sarah verbaasd.

'Nee,' antwoordde Bach. 'Maar toen onze agenten op de bewuste plek aankwamen, ontdekten ze de vernielde etalageruit van een wapenhandel.'

Sarah grinnikte. 'Die heb ik ook gezien.'

'Normaal gesproken zijn zulke zaken verplicht 's nachts hun etalages te beveiligen. Ook de betreffende winkel beschikt over een rolluik, maar dat bleef vannacht open.'

'En wat concludeert u daaruit?'

'Ik?' De politieagente trok een grimas. 'Voorlopig helemaal niets. De inbraak wordt door een collega behandeld, en we hebben, sinds we gisteren het lijk hebben gevonden, nog geen tijd gehad om even met elkaar te praten. Op het bureau is vierentwintig uur geleden de hel losgebroken.'

'Dat kan ik me voorstellen,' zei Sarah luchtigjes, alsof het gewoon om het spitsuur bij het lottobureau ging. 'Eerst de overval bij het noedelrestaurant. Toen rond halfeen al het volgende alarm. En nu deze poging tot moord. Wat is er eigenlijk vlak na middernacht gebeurd?'

'Daar komt u nog vroeg genoeg achter, madame d'Albis. Laten we nog even op Valéri Tiomkin terugkomen. Denkt u dat zijn belangstelling voor u...?'

'... van seksuele aard is?' maakte Sarah de zin af. Ze verbaasde zich erover hoe gemakkelijk deze woorden haar over de lippen kwamen en schudde haar hoofd. Tot nu toe had ze niets over haar gesprek met Janin verteld, maar ze zag eigenlijk niet in waarom ze deze stalker nog langer zou moeten beschermen. Misschien zat híj zelfs wel achter de moordaanslag. Het kon haar ook allemaal bar weinig schelen.

Alleen zijn waarschuwing voor de machtige Kleurenhoorders hield haar even tegen.

Maar toen viel Sarah uit tegen alle Russen die haar de laatste tijd het leven zuur hadden gemaakt. Ook het gesprek in de Anno 1900 bracht ze ten overstaan van de rechercheurs ter sprake. Zo nu en dan werd ze door Bach onderbroken, omdat haar beschrijvingen óf door haar dubbele tong onverstaanbaar waren, óf vanwege de obscure inhoud nauwelijks nog voor de politieagenten te volgen waren. Hoe langer ze over de volgelingen van Jubal vertelde, des te meer veelzeggende blikken de agenten wisselden.

Het was Sarah duidelijk hoe ongeloofwaardig dit alles moest klinken. Daarom zag ze er ook maar van af haar waarnemingen als kleurenhoorder tijdens het concert te beschrijven. Bovendien gingen die niemand iets aan. Maar aangezien haar verhaal kennelijk nogal rammelde, wilde ze het motief van de Broederschap in elk geval wel voorzichtig ter sprake brengen.

'De paukenist heeft me naar mijn indrukken tijdens de première van gisteren gevraagd. Ik neem aan dat de Kleurenhoorders meer dan alleen een muzikale interesse in de *Fantasie* van Franz Liszt hebben.'

Bach, die net nog breeduit op de zijleuning van de canapé in haar boekje had zitten krabbelen, veerde meteen overeind. 'U bedoelt het werk dat gisteravond in het Nationaltheater is uitgevoerd?'

Sarah knikte. Had ze te veel verraden?

De politieagente bladerde haar notities door. 'Ik heb gelezen dat u een afstammeling bent van onze voormalige hofkapelmeester. Zit Tiomkin daarom soms achter u aan?'

'Weet ik veel!' reageerde Sarah, opeens geërgerd door haar eigen spraakzaamheid. 'Binnen de mediawereld verspreidt een gevoelige onwaarheid zich altijd als een lopend vuurtje, maar een bittere waarheid hooguit als een smeulend brandje. De pers heeft een vaag vermoeden van mijn moeder tot een legende opgeklopt. Mijn afstamming van Liszt is helemaal niet bewezen.'

'Zelfs een leugen kan een motief opleveren, voor zover je die als waar aanneemt. Wat wil dat geheime genootschap van u?'

De ondervraging begon een kant op te gaan die Sarah steeds minder beviel. Voelde haar hoofd maar niet zo wattig aan! 'Ik heb het vermoeden,' antwoordde ze vaag, 'dat de Kleurenhoorders een geheime boodschap in dat stuk van Liszt zoeken. Misschien geloven ze dat ik die zichtbaar voor hen kan maken en kan ontcijferen.'

'Een geheime boodschap?' herhaalde de politieambtenaar. 'In een muziekstuk? Hoe moet ik me dat voorstellen?'

Het liefst had Sarah haar tong afgebeten. Ze zat hier maar te bazelen alsof haar leven ervan afhing, en dat allemaal door die 'lak-aan-alles-cocktail'. Wat als ze hier werkelijk tegenover spionnen van de Kleurenhoorders zat?

'Madame d'Albis?' drong de politieagente aan.

Sarah haalde diep adem. In gedachten veegde ze de wattenbollen aan de kant om bij haar herinneringen te kunnen komen. Ze moest improviseren. Op het conservatorium had ze toch... 'Der Leyermann!' stootte ze opeens uit.

De inspecteur fronste het voorhoofd vanwege haar vreemde gedrag. 'Kunt u iets duidelijker zijn, madame d'Albis?'

'Dat is een lied van Franz Schubert uit zijn *Winterreise*-cyclus. Hij heeft in de notenwaarden van het stuk de naam van zijn vriend Franz Schober verwerkt. Die Schober was later privésecretaris van een componist die alle twaalf stukken van de cyclus voor piano heeft bewerkt.'

'En wie was die musicus?'

'Franz Liszt.'

Bach krabde met de achterkant van het potlood op haar achterhoofd. 'Als ik u dus goed begrijp, dan zou Liszt via zijn secretaris door Schubert tot een soort muzikaal geheimschrift zijn geïnspireerd, en het gisteren uitgevoerde stuk zou de sleutel voor de decodering ervan leveren?'

'Dat zou toch kunnen?'

'Hmm,' zei de rechercheur, en ze ging opnieuw een stille dialoog met haar collega aan.

'Ik kan u een goede analyticus aanbevelen, om bij het ontcijferen van het stuk te helpen,' bood Sarah aan, ook omdat ze van de communicatie van het tweetal op de bank, die slechts uit blikken bestond, nauwelijks iets begreep.

'Dat is het probleem niet,' antwoordde Bach. 'U wilde daarnet toch weten waarom de politie rond halfeen al eens was uitgerukt? De reden was de Liszt-compositie, waarover we het net hebben. Die is uit het Nationaltheater gestolen.'

Sarah was als door de bliksem getroffen. Op slag verloor het 'lak-aan-alles-spuitje' zijn werking. 'Gestolen?' fluisterde ze.

De politieagente knikte. 'Ik kan me voorstellen dat u daarvan schrikt. We hebben met de intendant gesproken en die zei dat u wekenlang koortsachtig naar de dag had uitgezien waarop u de partituur van uw grote voorvader mocht bestuderen.'

Onthutst schudde Sarah haar hoofd. 'Hoe heeft dat kunnen gebeuren? Meneer Märki vertelde me dat ze speciaal een beveiligingsbedrijf hadden ingeschakeld om de tentoonstellingsstukken te bewaken.'

'Dat klopt. De dief is tamelijk geraffineerd te werk gegaan. We nemen aan dat hij zich onder de premièregasten heeft begeven en zich kort voor het eind van de uitvoering in de buurt van de grote foyerzaal heeft verstopt. Toen de zaal al leeg was en de laatste bezoekers de schouwburg net verlieten, sloeg hij toe. Hij is met zijn buit via de Führer-trap gevlucht.'

'De... wat?'

De politieambtenaar vertrok haar mond. 'Aan de achterkant van het gebouw bevindt zich een ingang waarvan Adolf Hitler vroeger gebruikmaakte om via een wenteltrap in zijn loge te kunnen komen. De dief heeft de deur opengebroken en kon zo onopgemerkt ontsnappen.'

Weer schudde Sarah haar hoofd. Waar was ze toch in terechtgekomen!

Bach glimlachte wrang. 'Nou ja, gelukkig heeft meneer Märki u vanavond kopieën van de muziekbladen gegeven. Hij zei trouwens dat de Klassik Stiftung u er binnenkort wel om zal vragen de afdrukken nog een keer te mogen kopiëren.'

'Hoezo dan? Ik zal toch niet de enige zijn die een duplicaat van de partituur heeft?'

'Blijkbaar wel. De intendant heeft ons te kennen gegeven dat er na de brand in de Herzogin-Anna-Amalia-Bibliothek een aantal behoorlijk pittige mediaberichten is verschenen. Dat heeft bij een paar verantwoordelijken van de stad tot heftige reacties geleid. Om na de ontdekking van de Liszt-compositie nieuwe indiscreties te voorkomen, werd voorlopig alleen aan het conservatorium een complete set afdrukken gegeven.'

'Waarom willen ze mijn kopieën dan terughebben?'

Bach tuitte haar lippen. 'In het conservatorium is ook ingebroken. Voor zover we nu weten gisteren al. Maar vandaag hebben ze pas gemerkt dat er iets weg was.'

Sarahs ogen werden groot. 'Toch niet...?'

De politieagente knikte. 'Helaas wel, ja. De dief heeft uitsluitend de muziekbladen gestolen. Waar bewaart u uw kopieën, madame d'Albis?'

De vraag trof Sarah als een plens koud water. 'Ik neem aan dat u mijn vernielde suite hebt gezien. De afdrukken liggen allemaal op het tafeltje.' Ze wees naar eenzelfde meubelstuk dat tussen haar en de twee rechercheurs stond.

'Bent u er heel zeker van dat u de kopieën daar voor het laatst hebt gezien?'

Sarah had een vermoeden wat de vraag betekende, en zelfs het spuitje kon haar machteloze woede niet beteugelen. Ze kon wel uit haar vel springen. Met een benepen stemmetje antwoordde ze: 'Natuurlijk ben ik daar zeker van. Wilt u me soms vertellen dat de partituur er niet meer ligt?'

Aan Bachs harde gelaatsuitdrukking was te zien hoe onthutst ook zij erover was hoe de gebeurtenissen zich toespitsten. Ze knikte. 'Ik vrees van wel, madame d'Albis. We hebben noch op de glazen tafel, noch ergens anders in uw suite ook maar een enkel muziekblad gevonden.'

Vroeg in de middag ontwaakte Sarah uit een diepe, droomloze slaap. Ze wist niet meer wanneer of hoe ze in bed was gekomen. Ze had nog wel steeds watten in haar hoofd, maar voelde zich al een stuk helderder dan die nacht. De alcohol en barbituraten waren blijkbaar afgebroken, haar lichaam begon weer te functioneren. Maar het spuitje van de noodarts werkte nog altijd. Sarah verkeerde in een biochemisch gestabiliseerde evenwichtstoestand, die haar evenwel onder de huidige omstandigheden zeer welkom was.

Haast energiek zwaaide ze haar benen uit bed en ze leste meteen haar ver-
zengende dorst met een halve fles mineraalwater die een of andere vriendelijke ziel op haar nachtkastje had neergezet. Daarna besloot ze een bezoekje
aan het toilet te brengen. Toen ze daarvoor de slaapkamer uit liep, stond ze
opeens voor een lichtblonde vrouw van haar eigen leeftijd.

Sarah gilde als een mager speenvarken.

Binnen een paar seconden vloog de deur naar de suite open en kwam een
reus binnengestormd, die kennelijk in zijn vrije tijd aan de roeimarathon
meedeed. Maar nu hield hij een pistool in zijn handen en speurde naar
sluipschutters.

Om boven het geschreeuw van de pianiste uit te komen, moest ook de
jonge vrouw haar stem verheffen. 'Er is niets aan de hand, madame d'Albis.
Wij zijn het maar, uw lijfwachten.'

Sarah herinnerde het zich weer. En werd stil. Juist! De inspecteur had
haar persoonlijke bescherming toegezegd, voor het geval ze mocht besluiten nog een poosje in Weimar te blijven. Voor het onderzoek zou het heel
nuttig zijn wanneer ze als hoofdgetuige voor de politie beschikbaar bleef.
Sarah had gevraagd of ze er een nachtje over mocht slapen.

'Neemt u me alstublieft niet kwalijk,' zei de politieagente. 'Ik dacht dat
u...'

'Het is al goed,' suste Sarah. 'Ik was alleen vergeten...' Ze wierp de agent,
een twee meter lange reus met een zwarte krullenbos, een stralende blik
toe en slofte naar het toilet.

Ongeveer een uur later had Sarah gedoucht en ontbeten; haar algehele toestand verbeterde snel. Op initiatief van het hotel had men uit een boetiek
een aantal verschillende kledingstukken laten brengen, zodat de gaste die
van haar garderobe was beroofd niet langer dan nodig in een joggingpak zou
hoeven rond te lopen. Kennelijk had de chef de réception zijn huiswerk goed
gedaan, want niet alleen de confectiemaat klopte, maar ook de sportieve stijl
waaraan Sarah de voorkeur gaf. Ze koos vijf of zes onderling te combineren
stukken uit. De zwarte wollen broek en de lichtblauwe kasjmieren trui met
v-hals trok ze meteen aan.

Hoewel ze nu weer toonbaar was, kon ze zichzelf niet zover krijgen om
de hotelkamer uit te gaan. De angst voor nog een aanslag van de Kleurenhoorders zat te diep.

Bovendien moest ze dringend een beroep op haar geheugen doen om de
klankboodschap van haar voorvader te reconstrueren.

Na een telefoontje van inspecteur Bach gaf de technische recherche Sarahs computer vrij. Tegen vieren zat ze aan het bureau noten in een muziekprogramma in te voeren. Om niet gestoord te worden, had ze Maike Hampel – de lijfwacht – met een biografie over Franz Liszt naar het verste hoekje van de suite verbannen. Mario Palme, Hampels collega, hield buiten voor de deur de wacht.

Zelden had Sarah haar feilloze muzikale geheugen zo gewaardeerd als op dit moment. Tot de avond werkte ze zich noot voor noot, maat voor maat, partij voor partij door de partituur heen. Met een koptelefoon beluisterde ze steeds weer de afzonderlijke passages, maar slechts zelden hoefde ze een noot achteraf te verbeteren. Natuurlijk had ze ook een exemplaar van de partituur kunnen opvragen die het orkest had gebruikt, maar daar zag ze bewust van af. Zulke gedrukte uitgaven verschilden vaak van het origineel.

Aanvullingen, zoals het dynamische teken 'balzante', of Liszts dateringen, kon Sarah vanwege het geringe aantal nog gemakkelijk reconstrueren. De eigenlijke uitdaging lag voor haar in die gedeelten van de compositie die de avond daarvoor niet waren uitgevoerd, die ze dus alleen maar van het lezen van de veelvuldig bijgewerkte muziekbladen kende. Elke afzonderlijke tussenversie kon een verborgen bericht bevatten, ze moest overal rekening mee houden.

Het betekende voor haar een enorme krachtsinspanning, die zich over meerdere dagen uitstrekte, om de partituur weer te reproduceren. Op zaterdagavond had ze haar werk eenmaal moeten onderbreken, omdat de inspecteur haar nog meer vragen over Tiomkin en Janin was komen stellen. Verder wijdde ze zich met hart en ziel aan haar nieuwe project. Sinds het lezen van de raadselachtige afscheidsbrief van Joséphine d'Albis waren er tien jaren verstreken, voor Sarah een periode van eenzaam zoeken naar de persoon achter de glamoureuze pianovirtuoze. Waar kwam ze vandaan? Met elk uur voelde ze zich dichter bij het antwoord.

En dan was er ook nog de purperpartituur. Zou het praatje van de Russische professor over de 'klanken der macht' echt serieus moeten worden opgevat? Zelfs tot in haar dromen achtervolgde de klankleer van Jubal haar.

In de nacht van zaterdag op zondag was ze badend in het zweet wakker geschrokken. Ze had over gestalten in zwarte vermomming gedroomd, die haar omringden. Allemaal droegen ze wijde, tot op de grond vallende gewaden en puntige hoofddeksels met kijkgaten; alleen hun mond en kin staken onder hun kegelvormige kappen uit. Bovendien hadden ze adelaarsvleugels, die ze uitspreidden, zodat ze een gesloten kring vormden. Sarah hield een stapel muziekbladen tegen haar borst geklemd. De vermomde mannen strekten hun handen ernaar uit. De kring sloot zich steeds dichter om haar heen, hoewel noch de onderlinge afstand tussen de mannen, noch hun aantal kleiner werd. Een gevoel van beklemming deed Sarah naar adem happen, ze dacht dat ze stikte. Net voordat de adelaarmensen met hun handen de muziekbladen aanraakten, werd ze wakker en sperde haar ogen open.

Naast haar bed stond een schim, even duister en dreigend als de gestalten in haar droom. Weer slaakte Sarah een kreet van pure angst, totdat Maike Hampel haar kalmeerde.

Daarna had Sarah ongeveer twee uur lang op de tekst van Liszts klankboodschap zitten broeden, maar ze was nauwelijks dichter bij de oplossing van het raadsel gekomen. Tegen vijven kroop ze met brandende ogen terug in bed en sliep weer tot het ochtendgloren.

Na het ontbijt wijdde ze zich opnieuw aan het karwei om de muziek te reconstrueren. Toen de klok van de Jakobskirche twaalf uur sloeg, was Sarah klaar. Kant-en-klaar. Uitgeput leunde ze in haar stoel achterover en luisterde nog een keer naar de vanuit haar geheugen weer tot leven gewekte *Grande Fantaisie Symfonique sur 'Devoirs de la vie' de Louis Henri Christian Hoelty*.

Omdat het geluid dat door de computer werd voortgebracht, het geheel aan klanken van de staatskapel van Weimar maar gebrekkig kon weergeven, zag Sarah voor haar geestesoog slechts wazige vegen. Maar meer was ook niet nodig. De woorden van het duistere gedicht stonden allang in haar geheugen gegrift. Na de vruchteloze pogingen van de afgelopen nacht vroeg ze zich wel af of ze de 'schatkaart' van haar voorvader ooit zou begrijpen.

Oleg Janin. Plotseling was het gebaarde gezicht van de professor er weer. Afgezien van haar verklaringen tijdens het bezoek van de rechercheur gisteren had Sarah het in de afgelopen anderhalve dag zo veel mogelijk vermeden aan de Rus te denken. Nu voelde ze opeens iets van wroeging. De inspecteur had haar meegedeeld dat Janin niet de vermomde moordenaar kon zijn geweest. Hij zou uitvoerig zijn ondervraagd en na controle van zijn alibi 's middags weer op vrije voeten zijn gesteld.

Hij had haar donderdagavond toch maar als zwarte ridder uit de handen van Tiomkin gered. En als dank was ze in de Anno 1900 gewoon voor hem weggelopen. Hoe langer ze erover nadacht, des te meer ervoor te zeggen was om zich met Janin te verzoenen. Als er iemand iets over de Kleurenhoorders wist, dan was hij het wel. Hoewel, het was vreemd hoe goed hij de geheime Orde kende...

Aan de andere kant kon het ook geen kwaad hem nog eens aan de tand te voelen. Misschien had ze hem zelfs nodig om de onheilspellende boodschap van haar voorvader te ontcijferen.

Inmiddels had Sarah haar persoonlijke spullen terug, zodat ze al snel Janins visitekaartje paraat had. Ze pakte de telefoon en liet zich met Hotel Elephant doorverbinden. Ze kreeg een verveeld klinkende telefoniste aan de lijn, aan wie ze de naam en het kamernummer van de professor doorgaf. Er nam niemand op.

Sarah keerde het kaartje om. Resoluut legde ze de telefoon neer en pakte uit gewoonte haar gsm om het mobiele nummer van de Rus te kiezen. Toen haar telefoon bij het drukken op de toetsen verschillende hoge tonen liet horen, vormde zich voor haar geestesoog een kleurig patroon. De ordening van de lichtende stippen na het intoetsen van het nummer kwam haar op de een of andere manier bekend voor:

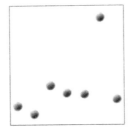

Voordat ze evenwel kon bedenken waar ze dit beeld al eens eerder had gezien, kreeg ze Janins diepe stem te horen.

'Hallo?'

'Kunt u me vergeven?' vroeg Sarah zonder ook maar gedag te zeggen.

'Sarah?' riep de professor verrast.

Nogmaals negeerde ze zijn lompe vertrouwelijkheid. 'Ik kreeg te horen dat u gisteren de hele dag in het gezelschap van een aantal politieagenten hebt doorgebracht. Dat was waarschijnlijk een beetje mijn schuld. Het spijt me.'

'Zand erover. Ik heb tot even na enen met een muziekprofessor in de bar van het Elephant gezeten. Daarna zijn we met z'n tweeën met onze drankjes naar de lobby van het hotel verhuisd en hebben daar onder de bestraffende blikken van een portier nog de halve nacht over ons vak zitten praten. Stelt u zich voor: de man is fluitist en kwam helemaal uit Münster hiernaartoe om tijdens de oeruitvoering zijn historische instrument te bespelen.'

De onbezorgdheid van de professor deed Sarahs gekwelde geweten goed. 'Hebt u vanmiddag misschien ook tijd?'

'Wanneer u maar wilt. Wat dacht u van een vredespijp in Café Frauentor?'

'Ik heb een beter voorstel,' zei Sarah koeltjes. 'In de salon van het Russischer Hof staat een vleugel. Daar verwacht ik u om halfdrie.'

7

*Ik verklaar tevens dat ik [...] geen geheime banden heb, die me zouden
kunnen beletten de plichten te vervullen die de vrijmetselaarsorde mij
eventueel oplegt [...] Veeleer beloof ik, naar eer en geweten, dat ik [...] ook
over al datgene wat me nu of in de toekomst over de vrijmetselarij ter ore
mocht komen [...] het meest absolute stilzwijgen zal bewaren.*

— Franz Liszt, in het bondsblad *Zur Einigkeit* van de Frankfurter vrijmetselaarsloge, naar aanleiding van zijn toetreding op 18 september
1841

WEIMAR, 16 JANUARI 2005, 14.34 UUR

Behalve Sarah en haar lijfwachten was er niemand in de Salon Lionel Fei-
ninger. Het was even na halfdrie. Blijkbaar was de muziekhistoricus Oleg
Janin een voorstander van het academisch kwartiertje.

Terwijl de twee politieagenten op een zitje met rode kussens in de verste
hoek van de salon de wacht hadden betrokken, zat Sarah ineengedoken op
de bank achter de vleugel. De drie poten van het zwarte instrument rustten
op een rozet die in de lichte vloer was ingelegd en die een windroos met
acht puntige 'bloembladen' voorstelde. Op Sarahs verzoek had de hotelleiding de beschermhoes van het instrument gehaald en de klep van de
claviatuur geopend.

Haar vingertoppen streken over de toetsen. Goede solisten waren net als
topsporters: ze moesten elke dag urenlang oefenen. De laatste tijd had Sarah
haar oefenschema schandalig verwaarloosd. Ze kreeg zin om een of ander
stuk te spelen, iets zachts, iets beheersts, om zich op het komende, mogelijk
stressvolle weerzien met Janin voor te bereiden. Misschien Chopins *Berceuse*
in Des-dur, opus 57...

Haar vingers begonnen als de voeten van een ballerina over het zwart-
witte toneel te dansen, vederlicht, zonder het minste geluid. Toch weerklonken in Sarahs hoofd de klanken van Chopins *Wiegenlied*. Ze merkte

dat ze kalmer werd. Tegelijkertijd groeide het verlangen de klanken uit haar geest te bevrijden...

Abrupt haalde ze haar handen van de toetsen. Later misschien, vermaande ze zichzelf. Haar blik ging omhoog, waar door het glazen dak een zwak, grijs winters licht naar binnen viel. Ongeveer zestig uur geleden had ze op deze plek gerend voor haar leven. De sporen van de schietpartij waren door de hotelleiding allang uitgewist.

Sarahs blik dwaalde omlaag, gleed over een spiegelstrook en bleef ten slotte hangen bij een brede band daaronder, die helemaal rondom liep, met een heleboel foto's van grote persoonlijkheden, van wie de namen met Weimar of met het Russischer Hof waren verbonden. Een van de in koperplaten geëtste gezichten was dat van de jonge Franz Liszt.

Vanuit haar ooghoeken zag Sarah een beweging. Het was Oleg Janin. Met een hoed op en zwarte jas aan naderde hij de salon. Sarah gaf haar bodyguards een teken. De Rus werd doorgelaten.

Ze nam hem mee naar een zitje voor een gobelin met een aantal figuren en een paard erop. Haar laptop lag al op de vlakke glazen tafel. Janin ontdeed zich van zijn jas en hoed. Hij droeg weer het Engelse-landherencolbert en een donkerbruine corduroy broek. Zachtjes kreunend, alsof het hem behoorlijke moeite kostte, liet hij zich in een kubusvormige stoel met een zwart frame en een zandkleurig kussen zakken.

Hoewel de lijfwachten geen Frans spraken, liet Sarah haar stem dalen toen ze de professor bedankte voor zijn komst.

Janin glimlachte grootvaderlijk. 'Ons gesprek laatst is zo – hoe moet ik het noemen? – abrupt geëindigd.'

'Ik was nogal van slag,' verontschuldigde Sarah zich met een glimlach.

'Dat begrijp ik.'

Er verscheen een man met een lange witte schort, die informeerde naar wat de gasten wensten. De pianiste bestelde een donkere thee, en de professor koos voor een espresso en een aquavit.

Toen ze weer ongestoord konden praten, zei Sarah: 'U merkte donderdag op dat Liszt vermoedelijk een grootmeester van de Kleurenhoorders is geweest en een soort schatkaart heeft gemaakt die naar de purperpartituur leidt. Hoe komt u daarbij?'

'Doordat ik zijn biografie grondig heb bestudeerd.'

'Ja, en? Dat heb ik ook gedaan.'

'En hoe verklaart u de vele tegenstrijdigheden?'

'Er is mij geen enkele tegenstrijdigheid opgevallen.' Ze leunde weer achterover in haar stoel. 'Maar ik heb tenslotte ook niet zoals u geprobeerd hem als hoofd van een geheime Orde te ontmaskeren, maar me alleen in het kader van mijn stamboomonderzoek met hem beziggehouden.'

Janin schoot even in de lach, schraapte zijn keel en ging toen weer met de nodige ernst verder. 'Neemt u me niet kwalijk, maar de discrepanties kunnen u toch onmogelijk zijn ontgaan.'

'Geeft u dan eens gewoon een voorbeeld,' antwoordde Sarah stijfjes.

'Ik zou een slechte leraar zijn als ik het u zo gemakkelijk maakte. Wat een leerling zelf niet ontdekt, dat neemt hij ook niet aan. Staat de biografie van Franz Liszt u nog goed bij?'

Voordat ze kon antwoorden, verscheen de man met de lange schort. Hij serveerde de bestelde drank en trok zich meteen weer terug.

Sarah kneep wat citroen in haar thee en roerde hem peinzend door. Natuurlijk herinnerde ze zich talloze details uit het leven van de musicus, vanaf zijn geboorte op 22 oktober 1811 in het destijds nog Hongaarse Raiding tot aan zijn dood op 25 juli 1886 in Bayreuth. Ze haalde demonstratief onverschillig haar schouders op. 'Jawel. Hij was de grootste pianovirtuoos van zijn tijd, daarna in deze stad een gevierd componist en later een rusteloos reiziger tussen Weimar, Boedapest en Rome. Ik kan alleen in zijn levensbeschrijving niets geheimzinnigs vinden.'

De professor sloeg zijn aquavit achterover, likte zijn lippen af en glimlachte begrijpend. 'Soms moet je een mozaïek uit elkaar halen en daarna weer in elkaar zetten om het beeld juist te kunnen zien.'

'En wie bepaalt wat "juist" is?'

'Ons intellect. Hebt u zich ooit met Liszts levensbeschouwelijke visie beziggehouden? Zijn doopnaam dankt hij aan de heilige Franciscus van Paola.'

'Ik zou zeggen dat hij een katholiek was die het dogmatisme verafschuwde, maar wel naar orde in de wereld verlangde. In die zin heeft hij de *Mater ecclesia* – de verenigende Moederkerk – als een noodzakelijk iets gezien.'

'En hoe komt het dat hij tegelijkertijd vrijmetselaar was?'

'Is dat dan van belang?'

De professor glimlachte. 'Dat is in zoverre opmerkelijk, aangezien tussen 1739 en 1884 zes pausen de vrijmetselarij hebben veroordeeld. Er werd gesproken over "de synagoge van Satan". Toch is Liszt nooit officieel uitgetreden uit de diverse loges waarvan hij lid was. Vindt u dat normaal?'

'Hij was gewoon een typische non-conformist,' antwoordde Sarah ontwijkend.

Janin lachte fijntjes. 'Dat is de simpele verklaring, mijn kind. Open eindelijk eens uw ogen. In zijn hart was Liszt allesbehalve een vrome katholiek. Er sluimerde een revolutionair in hem. Hij heeft waarschijnlijk nooit een bajonet in zijn handen gehad, maar de muziek was voor hem zeker een bom waarmee hij de oude wereldorde wilde opblazen.'

'Nu overdrijft u!'

'O nee, madame. Kijkt u maar eens naar de mensen die hij om zich heen verzamelde: allemaal andersdenkenden. Liszt heeft zijn reputatie in de hogere kringen systematisch gebruikt om de doelen van de geheime Broederschap na te streven.'

'De vrijmetselaars?'

'Ach nee! Ik heb u toch donderdag al proberen uit te leggen dat de vrijmetselaars voor de Kleurenhoorders louter een middel tot een doel zijn geweest. Liszt maakte van de structuur van de vrijmetselaars gebruik om een internationaal netwerk te vormen; tijdens zijn concertreizen heeft hij vaak loges bezocht.' Janin nipte van zijn espresso, vertrok zijn gezicht en voegde eraan toe: 'Tegelijkertijd onderhield hij nauwe banden met paus Pius IX; hij woonde af en toe zelfs in het Vaticaan. De lichtgestalte van de bejubelde "pianogod" is waarschijnlijk eerder die van een "Lucifer" geweest. Alleen op die manier slaan de tegenstrijdigheden ergens op. Hij heeft als meester der harpen iedereen gemanipuleerd, omdat zijn kleine schare Witte Kleurenhoorders op hulp van buitenaf was aangewezen.'

'U bent echt gek!' stootte Sarah uit. Geschrokken van haar eigen uitbarsting keek ze in de richting van haar lijfwachten. Hampel rekte haar hals en wierp haar een vragende blik toe. Sarah maakte een bezwerend gebaar met haar hand en richtte zich met gedempte stem weer tot de professor.

'Zo iemand was hij niet. Hij heeft in zijn leven tal van liefdadigheidsconcerten gegeven...'

De professor lachte. 'Uw waarneming werkt volgens het principe dat iets niet zo kan zijn, omdat het niet zo mág zijn. Word toch eindelijk wakker, mijn kind!'

'Ik ben uw kind niet. Knoop dat eens en voor altijd in uw oren,' beet Sarah hem toe.

Janin leek geraakt. Heel even maakte hij een vermoeide indruk, als een man die door het leven was teleurgesteld, maar meteen daarna nam hij de rol van berouwvolle boeteling aan, spreidde zijn armen en zei: 'Neemt u me niet kwalijk, madame. Als een wetenschapper zich tientallen jaren lang aan zijn theorie heeft gewijd, maakt tegenspraak hem algauw boos. Ik wil er niet met u over in discussie gaan of Liszt gehandeld heeft vanuit minder nobele beweegredenen of vanuit een in verkeerde banen geleide missionaire drang. Het is immers van oudsher het streven van de Kleurenhoorders geweest om de mensheid voor ellende te behoeden. Maar om de wereld te helen is wel meer nodig dan alleen een paar symfonieën.'

'U denkt daarbij niet toevallig aan de purperpartituur?'

'In de juiste handen zou die misschien het probate middel zijn om het moreel verval tegen te gaan. Maar als deze man hier hem in handen krijgt, dan hou ik met het ergste rekening.' Janin had bij die laatste woorden een foto uit de binnenzak van zijn colbertjasje gehaald en die voor Sarah op de glazen tafel neergelegd.

Ze boog voorover, zette haar theekopje neer en bekeek de opname. Hij was niet erg scherp, en bovendien zwart-wit. Onvermijdelijk deed hij haar aan paparazzifoto's denken die met enorme telelenzen vanuit schuilplaatsen ergens ver weg waren geschoten. Van haar bestond er ook een hele reeks van dat soort kiekjes. Janins foto toonde het portret van een oude man met een wilde, witte haardos. Ondanks de vele rimpels had zijn gezicht iets sluws.

'Is dat die... Nekrasov?' vroeg ze.

De professor knikte. 'Sergej Nekrasov. In Rusland geboren. Directeur van de firma Musilizer, naast Muzak wereldwijd het belangrijkste bedrijf voor functionele muziek. U kent het begrip?'

'Het koop-me-maar-steel-me-niet-gejengel waarmee je in supermarkten wordt overspoeld.'

'Zo kun je het ook uitdrukken. Ik heb in meerdere titels van het bedrijf subliminale informatie aangetroffen om het menselijke onderbewustzijn te manipuleren. Nekrasov beschikt inmiddels over een heel arsenaal van deze zogenoemde "subliminals". Tijdens de verkiezingsstrijd van Vladimir Poetin werden deze methoden eveneens ingezet.'

Sarah sperde haar ogen open. 'U maakt een grapje!'

'Helaas niet. Sergej Nekrasov is er al lang geleden mee begonnen de wereld naar zijn idee te herscheppen. Stelt u zich toch eens voor dat een man als hij in het bezit van de purperpartituur zou komen. Daarmee zou hij de mensen veel doeltreffender kunnen beïnvloeden dan met welke subliminal ook. De klankleer van Jubal zou hem nagenoeg onbeperkte macht geven, het vermogen onze wereld naar zijn wil te vormen en te beheersen.'

'En u wilt dat verhinderen,' zei Sarah toonloos.

Janin glimlachte gekweld. 'Ik moet toegeven dat mijn verhaal het bevattingsvermogen van politici te boven gaat. Maar ik ben er zeker van dat ú mij begrijpt, madame d'Albis. Als Française is het u waarschijnlijk bekend dat het succes van de revolutie voor een deel aan de *Marseillaisse* wordt toegeschreven?'

Sarahs mond viel open. 'U wilt toch niet beweren...?'

Hij knikte. 'Ik heb de beschikking over documenten die daar geen twijfel over laten bestaan: het Franse volkslied is het werk van een Kleurenhoorder.'

'Dat is... ongelooflijk.'

'O nee, het is alleen een onvoltooid gezellenstuk, ontstaan in een periode waarin de strijd van de Kleurenhoorders nog niet volledig was uitgewoed. Tegenwoordig, onder de leiding van Sergej Nekrasov, is de geheime Broederschap vele malen machtiger, en ik ben bang dat u de enige bent die zijn plannen kan verijdelen. Of wilt u ook werkeloos toezien hoe de mensheid in chaos vervalt omdat deze harpmeester en zijn volgelingen de muziek misbruiken, het rijk van de klanken waarin ú, madame d'Albis, een koningin bent?'

Sarah was niet in staat te antwoorden. Een koningin? Haar rijk? Chaos? Onzeker stak ze haar hand naar haar theekopje uit, toen Janin ineens ver vooroverboog en haar bij haar pols pakte. Zijn stem klonk nu bezwerend.

'Wij moeten de purperpartituur eerder vinden dan Tiomkin en Nekrasov, Sarah! Alleen zo kunnen we de Broederschap nog tegenhouden.'

Even verstijfde ze, verlamd door de starre blik van de Rus, maar toen maakte ze zich uit zijn greep los, leunde weer snel achterover in haar stoel en vroeg: 'Wij?'

Hij knikte veelzeggend. 'Ja, daarom heb ik nu ook eindelijk een paar duidelijke antwoorden van u nodig, madame d'Albis. Wat hebt u donderdagavond tijdens de oeruitvoering van de Lisztfantasie waargenomen?'

Sarah huiverde. Janin had haar in het nauw gedreven. Ze kon toch moeilijk beweren dat het door hem beschreven scenario haar niet interesseerde. Bovendien had ze de laatste dagen te veel meegemaakt, gezien en gehoord, om hem simpelweg voor een fantasievolle complottheoreticus te verslijten. Ze kwam er vermoedelijk niet onderuit hem in te wijden. Althans gedeeltelijk.

'Ik heb een boodschap gezien,' zei ze zachtjes.

Een moment lang keek de Rus haar alleen maar doordringend aan. Toen knikte hij langzaam. 'Dus toch! Hoe zag hij eruit?'

Sarah haalde haar schouders op. 'Hij bestond uit kleurige stippen en banden, die een lange reeks letters vormden. Alleen woorden en spaties. Geen leestekens.'

'Fascinerend! En dat lag allemaal in de klanken van de *Fantasie* verborgen?'

'Ja. Waarbij mijn audition colorée ook met het timbre rekening houdt.'

'Dat begrijp ik. Zoiets is bij het kleurenhoren heel zeldzaam. Daarom heeft Tiomkin waarschijnlijk ook niet genoeg gezien.'

'U bedoelt dat hij ook een synnie is?' Sarah was verrast.

'Een synestheet? Absoluut. Zonder die speciale begaafdheid kan niemand in de hiërarchie van de Kleurenhoorders zo hoog opklimmen. Wat Liszt betreft hebt u in elk geval mijn laatste twijfel weggenomen. Weet u wat dat betekent?'

'Nee. Maar dat gaat u me zo meteen vast en zeker vertellen.'

'In zijn *Fantasie* zijn klanken der macht verwerkt. Zoiets kon alleen een "meester zoals Jubal". Dus moet Franz Liszt de purperpartituur hebben bestudeerd en de daarin verborgen kennis hebben toegepast. Waarover gaat het eigenlijk in zijn gecodeerde bericht?'

Sarah vertrouwde de nonchalante toon niet waarop Janin zijn vraag had gesteld. Hij leek wel een spin die zijn slachtoffer in een web van halve waarheden inspon, om vervolgens het geheim van de klankboodschap uit hem te zuigen. Ze besloot op haar hoede te blijven, hem alleen een vinger te geven en niet meteen de hele hand.

Ze antwoordde: 'Over de waarschuwing voor een moordcomplot.'

De professor knipperde verbouwereerd met zijn ogen. 'Wat zegt u? Weet u het zeker?'

'SPOED! DE WIL VAN HET VOLK VLECHT REEDS ALEXANDERS KRANS. BINNEN SLECHTS TWEE MAANDEN WAAIT HIJ OP ZIJN GRAF FRANZ. Zo luidt het bericht. Gisteravond heb ik op internet het gedicht "Lebenspflichten" van Hölty gelezen. Het tweede couplet gaat als volgt:

Vandaag huppelt, in een voorjaarsdans
De vrolijke knaap aan en af;
Morgen waait de dodenkrans
Reeds op zijn graf.

Valt u de overeenkomst in woordkeus op? U zei al: soms moet je een mozaïek uit elkaar halen en daarna weer in elkaar zetten om het beeld juist te kunnen zien. Of wat concludeert u uit Liszts verwijzing naar de grafver-siering?'

'Het klinkt inderdaad als de aankondiging van een aanslag. Wist u trou-wens dat Ludwig Hölty eveneens vrijmetselaar was?'

'Nee. Wil dat zeggen dat hij ook deel uitmaakte van de Kleurenhoor-ders?'

'Dat weet ik niet zeker.'

'Het zou in elk geval toepasselijk zijn als Liszt de verzen van een broeder in zijn klankboodschap heeft verwerkt.'

'En die ter bekrachtiging zelfs met zijn naam ondertekent.'

Sarah schudde haar hoofd. 'Dat dacht ik in het begin ook, maar daar ben ik inmiddels niet meer zo zeker van. De naam Franz zou ook op de ontvanger van de waarschuwing kunnen slaan.'

'De manier waarop u het probleem aanpakt, bevalt me wel,' zei de profes-sor waarderend. 'De naam Franz kom je tot in onze tijd toch behoorlijk vaak tegen. Aan wie zou de boodschap dan gericht kunnen zijn geweest?'

'Misschien ontdekken we dat als we achter de identiteit van die Alexander kunnen komen, die Liszt kennelijk wilde redden.'

'Die voornaam kwam in de negentiende eeuw waarschijnlijk net zoveel voor als die van de componist.'

Sarah keek de professor met fonkelende ogen aan. Eigenlijk had ze zich van zijn hulp wel iets meer voorgesteld dan standaardopmerkingen. Pein-zend liet ze haar blik door de salon dwalen. Toen hij langs de banderol met portretten van beroemde persoonlijkheden gleed, riep ze opeens uit: 'Het Russischer Hof!'

Janin boog naar voren: 'Pardon?'

Ze draaide zich naar hem toe en vroeg opgewonden: 'Wist u dat bij de brand in de bibliotheek van Weimar ook zevenhonderd muziekmanuscrip-ten van de dochter van de tsaar, Maria Pavlovna, zijn verwoest?'

'Wat heeft dat met dit hotel te maken?'

'In de hotelkroniek staat dat ze het oorspronkelijk de naam Alexanderhof hadden gegeven, ter ere van tsaar Alexander, de broer van Maria Pavlovna. De groothertog van Sachsen-Weimar-Eisenach is in het begin van de ne-gentiende eeuw in Sint-Petersburg met haar getrouwd.'

'Als ik me niet vergis, is Alexander I Pavlovitsj in 1825 gestorven.'

Sarah knikte peinzend. Ze klapte haar laptop open, startte een encyclo-pedieprogramma en typte als trefwoord 'Alexander' in. Er werd een diverse bladzijden tellende lijst met artikelen getoond. Ze trok haar neus op. Om het aantal resultaten verder terug te brengen, koppelde ze aan de zoekterm het jaartal 1881. De lijst werd drastisch korter. Helemaal bovenaan stond de naam van een andere tsaar. Ze klikte het artikel aan en las vlug de tekst door. Onwillekeurig moest ze glimlachen. Ze keek van het beeldscherm op en zei: 'Alexander II Nikolajevitsj.'

'Klopt!' herinnerde Janin zich. 'Hij is in 1881 gestorven.'

'Ja, doordat hij op de Nevskiy Prospekt in Sint-Petersburg door anarchisten de lucht in werd gejaagd.'

'Ik wil niet de historicus uithangen, maar bij mijn weten is hij al op 1 maart gestorven. Liszt heeft echter heel duidelijk voorspeld dat hij halverwege de maand de dood zou vinden. Hij moet een andere Alexander hebben bedoeld.'

'Dat zegt uitgerekend ú, een coryfee op het gebied van de Russische geschiedenis, zoals dat heet!' Sarah ging met haar wijsvinger naar een plekje helemaal onderaan op het beeldscherm. 'Hier staat dat in uw geboorteland tot aan de Oktoberrevolutie in 1917 de juliaanse kalender werd gebruikt. Volgens de gregoriaanse valt de dag waarop de tsaar werd vermoord precies op 13 maart.'

'Dat had ik over het hoofd gezien,' zei Janin met krassende stem.

'Het wordt nog mooier: de ondergrondse beweging die de monarch geatomiseerd heeft, noemde zich Narodnaja Volja.' Ze schonk de professor haar mooiste glimlach. 'Dat kunt u vast en zeker voor me vertalen.'

'De wil van het volk,' bromde Janin.

Ze knikte en citeerde nog eens, met behoorlijk wat nadruk, de zin uit de klankboodschap. ' "Spoed! *De wil van het volk* vlecht reeds Alexanders krans." Liszt moet op de een of andere manier lucht hebben gekregen van de plannen van de anarchisten.'

'Niet verwonderlijk, als hij jarenlang in kringen verkeerde die zo nauw met het hof van de tsaar waren verbonden.'

'De aanslag past precies binnen het door u beschreven plan,' dacht Sarah hardop.

'Ik kan u niet helemaal volgen.'

'U zei laatst dat de Adelaars naar radicale methoden neigden, tot aan een wereldbrand toe, en dat ze van anderen gebruikmaakten om hun doelen te bereiken. Waarom dan niet van een anarchistische groepering als die Narodnaja Volja?'

Op Janins vertrokken gezicht verscheen een glimlach. 'Uw scherpzinnigheid bevalt me wel. De Kleurenhoorders hebben door hun klanken der macht al menige staatsgreep, menige revolutie en tal van politieke moorden teweeggebracht om de orde en het machtsevenwicht te herstellen. Dat vereist hun eeuwenoude codex.'

'Evenwicht?' Sarah trok haar neus op en wees naar het computerscherm. 'De aanslag op Alexander II bracht een proces op gang dat uiteindelijk resulteerde in de Oktoberrevolutie. Zouden de Kleurenhoorders zich de nieuwe wereldorde zo hebben voorgesteld? Wilden ze het tsaristisch imperium door de heerschappij van het proletariaat vervangen, of was die ontwikkeling een ongelukkige misser?'

'Vermoedelijk eerder de grootste politieke misser die je maar kunt bedenken. Helaas kan, als je een kritische massa mensen met een idee infecteert, dit gemakkelijk tot een oncontroleerbare, wereldomvattende aardverschuiving leiden. Wellicht hebben de Adelaars hun vergissing toch weer hersteld: van het eens zo trotse schip van het communisme steken nu alleen nog maar de schoorstenen boven de volkerenzee uit.'

'En dat schrijft u aan de Kleurenhoorders toe?' vroeg Sarah ongelovig.

Janin grijnsde. 'Bewijst u maar dat het niet zo is.'

Ze schudde haar hoofd. 'Dat is toch absurd.'

'Waarschijnlijk net zo absurd als Liszts waarschuwing voor de aanslag op Alexander II. Is er nog meer te melden over zijn klankboodschap, iets wat u tot nu toe voor me hebt verzwegen?'

Met zijn directe vraag had hij haar volkomen overrompeld. Ostentatief klapte ze haar laptop dicht. 'U bent behoorlijk halsstarrig.'

'Dat leer je wel als je al meer dan veertig jaar op zoek bent.'

Sarah voelde zich weer in het nauw gedreven. Kon ze deze man vertrouwen? Of gebruikte hij haar alleen maar? Daar was achter te komen. Ze zei: 'Quid pro quo.'

'Pardon?'

'Dat is Latijn en het betekent...'

'"Voor wat hoort wat", ik ken de uitdrukking, ja. Maar dan weet ik nog niet wat u van míj wilt.'

'Bij het ontraadselen van de identiteit van de tsaar was u nu niet bepaald behulpzaam. Maar aangezien u een groot Liszt-kenner bent, zou ik het interessant vinden te weten wie volgens u de ontvanger van de boodschap zou kunnen zijn geweest.'

'Die geheimzinnige Franz, bedoelt u?' Janin krabbelde aan zijn baard, dronk de rest van zijn inmiddels koud geworden espresso op en plukte nog eens aan de haren op zijn kin. Plotseling klaarde zijn gezicht op. 'Hij zou Franz von Liszt kunnen hebben bedoeld, zijn veel jongere neef. Het is een feit dat de oude Franz zelfs peetoom van zijn jongere naamgenoot is geweest. Die is uiteindelijk een belangrijke rechtsgeleerde geworden en hield zich met de criminele politiek bezig.'

'Een politicus? Hoe zou die de klankboodschap nou moeten lezen?'

'Je hoeft geen musicus te zijn om deel van de Kleurenhoorders uit te maken. Als neven zouden de beide Liszts dezelfde gave kunnen hebben gehad.'

'En waarom heeft de componist de tsaar eigenlijk niet gewoon een telegram gestuurd?'

'Omdat hij telegrafisten noch koeriers vertrouwde. Mogelijk was hij er bang voor door de Adelaars als grootmeester van de Zwanen te worden ontmaskerd.'

'Dat kan allemaal wel zijn, maar moet iemand het zichzelf en de ontvanger van de boodschap nu zo moeilijk maken wanneer hij een staatshoofd het leven wil redden?'

'Het bezoek aan een uitvoering van de "Lebenspflichten"-*Fantasie* was waarschijnlijk al voldoende om de waarschuwing voor de aanslag aan Liszts neef over te brengen. Als gematigd liberaal en hervormer had hij ongetwijfeld connecties met de monarchie, evenals met de verzetsbeweging. Misschien kon hij op grond van zijn hoogleraarschap in Hessen invloed naar beide kanten uitoefenen, zelfs tot aan Rusland toe.'

'Waardoor hij de ideale tussenpersoon was om een waarschuwing aan de tsaar over te brengen.' Sarah beet op haar onderlip. Janins betoog klonk plausibel. Het werd tijd nog een la in het kabinet van haar vertrouwen voor hem open te trekken. 'U wilde toch weten of er in de klankboodschap nog meer stond?'

Er ging een schok door Janin heen. 'Ja.'

'Zoals ik het inschat, wilde de oude Liszt met de naderende dood voor ogen het geheim van de purperpartituur aan de volgende generatie doorgeven of de jonge Franz zelfs als nieuwe meester der harpen aanstellen.'

'Betekent dat... dat de klankboodschap de plaats noemt waar de purperpartituur is verborgen?'

Sarah nam de Rus, die ineens een wel heel opgewonden indruk maakte, met samengeknepen ogen op. Hoeveel moest ze hem prijsgeven? Ontwijkend antwoordde ze: 'Dat kan ik u niet zeggen. De verzen blijven een raadsel voor me.'

Ze kwam overeind, liep naar de vleugel en intoneerde de melodiestem van het derde vers van de boodschap. In haar hoofd ontstond daarbij een beeld dat niet te vergelijken viel met het klankschilderij van een compleet orkest. Ze speelde hier op een instrument van Kawai, maar het timbre van een Steinway of Bechstein zou voor haar geestesoog al enigszins andere indrukken hebben opgeleverd. Behalve een paar bonte kloddens zag ze daarom niets wat ook maar bij benadering op de reeks letters leek die ze in het Nationaltheater had gezien...

'Wat betekent dat?' onderbrak Janin abrupt Sarahs gedachten.

'Eh... Het is een van die orakelachtige aanwijzingen. Nadat Liszt melding van de purperpartituur heeft gemaakt, staat er in zijn boodschap: "Om hem te spelen na hem te vinden, maak je tot koning aller blinden."'

Janin glimlachte. 'Dat is simpel te begrijpen. Het betekent zoveel als: "Laat je niet afleiden door wat je met je ogen ziet, maar neem alleen met je audition colorée waar. Het kleurenhoren wijst je de weg naar de purperpartituur." Maar even van voren af aan. Hoe begint het bericht?'

'De eerste twee verzen dienen alleen als inleiding. Ze vestigen de aandacht van de ontvanger op de purperpartituur,' antwoordde Sarah afwezig. Toen ze zich er bewust van werd dat haar linkerhand op het weggestopte FL-signet lag, liet ze snel haar hand zakken. De ogen van de professor vernauwden zich. De hanger zit onder je trui, hij kan hem onmogelijk zien, stelde ze zichzelf gerust.

Janins gezicht ontspande weer. 'Goed dan. Verder met de tekst.'

'Het is eigenlijk als een gedicht opgebouwd,' legde Sarah uit. 'In het volgende vers staat dat je je van as tot n + balzac en tot het end moet laten voeren. Dat klinkt nogal cryptisch, nietwaar? Ik bedoel, waarom heeft Liszt een N, en niet een H voor Balzac gezet? Tenslotte heette hij Honoré de Balzac.'

'Dat is inderdaad vreemd,' mompelde de professor, en hij plukte opnieuw aan zijn baard. 'Afgezien van Balzac heeft Liszt nog een heleboel andere kunstenaars ontmoet: Hector Berlioz, Frédéric Chopin, Niccolò Paganini, Heinrich Heine, Victor Hugo... Ik zal mijn leerlingen erop zetten. Misschien komen die meer te weten. Wat hebt u verder nog in de klankboodschap gezien?'

'Niets. Het einde met de waarschuwing kent u immers al.'

'Dat meent u niet!' reageerde de Rus verbijsterd.

'Jawel.' Sarah had er geen zin meer in zich voortdurend als een schoolmeisje door de professor te laten betuttelen en in het nauw te laten drijven.

Er verscheen een gejaagde uitdrukking op Janins gezicht. Hij schudde ongelovig zijn hoofd. 'Laten we dan maar naar het begin teruggaan, naar de... hoe noemde u dat ook alweer? De inleiding.'

'Die is niet belangrijk,' antwoordde Sarah snibbig.

De professor sprong uit zijn stoel op en ging tekeer: 'U weet toch iets. Voor de dag ermee, Sarah!'

Zijn lichaamstaal was bedreigend genoeg om haar beide lijfwachten in actie te laten komen. In twee tellen waren ze aan de andere kant van de salon, hun handen op de greep van hun pistool. 'Hebt u hulp nodig, madame d'Albis?' vroeg de agente.

'Dank u, mevrouw Hampel, maar...' Sarah richtte zich bedaard tot Janin, 'het was gewoon een misverstand.'

De bodyguards trokken zich terug in hun hoek.

Sarah keek de Rus met fonkelende ogen grimmig aan. Met zijn opvliegendheid had hij alle laden in het kabinet van haar vertrouwen weer dichtgeknald. Waarom had hij zoveel belang bij de purperpartituur? Ging het hem alleen om wetenschappelijke roem? Of wilde hij de klanken der macht helemaal voor zichzelf gebruiken?

De professor ademde hoorbaar uit en ging weer zitten. 'Neemt u me alstublieft niet kwalijk, madame. Ik...'

'U vervalt in herhaling,' viel Sarah hem nors in de rede. 'Als u naar Weimar bent gekomen om me van uw complottheorieën te overtuigen, dan kunt u me beter niet met halve waarheden afschepen. Het wordt tijd om de kaarten op tafel te leggen, monsieur Janin.'

'Tja,' zei de professor aarzelend, 'eigenlijk bent u niet de enige reden waarom ik hier ben.'

Sarah kneep haar ogen samen tot smalle spleetjes. 'Maar?'

'Ik ben sinds de nazomer van vorig jaar telkens weer in de stad geweest om in de archieven hier te speuren naar aanwijzingen over de purperpartituur. Toen – eindelijk! – stuitte ik in het oude gedeelte van de Anna-Amalia-Bibliotheek op een aantal veelbelovende sporen. Toen het gebouw sloot, moest ik mijn zoektocht onderbreken. De volgende morgen lag de rococozaal in de as.'

Weer was Janin erin geslaagd Sarah te verrassen. 'Was u vóór de brand in de bibliotheek?'

Hij knikte gelaten.

'Wilt u daarmee zeggen dat de Kleurenhoorders u hebben gezien en brand hebben gesticht?'

'Als u dat liever hebt, kunt u ook geloven dat het toeval was.'

'Maar waarom...?' Ze deed er ineens het zwijgen toe en schudde geërgerd over haar eigen onnozelheid haar hoofd. 'Als de Kleurenhoorders zo'n geheim genootschap zijn, hoe komt het dan dat u zo veel over hen weet? En waagt u het niet me nog eens met halve waarheden af te schepen!'

Janin staarde geïrriteerd naar het lege aquavitglas met het witte Maltezer kruis erop. Ten slotte haalde hij met een diepe zucht zijn schouders op en liet ze weer zakken. 'Goed dan,' begon hij, zo zachtjes dat Hampel en Palme hem zelfs met een uitstekende kennis van het Frans niet hadden kunnen verstaan. 'Maar u moet me beloven het aan niemand verder te vertellen.'

'Ik wil niet iets van ú. U wilt iets van míj,' antwoordde Sarah meedogenloos.

'Oké, oké,' zei Janin met een sussend gebaar. 'Tja, het gaat om het volgende: mijn vader was een Adelaar.'

Sarahs ogen werden groot. 'U bedoelt...?'

'Een Kleurenhoorder,' bevestigde de professor. 'En niet zomaar een, hij was de eerste adept van de grootmeester. Toen al stond Sergej Nekrasov aan het hoofd van de Broederschap; hij is stokoud. Mijn vader was een soort kroonprins, maar toen ontstonden er meningsverschillen tussen de twee over de doelen van de Broederschap. Dus heeft Nekrasov zijn opvolger zonder aarzeling laten vermoorden. En...' De Rus wreef over zijn kin.

'En?'

Hij boog naar voren en zei, nog zachter: 'Mijn vader heeft me een map met verschillende documenten nagelaten: met namen van voormalige Kleurenhoorders, historische gebeurtenissen die op hun invloed zijn terug te voeren, muziekstukken waarin ze hun klanken der macht hebben verwerkt, en vele andere details waar geen buitenstaander ooit van heeft mogen weten.'

Argwanend bekeek Sarah de man die haar met zijn lijfelijke aanwezigheid even volledig overweldigde. Maar de andere Oleg Janin was ze nog niet vergeten: de stalker, aan wie ze heel wat slapeloze nachten te danken had gehad, die haar met zijn brieven, telefoontjes en uiteindelijk zelfs door bij haar in te breken had geterroriseerd. Ze schudde haar hoofd. Zijn verhaal overtuigde haar niet.

Ze boog abrupt voorover, pakte haar computer van tafel en kwam overeind.

Janin stond eveneens op. 'Gaat u weg?'

'Ja,' antwoordde ze kortaf.

'Maar waarom...?'

'U verzwijgt iets voor me, monsieur Janin.'

Hij spreidde in een argeloos gebaar zijn armen. 'Hoe komt u daarbij?'

Sarah doorstond zijn onschuldige blik met ijzige hardheid. 'Hoe ík daarbij kom?' Ze lachte. 'Het antwoord daarop verwacht ik van ú, monsieur. Belt u me maar wanneer u het hebt bedacht.'

Zonder gedag te zeggen draaide ze zich om en liep de salon uit.

8

Deze jongeman denkt en droomt heel veel; overal heeft hij begrip voor.
Zijn brein is even bijzonder, even vaardig, als zijn vingers. Was hij niet
een geniaal musicus geweest, dan was hij een belangrijk filosoof of literator
geworden.

— Auguste Boissier, 1832, over de pianoleraar van haar dochter,
Franz Liszt

De kinderkopjesbestrating van de oude binnenstad van Weimar stelde de enkels van vrouwen enorm op de proef. De kleinste onoplettendheid kon een gescheurde gewrichtsband opleveren. Desalniettemin verlaagde Sarah haar pittige tempo niet. Haar twee lijfwachten volgden haar de hele tijd op de voet. Gelukkig waren ze goed getraind.

Nadat Oleg Janin grommend als een Siberische wolf het Russischer Hof had verlaten, waren de agenten Hampel en Palme door Sarah verrast met de aankondiging: 'Ik ga nu wandelen.' Vervolgens werd er een paar minuten gediscussieerd over het voor en tegen van uitstapjes in het jachtgebied van potentiële moordenaars, wat Sarah echter uiteindelijk niet van haar besluit deed afzien. Drie dagen binnen zitten was wel genoeg. Ze had beweging en frisse lucht nodig.

In feite ging het haar niet om de lichaamsbeweging. Het Schlossmuseum Weimar was in de winter maar tot vier uur 's middags geopend. Er bleef dus niet veel tijd over om in het voormalige residentieslot van de groothertog een paar antwoorden te vinden. Vandaar haar haast.

Via de Herderplatz en de Mostgasse kwamen Sarah en haar twee body-guards bij de voorkant van het imposante, vier vleugels tellende complex uit. Door een poort betraden ze de binnenplaats van het slot, de plek dus die Franz Liszt voor de oeruitvoering van zijn geheimzinnige stuk had uit-verkoren. Stervormige rijen stenen in het glibberig natte plaveisel deelden de binnenplaats als het ware in driehoekige taartpunten. De winterse kou kroop onder haar jas, Sarah rilde. Er lag tenminste geen sneeuw. Maar was dat honderdvierentwintig jaar geleden ook zo geweest?

Eens te meer vroeg ze zich af hoe een componist toch op het idee kon komen om een concertpremière midden in januari in de openlucht te laten plaatsvinden. Oké, aan de Europese vorstenhoven hadden ze ook toen al comfortabele feesttenten en heteluchtkanonnen, maar toch...

Abrupt bleef Sarah staan. Gefascineerd keek ze naar het midden van het plein. Daar was met donkere stenen een symbool in het lichtere plaveisel aangebracht. Vanwege de natheid tekende het zich nauwelijks af tegen de omgeving. Het was een windroos.

Alweer één. In gedachten legde Sarah een verband met de rozet in de vloer van het Russischer Hof en van daaraf met haar gesprek met Oleg Janin in de Anno 1900: Je kunt de Kleurenhoorders alleen aan de hand van hun sporen volgen, hun symbolen. Het getal acht speelt bij hen een centrale rol. Ook de windroos moet u in deze context zien...

'Alles in orde?' onderbrak Hampel, die achter haar liep, bruusk haar gedachtegang.

Ze wendde zich tot de politieagent en wees naar de ster op de grond. 'Is dat plaveisel nog in originele staat?'

De agenten wisselden radeloze blikken. Palme stak zijn onderlip naar voren en haalde zijn schouders op. Zijn collega zei: 'Ik kom hier niet vandaan. Maar ik heb wel eens gehoord dat de slottoren het oudste deel van het gebouw is. Die stamt uit de middeleeuwen...'

'Laat maar,' onderbrak Sarah de lijfwacht, en ze draaide zich naar de ingang van het museum.

Even later stormde het driemanschap via de deur de foyer binnen. Een energieke cultuurbewaakster in een donkerblauw uniform en witte blouse versperde hun de weg. De gedrongen vrouw stak haar handpalm als een officieel stopbord naar Sarah uit en zei met harde stem: 'Halt! We sluiten over een paar minuten. Dinsdag kunt u weer...'

'Zo lang heb ik de tijd niet.'

'Het spijt me, maar...'

'Ik wil alleen iets weten.'

De stevige suppoost zuchtte: 'Willen we dat niet allemaal?'

'Het plaveisel op de binnenplaats, van wanneer is dat?' informeerde Sarah onverstoorbaar.

Op het voorhoofd van de vrouw verschenen diepe rimpels. Blijkbaar werd deze vraag haar niet zo vaak gesteld. 'Tja, het oude residentieslot is in 1774 afgebrand. Vijftien jaar later is het weer opgebouwd. Eerst alleen met drie vleugels...'

'En de windroos op de binnenplaats?'

'Die zou wel eens net zo oud kunnen zijn.'

Sarah had in haar hoofd zo-even de ster op de paradeplaats zien opgaan. 'Dank u!' bracht ze verheugd uit, en ze liep met haar twee schaduwen weer naar buiten.

De cultuurbewaakster bleef hoofdschuddend achter.

Argwanend bekeken door haar lijfwachten draaide Sarah zich in de binnenste cirkel verbaasd om haar as. Toen ze de windroos ontdekt had, was dit detail haar helemaal niet opgevallen: in de kring van grijze stenen bevond zich een kruis, bestaande uit vier donkere, elkaar rakende driehoeken. Vrij vaak werd, zoals ze inmiddels wist, ook het herkenningssymbool van de Maltezers of johannieters in deze vereenvoudigde vorm weergegeven. Kon dit nog toeval zijn?

Vanuit haar herinnering kwamen er woorden bij haar op die ze in een brief van Franz Liszt had gelezen. Ze stamden uit de tijd van kort na zijn benoeming tot hofkapelmeester en waren aan de erfgroothertog Karl Alexander gericht:

Nu [...] wil ik graag eerst aan Weimar denken, aan mijn vaste ster, waarvan de weldadige stralen mijn lange weg verlichten.

Hoe langer Sarah naar het kruis aan haar voeten keek, des te meer leek deze uitspraak haar een aanwijziging. Geen twijfel mogelijk: Liszt had een 'schatkaart' gecomponeerd. Nu kwam het er alleen op aan, zoals Oleg Janin het waarschijnlijk zou uitdrukken, om de sporen en symbolen juist te lezen. De windroos stond voor de acht hoofdwindstreken, was een kompas voor plaats- en koersbepaling.

En vanuit deze plek in Weimar moest de zoektocht beginnen.

Toen Sarah weer opkeek, gleed haar blik over een breed balkon aan de oostvleugel van het slot. Hoewel de zon nog niet was ondergegaan, brandde er in de feestzaal, die erachter lag, al licht. Bij een van de ramen stond een kale man met een walrussnor en het postuur van een beroepsbokser. Sarah herkende hem meteen.

Het was de paukenist.

In een oogwenk was ze in een ijspegel veranderd, of zo kwam het haar tenminste voor. Strak staarde ze naar boven en ze meende de blikken van de Rus als klamme vingers op haar huid te voelen. Van schrik kon ze geen woord meer uitbrengen. Toch hadden haar twee lijfwachten wel door dat er iets niet in orde met haar was.

'Is dat niet... Tiomkin?' vroeg de politieagente.

Sarah speelde het klaar om te knikken.

Het volgende moment wierpen haar bewakers hun lichaam in de schootslijn en voerden hun beschermelinge mee naar de zuiduitgang. Het ging allemaal razendsnel. Onder dekking van de poort belde de agente met het bureau. Haar collega tuurde met getrokken wapen naar de feestzaal omhoog en vloekte.

'Verdorie! Ik zie hem niet meer.'

'U bedoelt dat hij gevlucht is?' vroeg Sarah. Haar stem beefde van angst.

'Maak u geen zorgen. Wij beschermen u.'

Het antwoord stelde Sarah niet echt gerust. Dat soort stompzinnige frasen brachten ze toekomstige lijfwachten vast en zeker op de opleiding voor bodyguards bij. Had Tiomkin haar achtervolgd om haar vanuit een hinderlaag neer te schieten? Of was hij om dezelfde reden hiernaartoe gekomen als...?

'Het dichtstbijzijnde politiebureau ligt aan het marktplein, op maar een steenworp afstand,' maakte Hampel een eind aan het angstige gepieker van haar beschermelinge.

Inderdaad weerklonk al na een paar tellen de sirene, en even later denderden de banden van een wit-groene surveillanceauto over de keitjes van de toegangsweg naar het slot. Hij bleef in de doorrit staan en een politieagent sprong eruit om de evacuatie van het gebouw te coördineren. Palme ging op de plek van de man naast de bestuurder zitten.

Hampel manoeuvreerde Sarah op de achterbank en zei: 'Maak u geen zorgen. Wij beschermen u.'

De lijfwachten gaven haar voorzichtig te kennen dat ze tot nader order uit de buurt van de ramen moest blijven, omdat de beglazing noch in de Tsarensuite, noch ergens anders in het Russischer Hof kogelvrij was. Sarah was verbijsterd.

'We kunnen niet uitsluiten dat iemand u daadwerkelijk om het leven wil brengen,' legde inspecteur Bach haar even later de verscherpte veiligheidsmaatregelen over de telefoon uit. Ze hadden haar meteen na hun terugkeer in het hotel gealarmeerd.

'U kunt het niet uitsluiten?' herhaalde Sarah verwonderd. 'Hoe bedoelt u? Tiomkin heeft mijn hotelkamer aan flarden geschoten.'

'Op dit moment weten we niet of hij de inbreker was en ook kennen we zijn ware bedoelingen niet,' legde Bach geduldig uit. 'U hebt ons verteld dat hij een zaklamp bij zich had. Blind was hij dus niet. Toch doorzeeft hij een keurig opgemaakt bed met kogels en laat er in de rest van de kamer nog een paar rondvliegen. Vindt u dat niet vreemd?'

'Misschien is hij bijziend?'

'Of hij wilde u helemaal niet doden.'

'Wat dan wel?'

De politieagente haalde hoorbaar adem. 'U bang maken. Of u van de diefstal van de muziekbladen afleiden. Ik weet het niet.'

'Als u me gerust wilt stellen, moet u wel beter uw best doen.'

'Hoe zag het wapen eruit waarmee Tiomkin u eerder vanuit zijn auto heeft bedreigd?'

Sarah slikte. 'Dat heb ik u toch gezegd? Hij had er geen. Alleen...'

'Een zaklamp?'

Zo langzamerhand begon Sarah toch te twijfelen. Nadat ze een poosje niets had gezegd, liet aan de andere kant van de lijn de politieagente weer van zich horen.

'Vaak zijn de dingen eenvoudiger dan ze lijken, madame d'Albis, maar soms blijken ze ook veel gecompliceerder in elkaar te steken. Neem bijvoorbeeld de wapenwinkel waaruit uw redder het zwaard heeft weggenomen. Ik heb u immers al over het rolluik verteld. Inmiddels weten we dat het aan een schakelklok is gekoppeld, die het na winkelsluiting altijd laat zakken. Maar die donderdagavond weigerde het mechaniek. Eigenaardig, vindt u niet?'

'Eigenlijk zou ik daar blij om moeten zijn.'

In de stem van de politieagente klonk milde spot door. 'Ja. Eigenlijk wel. Maar op de een of andere manier bevredigt deze fatalistische instelling me niet. Dan vertrouw ik nog liever op mijn intuïtie.'

'En wat vertelt die u in dit geval?'

'Dat we tot nu toe slechts aan de oppervlakte zijn gebleven. Ik zou morgen graag naar u toe willen komen in het hotel om nog een paar vragen door te nemen. Misschien schiet u voor die tijd nog wel iets te binnen wat u me graag zou willen vertellen.'

Met Sarahs geestelijke toestand was het niet al te best gesteld. Ze zat weg-gedoken op de bank in haar luxe suite, met haar armen om haar opgetrokken benen geslagen en haar kin op haar knieën, de hele tijd maar wat te piekeren. Het telefoontje met de inspecteur had haar op de rand van de wanhoop gebracht. Ze was doodsbang. Waar ze ook heen ging, de Kleurenhoorders schenen er al te zijn.

Had ze überhaupt een kans om aan deze club van gekken te ontkomen? Wie bepaalde eigenlijk of ze vrij mocht zijn – ja, zelfs of ze in leven mocht blijven? In haar verhitte fantasie stelde ze zich voor dat ze binnenkort haar leven zou moeten slijten in een afgelegen atoombunker om maar niet door de geheime Broederschap te worden ontvoerd of zelfs te worden afgemaakt.

De tranen liepen haar over de wangen. Ze onderdrukte een snik om niet de aandacht van Hampel te trekken. Moest ze hier maar wat lijdzaam zitten te niksen en wachten totdat de politie Tiomkin te pakken kreeg?

Nee! Haar koppige protest was stilzwijgend, alleen haar lippen bewo-gen. Misschien waren de uren bij de stalkingsdeskundige dan toch nog de moeite waard geweest. In elk geval wilde ze eindelijk weer vooruitkijken en zich niet de zeggenschap over haar eigen handelen laten ontnemen. Ze had zich één keer door een Rus tot een volslagen zenuwpees laten maken, ze zou zich echt niet nog eens blootgeven.

Er ging een schok door haar heen toen ze de muur van angst liet instorten en letterlijk opsprong van de canapé. De twee politieagenten hadden haar bureau in de slaapkamer neergezet om haar uit de buurt van het raam en dus ook uit de schootslijn te houden. Ze ging achter haar laptop zitten en klapte hem open. Soms is de aanval de beste verdediging, sprak ze zichzelf moed in. Je moet het heft in eigen handen nemen, een strategie uitstippelen. Haar vingers kwamen op de toetsen van de computer neer en begonnen te dansen, bijna net zo soepel als op die van de piano.

De uitgangssituatie had ze gauw geanalyseerd. Eerst waren de muziek-bladen van Franz Liszt en de bijbehorende kopieën gestolen en nu hing Tiomkin in het stadsslot rond. Dat kon maar één ding betekenen: Sergej Nekrasov en zijn Duistere Kleurenhoorders hadden hun zoektocht naar de purperpartituur hervat.

Hoewel Sarah nog steeds haar twijfels over Janins theorie had dat de purperpartituur een wereldomvattende bedreiging zou vormen, leek de kwestie van haar eigen afstamming haar nauwelijks nog omstreden. Liszts klankboodschap was als een radiobericht uit het verleden. Om het over te brengen moesten zender en ontvanger compatibel zijn, ze hadden dezelfde bijzondere audition colorée nodig. Alle onderzoek sprak zulke identieke waarnemingen bij synnies tegen, maar als ze al voorkwamen, dan hoogstwaarschijnlijk bij bloedverwanten.

Eens te meer bekroop Sarah het gevoel dat ze de onvoltooide ontwerpen van de *Fantasie* over Hölty's 'Lebenspflichten' nauwkeuriger moest onderzoeken. Misschien werd in het oorspronkelijke slot dat daarin was vastgelegd wel de plek genoemd waar de zoektocht naar de klankleer van Jubal zou moeten beginnen. Waarom hadden de Duistere Kleurenhoorders anders de originele muziekbladen en alle kopieën gestolen, maar hadden ze geen belangstelling voor de afdrukken van het orkest gehad? Misschien was het er Nekrasov enkel om te doen iedere vermelding over de purperpartituur te laten verdwijnen, maar als dit hem lukte, zou vermoedelijk ook de bloedlijn niet meer te volgen zijn waarmee Liszt zijn bijzondere gave voor de toekomst had veiliggesteld.

Sarah ging het internet op. Wat bedoelde Liszt met MEESTERS INSTRUMENT? Doelbewust had ze Janin niets over deze frase van de klankboodschap verteld. Ze was er bijna zeker van dat achter deze formulering de toegang tot het geheim van Liszts gedicht lag.

Het instrument van een meester? En de woorden die meteen daarop volgden: VAN AS. Stond de afkorting voor de toonsoort As-dur? Of ging het om de initialen van Antonio Stradivari, die bijna als geen ander de titel 'meester' verdiende? De hypothese sprak Sarah aan. Ze had gelezen dat van de duizend violen die Stradivari had gebouwd er nog steeds zo'n zeshonderd bestonden...

In een flits werd deze gedachte verdrongen door een andere herinnering aan haar gesprek met Oleg Janin in de Anno 1900. Jubal was de stamvader geweest van allen die op de lier of de fluit spelen, had hij gezegd. Sarah sloeg met haar vlakke hand tegen haar voorhoofd, en besefte ineens dat ze niet alleen was.

Ze glimlachte naar haar beschermengel Hampel. 'Niets aan de hand.'

De politieagente dook weer in de Liszt-biografie.

Sarah tikte behalve de afkorting AS de begrippen 'ontdekking' en 'fluit' in het Duits in. Een seconde later zag ze de resultatenlijst voor zich: meer dan vijftigduizend treffers! Maar meteen al boven aan de eerste pagina stond de veelbelovende naam 'Furioso'. Sarah klikte hem aan, las de titel – en was als geëlektriseerd:

De meest spectaculaire traverso ter wereld – de Denner-fluit

Denner? Liszt had in zijn partituur met nadruk genoteerd: 'traverso (Buchsbaum, J.D.)'. Koortsachtig las ze snel de tekst door. Inderdaad! Het instrument dat erin werd beschreven, was door Jacob Denner gebouwd. Dezelfde voorletters! Dat kon onmogelijk toeval zijn.

De Neurenberger leefde van 1681 tot 1735 en gold als een van de beroemdste makers van houten blaasinstrumenten van zijn tijd, zo beweerde de schrijver van het internetartikel. In de achttiende eeuw werden Denners dwarsfluiten vooral geprezen om hun zuivere klank en hun volmaakte stemming. Over de hele wereld zijn er maar vier exemplaren bewaard gebleven. Pas in 1991 heeft men in de buurt van Neurenberg een bijzonder, zelfs nog bespeelbaar meesterstuk van Denner teruggevonden. De bovenkant van de houten koffer waarin de fluit werd bewaard, was in het midden versierd met twee in elkaar grijpende achtpuntige sterren. Toen Sarah een foto van de koffer zag, stokte haar adem.

'Een windroos!' fluisterde ze. Koortsachtig las ze verder.

Op sommige van de sierbanden die rondom op de koffer zaten, was de steeds terugkerende lettergroep AS te herkennen, stond er; mogelijk ging het hierbij om initialen die een aanwijzing omtrent de geschiedenis van de fluit vormden. Het Germanisches Nationalmuseum in Neurenberg zou over meerdere Denner-fluiten beschikken.

Neurenberg? Zou het kunnen dat de eerste letter in N + BALZAC helemaal niet op een voornaam, maar op een plaatsnaam sloeg? Mogelijk waren AS en N + BALZAC acroniemen.

'Letterraadsels!' fluisterde Sarah.

Ze werd steeds opgewondener. Snel riep ze op haar computer de correspondentie van haar voorvader op en voerde de zoekterm 'Neurenberg' in. Er werden zes brieven getoond. Twee waren aan Adelheid von Schorn gericht, de dochter van de schrijfster Henriette von Schorn. Ze was, zoals Sarah al snel ontdekte, een leerling van Liszt, en haar initialen kwamen onmiskenbaar overeen met het AS-monogram rondom op de koffer.

De tweede brief was op 20 november 1882 in 'het mooie Venetië' geschreven. In het jaar na de aanslag op tsaar Alexander II. Liszt bracht daarin bijna overdreven zijn opluchting onder woorden dat hij behouden in Italië was aangekomen: *De hemel zij dank!* Bijna alsof hij op de vlucht was geweest en op het nippertje aan zijn achtervolgers was ontsnapt. En daarna – dat was echt vreemd – sprak hij met bewondering over Adelheids 'manier van whisten'.

Sarah riep een woordenboekprogramma op en kwam zo te weten dat whist de naam van een kaartspel was. Het woord had alleen ook nog een andere betekenis: zwijgen – vooral het stilzwijgen dat men tijdens het spel in acht moest nemen.

Het kriebelde in haar nek van opwinding. Had Liszt na een moeizame, meerdaagse reis nou echt niets beters kunnen bedenken dan een vriendin in een brief te vertellen hoe goed ze kon kaartspelen? *Het is vooral geweldig alle azen kwijt te raken.* De afsluitende formulering vroeg gewoon om een interpretatie in de richting van een complot. Misschien zat er een afgesproken code achter. Mogelijk had hij zijn bondgenote op deze manier willen laten weten dat ze de azen onder zijn tegenstanders had uitgeschakeld. *De hemel zij dank!*

Neurenberg. Geluidloos vormden Sarahs lippen de naam van de stad van Dürer. Ze was er praktisch zeker van dat de zoektocht naar de purperpartituur daar als eerste heen zou leiden, naar de plek waar nog steeds de meeste fluiten van Jacob Denner te vinden waren. Haar blik dwaalde vol verlangen naar de telefoon. Het was zondagavond. Om deze tijd zou ze geen van de experts in het Germanisches Nationalmuseum meer kunnen bereiken.

'Wacht eens even!' riep ze zichzelf tot de orde. Bij de oeruitvoering donderdagavond had immers een fluitist gespeeld, wiens instrument geheel in de geest van Liszt had geklonken. Ze begon de tekst op de internetsite nog eens te lezen, maar deze keer nauwkeuriger.

'Konrad Hünteler!' riep ze opeens uit. Daar stond het! De in 1991 bij Neurenberg ontdekte dwarsfluit was inmiddels in bruikleen gegeven aan een muziekprofessor en fluitist uit Münster, Konrad Hünteler, zodat hij zou worden gebruikt voor datgene waarvoor hij oorspronkelijk was bestemd, namelijk om te worden bespeeld. Had Janin niet verteld dat hij in de nacht van donderdag op vrijdag met een fluitist over zijn vak had zitten praten?

Maar dat was drie dagen geleden. Had het eigenlijk wel zin...?

'Wie niet waagt, die niet wint,' mompelde Sarah, een favoriet spreekwoord van haar adoptiemoeder. Ze pakte de telefoon, koos het nummer van de receptie en liet zich nogmaals met Hotel Elephant doorverbinden.

Een onverschillig klinkende persoon nam op.

'Professor Konrad Hünteler graag,' zei Sarah zo zelfverzekerd als ze maar kon.

Er viel een stilte. Toen zei de vrouw aan de andere kant van de lijn: 'Een moment graag, ik verbind u door.'

———

NEURENBERG

✳

Maandag, 20 november 1882
Venezia la bella: Palazzo Vendramin

Lieve vriendin,

Ik zou niet graag willen dat je van een ander te horen krijgt dat ik hier veilig
ben aangekomen. De hemel zij dank! [...] Je broer schreef je vanuit Neurenberg
dat de manier van whisten, zogezegd door jou bedacht en beslist geperfectio-
neerd, zich op de Albrecht Dürerplatz, ook onder jouw naam, bij L. Ramanns
[pianoschool] heeft verbreid. Het is vooral geweldig alle azen kwijt te raken.

F. Liszt

9

Dat is de manier waarop Liszt lesgeeft. Hij oppert een idee, dat bezit
van jullie geest neemt en daar blijft hangen. Muziek is voor hem zo'n
reëel, zichtbaar iets dat hij telkens, ook in de fysieke wereld, meteen een
gelijkenis of een teken vindt om zijn ideeën tot uitdrukking te brengen.

— Amy Fay, 1873, over haar leraar Franz Liszt

Het bezoek aan het vroegere domicilie van Franz Liszt werd door de twee
lijfwachten als een aanzienlijk veiligheidsrisico beschouwd; het liefst hadden
ze hun beschermelinge in het hotel opgesloten en de sleutel weggegooid.
Voor Sarah vormde het verlaten van haar schuilplaats evenwel de opmaat
tot haar tegenoffensief.

De fluitist had tijdens het telefoongesprek van zondag gezegd: 'Ik ga
straks met professor Schmidt van de Franz-Liszt-Gesellschaft dineren, en
morgenvroeg sluit ik een congres op de Altenburg af. De Denner-fluit heb
ik dan bij me. Als u me daar dus komt opzoeken, help ik u graag.'

'In het liefdesnestje van Franz en Carolyne? Dat zou geweldig zijn,' had
Sarah hoopvol geantwoord, maar toen ze Hampel driftig haar hoofd zag
schudden, vroeg ze plichtmatig: 'Aan de andere kant... zouden we niet in
het Russischer Hof samen kunnen gaan lunchen?'

'Ik zou niets liever doen, madame d'Albis. Ik ben namelijk een groot
bewonderaar van uw kunst. Maar helaas verwacht ik in de Jenaer Straße
nog een gast, en daarna zal ik me moeten haasten om de trein van 16.12
uur naar Münster te halen. Ik kan u dus alleen een tijdstip tussen twaalf en
ongeveer twee uur aanbieden.'

'Afgesproken,' had Sarah geantwoord, en ze had daarbij de verwijtende
blikken van haar bewakers zo veel mogelijk genegeerd.

Zo'n achttien uur later – inmiddels was het maandagmiddag – hield
er een onopvallende lichtblauwe VW-Passat stil voor het gebouw waarin

Franz Liszt twaalf jaar met Carolyne von Sayn-Wittgenstein 'ongehuwd had samengeleefd', en op die manier grote groepen binnen de conservatieve gemeenschap van Weimar voor het hoofd had gestoten. Als eersten stapten de lijfwachten uit de auto. Palme belde bij de voordeur aan. Hampel speurde, met haar hand op haar wapen, de omgeving af.

Vanaf de achterbank keek Sarah door de autoruit naar de gevel van het drie verdiepingen tellende gebouw omhoog. Je kwam de Altenburg overal tegen als je je meer in Franz Liszt verdiepte. In zijn tijd als hofkapelmeester waren hier altijd weer talloze grootheden uit de muziek, literatuur en de schone kunsten naartoe gekomen. Het alfabet af van Hans Christian Andersen tot en met Richard Wagner, en dan weer terug van Clara Schumann tot en met Bettina von Arnim – ze waren hier allemaal te gast geweest.

Liszts domicilie leek totaal niet op een vesting, zoals de naam 'Altenburg' deed vermoeden. Het was eerder een eenvoudig woonhuis, maar wel indrukwekkend groot; Sarah meende alleen al aan de voorkant zo'n dertig roodbruin gelakte ramen te tellen. Zo vrolijk als het er vroeger binnen in het gebouw aan toe was gegaan, zo fleurig zag het er nu vanbuiten uit. De benedenverdieping was oudroze geschilderd en de twee etages die daarboven lagen lichtgroen; zandkleurige stroken ertussenin accentueerden de driedeling.

De deur onder het boograam ging open. Palme sprak kort met iemand die Sarah niet kon zien, daarna gaf hij zijn collega een teken.

De politieagente opende het portier. 'Snel het gebouw in! Ik loop vlak achter u. Maak u dus geen zorgen...'

'U beschermt me,' dreunde Sarah de mantra van de bodyguards op. Ze pakte haar zwarte nylon tas met haar laptop en stapte de auto uit. Even later stond ze in het halfdonker van een hal de hand te schudden van Konrad Hünteler.

De fluitist droeg een broek met messcherpe vouwen en een strak gesteven overhemd, allebei zwart. Hij was waarschijnlijk midden of achter in de vijftig en had een vriendelijk rond gezicht waarin twee kleine, donkere ogen levendig fonkelden. Het meest opvallende aan de man was zijn weelderige haardos. Een met maanzaad bestrooide suikerspin zou er net zo hebben uitgezien, dacht Sarah.

'Aardig indrukwekkende politiedelegatie,' merkte Hünteler na hun begroeting op. Zijn volle stem klonk voor Sarah als diepblauwe golven en zo ruig als droge stenen op het strand – zonder meer aangenaam.

Ze schonk hem een wrange glimlach. 'Ik had u gewaarschuwd. Dank u dat u tijd voor me vrijmaakt, professor Hünteler.'

'Zeg alsjeblieft Konrad tegen me. Wij toonkunstenaars behoren tenslotte allemaal tot dezelfde familie.'

'Graag. Als u me Sarah noemt.' Al tijdens het telefoongesprek zondag-avond had ze vertrouwen in Hünteler gekregen. Hij was een musicus in hart en nieren, zonder de gekunsteldheid die in het klassieke circus zo vaak voorkomt. Zijn vriendelijkheid sterkte haar in haar besluit hem niet voor te liegen, hoewel ze hem over de ongelooflijke waarheid ook niet meer wilde onthullen dan nodig was.

Hünteler nam zijn gaste mee naar een grote salon met dieprood behang en een aantal stoelen. Het vertrek werd overheerst door een concertvleugel. 'Vroeger was dit hier Liszts bibliotheek en muziekkamer,' maakte de fluitist met een vaag handgebaar duidelijk.

Sarah knikte, terwijl ze aan de lastige plastic sluitingen van haar tas zat te frunniken. Haar nervositeit wekte de nieuwsgierigheid van de fluitist.

'Hoe kan ik je helpen?'

'Ik...' Opeens sprong de weerbarstige sluiting open. 'Ik zou je willen vra-gen met mij een virtuele reis naar Neurenberg te maken.'

'Een virtuele... wat?'

'We gaan in onze fantasie daarheen waar de oorspronkelijke bezitter van je Denner-fluit woonde.'

'De laatste eigenaar heeft waarschijnlijk in Windsbach gewoond, ruim veertig kilometer ten zuidwesten van Neurenberg. Daar is de fluit tenminste gevonden, toen ze de zolder van een oud huis opruimden.'

'Dat zal wel een verrassing zijn geweest.'

'Integendeel. De eigenaresse dacht dat wat ze gevonden had waardeloze rommel was; daarom gaf ze hem ook weg. De nieuwe bezitters verkochten de fluit later inclusief de koffer voor twintigduizend mark aan een hande-laar in oude muziekinstrumenten. Ze meenden de deal van hun leven te hebben gesloten. De nieuwe eigenaar heeft het instrument daarna voor het vijftienvoudige weer verkocht.'

Sarah floot tussen haar tanden door. 'Die heeft dus een mooie – hoe noem je dat in het Duits?'

'Woekerwinst gemaakt?'

'Ja, precies, dat woord zocht ik.' Ze haalde een computerprint uit haar laptoptas en gaf hem aan Hünteler. 'Dit zal ons virtuele uitstapje wat leven inblazen. Het is het oorspronkelijke slot, dat ik heb gereproduceerd, van de *Grande Fantaisie Symphonique sur "Devoirs de la vie" de Louis Henri Christian Hoelty*.'

De professor pakte haar de bladen uit de hand en bekeek ze met oprechte bewondering. 'Fascinerend! Ik ken alleen de partituur die me voor de première en het congres ter beschikking werd gesteld. En dat heb je allemaal uit het hoofd gereconstrueerd?'

Sarah haalde haar schouders op. 'Sommige mensen hebben een uitstekend geheugen voor namen of getallen; dat van mij is op noten ingesteld. Kijk hier eens.' Ze duidde met haar wijs- en middelvinger op de dwarsfluitpartij. 'Zoals ook al in het grootste gedeelte van zijn *Fantasie* verlangde Liszt in het oorspronkelijke slot uitdrukkelijk een traverso van bukshout van J.D.'

'Mijn Denner-fluit is van dat hout gemaakt.'

'Ik vermoed zelfs dat Liszt bij de compositie jóúw dwarsfluit in gedachten had.'

'Meen je dat serieus?'

'Jazeker. De *Fantasie* bevat een versleuteld bericht dat mijn aandacht op je dwarsfluit heeft gevestigd. Bespaar het me alsjeblieft je de verwarrende details te moeten vertellen. In elk geval wilde Liszt naar het schijnt met zijn compositie een erfenis doorgeven.'

'En jij ziet jezelf als zijn erfgenaam, omdat hij je voorvader is. Hoe staat het met de andere familietak? Je weet toch...'

'Ik wil niemand opzijschuiven, maar wil mezelf ook niet laten uitsluiten omdat anderen menen oudere rechten te hebben. Liszts boodschap is als een raadsel opgesteld en het staat iedereen vrij het op te lossen.'

'En welke rol heb je mij daarbij toebedacht?'

'Om bij de erfenis te komen, staat er in het bericht, moet je zoeken VAN AS TOT N + BALZAC EN TOT HET END.'

De verrassing was van Hüntelers gezicht af te lezen. 'Nu wordt me iets duidelijk. Op de fluitkoffer die in Windsbach werd gevonden komen de initialen A.S. meteen verschillende keren voor.'

Sarah knikte, omzeilde de verwijzing naar Adelheid von Schorn en kwam direct ter zake: 'Kennelijk behoorde Liszt tot een organisatie waarvan de legendarische geschiedenis zo ver teruggaat als Jubal, de Bijbelse "stamvader van allen die op de lier of de fluit spelen". Die lieden gebruikten onder meer het symbool van de windroos, die eveneens op de koffer is te zien.'

'Dat klopt. Overigens is de Bijbelpassage die je citeerde mij welbekend. Wist je trouwens dat Luther het in het betreffende gedeelte over citers heeft? Andere vertalingen noemen hier een schalmei. Ik vermeld dit even, omdat op de achterkant van de koffer geen fluitspeler, maar een luitspeler is afgebeeld.'

'Echt waar?' vroeg Sarah, verbaasd over dit nieuwe, naadloos in het grote beeld passende mozaïekstukje. Ze wees weer naar de bladen. 'Zou je de noten voor me kunnen spelen?'

'Wat verwacht je daar dan van?'

'Ik ben synesthete en kan klanken zien. Mijn waarnemingen helpen me de versleutelde boodschappen te vinden.'

'Dat meen je niet.'

'Jawel, het is echt zo. Zo ben ik ook op het raadselachtige acroniem N + BALZAC gestuit. Ik vermoed in elk geval dat het om de beginletters van plaatsnamen gaat. N zou voor Neurenberg kunnen staan.'

'Als ik je pas vandaag had leren kennen, zou ik je voor een fantast hebben versleten,' gaf Hünteler openhartig toe.

'In Duitsland krijg ik dat soort reacties vaker dan je denkt. Dat is vermoedelijk nog een duistere echo uit het verleden. In Hitler-Duitsland werden synnies zoals ik in een inrichting gestopt en gedwongen gesteriliseerd.'

De fluitist merkte kennelijk hoe gevoelig Sarah op dit gebied was, want uiterst vriendelijk verklaarde hij zich nader: 'Mijn uitspraak sloeg eerder op de versleutelde boodschappen waar je het over had.'

Ze schraapte verlegen haar keel. 'Neem me niet kwalijk. Als je zo vaak als ik voor ziek, geschift, getikt of anderszins voor abnormaal wordt uitgemaakt, ben je nog wel eens geneigd heftig te reageren.'

'Dat kan ik me voorstellen. Mijn woordkeus had ook wel iets tactvoller mogen zijn. En wat je partituurbewerking betreft... sommige loopjes daarin zijn nogal moeilijk. Geef me alsjeblieft even de tijd me voor te bereiden.'

'Vanzelfsprekend. Ik wacht wel.'

Sarah ging bij haar beschermers op de eerste rij zitten en keek toe hoe de professor een rood gevoerde, trapeziumvormige zwarte koffer openklapte waarin de afzonderlijke onderdelen van de fluit lagen. Ze waren roodbruin, sommige haast zwart.

Hünteler pakte als eerste het kopstuk in zijn hand, wierp een blik op de partituur en zei: 'Vreemd. Liszt heeft hier een andere toonsoort gekozen. Ik moet de fluit een kleine terts lager transponeren, er een *flûte d'amour* van maken.'

'Heb je dan het bijpassende tussenstuk?'

Hij knikte. 'Geen enkele Denner-fluit heeft er zoveel als deze, en dit is ook de enige die door een bijzonder lang tussenstuk in een flûte d'amour te veranderen is.'

Sarah glimlachte triomfantelijk. 'Twijfel je er nog steeds aan dat Liszt bij de compositie deze en geen andere traverso in gedachten had?'

Hünteler bekeek de onderdelen die in de koffer onder elkaar op een rij lagen. 'Ik moet toegeven dat ik zo langzamerhand een beetje huiverig word. Geef me alsjeblieft nog een paar minuten de tijd.'

'Natuurlijk. Heb je er bezwaar tegen als ik je spel opneem en opsla?'

'Niet zo lang het voor persoonlijk gebruik is.'

Sarah beloofde het, en Hünteler wijdde zich weer aan zijn fluit. Met geoefende gebaren zette hij hem in elkaar: kopstuk, het lange tussenstuk, corpus en voetstuk. Daarna hield hij hem dwars tegen zijn onderlip en blies vol gevoel in het mondgat. Er weerklonk een warme, zachte toon. Tevreden over de stemming begon hij met oefenen.

Terwijl de snelle toonreeksen uit de Denner-fluit parelden, pakte Sarah haar computer uit de beschermtas en maakte hem klaar voor de geluidsopname. Ze had hiervoor een kwaliteitsmicrofoon meegenomen die ze normaal gesproken gebruikte om haar eigen spel te controleren. Nadat alles was voorbereid, pakte ze een andere kopie van de partituur uit haar tas en verdreef de tijd met het bestuderen ervan. Hünteler beheerste zijn instrument virtuoos, en het duurde dan ook niet lang voordat hij zover was dat hij de passage soepel kon voorspelen.

Nadat hij diep had ingeademd, blies hij de noten van de grote componist in de meest ware zin van het woord leven in. Sarah bewonderde eens te meer het krachtige timbre van het al bijna driehonderd jaar oude instrument. De volle, weelderige, donkere en genuanceerde klank wekte bij haar het beeld op van een zware, gronderige wijn in een eikenhouten vat. Zonder twijfel liet hier de koningin van de traverso's haar stem horen, onberispelijk zuiver in haar intonatie, en zelfs piano bereikte ze moeiteloos de allerhoogste tonen. Op z'n laatst na de eerste maten van het slotgedeelte was het Sarah duidelijk dat ze MEESTERS INSTRUMENT had gevonden.

Haar audition colorée zette de korte klanken om in fluwelen bollen, de langere in banden van wilde zijde, die in verschillende geelnuances schitterden. Dit was echter normaal bij Sarahs muzikale waarneming. Echt overweldigend vond ze daarentegen de grote vormen die uit de kleinere ontstonden. Weer zag ze een tekst voorbijtrekken:

KRUIP IN HET HOOFD VAN DE REVOLUTIE
DE WINDROOS WIJST JE DE WEG

'En? Iets gezien?' vroeg de fluitist algauw nadat de laatste toon uit zijn instrument was weggestorven.

'En of!' antwoordde Sarah ademloos. Ze had kippenvel en richtte haar blik snel op het muziekblad op haar schoot. Voor Hünteler zag het er waarschijnlijk uit alsof ze de geheime code die erin verborgen lag probeerde te kraken, maar in werkelijkheid had ze tijd nodig om zichzelf te kalmeren. Toen ze zich weer wat beter voelde, vertelde ze hem over de inhoud van de boodschap.

'Dat begint er steeds meer op te lijken!' zei de professor verheugd.

Sarah vertrok haar gezicht. Eigenlijk had ze na het eerste bericht al geen enkele behoefte meer aan raadsels. 'Zegt dat je iets?' vroeg ze zwakjes.

Hünteler keek peinzend naar zijn dwarsfluit. 'Voor mij klinken Liszts woorden als een oproep tot een intellectuele discussie over de ideeën van de Verlichting of de revolutionaire stromingen van zijn tijd.'

Het kostte Sarah heel wat zelfoverwinning om uiterlijk kalm te blijven. Ze had het net zo ervaren en had daarbij aan Oleg Janins uitspraak over Franz Liszt gedacht: *Hij heeft waarschijnlijk nooit een bajonet in zijn hand gehad, maar de muziek was voor hem zeker een bom waarmee hij de oude wereldorde wilde opblazen.* Had de Rus dan uiteindelijk toch gelijk?

Geërgerd schudde ze haar hoofd. 'Liszt dweepte in zijn jonge jaren met sociaal hervormers zoals Saint-Simon en Lamennais, maar hij was beslist geen revolutionair. Later heeft hij zich helemaal afzijdig gehouden van politieke activiteiten.'

'En hoe zit het dan met zijn transcripties van stukken als de *Marsellaise*, Žižka's *Hussietenlied* of de onvoltooide Revolutiesymfonie, waarin de Parijse Juli-opstand van 1830 zou zijn verheerlijkt?'

'Wil je daarmee zeggen dat hij zijn revolutionaire gezindheid in een muzikale vorm heeft gegoten?'

'Zo zou je het kunnen formuleren. Als je het mij vraagt, was je voorvader niet alleen maar als virtuoos en componist tamelijk progressief. Misschien ligt juist daar de geheime erfenis waarnaar je op zoek bent.'

Het liefst zou Sarah de fluitist over de purperpartituur hebben verteld, maar zo ver wilde ze hem toch niet in de zaak betrekken. Ze zuchtte. 'Blijft alleen de vraag hoe ik hem kan vinden.'

Hünteler spreidde zijn armen. 'Liszt zegt: DE WINDROOS WIJST JE DE WEG. Kennelijk heeft hij het over een speurtocht in meerdere windstreken.'

'Zover was ik ook al ongeveer. Stel, Neurenberg is het eerste station – hoe gaat het dan verder? Ik bedoel, het is niet echt aardig van opa Franz om me VAN AS TOT N + BALZAC EN TOT HET END te sturen. Staat de B nu voor

Berlijn, Boedapest, Brussel of een of ander gat waarvan niemand ooit heeft gehoord?' Ze veegde geïrriteerd de muziekbladen van haar schoot.

Er viel een pijnlijke stilte in het vertrek. Sarah keek hulpzoekend naar de beide politieagenten, maar die maakten een afwezige indruk, alsof ze haar niet eens hadden gehoord. Opeens wees Hünteler naar de laptop, die opengeklapt naast haar op een stoel lag.

'Kun je daarmee internet op?'

'Nu meteen? Met mijn gsm is dat geen probleem. Wat wil je nakijken?'

'Notus.'

'Notis, bedoel je?'

'Nee. *Notus*, of eigenlijk *Notos*. Dat is de Griekse benaming voor de zuidenwind. Het is al wat langer geleden dat ik me met de oude Hellenen bezighield, daarom heb ik niet meer alle *anemoi* paraat.'

'Alle wat?'

'De windgoden. Het plusteken staat in elk geval voor het christelijk kruis waarmee men op oude landkaarten de windstreek van het heilige Jeruzalem aanduidde.'

Sarah rechtte haar rug. 'Je bedoelt het oosten?'

'Ja, zoek maar op de trefwoorden windroos, Notus en Boreas; dat moet voldoende zijn.'

Na een paar seconden was Sarah online. Ze riep een zoekmachine op internet op en voerde de drie zoektermen in. Er werd maar een klein aantal treffers getoond. Ze klikte de eerste aan en zei: 'Bingo! Hoe wist je dat?'

Hünteler trok zijn rechtermondhoek omhoog. 'Klassieke opleiding.'

Het duurde even voordat de betekenis van haar ontdekking ten volle tot Sarah was doorgedrongen. Ze opende vervolgens een nieuw tekstdocument, typte op acht regels het acroniem van Liszt in en plaatste achter de letters de verschillende klassieke winden:

N	Notus	Het zuiden
+	Eurus	Het oosten
B	Boreas	Het noorden
A	Apeliotes/Aparctias	Het zuidoosten/noordwesten
L	Libs	Het zuidwesten
Z	Zephyrus	Het westen
A	Aparctias/Apeliotes	Het noordwesten/zuidoosten
C	Corus/Caecias	Het noordwesten/noordoosten

'Op drie plekken rammelt het wat,' merkte Hünteler op. Hij was intussen naast Sarah gaan zitten en had toegekeken terwijl ze de lijst samenstelde. Zijn opmerking gold de afkortingen, waar meer bij te plaatsen was dan alleen maar de namen van winden.

Ze knikte. 'Ja, helaas.'

Hij rekte zich uit. 'Iets meer optimistisme, Sarah! Ik neem even aan dat Liszt van Weimar is uitgegaan; hier ligt het vaste punt van zijn spoor van de windroos.'

'Het spoor van de windroos?'

'Bevalt die benaming je niet? Ik vind hem wel toepasselijk voor een speurtocht in alle windstreken. Je zegt toch ook kompasroos, en daar zit weer het Italiaanse *compassare* in, dat...'

'... rondom afspeuren betekent.' Sarah trok een gezicht. 'Toch zou ik het fijner hebben gevonden als mijn waarde voorvader zich iets duidelijker had uitgedrukt, vooral wat de letters A en C betreft.'

'Het lukt je wel. De stad in het zuiden, of het nu Neurenberg of Windsbach is, heb je met de aanwijzingen tenminste al gevonden. Je volgende station ligt ergens in het oosten.'

Sarah snoof: 'Nou, geweldig! Dan kan ik maar het beste de Transsiberië Express nemen.'

Hünteler schoot in de lach. 'Ik denk eigenlijk dat het meer dan genoeg is als je je beperkt tot de straal waarin je voorvader heeft gereisd.'

'*Pas de problème*,' kreunde Sarah, en ze stak haar handen in de lucht. 'Dus alleen maar Europa? Nou, als dat geen goed nieuws is!'

10

De rechten van de virtuoos-dichter, van de onderlegde virtuoos, zijn zo veelomvattend dat een publiek dat door onrechtmatige en onwetende leiders is bedorven er nauwelijks enig idee van heeft.

— Franz Liszt

Het oosten was een beangstigend groot zoekgebied. Waar begon het eigenlijk en waar hield het op? Op weg naar het hotel vroeg Sarah zich dit telkens weer af. De sleutel moest wel de windroos zijn.

Meteen toen ze in het Russischer Hof was, haalde ze de afdruk uit *Stieler's Schul-Atlas* uit haar tas, liep ermee naar de receptie en liet de kaart van Europa inscannen, zodat ze hem later op haar computer kon opslaan. Toen ze met Hampel in haar kielzog weer naar haar hotelkamer terugging, stond Palme daar met de afstandsbediening in zijn hand voor de televisie. Een nieuwslezeres verkondigde net dat de Chinese politiek hervormer Zhao Ziyang de vorige dag was overleden. De Communistische Partij verkeerde in staat van alarm omdat rouwberichten in het verleden altijd weer tot onlusten hadden geleid. In 1989 was het na de dood van Hu Yaobang tot een bloedbad op het Tiananmenplein gekomen.

Normaal gesproken registreerde Sarah de dagelijkse jobstijdingen op het nieuws nauwelijks nog – er waren er gewoon te veel van –, maar deze middag maakte de berichtgeving van een mógelijke ramp haar al nerveus. Onwillekeurig moest ze aan Janins uitspraken over de 'kritische massa'-mens denken. Deze formulering werd ook met betrekking tot atoombommen gebruikt. Onvriendelijker dan ze bedoelde, zei Sarah tegen haar bewaker dat hij onmiddellijk de televisie moest uitschakelen.

Toen haar hartslag wat was bedaard, ging ze achter de computer zitten en startte een beeldbewerkingsprogramma op. Met een paar muisklikken plaatste ze over de ingescande kopergravure een transparante lichtblauwe windroos. De ster strekte zich in het noorden uit tot ver voorbij het Noorse Christiana – het huidige Oslo – en in het zuiden zo ver als Napels; in het westen liep hij door tot vlak voor het Franse Brest en de oostelijke punt raakte bijna het – toen nog Russische – Kiev.

Peinzend keek Sarah naar het beeldscherm. Geheel duidelijk was de begrenzing van de windstreken nog steeds niet. Ineens kreeg ze een idee. Weer pakte ze het virtuele tekengereedschap en trok nog meer lijnen over de landkaart.

Uitgaande van Weimar, het centrum van de windroos, deelde ze de reikwijdte van het zoekgebied straalsgewijs in acht even grote zones op. De driehoekige segmenten van de hoofdwindstreken kleurde ze, om een beter overzicht te krijgen, felrood, en ze was niet weinig verbaasd toen daardoor weer het vereenvoudigde Maltezer kruis ontstond dat haar al op de binnenplaats van het residentieslot was opgevallen.

Europa onder het symbool van de Kleurenhoorders.

Sarah was ervan overtuigd intuïtief het juiste te hebben gedaan. Met een enigszins beklemd gevoel bekeek ze het enorme zoekgebied in het oosten.

Na een diepe zucht richtte ze zich op de plaatsen die in aanmerking kwamen. Deze reeks liep vanaf Jena, dat maar zo'n twintig kilometer verderop lag, tot aan Kiev, waar Franz Liszt in 1847 voor het eerst prinses Jeanne Elisabeth Carolyne von Sayn-Wittgenstein had ontmoet.

Tegen zessen moest Sarah een gedwongen pauze inlassen, omdat inspecteur Bach in het hotel bij haar langskwam. Van Tiomkin ontbrak nog steeds ieder spoor, meldde de rechercheur. Hij verscheen en verdween weer, alsof hij zich onzichtbaar kon maken. Daarom wilden ze nu een val voor hem zetten. Toen Sarah de details van het plan hoorde, was ze niet erg enthousiast.

'Eigenlijk wil ik binnenkort vertrekken.'

'Dat staat u vrij. Mag ik vragen waarheen?'

'Naar het oosten.'

'U bent vandaag wel erg mededeelzaam. Maar goed, u kunt gaan als u ons nog één keer wilt helpen.'

Sarah weifelde. Konden de autoriteiten haar, het slachtoffer in de zaak-Valéri Tiomkin, tegen haar wil in Weimar vasthouden? Ze dacht van niet. Anderzijds had rechercheur Bach een fijne neus voor getuigen die iets voor haar achterhielden.

'Ik ben van de partij,' stemde Sarah na rijp beraad toe.

Toen ze weer alleen was met zichzelf en haar gedachten, had ze even tijd nodig om haar hoofd vrij te maken. Het gesprek met de opsporingsbeambte had haar meer verontrust dan ze wilde toegeven. Maar algauw raakte Sarah opnieuw in de ban van de verscheidene bronnen die het leven en de invloed van Franz Liszt in het oosten beschreven. Ze ging volledig op in de bestudering van brieven en documentatiemateriaal, zonder enig besef van tijd en ruimte. Daarmee was ze een halve nacht en het grootste deel van de volgende dag zoet.

Tussendoor belde drie of vier keer de receptie: ene professor Janin wilde haar graag spreken. Hij zei dat het zeer dringend was. Haar antwoord luidde elke keer: 'Maar ik wil niet met hém praten.'

Op dinsdag – het was even na halfvier – leunde Sarah achterover in haar stoel, rekte zich uitgebreid uit en zei: 'Waarom het zo ver zoeken, als 't goede zo dichtbij is?'

Hampel keek van haar Liszt-biografie op. 'Pardon?'

Sarah draaide zich om naar de politieagente. 'Waaraan moet u denken bij Franz Liszt en Jena?'

De blondine lachte. 'Dat vraagt u aan míj? Hij werd tot ereburger van de stad uitgeroepen nadat... ogenblikje!' Ze bladerde ijverig in haar boek. 'Hier heb ik het al! Nadat "de gevierde kunstenaar een voortreffelijk concert in de Rosensälen ten bate van het kindertehuis alhier had gegeven". Zo staat het in de stadskroniek. Dat was in 1842.'

'Hebt u ooit van een baron Von Dornis gehoord?'

De lijfwacht schudde haar hoofd. 'Nooit.'

Sarah knikte. 'Dank u.' Ze wijdde zich weer aan de stukken tekst van verschillende vindplaatsen, die ze in een elektronisch document had samengebracht.

Baron Von Dornis was een beeldhouwer geweest die in Jena had gewoond. Op 6 maart 1848 had Liszt zich met een verzoek tot de kunstenaar gewend: hij wilde een werk van hem kopen. Wat Sarah was opgevallen, was de datum. In maart 1848 was er in Duitsland en Oostenrijk een revolutie uitgebroken. En waar had Liszt in zijn Notus-boodschap om gevraagd?

KRUIP IN HET HOOFD VAN DE REVOLUTIE.

Onwillekeurig moest ze aan Oleg Janins woorden over de geheime activiteiten van de Kleurenhoorders denken: menige staatsgreep, menige revolutie en tal van politieke moorden waren door de klanken der macht teweeggebracht. Had de Rus uiteindelijk toch de waarheid gesproken? Beslist niet wat Franz Liszt betrof, stelde Sarah zichzelf gerust. Zeker, hij had nauwe contacten met enkele vernieuwers onderhouden en had met zijn overweldigende treurmars *Funérailles* voor de slachtoffers van de Hongaarse vrijheidsbeweging een muzikaal monument opgericht. Was deze compositie dan misschien uiteindelijk niet zijn enige gedenkteken voor de revolutionairen geweest?

Sarah keek op de klok. Uit ervaring wist ze dat er in Duitsland stipt om vier uur miljoenen pennen werden neergelegd. Ze had niet veel tijd meer. Ze pakte de telefoon en liet zich met het vvv-kantoor van de stad Jena doorverbinden. Na een paar keer te hebben moeten wachten, belandde ze bij de Friedrich-Schiller-Universität. In eerste instantie zag het ernaar uit dat men ook hier geen baron Von Dornis kende, maar ten slotte had ze succes bij de theologische faculteit. Even later had ze zelfs de decaan, Karl-Wilhelm Niebuhr, aan de lijn.

'Hoe zei u dat het kunstwerk moest heten?' vroeg de professor.

'Ik weet het zelf ook niet precies, maar het heeft hoe dan ook met het thema revolutie te maken.'

'*La Révolution?*' De naam kwam er zonder aarzeling uit.

'Dat moet het zijn! Wat weet u daarover?'

'Het is een bronzen borstbeeld dat Von Dornis kort na 1848 heeft gemaakt. Het staat in de tuin van het toenmalige berghuisje dat in de loop van de negentiende eeuw is uitgegroeid tot een groot berghuis. Ik heb de plastiek...'

'Berghuis?' viel Sarah de decaan in de rede. Dit riep een associatie op met de naam die ze, met potlood onderstreept, op de achterkant van de kaart van Europa had aangetroffen. Dat kon geen toeval zijn. Ze schraapte haar keel. 'Neemt u me niet kwalijk, professor Niebuhr. Er schoot me alleen net iets te binnen. Wat wilde u over het borstbeeld zeggen?'

'Eh... Dat ik het vaak heb bewonderd. Het laat het gezicht van Jeanne d'Arc zien, de maagd van Orléans, een buitengewoon lieftallig gezicht, als ik dat zeggen mag.'

Sarah tikte opgewonden iets op de computer in. 'Dan bestaat *De Revolutie* dus nog steeds? Kent u het adres van dit... verblijf?'

'Van het berghuis? Dat staat hier in Jena, aan de Philosophenweg, midden in het groen. Het huisnummer kan ik me niet herinneren, maar je kunt het niet missen: een grote, representatieve villa in neoclassisistische stijl met een Ionische tempel ervoor. Vanuit de tuin biedt het huis een prachtig uitzicht over het Saaledal. Het was eigendom van Karl August von Hase, een theoloog die tot ver buiten Thüringen bekend was.'

'Ik heb over hem gelezen. Hij was met Franz Liszt bevriend.' In gedachten voegde Sarah eraan toe: en ze waren allebei lid van de vrijmetselarij. 'Is het berghuis bewoond, of is het een museum, of...?'

'De nazaten van Von Hase hebben het moeten opgeven. Maar sinds een kwarteeuw woont er op de benedenverdieping een vreemde snoeshaan. Hij heeft vroeger in antiquarische boeken gehandeld. Die oude gast is een beetje een zonderling, maar verder heel aardig. Zijn naam is Koreander, Karl Konrad Koreander. Moment, ik geef u zijn telefoonnummer.'

Sarah hoorde geritsel. Even later dicteerde professor Niebuhr haar de cijfers, die ze op het toetsenbord intikte, en liet hij haar weten dat hij verder niet veel meer voor haar kon doen. Sarah bedankte hem uitbundig en beëindigde het gesprek. Een paar seconden later had ze het nummer van de vreemde snoeshaan gedraaid.

'Ja?' klonk een brommerige stem uit de hoorn.

Sarah stelde zich voor en vroeg beleefd of ze *La Révolution* een bezoekje mocht brengen.

'Dat staat iedereen vrij,' antwoordde de oude man. Hij deed geen enkele moeite vriendelijk te zijn.

Ze sloot haar ogen, herstelde zich en antwoordde: 'Maar ik ben niet iedereen.'

'O? Dat kan iedereen wel zeggen,' was het antwoord van Koreander.

'U spreekt met Sarah d'Albis,' herhaalde ze majesteitelijk.

'Wie u ook bent, verdoe mijn tijd niet.'

'Ik ben een afstammelinge van Franz Liszt...' Eigenlijk had Sarah nog op de nauwe band tussen de componist en de vroegere eigenaar van het berghuis willen wijzen, maar de oude gast was haar voor.

'Is dat waar?'

Ze legde haar hand op de plek waar ze onder haar trui de hanger droeg. 'Zo waarlijk helpe mij God almachtig.'

'Overdrijf nu niet meteen, dametje. Wanneer wilt u komen?'

'Vandaag nog?' deed ze een schuchtere poging.

'Ik ga vroeg naar bed. Laten we zeggen, morgenvroeg om tien uur. Philosophenweg 46. Het huis is niet over het hoofd te zien. Welterusten.'

In de hoorn kraakte het.

Sarah haalde diep adem en wierp haar bewaker een steelse blik toe. Kennelijk behoorde het tot de bekwaamheden van persoonsbeveiligers om zoiets op te merken. De politieagente keek op van haar boek.

'Succes gehad?'

'Het ziet ernaar uit, ja. Zeg, is het u eigenlijk al eens opgevallen dat we ongeveer hetzelfde figuur hebben? Als u geen blond haar had, zou je bijna denken dat we tweelingen waren.'

De vertrouwelijke toon van haar beschermelinge wekte argwaan bij de politieagente, wat zonder veel moeite aan de diep getekende groeven op haar voorhoofd te zien was. 'Waar bent u op uit, madame d'Albis?'

'Zeg maar Sarah.'

'Waar bent u op uit?'

Ze glimlachte zo onschuldig als ze maar kon. 'Ik vroeg me net af hoe u er toch met bruin haar zou uitzien.'

II

De composities van Franz Liszt laten me koud; ze verraden meer een
poëtisch oogmerk dan echt scheppend vermogen, meer kleur dan vorm,
meer uiterlijke pracht dan innerlijk gehalte.

— Pjotr Iljitsj Tsaikovski, 1881, over Franz Liszt

Sergej Nekrasov was een nachtmens. Hij kwam 's morgens nooit voor tien uur op kantoor, meestal slechtgehumeurd, en zijn medewerkers gingen hem tot ten minste twaalf uur uit de weg. Sinds de gebeurtenissen in Weimar zich hadden toegespitst, deed hij zijn best zijn gewoontes te veranderen. Als hij niet aan zijn rolstoel gekluisterd had gezeten, zou hij echter toch zijn opgevlogen toen op de geheime lijn de telefoon op deze dinsdag om klokslag tien uur overging.

Hij nam op, maar zei niets.

'Wat doet de hemel zingen?' vroeg de man aan de andere kant van de lijn.

'De lier,' antwoordde Nekrasov. 'Zijn er problemen?'

'Alleen verwikkelingen. Ze is verdwenen.'

'Daar was ik al bang voor. Hebt u al enig idee waar ze naartoe is gegaan?'

'Nee, maar daar komen we wel achter. Ze kent de spelregels niet, dus zal ze fouten maken.'

'Ik ga ermee aan de slag.'

'Doe dat. De klok tikt door.'

'We hebben altijd nog plan B.'

'Ik zou liever hebben dat dat niet nodig is.'

'Als u een simpel menuet wilt, moeten we de klankleer zien te bemachtigen. Anders wordt het een Paukenslagsymfonie.'

'Laat Haydn erbuiten. Hij was geen Kleurenhoorder.'

Nekrasov grinnikte. 'Althans niet een van de Adelaars. U weet wat ik bedoel. Soms moet je een veld in de brand steken om het weer vruchtbaar te maken, zelfs als het de hele wereld omvat.'

'Ik laat weer van me horen.'

Zonder afscheidsgroet hing de beller op.

12

Een enorme natuurkracht, die als een orkaan in klanken losbarstte,
overweldigde de toehoorders.

— Secretaris van Franz Liszt, over zijn meester

De taxi bleef maar een paar seconden staan voor het Russischer Hof. De glazen deur gleed open en een vrouw liep het hotel uit. Ze droeg een zonnebril en de jas van Sarah d'Albis. Haar haar was bruin; alleen haar paardenstaart stak onder de hoed vandaan die ze ver over haar voorhoofd had getrokken. Het portier van de auto werd opengeduwd, de vrouw stapte in en de auto reed met zijn typische dieselgeluid weg.

Even later reed er een bestelwagen van een wasserijbedrijf de ondergrondse parkeergarage van het hotel in, waar Mario Palme met zijn bariton tegen de echte Sarah d'Albis zei: 'Ik vind dit plan nog steeds te riskant. Nu Maike toch al uw rol heeft overgenomen, hadden we u beter meteen naar uw volgende plaats van bestemming kunnen brengen.'

'U bedoelt, zoals zondag?'

'Die wandeling naar het residentieslot was uw idee.'

'En het uitstapje van vandaag ook, afgezien van de voorbereidingen die mevrouw Bach heeft getroffen. Ik heb het idee dat Weimar me niet zo snel terug zal zien. Vanaf nu kunt u zich dus weer helemaal aan uw andere verplichtingen wijden.'

Ze schudden elkaar de hand en Sarah stapte met haar rolkoffer in de donkere laadruimte van de bestelbus. Ze hoorde nog dat Palme de bestuurder opdroeg zich normaal te gedragen en zijn geheime 'vracht' bij de oostvleugel van het hoofdstation af te leveren. Vervolgens begon de motor te loeien, en het voertuig zette zich in beweging.

Naar Sarahs smaak gedroeg de man achter het stuur zich beslist té normaal: hij reed alsof ze een lading organen was die zo snel mogelijk bij een transplantatiekliniek moest worden bezorgd. In elk geval was ze, midden tussen de zakken vuil wasgoed, redelijk beschermd tegen pijnlijk heen en weer slingeren. Ze dankte de hemel dat de rit naar het treinstation maar een paar minuten duurde.

Het was haast ondraaglijk voor haar om op deze manier stilletjes uit Weimar te moeten verdwijnen. Maar de inspecteur had erop gestaan. Ze vond dat je je vrijheid niet voor niets kreeg. Na die ellendige episode, troostte Sarah zichzelf, zou ze eindelijk het heft weer in eigen hand kunnen nemen, de controle helemaal terughebben. En dan?

De laatste jaren had ze er vaak verdriet van gehad dat ze het product van een ongelukkige liefde was. Ze kende niet eens de naam van haar verwekker; ze wist alleen dat hij haar moeder zwanger had gemaakt en haar daarna in de steek had gelaten. Daardoor was Joséphine d'Albis alles ontnomen: de liefde, haar waardigheid en haar levensvreugde. Sarah was later verteld dat haar moeder aan een gebroken hart was gestorven, maar in hoeverre de moeder zelf de hand in haar dood had gehad werd er niet bij gezegd.

Verstandelijk gezien wist Sarah wel dat een stamboom waarvan de echtheid officieel was aangetoond nog geen tevreden mens van haar zou maken, maar het was haar even duidelijk dat onzekerheid en gebrek aan gevoel van eigenwaarde haar ziel verlamden. Dat zou binnenkort voorbij zijn.

De bestelwagen maakte een scherpe bocht naar rechts en Sarah belandde nogmaals tussen het wasgoed. Vreemd genoeg moest ze daardoor aan de lingeriesnuffelaar Oleg Janin denken. Nadat ze vanmorgen was opgestaan was haar geweten gaan knagen. Wat ze ook voor bedenkingen tegen de man mocht hebben, ze had wel haar vrijheid aan hem te danken, misschien zelfs haar leven.

Daarom had ze besloten hem een afscheidsbriefje te sturen. Nou ja, een beetje leedvermaak had misschien ook meegespeeld. Omdat ze zijn visitekaartje niet had kunnen vinden, stuurde ze het bericht naar het adres op de kaart van de jonge Rus die haar op de avond van het concert had aangesproken.

Van: Sarah d'Albis <pianiste@aol.fr>
Datum: 19 januari 2005 06.24.21 MEZT
Aan: Prof. Janin <ojanin@arts.msu.ru>
Onderwerp: Adieu!

Professor Janin,

Ik heb besloten Weimar te verlaten. U hoeft me dus niet meer in het Russischer Hof te bellen of nog op een afspraak hier te rekenen. Ik wil u alleen wel bedanken voor uw hulp in de nacht van 13 januari. Bij uw onderzoek naar de Kleurenhoorders en Franz Liszt kan ik u helaas niet verder helpen. Bovendien vraag ik u om uw begrip dat ik ook in de toekomst het spoor van mijn voorvader liever alleen wil volgen.

Vaarwel

Sarah d'Albis

Met een schok kwam de bestelwagen tot stilstand. Sarah had zich nog maar nauwelijks aan de zakken wasgoed ontworsteld, of het zijportier werd al opengerukt en ze zag de lijvige bestuurder met zijn kwajongensgezicht naar haar grijnzen.

'Alles oké, madame?'

Ze klom zonder een woord te zeggen naar buiten en trok haar korte getailleerde jas goed. Hij was een prima vervanging voor het kledingstuk dat ze aan Maike Hampel had uitgeleend: bruin, met zachte lamsvacht gevoerd en van het prachtigste hertenleer gemaakt. Nadat ze alles naar tevredenheid had gefatsoeneerd, tilde Sarah haar trolleykoffer uit de auto. Terwijl de jonge man toekeek, steunde ze: 'Op weg hiernaartoe heb ik even uw was gestreken. Dat vindt u toch niet erg, hè?'

Hij grijnsde. 'Het was niet nodig geweest, maar toch bedankt.'

'Bedank niet mij, maar uw rijkunsten.'

'Ik heb geracet als altijd. Ik mocht immers niet opvallen, had uw oppasser gezegd.'

Sarah onderdrukte de opwelling hem een fooi te geven, nam met een halfslachtig bedankje afscheid en liep met haar rolkoffer weg.

Het was even na achten. Ergens ging achter loodgrijze wolken de zon op. Het imposante stationsgebouw werd geflankeerd door twee lage vleugels. Rode pannendaken gaven de lichte zandstenen voorgevel, ondanks de leikleurige hemel, een vrolijk tintje. Vanuit de drie enorme boogramen van het middelste gedeelte scheen een geel licht op het voorplein.

De pianiste stapte de oostvleugel van het complex binnen en stond even later weer in de hoge hal van het hoofdgebouw. Een vrouwelijke stem verkondigde met zakelijke vriendelijkheid dat de lokale trein van 8.19 uur naar Jena ongeveer tien minuten vertraging zou hebben.

'Net nu!' klaagde Sarah.

Haar blik dwaalde wat rond. Ze deed haar best haar gespannenheid te verbergen. In de hal was het een druk komen en gaan, geroep en geroezemoes, geratel en geschuifel, zoals altijd tijdens het spitsuur. Uit luidsprekers stroomden muzikale kalmeringsmiddelen, vermoedelijk om de treinvertragingen voor de passagiers draaglijker te maken. Inderdaad zaten er mensen die ver moesten reizen stilletjes op banken te dommelen; anderen lazen de krant of praatten met elkaar. Uit de omliggende winkels kwamen mensen met kranten, vers van de pers, of met de verplichte last-minute-souvenirs. Een dame op gevorderde leeftijd slofte verbazingwekkend vlug de kleine supermarkt in, waarschijnlijk om nog even snel wat reisproviand in te slaan. Sarah had al meer dan duizend keer zulke taferelen op stations en vliegvelden gezien.

Ze koerste met haar trolley naar een lege zitplaats, van waaruit ze het bord met vertrektijden in het oog kon houden. Ze zette haar koffer voor de bank neer als een bolwerk, verschanste zich erachter en liet haar gedachten meteen de vrije loop.

Eerst liep ze de instructies nog eens door die inspecteur Bach haar de vorige avond had ingeprent, maar algauw lokte de nieuwsgierigheid haar naar de toekomst. De virtuele reis naar Neurenberg was slechts de opmaat geweest. In het echte leven ging het nu verder op het 'spoor van de windroos', zoals Konrad Hünteler het zo treffend had omschreven. Wat zou haar in Jena te wachten staan? De oude Koreander leek haar een moeilijk heerschap te zijn...

Sarahs gedachten stokten abrupt. Ze spitste haar oren. De achtergrondmuziek was anders geworden. In het eerst nog eentonige gejengel klonk nu een bezwerende ondertoon door, een onderbewust bevel, dat zich steeds herhaalde: *Je bent in gevaar – vlucht!*

Het volgende moment veranderden voor haar de luidsprekers in vleesmolens, waaruit aan één stuk door de subliminale boodschap golfde als een weerzinwekkende, stinkende, grijze brij. Niemand in de stationshal scheen echter Sarahs waarnemingen te delen. De mensen bleven dommelen, lezen, praten en inkopen doen.

Maar plotseling sloeg de stemming om. Het geluid in de stationshal klonk snel harder. Mensen die sliepen, werden wakker en keken verward om zich heen. Andere reizigers lieten hun krant, of wat ze ook maar in hun hand hadden, vallen en liepen naar de uitgangen. Er werd geduwd en gestompt. Ergens riep een vrouw. Ze was gestruikeld en kwam niet meer overeind, omdat ze door de mensen die over haar heen liepen steeds weer werd neergetrapt.

Verlamd van schrik bleef Sarah gewoon om zich heen zitten kijken. Razendsnel sloeg de drukte nu om in paniek. Overal vluchtten mensen voor dingen die enkel in hun onbewuste oerangsten bestonden. Wie niet tegen de grond werd gedrukt, zocht een goed heenkomen en baande zich met een laatste beetje wilskracht een weg naar buiten, de luidruchtige stilte van de beschaving in.

Toen de stationshal zo goed als leeg was, ontwaakte Sarah uit haar verstarring. Nog steeds droop de synesthetische klankragout uit de vleesmolens. Ze was kotsmisselijk en had er spijt van dat ze Oleg Janin had afgepoeierd. Zijn obscure waarschuwingen waren eerder een understatement geweest. De Kleurenhoorders hadden inderdaad meer macht en invloed dan Sarah zich ooit had kunnen voorstellen.

Opeens hoorde ze rechts van haar een zwak, hees gehuil. Het kwam uit een kinderwagen die op enige afstand zonder iemand erachter aan haar voorbijreed. Dat de baby gevaar liep, bracht Sarah op slag in de werkelijkheid terug. Steunend kwam ze van de bank omhoog om achter de wagen aan te gaan, maar net toen ze vanachter haar kofferbastion vandaan wilde stuiven, werd haar blik getrokken door een wandelende kleerkast, die van opzij met grote stappen op haar af kwam. Geschrokken draaide ze zich om.

Het was Tiomkin.

Afgeleid door het kindergehuil had ze hem niet zien aankomen. Ze probeerde hem te ontwijken, maar bleef met haar voet onder haar trolley haken en struikelde. De Rus pakte haar bij de pols en trok haar ruw naar zich toe. Ze kon zijn vieze adem ruiken toen hij met slecht gespeelde vriendelijkheid zei: 'Wilt u me weer een blauwtje laten lopen, madame d'Albis?'

'U doet me pijn! Laat me onmiddellijk los!' siste ze, en ze probeerde zich uit zijn greep te bevrijden. Tevergeefs.

Hij genoot ervan dat ze zich verzette. Hij lachte. 'Het is geheel aan u, madame, hoeveel pijn u nog moet verdragen. Als u nu zonder verdere tegenwerking met me meegaat, overkomt u...'

De paukenist viel plotseling stil toen er een compact geheel van botten, pezen en vlees met een knal in zijn gezicht belandde. Ook Sarah had de vuist alleen vanuit haar ooghoek zien aankomen. Tiomkins greep verslapte en hij wankelde met bloedende neus achteruit.

Mario Palme volgde hem meteen.

Gezien de chaos van de laatste paar minuten had Sarah niet kunnen vermoeden of bedenken dat de politieagent zich achter haar had opgesteld. Hij droeg oordopjes. Of nu een walkman of een instructie van de actieleiding hem tegen de klanken der macht had beschermd, wist ze niet. Inspecteur Bach had haar de details van operatie Paukenslag onthouden en haar alleen met een paar elementaire gedragsregels vertrouwd gemaakt, waarbij ze de bondige uitleg kreeg: 'Hoe onbevangener de lokvogel, hoe beter.'

Palme smeet de Rus tegen de grond. Die verweerde zich echter beter tegen de goed getrainde politieagent dan je van een musicus zou hebben verwacht. Sprakeloos volgde Sarah de worsteling van de twee reuzen.

'Rennen!' wist Palme met opeengeklemde kaken uit te brengen.

Hij had zich beter op zijn tegenstander kunnen concentreren, want Tiomkin maakte gebruik van de afleiding voor een stoot tegen zijn hoofd. Door de klap, die door het geworstel niet erg goed gericht was, werd Palme weliswaar niet uitgeschakeld maar wel werd zijn oortelefoontje losgerukt.

Geschrokken keek Sarah naar de vleesmolens omhoog en riep: 'Bescherm uw oren, agent Palme!'

Door een schreeuw van pijn werd haar aandacht weer naar het gevecht getrokken. Palme was in actie gekomen en had zijn zware tegenstander omver weten te duwen. Daarbij was er een zwart plastic apparaatje, nauwelijks groter dan een gsm, uit de jaszak van de Rus op de grond gevallen. Het kletterde over het beton. Sarah staarde wantrouwig naar de ovale luidspreker die bijna de gehele bovenkant van de box bedekte. Uit het zilveren draadwerk klonk gekraak.

'Die hebben we,' steunde Palme naast haar, terwijl hij Tiomkin handboeien om deed. De paukenist verzette zich niet. Vermoedelijk was hij bewusteloos.

Ze wees naar boven. 'Hoort u die muziek? Als u niet meteen uw oren dichtstopt, dan...'

'Met mij is alles oké,' onderbrak Palme haar. 'Maar ú moet nu eindelijk uw koffer eens pakken en het station uit gaan. De agenten buiten vangen u op.'

'Maar...!'

'Alstublieft, madame d'Albis!' viel hij haar opnieuw in de rede.

Ze snoof verontwaardigd, maar pakte niettemin haar trolley en liep ermee richting uitgang. Vlak voordat ze bij de deur was aangekomen, hoorde ze weer een luid gekraak.

En toen klonk achter haar het geluid van een herdersfluit op.

Huiverend draaide ze zich om. De muziek kwam uit de kleine zwarte box. Het apparaatje was toen het op de grond viel waarschijnlijk beschadigd, vandaar dat het even niet goed functioneerde. Maar nu bracht het, met een zonder meer volmaakte geluidskwaliteit, een reeks hypnotische klanken voort die Sarah maar al te goed kende. Ze had, zachtjes en nauwelijks waarneembaar, dezelfde melodie – hierover had ze nu geen enkele twijfel meer – in het Russischer Hof gehoord, vlak voordat er in haar kamer werd ingebroken. Ook in de fluittonen lag een onderbewuste boodschap, weliswaar woordloos, maar toch net zo duidelijk voor haar te verstaan alsof iemand hem in haar oor fluisterde.

Luister en wacht. Zodra ik je roep, volg je mijn bevel op.

Sarah begon te trillen van angst. Ze wilde Palme een waarschuwing toeroepen, maar bij de aanblik van de agent begaf haar stem het. Het was te laat. Hij stond als een wassen beeld – nee, als de nachtportier toen in het Russischer Hof – naast Tiomkin en keek glazig haar kant op. De paukenist bewoog. Moeizaam draaide hij zich op zijn rug, hij zei iets tegen de politieagent.

Even bleef Palme zo roerloos als een stenen beeld staan. Maar toen knipperde hij met zijn ogen. Dat had hij eerst niet gedaan, zag Sarah vol afschuw. De agent tastte in zijn broekzak, haalde een sleutelbos tevoorschijn en boog zich over Tiomkins handboeien.

Sarah dreigde van schrik te verstijven. Haar beschermer was een marionet van de Kleurenhoorders geworden. Ze had niet veel tijd meer om aan haar achtervolgers te ontkomen. Ze begon weer te lopen. En boven haar zong nog steeds het koor van de vleesmolens.

Je bent in gevaar – vlucht!

+

(HET OOSTEN)

———————

JENA

✳

Wegens ongunstige weersomstandigheden vond de Duitse Revolutie plaats in de muziek.

Kurt Tucholsky

13

Er slaapt een lied in alle dingen
Die dromen voort en voort,
En de wereld begint te zingen,
Vind jij maar het toverwoord.

— Joseph von Eichendorff, 'Wünschelrute'

De hemel boven Jena was net zo donker als Sarahs stemming. En een blik op haar horloge voorspelde nieuwe problemen. Ze was al zes minuten te laat. Misschien deed meneer Koreander, die kennelijk bepaald niet toeschietelijk was, niet eens voor haar open als ze te laat bij hem bij het berghuis kwam opdagen. Haar mentale immuunsysteem kon na het fiasco in Weimar nauwelijks nog een klap verdragen.

Alles kwam haar heel onwerkelijk voor. Nog bizarder dan de zwarte ridder met zijn lange zwaard op de premièreavond waren de gebeurtenissen van vanmorgen geweest. Nadat ze het station uit was gevlucht, had ze een taxi gevonden, waaruit *De vier jaargetijden* van Vivaldi dreunde. De luidsprekerbezweringen van de Kleurenhoorders waren op dit akoestische geluidsscherm afgeketst, en de chauffeur was blij met een ritje naar Jena geweest.

Terwijl de taxi nu eindelijk de idyllische Philosophenweg insloeg, spookten Sarah nog steeds de nare ervaringen van de laatste dagen door het hoofd. Tiomkin leek van al haar stappen op de hoogte te zijn geweest. Na het voorval in het stadsslot had inspecteur Bach geopperd dat er binnen het politieapparaat wel eens een spion van de Kleurenhoorders zou kunnen zitten. Nu zijn het er waarschijnlijk minstens twee, dacht Sarah, gezien wat Tiomkin op het station met Palme had uitgehaald. Misschien was het beter geweest Oleg Janins waarschuwingen serieuzer te...

'... euro, jongedame.'

De chauffeur deed haar uit haar overpeinzingen opschrikken. Het was haar volledig ontgaan dat de auto was gestopt. De taxi stond voor een zwaar, zwart ijzeren hekwerk dat de indruk maakte dat het diende om pantserwagens te weren. De smeedijzeren vleugels hingen aan massieve pilaren van Rochlitzer purpersteen. In het rode 'Saksische marmer' van de rechterzuil waren twee cijfers gegraveerd: 46. Verder viel de entree op door sobere anonimiteit; nergens was een naambord te bekennen. Karl Konrad Koreander leefde blijkbaar in zijn eigen wereld en wilde door niemand worden gestoord.

Sarah betaalde voor de rit, wenste de taxichauffeur het allerbeste en stapte met haar bagage de auto uit. Even stond ze besluiteloos voor het hek. Niet alleen een naambordje ontbrak, maar ook een bel. Ze keek langs de hoge veldstenen muur, die zich naar beide kanten ruim dertig meter uitstrekte. Ze kon geen andere ingangen ontdekken. Schuchter duwde ze tegen de rechtervleugel van het hek. Er kwam geen beweging in. Ze zette wat meer kracht bij een tweede poging en ditmaal draaide het hek met hoorbaar gepiep naar binnen. Sarah liep het terrein op.

Achter het hek splitste de weg zich. Kennelijk betrof het hier een cirkelvormige oprit. Sarah schoof haar laptoptas goed over haar schouder, trok het handvat van haar rolkoffer omhoog en ging linksaf. Het grind, dat onder haar voetzolen knerpte, was vochtig en grijs, en er zat overal onkruid tussen. De oprijlaan liep in een wijde boog om een aantal dennen heen en was omzoomd door heggen van groenblijvende planten en kale rozenstruiken. Sarah zou er niet van hebben opgekeken als een meute dobermanns zich op haar had gestort en haar had verscheurd, maar er gebeurde niets van dien aard. Om haar heen heerste een bijna spookachtige stilte. Ze had het gevoel in een betoverde tuin te zijn.

Van de 'grote, representatieve villa in neoclassistische stijl' was nauwelijks iets te zien. Decaan Niebuhr hadden bij zijn beschrijving waarschijnlijk vage beelden uit betere tijden voor de geest gestaan. Slechts hier en daar was tussen de boomkruinen door een uitspringend fronton te zien, dat Sarah onwillekeurig aan de renaissancegebouwen in Florence en Rome deed denken.

Steeds dieper drong ze in de betoverde tuin door. De oprijlaan was licht hellend, wat haar eraan herinnerde dat ze een berghuis naderde. Uit de leikleurige hemel viel een regendruppel op haar neus. In de lucht hing een geur van rottende bladeren. Ergens krasten kraaien, de ijzige wind voerde hun schorre kreten mee. Pas toen ze bijna aan het eind van de halve cirkel was, viel haar oog op het vroegere domicilie van Karl August von Hase.

Nu begreep ze de beschrijving van de decaan pas goed. Ze naderde zowaar een kleine Griekse *prostylos*, een imitatie van een tempeltje met een geveldriehoek en vier Ionische zuilen daaronder, die toegang tot de open voorhal gaven: het voormalige 'berghuisje'. Hierachter verhief zich, alsof een grote vriend hem rugdekking moest geven, het eigenlijke berghuis.

Als met beschermende handen omsloten de beide vleugels van het representatieve gebouw het kleine *erechteion*. Op de begane grond werd de drie verdiepingen tellende villa door nog meer zuilen gesierd, op de eerste verdieping door stenen balkonbalustrades en onder de kroonlijst door friezen in reliëf uit de Griekse sagenwereld. Sarah beklom drie treden om via de zuilenrij in de voorhal van het tempeltje te komen. Voor een zware deur van donkerbruin hout zonk de moed haar in de schoenen.

Buiten adem zette ze haar koffer op de grond en staarde besluiteloos naar de messing klopper. Ze liet een aantal scenario's de revue passeren die zich misschien zouden ontvouwen als ze die gebruikte. Ze had zich door de oude Koreander laten intimideren. Hoe zou hij erop reageren dat ze te laat was? Aarzelend stak ze haar hand uit naar het gele metaal, maar voordat ze het kon aanraken werd de deur al naar binnen toe opengetrokken.

Sarah zag een oude man voor zich staan: zwaar en gedrongen, met worstvingers, een rood buldoggezicht en een knolvormige neus. Merkwaardige plukken wit haar boven zijn oren omringden zijn kale hoofd als hoog opgewaaide sneeuw een glimmende bleke rots. Op zijn enorme neus met grove poriën prijkte een belachelijk kleine gouden bril en tussen zijn tanden klemde hij een gebogen meerschuimen pijp, die evenwel niet brandde.

Klaarblijkelijk had de oude man zich voor zijn damesbezoek opgedoft, want hij droeg een wit overhemd en een gekreukt zwart pak, dat zijn beste tijd duidelijk allang had gehad. In zijn rechterhand hield hij een boek met een koperkleurig omslag, zo verfomfaaid dat het leek alsof het al honderdmaal was gelezen.

Dat moest hem dan zijn, de 'vreemde snoeshaan', zoals de decaan hem had beschreven. Sarah voelde zich door de oude man met zijn blauwe ogen getaxeerd. In zijn blik lag alles waaraan het haar op dit moment ontbrak: zelfvertrouwen, kracht, moed en...

Verbazing?

Ze haalde diep adem en wilde net met een volstrekt overtuigende verklaring voor het oponthoud komen, toen de grijsaard haar voor was.

'Ik ben de narrenkoning! Hoe kon ik denken dat ik in eenennegentig jaar alle wonderen van alle werelden al had gezien?' Zijn blik dwaalde naar het koperkleurige boek.

Sarah knipperde verward met haar ogen. Bedreigend klonk de vreemde kreet van de oude man nauwelijks – eerder alsof hij niet helemaal bij zijn verstand was. 'Karl Konrad Koreander?'

'Wie had u dan anders verwacht?' reageerde hij geërgerd.

'Eh... Ik...'

'Het is wel goed. Komt u eerst maar binnen.'

Tot dusver had Koreander zijn pijp de hele tijd in zijn mond gehouden. Nu nam hij hem eruit en stapte met kleine pasjes opzij. Sarah trok haar trolley over de drempel. Ze waagde nog een poging om haar excuses aan te bieden. 'Helaas ben ik iets te laat...'

'Iets?' zei de oude man vermaakt, alsof ze een ontzettend leuke grap had gemaakt. 'Ik zou zeggen, honderdvijftig jaar is wel even meer dan een beetje.'

Sarah kwam tot de conclusie dat er aan Koreander inderdaad een steekje los moest zitten. In elk geval leek hij niet gevaarlijk te zijn. 'Ik ben met een stamboomonderzoek bezig en de bronzen plastiek...' begon ze nog eens, maar ze werd meteen weer door hem onderbroken.

'*La Révolution* wacht buiten op u. Wat staat u daar nog? Kom maar mee.' Hij was al een behoorlijk stuk vooruitgetippeld en wenkte haar.

Ze liet haar bagage bij de ingang staan en snelde hem achterna. Na drie stappen had ze hem ingehaald.

Dat beviel hem kennelijk ook niet, want hij mopperde: 'In zo'n vliegende vaart hoeft u er nu ook weer niet vandoor te gaan. Rustig aan. Ik ben ook niet meer de jongste!'

'O, pardon!' zei Sarah, en ze paste zich aan zijn oudemannengang aan.

Koreander schuifelde over de zwart-wit geblokte stenen vloer. Bij haar naspeuringen van de laatste dagen had Sarah gelezen dat zulke ruitpatronen gebruikelijk waren in tempels van vrijmetselaars. Haar blik bleef hangen bij een inscriptie boven de doorgang aan het eind van het tempeltje:

Dit huis hier staat in Gods hand
Het kijkt uit over het verre land
En toont de zichten wijd en zijd
Op Saaledals zonnige schoonheid
En hierheen worden we geleid

Door de geest van oer-Duitse gastvrijheid
Dus wijd het dan vandaag in
Een echt harmonische kring
En spreek de zegen over het huis uit
Enkel vrede en geluk kome erin en –uit.

Franz Liszt, 26 juni 1855

Toen de oude man merkte dat zijn bezoek bij hem achterbleef, draaide hij zich naar haar om: 'Literair gezien niet echt een hoogstandje, hè?'

Ze keek hem niet-begrijpend aan.

Hij wees naar het gedicht. 'Dat versje daar. Liszt heeft het bij de inwijding van het berghuisje voorgedragen. Nogal klungelig, niet? Zijn muziek was duidelijk beter dan zijn poëzie.'

Sarah moest aan de klankboodschap van haar voorvader denken, maar onderdrukte een reactie.

Met een nonchalant gebaar wees Koreander haar op de muren. 'Bewondert u liever de fresco's. Ze stellen de penaten voor, oud-Romeinse goden. Een soort lijfwachten voor huis en familie.'

Sarah kende Penaten alleen als crème. Zwijgzaam volgde ze de grijsaard naar een andere, duidelijk meer representatieve hal. Via twee trappen kwam je op de bovenste verdiepingen uit. Koreander hield echter consequent zijn oostelijke koers aan. Het stukgelezen boek drukte hij daarbij als een kostbare schat tegen zijn mollige lijf en de meerschuimen pijp zat weer tussen zijn tanden geklemd.

Zo bereikten ze via een andere deur een grote salon met donkergroen linnen behang. Over de meubels lagen witte lakens. Beglaasde deuren tegenover de ingang kwamen uit op een terras. Daarachter strekte zich groen uit.

Ernaar wijzend zei Koreander buiten adem: 'Van hieruit moet u alleen verder. Gaat u door die deur daar, en in de tuin almaar rechtdoor. Dan stuit u meteen op het mooie gezicht van de Revolutie.' Hij draaide zich grinnikend om en sjokte weg.

Sarah wachtte nog even totdat de vreemde snoeshaan in de hal naar rechts was gegaan en uit het zicht was verdwenen; toen liep ze snel naar de andere kant van de salon en liep de tuin in. Een seconde lang bleef ze op het terras staan, denkend aan de regels uit Liszts 'knullige' gedicht: *En toont de zichten wijd en zijd op Saaledals zonnige schoonheid.* Het panorama was ook na honderdvijftig jaar nog schilderachtig. De hemel had inmiddels alle zonnigheid afgezworen en huilde fijne tranen.

Om niet uiteindelijk in een bui terecht te komen, ging Sarah verder met het verkennen van de tuin. Ze volgde daarbij precies de beschrijving van de oude man en koerste in een rechte lijn het hellende terrein af.

Af en toe moest ze struikgewas of bomen ontwijken. Algauw kleefde er een plakkaat natte bladeren aan haar laarzen. In het verwilderde park hing een morbide sfeer, die haar net zo fascineerde als de afbladderende gevels van Venetiaanse patriciërshuizen of de grijze grafstenen op het Parijse Cimetière de Montmartre. Nadat ze om een grote levensboom heen was gelopen, wachtte haar een verrassing.

Daar stond, midden in een kort gemaaid, rond grasperk, *La Révolution*.

Sarah kreeg een regelrechte schok. Het was alsof het metalen hoofd op een staaf was gespietst. Alleen al dit macabere detail had bij elke ook maar enigszins historisch onderlegde tijdgenoot argwaan moeten wekken – tijdens de Franse Revolutie had men zo weliswaar menig onbeheerd hoofd, of loshoofdig heer, op een staak tentoongesteld, maar Jeanne d'Arc, de als Franse nationale heldin betitelde boerendochter uit Lotharingen, was op de brandstapel geëindigd. Baron Von Dornis mocht dan anderhalve eeuw lang de bewonderaars van zijn plastiek voor de gek hebben gehouden, maar voor Sarah was één blik genoeg om de ware identiteit van deze onechte 'maagd van Orléans' te herkennen.

Want het gezicht van de gepersonifieerde revolutie leek als twee druppels water op het hare. Ze had het gevoel alsof ze in een spiegel keek.

Als er nog twijfels hadden bestaan of ze werkelijk van Franz Liszt afstamde, dan waren die nu op slag verdwenen. Kennelijk had zijn dochter voor de beeldhouwer model gestaan. Het mooie, door de typisch lisztiaanse neus op en top karakteristieke gezicht was een overtuigender bewijs dan welk document ook van een verwantschap waarvan de wereld tot dusver niets had geweten. Helaas stond er geen naam op het borstbeeld, alleen de nietszeggende titel *La Révolution*.

Dat Sarah nu zo opeens op de wortels van haar bestaan stuitte, deed haar duizelen. Tot dusver waren al haar pogingen om duidelijkheid omtrent haar afstamming te krijgen mislukt. Ze had oorspronkelijk aangenomen dat ze via haar vader met Liszt verwant was, maar in de afscheidsbrief van haar moeder stond niet eens zijn naam. De enige mogelijke verwijzing naar haar verwekker was een bundel krantenknipsels: Joséphine d'Albis had ontzettend veel artikelen verzameld waarin een Russisch-Franse dirigent, Anatoli Akulin genaamd, werd geroemd. Toen Sarah een paar jaar geleden zijn spoor had gevolgd, was dit al snel doodgelopen, alsof de bejubelde musicus nooit had bestaan.

Ook Tiomkin en Janin waren Russen die in Frankrijk woonden. Bestond er een verband?

'Vertel jij het me,' fluisterde ze, maar de bronzen gestalte tegenover haar zweeg.

Anders dan het fantoom waaraan ze haar leven dankte, had de reeks voorouders van haar moeder uiteindelijk meer opgeleverd. Vanaf haar grootvader Adolphe, diens vader Antoine, tot aan haar betovergrootmoeder Françoise d'Albis toe, geboren Colbert, had Sarah de stamboom tot in het midden van de negentiende eeuw nagespeurd. En nu – het kon gewoon niet anders – keek ze in het gezicht van haar betoudovergrootmoeder.

'Hoe heet je?' mompelde Sarah, dringender dan eerst.

Bij wijze van antwoord begon het ineens harder te regenen. Het gemiezer veranderde in parelsnoeren van dikke druppels, die loodrecht uit de hemel vielen.

Sarah voelde wanhoop opkomen. Was dit het dan? De zekerheid over haar afstamming van Liszt was zonder twijfel een kostbaar geschenk, maar als het daarbij bleef, zou het spoor van de windroos in deze verwilderde tuin voortijdig eindigen.

Sarah negeerde de klamme kou, zette haar met vacht gevoerde kraag op en liep langzaam om het borstbeeld heen. Het trotse gezicht met de aristocratische neus keek naar het noorden. KRUIP IN HET HOOFD VAN DE REVOLUTIE. Hoe had Liszt dat bedoeld? Ze speurde elke vierkante centimeter van het borstbeeld af, maar nergens vond ze een aanwijzing...

Totdat de regen nog heftiger begon te roffelen.

Ja, de regen róffelde op het hoofd van het borstbeeld. En dat was hol. Hol als een klok. De zware druppels lieten die met talloze kleine slagen weerklinken. Het waren, zoals Sarah verbijsterd vaststelde, klanken der macht.

Kennelijk had de maker van dit unieke kunstwerk de 'schedel' van de Revolutie met extra aandacht uitgewerkt. Sarah kende dit principe maar al te goed, ze had het als kind tenslotte vaak bij de inheemse steelbands op het Caribische eiland Bartolomé gehoord. Die bouwden hun instrumenten van stalen vaten en noemden ze simpelweg *pan* – 'pan' –, of wanneer het publiek veeleisender was, *steeldrum* – stalen trom. Aan de naar binnen gewelfde bodem van een olievat dat op een dergelijke wijze was geprepareerd, waren zo'n dertig verschillende klanken te ontlokken. Hier was het net zo. Alleen overtrof wat eruit voortkwam alles wat Sarah ooit had meegemaakt.

Het veelkleurige getikkel vormde een beeld in haar geest, ditmaal geen tekst – daarvoor kwamen de druppels te willekeurig op de klankdelen van het borstbeeld neer –, maar wel een schimmig lichaam. Het benam Sarah de adem toen ze de contouren van de flikkerende gestalte herkende.

Het was een zeemeermin, een nixe.

Het doorzichtige lichaam en het borstbeeld sloten naadloos op elkaar aan. Vanaf de schouders over de naakte borst tot aan de navel was ze menselijk, daaronder tot aan de staartpunt een vis. Zodra de regen afnam, werd de verschijning zwakker, en wanneer het regengeroffel weer toenam, begon die opnieuw te schitteren.

'Is het niet geweldig haar te horen zingen?' hoorde Sarah opeens een stem achter zich.

Geschrokken draaide ze zich met een ruk om. Voor haar stond, met een paraplu in zijn hand, de eigenaar van de betoverde tuin.

In de bibliotheek van het berghuis was het warm en knus. Eensgezind stonden filosofen en natuurwetenschappers, staatslieden en militairen, dichters en romanciers, grote geesten van allerlei soorten, rij aan rij op de boekenplanken tot aan het houten cassetteplafond toe. Twee grote ramen met roedeverdeling lieten licht door in het kabinet der kennis. Op een versleten Perzisch tapijt stond te midden van de oude boeken een smoezelige bruinleren oorfauteuil, en daarin zat Karl Konrad Koreander. Naast hem, op een rond glazen tafeltje, lagen zijn meerschuimen pijp en het verfomfaaide koperkleurige boek. Door zijn malle brilletje nam hij de jonge vrouw op die op een chaise longue tegenover hem was gaan zitten.

Sarah hield een pot thee in haar klamme handen. 'Dat doet me goed!' zei ze, dankbaar voor de gastvrijheid van de oude man.

'Ik kan me heel goed voorstellen dat u van pure schrik de regen helemaal niet hebt gevoeld. Toen ik daarstraks uw gezicht voor het eerst zag, stond ik net zo perplex,' gaf Koreander toe.

'Naar het schijnt is Franz Liszt inderdaad mijn voorvader.'

'Aan de telefoon klonk het mij in de oren alsof dat al voor u vaststond.'

'Ik wilde indruk op u maken.'

Hij glimlachte. 'Uw eerlijkheid bevalt me wel.'

Sarah ontweek de onderzoekende blik van de oude man. Ze had hem tot dusver noch over de zeemeermin verteld, noch de purperpartituur ter sprake gebracht. Dat heette dan eerlijkheid. Om haar geweten een beetje te sussen, maakte ze zich wijs dat ze hem tegen de Kleurenhoorders moest beschermen. Nadrukkelijk vroeg ze: 'Meneer Koreander, ik ben ervan overtuigd dat het borstbeeld een geheim in zich draagt dat alleen voor de nakomelingen van Franz Liszt is bedoeld. Hebt u enig idee waarom hij het borstbeeld uitge- rekend *La Révolution* heeft genoemd? Was Von Hase misschien lid van een geheim genootschap met revolutionaire doelen?'

Koreander stopte zijn pijp in zijn mond en dacht diep na. Toen schudde hij zijn hoofd. 'De strijdbare professor was vrijmetselaar, als ik me niet ver- gis. Al op jonge leeftijd heeft hij met zijn ideeën over recht en vrijheid een aantal vertegenwoordigers van het oude regime behoorlijk voor het hoofd gestoten. Als corpslid heeft hij zelfs elf maanden in de vesting Hohenasperg vastgezeten. Ik neem aan – en dat is het eerlijke antwoord op uw eerste vraag – dat de idealen van de revolutie Franz Liszt na aan het hart lagen. Von Hase en hij waren in elk geval een soort zielsverwanten.'

'U weet heel veel over hen beiden.'

'Ik zorg er alleen voor dat bewaard blijft wat anders in de vergetelheid zou raken: dit huis, de nagedachtenis aan alle mensen van wie het lot met dit verblijf is verweven, en natuurlijk hun boeken en geschriften.'

'Staat daar toevallig ook iets over de bronzen plastiek in?'

'En of!' antwoordde Koreander onmiddellijk. 'Ik dacht al dat u me er helemaal niet meer naar zou vragen. Ogenblikje...' Hij kwam met moeite uit zijn stoel overeind, slofte naar een van de boekenplanken en kwam terug met een kistje documenten dat in grijs linnen was gewikkeld. Nadat hij weer was gaan zitten, haalde hij een la uit het bakje tevoorschijn, rommelde even door de geschriften die erin opgeborgen lagen en zei ten slotte: 'Hier heb ik het al!'

Sarah sprong van de chaise longue op om het blad dat Koreander naar haar uitstak aan te pakken. Een brief! Het krabbelige handschrift had ze al eerder gezien; in het Goethe-Schiller-Archiv in Weimar had het haar herhaaldelijk tot wanhoop gedreven. Normaal gesproken had Liszt zijn correspondentie door secretarissen laten verzorgen, maar dit schrijven kwam zonder twijfel uit zijn eigen pen.

'Kunt u het me voorlezen?' vroeg Sarah.

'Zozo, de jongedame kan de lelijke poot van haar eigen voorvader niet ontcijferen,' spotte Koreander.

Sarah gaf hem de brief terug. 'Bij mij duurt het alleen veel langer. En u schijnt de inhoud toch al te kennen.'

Het kostte de vroegere antiquaar geen enkele moeite het handgeschreven stuk te lezen. De brief was in Weimar opgesteld, op 2 augustus 1861, en was gericht aan Karl August von Hase. Na een korte groet wijdde de musicus zich geheel aan *La Révolution*. De naam van het 'mooie meisje' vertelde hij ook zijn broeder vrijmetselaar niet, maar zijn aanwijzingen over de plaatsing van de bronzen plastiek in de bergtuin waren des te duidelijker. De punt van de neus van de *Revolutie* moest naar het noorden wijzen, eiste hij, en hij voegde aan deze bepaling een aantal voor Sarah volkomen onbegrijpelijke cijferkolommen toe.

'Zegt dat u iets?' vroeg Sarah verward.

'En of!' antwoordde Koreander vrolijk. 'Dat is een hoekmaat in relatie tot de geografische ligging van het berghuisje. De toenmalige coördinaten, welteverstaan!'

'Hoezo? Heeft iemand het tempeltje dan verplaatst?'

De oude man lachte stilletjes.

'Wat is daar zo grappig aan?' vroeg Sarah gepikeerd.

'Niets,' zei hij met een wegwerpgebaar. Toen wees hij naar een boeken- plank. 'Geef me die atlas alstublieft eens aan. Het is die grote bruine foliant daar helemaal onderaan.'

Terwijl Sarah naar de andere kant van de bibliotheek liep, legde Kore- ander uit: 'De Villa Paulina, zoals mijn naamgenoot het berghuisje graag noemde, heeft altijd al gestaan waar hij nu staat. Maar sinds de brief werd geschreven, is de nulmeridiaan verlegd. Eigenlijk waren er voor 1884, toen hij in Greenwich werd vastgelegd, zelfs diverse. Om Liszts aanwijzingen dus goed te interpreteren moet je in het verleden duiken. De maestro oriënteerde zich op de door uw landgenoot Arago vastgestelde hoofdmeridiaan, die door het observatorium in Parijs loopt.'

Sarah moest denken aan Oleg Janins woorden in de Anno 1900: *Een wetenschapper als ik komt nergens zo dicht bij de Kleurenhoorders als in Parijs.* Ze gaf haar gastheer de atlas aan. 'Vergis ik me, of hebt u de coördinaten al nagetrokken?'

'En of! Aan uw scherpzinnigheid zou ik wel kunnen wennen,' antwoord- de Koreander geamuseerd, en hij begon de kaarten door te bladeren.

Sarah vatte de opmerking op als een compliment. Ze knielde naast hem neer en keek toe terwijl aan het zoeken was.

'U moet weten,' zei hij op nonchalante conversatietoon, 'dat de *Revolutie* in de tuin me altijd al heeft gefascineerd. Als ik haar tingelende gezang hoorde, had ik precies hetzelfde als u: altijd had ik het gevoel dat ze een groot geheim in zich droeg. Daarom heb ik ooit dít hier gemaakt.' Inmiddels had hij de bewuste bladzij gevonden: een kaart van Noord-Europa, waarover een praktisch verticale potloodstreep was getrokken. Koreander wees naar het boek. 'Hier zitten wij: het berghuis in Jena. Als je de hoek uitzet die Liszt voor de "punt van de neus van de *Revolutie*" had voorgeschreven, dan krijg je een lijn die bijna exact naar het noorden loopt. De afwijking van de geografische breedte naar het oosten is minder dan twee graden.'

'Mag ik?' vroeg Sarah, en ze trok de atlas van Koreanders schoot. Ze nam naast hem in kleermakerszit plaats op de grond en ging met haar vinger over de grafietlijn naar het noorden. Opeens stopte ze en keek Koreander met grote ogen aan. 'U bent een belezen man. Wat is het eerste wat u bij het woord "zeemeermin" te binnen schiet?'

'Zeemeermin? Hoe komt u daar nu op?'

Sarah vatte moed en antwoordde: 'Ik kan klanken zien. Door het geroffel van de regendruppels op het hoofd van de *Révolution* verscheen voor mijn geestesoog de gestalte van een nixe.'

'Blikskaters!' ontglipte Koreander. 'Tja, daarbij schiet me maar één ding direct te binnen: Hans Christian Andersens sprookje *De kleine zeemeermin.*'

Sarah knikte. Dat had zij ook gehad. 'Wist u dat Franz Liszt en Andersen elkaar kenden? Als hofkapelmeester heeft hij de Deen op de Altenburg in Weimar te gast gehad.'

Koreander knikte. 'Ik weet het. En waarom maakt dat zo'n indruk?'

'Omdat... ik geloof dat de "punt van de neus van de *Revolutie*" een wegwijzer is. Hij wijst naar een andere bronssculptuur, naar de kleine zeemermin in Kopenhagen.'

'Ik wil u de illusie echt niet ontnemen, maar Liszt kan van de zeemeermin bij het water aan de Langelinie helemaal niets hebben geweten. Als ik me niet vergis, werd ze daar pas in 1913 geplaatst. Toen leefde uw voorvader allang niet meer.'

Sarah had bewondering voor het encyclopedische geheugen van de oude man. Zo traag als hij naar buiten toe leek, zo levendig was hij van geest. 'Hebt u enig idee wanneer Andersen zijn sprookje *De kleine zeemeermin* heeft geschreven?'

Koreander stak het mondstuk van de meerschuimen pijp tussen zijn tanden, zoog er een paar keer aan en antwoordde: 'Dat moet zo rond 1840 zijn geweest.'

'Meer dan tien jaar dus voordat Liszt hem ontmoette,' mompelde Sarah, en ze ging in gedachten al met de draad van het verhaal verder: kennelijk had

Franz Liszt als meester der harpen aan het hoofd van de Kleurenhoorders gestaan en tijdens zijn concertreizen in heel Europa naar gelijkgezinden gezocht. Oleg Janin was van mening dat de geheime Broederschap niet alleen uit musici bestond. Waarom zou Liszt dan Hans Christian Andersen niet ook voor de Zwanen hebben weten te winnen? Misschien had hij de schrijver zelfs wel een deel van de windroos toevertrouwd die naar de plek leidde waar de purperpartituur was verborgen. Waarom had Liszt *La Révolution* anders zo laten plaatsen dat ze exact naar Kopenhagen wees?

Opgewonden legde Sarah haar hand op Koreanders arm. 'Hoe kom ik hiervandaan het snelst naar Denemarken?'

Toen Sarah naar de uitgang van het berghuis liep, was ze alleen. Koreander had zich beroepen op zijn 'moeilijke voeten', een taxi voor haar besteld en al in de bibliotheek afscheid van haar genomen. Ze was in een euforische stemming. Zelfs de aanblik van haar bagage naast de deur kon haar stralende humeur niet bederven. Ze hing de computertas over haar schouder, tilde haar rolkoffer op en verliet Villa Paulina. Vlug liep ze de voorhal van het tempeltje door. Toen ze bij de trap aankwam, dook vanachter een van de zuilen plotseling een gestalte op.

Het was Oleg Janin.

'Madame d'Albis!' begroette de Russische professor haar op opgeluchte toon. 'U hebt echt geen idee hoe blij ik ben! Ik was al bang dat ik u voorgoed kwijt was.'

14

*Thalberg speelt met een verbluffende vaardigheid, hij is zeer kalm, schijnt
zelf niet verrukt te zijn, hij was niet zo origineel als Liszt, geen van hen
heeft mijn gevoel geraakt; Thalberg richt zich tot het verstand, Liszt tot de
fantasie.*

— Hans Christian Andersen, dagboekaantekening van 21 november
1840, na een concertbezoek in München

JENA, 19 JANUARI 2005, 12.18 UUR

'Hoe hebt u mij gevonden?' Sarahs stem klonk erg wantrouwig.

Oleg Janin haalde zijn schouders op. 'Met omkoping.'

Ze liepen naast elkaar over de oprijlaan naar de Philosophenweg terug. De
professor had haar koffer van haar willen overnemen, maar dat was hem door
haar koppige verzet niet gelukt. Ze zette haar trolley nu met een klap op de
grond en staarde hem met open mond aan, een en al verontwaardiging.

Hij tuitte zijn lippen. 'Wat zal ik zeggen? Ik ben Rus. In mijn geboorteland gaat helemaal niets zonder "smeermiddelen". De mevrouw bij de
taxicentrale werkt volgens hetzelfde principe.'

Sarah herinnerde zich de radioboodschap waarmee de chauffeur zich bij de
centrale had afgemeld. Het was blijkbaar tamelijk naïef geweest om te denken
dat ze haar achtervolgers in een taxi van zich af kon schudden. Ontstemd
schudde ze haar hoofd. 'U praat over mensen alsof het machines zijn.'

Hij lachte. 'Open uw ogen, mijn kind! De meeste van onze tijdgenoten
gebruiken hun hoofd immers alleen maar als een modieus accessoire. Het
denken laten ze liever aan anderen over: de trendsetters, de opinievormers,
de uitdenkers of hoe ze die "knappe koppen" ook maar noemen aan wie de
wereld oorlogen, honger en milieuverontreiniging te danken heeft.'

'U bent een cynicus.'

'Nee, alleen realist. Wilt u soms ontkennen dat de mensheid de meeste
van haar problemen aan zichzelf te wijten heeft?'

'Dat kan wel zijn, maar...'

'U moet er nu eindelijk eens mee ophouden de wereld steeds maar mooier voor te stellen dan hij is, want dat wordt nog eens uw ondergang.'

Ze gooide haar armen in de lucht en riep: 'Wat wilt u van mij? Moet ik het smelten van de poolkappen verhinderen? Of het atoomprogramma van Noord-Korea en Irak saboteren?'

Hij schudde zijn hoofd. 'Voorlopig zou het meer dan voldoende zijn als u de Kleurenhoorders uitschakelt. Ik kan u daarbij helpen.'

Sarah snoof minachtend. 'Het gaat u toch alleen maar om de purperpartituur.'

'Ik heb nooit ontkend dat de klankleur van Jubal erg belangrijk voor me is, maar of u me nu gelooft of niet, ik geef ook veel om u.'

Ze rolde met haar ogen. 'O, nee toch!'

Voordat ze er iets tegen in kon brengen, had Janin haar koffer opgepakt en de wandeling naar de weg voortgezet. Op verzoenende toon zei hij: 'Vergeet u nu eens de stalker die u blijkbaar nog altijd in me ziet. U bent weliswaar een zeer aantrekkelijke vrouw, maar ik zweer u, bij alles wat me heilig is, dat ik geen romantische gevoelens voor u heb.'

Sarah had de Rus weer ingehaald en keek hem schuins aan. 'Wat dan wel?'

Hij trok een gezicht en schudde zijn grote hoofd heen en weer. 'Hoe moet ik het uitleggen? In mijn leven heb ik veel jonge mensen onder mijn hoede gekregen, en voor elk van hen voelde ik me verantwoordelijk. Maar ik wil het niet doen voorkomen alsof mijn bezorgdheid om u alleen een reflex is. U hebt iets bijzonders. Voor mij bent u een kostbaar kleinood. Niets van wat u zo speciaal maakt, mag worden verspild of zelfs verloren gaan. Daarom wil ik u graag tegen uw vijanden beschermen. Voor mijn part noemt u het vaderlijke zorg.'

'En dat moet ik geloven?'

'Alstublieft.'

In Janins stem lag een oprechtheid waardoor Sarah zich geneerde. Opeens vond ze zichzelf wel erg arrogant. Vervuld van zichzelf. Bovendien had ze dringend hulp nodig. Ze was ongewild in een web terechtgekomen waaruit ze zich in haar eentje nauwelijks meer kon bevrijden. De professor daarentegen kende de jagers; hij had ze zijn leven lang bestudeerd. Misschien was hij dan een sluwe vos, maar met zulke machtige tegenstanders zou dat zelfs wel eens een voordeel kunnen zijn.

Sarah haalde diep adem en zei zachtjes: 'Bestaat er een kans om de Kleurenhoorders af te schudden?'

Inmiddels waren ze de poort door gelopen en op straat aangekomen. Onderweg waren ze langs een struik gekomen waarachter de professor zijn eigen bagage had verstopt: een donkergroene, met talloze stickers beplakte trolley die eruitzag alsof hij al heel wat wereldreizen achter de rug had. De taxi die Koreander had besteld, was er nog niet. De professor zette de koffers neer. Met zijn blik op de straat gericht antwoordde hij: 'De kring van vertrouwelingen van de Adelaars is klein, maar de Broederschap heeft vele verklikkers. Het is waarschijnlijk zo goed als onmogelijk aan hen te ontkomen: altijd en overal zijn ze in de buurt. Maar menige vlo wordt over het hoofd gezien, juist omdat hij zich in de pels van de beer verstopt.'

'Is dat Russische boerenlyriek?'

Hij draaide zich naar Sarah om en glimlachte. 'Voor mijn part. Ik wil maar zeggen: het milieu van de Kleurenhoorders is altijd al de wereld van de muziek geweest. Hier mogen we niemand vertrouwen, maar hebben we tegelijkertijd de grootste kans iets te weten te komen, omdat ook de hoeder van de purperpartituur een toonkunstenaar was. Gelukkig ken ik Nekrasovs organisatie inmiddels goed genoeg om ons onzichtbaar te maken. Vertrouw me.'

Het spoorwegnet in het oosten van Duitsland was nog niet in de eenentwintigste eeuw aangeland. Daarom reed de intercity met maar 160 kilometer per uur naar het westen. Sarah maakte gebruik van de tijd om haar wandelende bibliotheek te raadplegen. Oleg Janin en zij hadden een eersteklascoupé voor zich alleen. De professor zat tegenover haar. Om hun reisroute zo geheim mogelijk te houden had hij de kaartjes naar Frankfurt am Main pas in de trein gekocht. Vanuit het Europese verkeersknooppunt konden ze dan desnoods de volgende dag naar Kopenhagen vliegen, maar Sarah wilde niets overhaasten.

In het acroniem N + BALZAC stond Boreas, de noordenwind, op de derde plaats. Daarna zou het spoor van de windroos naar het zuidoosten wijzen, de wind Apeliotes tegemoet. Of naar het noordwesten, waar de wind Aparctias waaide? Verdoe je tijd nu niet, vermaande ze zichzelf. Tenslotte leven we in het informatietijdperk. Ze had naar Neurenberg al een virtuele reis gemaakt, misschien lukte dat haar bij de andere windstreken ook.

Allereerst moest ze zien uit te puzzelen waar Franz Liszt zijn volgende aanwijzing precies had verstopt. Met een aan zekerheid grenzende waarschijnlijkheid was Hans Christian Andersen de sleutel. Janin keek zwijgend toe hoe Sarah op haar computer bezig was. De digitale encyclopedie leverde weinig over de Deense schrijver op. Hij stond vooral bekend om zijn sprookjes: *De nieuwe kleren van de keizer, De prinses op de erwt, Het lelijke eendje, De tinnen soldaat* en natuurlijk *De kleine zeemeermin*. Ook waren er romans en reisverhalen van zijn hand verschenen. Sarah was verrast toen ze de geboortedatum van Andersen las.

'Hij kwam op 2 april 1805 in Odense ter wereld,' mompelde ze. Intussen had ze de professor verslag uitgebracht over haar 'visioen' in de tuin van het berghuis.

Hij trok zijn borstelige wenkbrauwen op. 'Interessant. Dan zou hij over een paar weken precies tweehonderd jaar oud zijn geworden.'

Ze wees naar het beeldscherm. 'Hij is trouwens op 4 augustus 1875 in Kopenhagen overleden, elf jaar voor Liszt. Over enig contact tussen hen staat hier niets.'

'Verwacht u nu serieus in een encyclopedie iets over de activiteiten van de Kleurenhoorders te vinden?'

Sarah deed net alsof ze de hatelijke opmerking niet hoorde en hield zich weer met haar computer bezig. Eerst spitte ze de daarin opgeslagen correspondentie van Franz Liszt door en daarna enkele bronnen op internet. Ineens viel haar een dagboekaantekening van de Deense schrijver op. Rond het jaar 1832 had Liszt diens opera *Ravnen* willen ensceneren; de muziek was van Johan Peter Emilius Hartmann. Het plan liep op niets uit. Toen er echter een Duitse versie van de Hartmann-opera *Liden Kirsten* verscheen, bracht de hofkapelmeester toch nog materiaal van Andersen in Weimar op het toneel. De oeruitvoering was op 17 januari 1857.

'Zou een van de beide opera's de volgende aanwijzing kunnen bevatten?' vroeg Sarah de professor.

'Hebt u ooit de *Ravnen* of *Liden Kirsten* gehoord?'

'Ja.'

'En wat heeft uw audition colorée u laten zien?'

'De gebruikelijke dingen: kleurige vlakken, stippen en banden.'

Janin spreidde zijn armen uit. 'Daar hebt u uw antwoord.'

Sarah dacht een poosje over zijn pragmatische oordeel na. Op de een of andere manier leek het haar te simpel. Opeens kreeg ze een idee.

'Toen ik me met Liszts werk bezighield, viel het me steeds weer op dat hij in veel partituren handgeschreven wijzigingen heeft aangebracht.'

'Ja, maar de Andersen-opera's zijn door J.P.E. Hartmann gecomponeerd.'

'Daar heeft Liszt zich nooit aan gestoord. Het begrip "oorspronkelijk werk", zoals dat door de meeste componisten wordt opgevat, was hem vreemd. De muziek van de wereld was voor hem een steengroeve waaruit hij steeds weer hier en daar een stuk haalde om het te slijpen en te polijsten, en om van iets goeds nog iets beters te maken.'

'Als ik u goed begrijp, bent u van mening dat Liszt een of andere partituur heeft veranderd om daarin een nieuwe aanwijzing voor – hoe noemde u dat ook alweer? – het "spoor van de windroos" te verbergen.'

Sarah knikte. 'We moeten de zoektocht toch ergens beginnen. Of hebt u een beter voorstel?'

'Nee. Uw theorie bevalt me wel. Toch zouden er wel tientallen van die veranderde partituren kunnen bestaan.'

'Kan zijn. Maar *La Révolution* wijst naar Kopenhagen en in de bronnen worden maar twee werken van Andersen vermeld die Liszt wilde uitvoeren. Uiteindelijk werd alleen de opera *Liden Kirsten,* of in het Duits *Klein Karin,* ten tonele gevoerd. Wacht even, ik heb een idee.'

Sarah haalde haar gsm uit haar tas.

'Wat bent u van plan?' vroeg Janin.

'Ik bel Giordano Bellincampi. Of staat hij ook op uw zwarte lijst?'

'De naam zegt me niets. Een Italiaan?'

'Voor de helft; voor de andere helft is hij Deens. Hij is algemeen muziekdirecteur van de nationale opera in Aarhus. Misschien kan hij ons helpen.'

'Vertrouwt u hem?'

'We zijn al tien jaar bevriend.'

Janin trok zijn lip op. 'Nou, goed. Belt u hem maar.'

Sarah koos het gsm-nummer van de dirigent, de man voor wie ze ooit haar zwerversbestaan had willen opgeven. Giordano wist daar niets van. Voor hem was ze gewoon een 'kameraad'; zijn grote hart behoorde aan anderen toe – aan zijn vrouw en drie kinderen. Waarschijnlijk was het ook maar beter zo, dacht Sarah, terwijl ze wachtte totdat de telefoon overging. Ze wilde niet net zo eindigen als haar moeder.

In elk geval had ze met bellen het geluk wel aan haar kant. Toen de telefoon nog maar twee keer was overgegaan, nam Bellincampi met zijn welluidende stem op. In telegramstijl beschreef ze haar plan. Ze spraken Engels met elkaar.

'Een vreemd toeval dat je me uitgerekend naar de *Liden Kirsten* vraagt,' zei hij. 'Op 2 april begint het Hans Christian Andersen-jaar. Er komen honderden concerten, theateropvoeringen, lezingen, huldigingen en ik weet niet wat allemaal. Mijn orkest doet ook mee, en bovendien ben ik gastdirigent bij de Koninklijke Opera. Op het ogenblik zit ik tot over mijn oren in de repetities. Raad eens voor welk stuk.'

'Je dirigeert zeker de *Liden Kirsten*.'

'Schot in de roos. We gaan voor de koninklijke familie spelen.'

'Gefeliciteerd, Giordano. Dat staat vast goed op je cv. Wat vind je van mijn kleine onderzoeksproject?'

'Een Hartmann-partituur met eigenhandige wijzigingen van Liszt?' herhaalde Bellincampi. 'Daar kan ik niets concreets over zeggen.'

'Bedoel je dat je al eens gedrukte exemplaren hebt gezien waarin handgeschreven aantekeningen stonden?'

'Ja. Maar vraag me niet waar. Het zou in de Statens Arkiver geweest kunnen zijn. Misschien was het ook in Det Kongelige Bibliotek.'

'Hoe zit het met het Andersen-centrum in Odense?'

'Nee, dat zou ik me herinneren. Het was beslist hier ergens in Kopenhagen.'

'Zou je dat voor me kunnen uitzoeken?'

Uit de hoorn weerklonk een lach. 'Dat meen je niet, Sarah! Door dat hele H.C.A.-gedoe heb ik nauwelijks nog tijd om adem te halen.'

'Als ik persoonlijk naar Kopenhagen kom, zou je er dan voor kunnen zorgen dat ik toegang tot de archieven krijg?'

'Geen probleem. De meeste zijn sowieso openbaar. Wanneer wil je langskomen?'

Sarah haalde zich de dienstregeling van Scandinavian Airlines voor de geest. 'Wat dacht je van morgenvroeg?'

BOREAS

(HET NOORDEN)

―――――――

KOPENHAGEN

✳

'Ik weet al wat je wilt!' zei de zeeheks. [...] 'Je wilt je vissenstaart graag kwijt en die inruilen voor twee stompjes, om erop te kunnen lopen, net zoals de mensen, zodat de jonge prins verliefd op je zal worden [...] Ik zal een toverdrankje voor je maken [...] Maar bedenk,' zei de heks, 'dat als je eenmaal het lichaam van een mens hebt, je nooit meer een zeemeermin kunt worden!' [...]

'Ik wil het!' zei de kleine zeemeermin, en ze was zo bleek als de dood.

'Maar mij moet je ook betalen,' zei de heks, 'en ik vraag niet weinig. Je hebt de mooiste stem van allemaal hier beneden op de zeebodem; daarmee zul je hem betoveren, heb je waarschijnlijk gedacht, maar die stem moet je mij geven. Het mooiste wat je bezit, wil ik voor mijn kostbare toverdrankje hebben!' [...]

'Het zij zo!' zei de kleine zeemeermin, en de heks zette haar ketel op het vuur om het toverdrankje te maken.

Hans Christian Andersen, *De kleine zeemeermin*

15

Morgen reis ik direct naar Rome en breng de zomer en herfst door in Villa d'Este (Tivoli).

— Franz Liszt, 10 mei 1874

De schepen op de diepblauwe Øresund waren zo klein als kevers. Sarah keek even langs de vleugelpunten van de airbus naar de Oostzee beneden; toen sloot ze haar ogen weer. Ze reisde altijd veel voor de muziek. Op Kopenhagen aanvliegen kon haar allang niet meer boeien.

Al bij het vertrek in Frankfurt had haar hoofd niet naar praten gestaan. Zij had het plekje bij het raam bemachtigd; voor Oleg Janin bleef alleen de ongemakkelijke stoel in het midden over. Om iedere poging tot een gesprek in de kiem te smoren, was ze ijverig in de krant gaan zitten bladeren die haar bij het instappen door werktuiglijk glimlachende stewardessen gewoonweg was opgedrongen. Bij de meeste artikelen had ze niet meer dan vluchtig naar de koppen gekeken, maar zo nu en dan was ze toch even bij een artikel blijven hangen.

Hoewel George W. Bush pas 's middags weer tot president van de Verenigde Staten van Amerika zou worden beëdigd, speculeerde het blad nog voor zijn inhuldiging al over de tweede ambtsperiode. Toen Sarah verder las, vroeg ze zich af of het de nieuwe oude machthebber 'in Gods eigen land' ook dwarszat dat in grote delen van de wereld de ogen niet op Washington, maar op Rome waren gevestigd. De drastisch verslechterende gezondheidstoestand van Johannes Paulus II was namelijk het tweede belangrijke onderwerp in het blad. De schrijver trok een parallel tussen het jarenlange gevecht van de paus tegen de ziekte van Parkinson en de strijd van de heilige Michaël tegen de draak. 'Wat zal er gebeuren,' vroeg de schrijver van het artikel, 'als Michaël ditmaal de strijd tegen de oerslang verliest?'

Opeens hoorde Sarah naast zich een zacht gesnurk. Janin was in slaap gevallen. Voorzichtig vouwde ze de krant op, legde haar hoofd achterover en sloot haar ogen. Niet om de professor naar het rijk der dromen te volgen, maar omdat ze ongestoord over *De kleine zeemeermin* wilde nadenken.

Ze had de onechte maagd van Orléans niet meer uit haar hoofd kunnen zetten. Daarom had ze de vorige avond in het hotel bij het vliegveld op internet Andersens sprookje over de zeemeermin opgezocht. Op een bepaald moment was ze toen bij die bedlectuur in slaap gevallen, met de zoemende laptop op haar buik.

Nu, kort voor de landing in Kopenhagen, raakte ze nog ontroerd door het prachtige verhaal van de grote verteller. Het was een ode aan de onbaatzuchtige liefde: een zeemeermin doet afstand van haar stem om de prins aan wie haar hart toebehoort voor zich te winnen. Wat een offer!

Zulke prachtig klinkende stemmen heb je bij de mensen op het land niet. De kleine zeemeermin zong het mooist van allemaal, en allemaal klapten ze voor haar, en een moment lang voelde ze blijdschap in haar hart, want ze wist dat ze de mooiste stem had van allemaal in de zee en op het land!

Andersens beschrijving had Sarah aangegrepen. Het was niet dat ze sentimenteel werd door de afloop van het sprookje – de prins trouwde met een ander en van de kleine zeemeermin bleef niets anders over dan schuim op de zee –, maar ze had eerder een onrustig vermoeden dat Liszt meer in zijn zeemeermin had gezien dan alleen maar een wegwijzer naar Kopenhagen. Ook om het gezicht van zijn dochter voor het nageslacht te bewaren, was geen nixe nodig geweest. Misschien leverde de naam – *La Révolution* – wel de sleutel, overwoog Sarah, en ze vroeg zich af of Liszt daarbij in de eerste plaats aan de Kleurenhoorders had gedacht. Moesten de klanken der macht in die onbaatzuchtige liefde worden omgezet die in het sprookje werd uitgezongen...?

Plots weerklonken uit de luidsprekers de gebruikelijke aanwijzingen voor een veilige landing. Vanuit het raampje was de immense Øresundbrug te zien die Denemarken met Zweden verbond.

'Waar zijn we?' vroeg een slaperige stem naast Sarah. Janin was wakker geworden. Hij leek gedesoriënteerd.

'Boven het rijk van de kleine zeemeermin,' antwoordde ze.

De airbus landde ongeveer op tijd op de natgeregende landingsbaan van de Kopenhaagse Kastrup Lufthavn. Om geen sporen na te laten die hen zouden kunnen verraden, reisden Sarah en Janin per trein naar het centrum van de Deense hoofdstad. De rit duurde maar twaalf minuten.

Het hoofdstation lag tegenover het Tivoli, Kopenhagens beroemde pretpark. Als internationaal soliste was Sarah ontvangstcomités en limousines gewend, maar dat zat er voorlopig even niet in, had de professor gezegd. Hij had een hotel uitgezocht dat ze te voet konden bereiken.

Typisch genoeg was het de Hans Christian Andersen Boulevard die ze met hun rolkoffers afliepen, totdat ze op de Vester Farimagsgade aankwamen. Onderweg moesten ze zo nu en dan een sneeuwhoop ontwijken, maar over het geheel genomen vond Sarah dat de Denen heel wat beter met het kristallijnen water wisten om te gaan dan haar landgenoten in Parijs: de trottoirs waren voorbeeldig schoon. Even later checkten ze in bij het Imperial Hotel.

Vanaf haar kamer koos Sarah het nummer van Giordano Bellincampi's gsm, maar ze kon hem niet bereiken. Op zijn kantoor kreeg ze van de secretaresse te horen dat de maestro op dit moment beslist niet kon worden gestoord. Sarah liet haar mobiele telefoonnummer en een bericht achter.

Om elf uur ontmoette ze Janin in de foyer, een ijskast van Deens design; waar ze ook keek zag ze spiegelende vlakken van chroom, hout en steen.

'Waar beginnen we?' vroeg de professor.

'Met het staatsarchief, zou ik willen voorstellen. Dat is tot vier uur open.'

Janin stond erop de ongeveer anderhalve kilometer lange voettocht van het hotel naar het Statens Arkiver zonder technische hulpmiddelen te maken. Langs rode bakstenen huizen wandelde het stel naar Slotsholmen, 'het sloteiland', dat echter aan drie zijden door slechts een smal kanaal van de omringende stad was gescheiden. Het vroegere koninklijk hof herbergde nog steeds een van de belangrijkste instellingen van het land.

Gelukkig had de algemeen muziekdirecteur de gasten al van tevoren bij de Deense nationale opera aangekondigd en ter ondersteuning om een Engels-sprekende archivaris gevraagd. Dat bleek een verstandige beslissing, want de boeken en catalogi, die voornamelijk in het Deens waren geschreven, zeiden Sarah en de professor ongeveer evenveel als Egyptische hiëroglifen.

Bijna geen andere Deen genoot zoveel aandacht in de wereld als Hans Christian Andersen. Hij was een icoon. De lettercombinatie H.C.A. leverde in het Statens Arkiver ware papierbergen op: van de kerkelijke documenten waarop zijn geboorte en confirmatie waren vastgelegd, tot aan talloze brieven en zelfs zijn testament toe. Pogingen om daarin sporen van Liszt te ontdekken hadden veel weg van schatzoeken in de Himalaya. De blonde kauwgom kauwende archivaris deed desalniettemin haar best haar buitenlandse gasten niet teleur te stellen. Hier en daar stuitten ze op Liszts naam, maar hoe langer hun zoektocht duurde, des te duidelijker werd het dat ze in het verkeerde bergmassief zaten te graven.

'De correspondentie is heel interessant, maar waar zijn de muziekbladen?' klaagde Sarah op een bepaald moment.

'Muziekbladen?' echode de archivaris verbaasd.

'Ik ben eigenlijk voor de opera's gekomen,' bracht Sarah de jonge vrouw in herinnering.

'Waarover ik ook het een en ander voor u heb opgezocht.'

'Ja, maar geen muziekbladen.'

De archivaris verplaatste haar kauwgom van haar ene wang naar haar andere. 'Die hebben we hier niet. Andersens kunstwerken vindt u in de nationale bibliotheek, meteen hier om de hoek.'

Det Kongelige Bibliotek lag, evenals het staatsarchief, op Slotsholmen, op slechts een steenworp afstand van Christiansborg, de vroegere koninklijke residentie, waarin nu het Deense parlement zetelde. De nationale bibliotheek was allang groter geworden dan zijn historische kern, een samenvoeging van stijlelementen uit de Noord-Italiaanse middeleeuwen en de vroege renaissance, en had zich tot aan het water uitgebreid. Direct aan de oever lag Den Sorte Diamant – 'de zwarte diamant' –, een rombusvormig blok waarvan de zwartmarmeren gevel de schepen in de haven weerspiegelde.

De pianiste en de muziekhistoricus kwamen om ongeveer twintig over vier bij de informatiebalie van de bibliotheek aan en stoorden een verveelde blondine bij het verzorgen van haar nagels. De namen van de gasten waren de dame al bekend; Giordano Bellincampi was inderdaad grondig te werk gegaan. Sarah vertelde in het Engels waar het haar om te doen was, waarbij ze extra nadruk legde op het woord 'muziekbladen'.

'We sluiten om vijf uur,' zei de dame ongeïnteresseerd.

De Russische professor schudde met een onderdrukt lachje zijn hoofd.

Sarah keek hem met fonkelende ogen nijdig aan, maar hield zich tegenover de medewerkster van de Koninklijke Bibliotheek in. 'Dat is nog meer dan dertig minuten.'

'Vanaf tien uur morgenvroeg staan we weer tot uw beschikking,' zei ze als een sprekende computer.

'Weer?' bromde Sarah.

'Mevrouw Jensen is ergens anders aan het helpen. En ze is niet meer in het gebouw. Morgenvroeg vanaf tien uur...'

'Bedankt,' onderbrak Sarah de blonde infomachine. Ze pakte Janin bij zijn mouw en trok hem mee naar buiten.

'Niet iedereen kan zo bevlogen zijn als u,' zei de professor.

Ze zuchtte. Hij had gelijk. 'Wat doen we nu?'

'Wat zou u zeggen van een diner voor twee?'

Als op afroep begon haar maag te knorren. 'Goed idee. Behalve de mueslireep van drie uur geleden heb ik sinds het ontbijt niets meer gegeten. Maar verwacht geen romantisch diner bij kaarslicht.'

Hij rolde met zijn ogen. 'Begint u daar nu weer over? Als ik avances wil maken, komt u daar nog gauw genoeg achter. Voorlopig ben ik met een rode biefstuk in het restaurant van het hotel meer dan tevreden.'

'U hebt er hopelijk niets op tegen als ik me eerst even ga opfrissen?'

'Gaat uw gang.'

De wandeling te voet door het winterse Kopenhagen terug naar het hotel was bijna vredig geweest als Sarah wat meer op de met sneeuw bedekte bomen en struiken had gelet. Maar zoals ook al tijdens de vlucht van die ochtend was ze voortdurend met haar eigen gedachten bezig. Janin sukkelde naast haar voort als een aan de ketting gelegde Russische beer. Af en toe wierp Sarah hem een steelse blik toe. Hoewel haar gekwetste gevoelens ertegen in opstand kwamen, begon ze zo langzamerhand aan de opdringerige professor te wennen. Waarschijnlijk had hij met zijn vaderlijke manier van doen succes bij de studenten. Ze moest uitkijken dat hij haar niet om zijn vinger wond.

Toen Sarah bij de receptie van het Imperial Hotel naar de mogelijkheden voor internetgebruik vroeg, kreeg ze met het antwoord meteen een bericht overhandigd. Dat was nog maar net een paar minuten geleden bezorgd, vertelde de receptioniste.

'Door wie?' vroeg Sarah verrast.

'Een taxichauffeuse heeft het afgeleverd.'

Sarah wendde zich tot haar metgezel. 'Waarschijnlijk van Giordano. Maar waarom heeft hij me niet gebeld?'

De professor pakte haar bij haar elleboog, trok haar een eindje bij de balie vandaan en fluisterde haar toe: 'Hebt u soms tegen hem gezegd in welk hotel u zou overnachten?'

'Niet tegen hem persoonlijk, wel tegen zijn secretaresse. U zei toch dat het in orde was als ik Giordano...'

Nors viel Janin haar in de rede: 'Uw vriend op zijn gsm bellen is één ding, onze verblijfplaats via het telefoonnet van de opera rondbazuinen is een tweede. Ik dacht dat ik u gisteren helder en duidelijk had uitgelegd hoe het spionnennetwerk van de Kleurenhoorders functioneert. Blijkbaar hebt u niet naar me geluisterd.' Hij snoof duidelijk hoorbaar en voegde er toen wat beheerster aan toe: 'Wat staat er in het bericht?'

Sarah keek de Rus boos aan. Sinds het conservatorium had niemand haar ooit meer zo de les gelezen. Maar Janins wantrouwen was wellicht niet geheel onterecht. Ze slikte haar ergernis weg en vouwde het briefje open.

Zo te zien ging het om een computerprint. Toen ze de tekst las, liep haar een rilling over de rug:

Lieve Sarah!

Ik heb wat rondgevraagd en heb misschien gevonden wat je zoekt. Kennelijk delen nog anderen je passie voor Liszt. Vandaag belde een vent me op die me met 'pijnlijke dingen' dreigde als ik je zou helpen. Waar heb je me in godsnaam bij betrokken? Kom vanavond alsjeblieft naar het Tivoli. De ingang naar het concertgebouw is wel open. Ik zie je om negen uur bij de houten achtbaan.

G.B.

Sarah gaf het briefje aan Janin.

Hij las vluchtig de paar zinnen door en was net zo verrast als Sarah. 'In het Tivoli?'

Ze knikte. 'Merkwaardig, toch? Ik ben al diverse malen in het concertgebouw geweest, als soliste maar ook als toeschouwer. Je kon in de winter altijd alleen maar van de ingang in de Tietgensgade gebruikmaken, omdat het pretpark dan gesloten was; alleen rond de kersttijd was het een paar dagen open.'

'Misschien is dat wel de reden waarom uw vriend u daar wil ontmoeten. Mogelijk voelt hij zich bedreigd of zelfs bespied. In het Tivoli kan hij, wanneer hij zijn achtervolgers eenmaal van zich af heeft geschud, rustig met u praten.'

Dat klonk logisch. Maar op de een of andere manier vond Sarah het toch geen prettig idee om 's avonds een uitgestorven en vermoedelijk pikdonker pretpark in te gaan. Het liefst had ze haar vriend Giordano opgebeld. Maar was dat verstandig? Als hij zijn telefoon nog had vertrouwd, had hij geen bericht naar het hotel hoeven sturen. Sarah liep terug naar de receptie.

De receptioniste wapperde haar een vederlicht 'Wat kan ik voor u doen?' toe.

Sarah voelde zich weliswaar onnozel, maar vroeg toch: 'Hebt u misschien een zaklamp voor me?'

Terwijl Sarah met Oleg Janin naar het concertgebouw liep, begon haar verstand capriolen te maken. Het in 1843 geopende Tivoli was vernoemd naar de Italiaanse stad met dezelfde naam. Daar, ten oosten van Rome, staat de Villa d'Este. Franz Liszt had in het voormalige benedictijnenklooster de luxe gevonden waar hij het als monnik op de Monte Mario zonder had moeten stellen, en hij had hier als gast van zijn beschermheer, kardinaal Gustav Adolf prins zu Hohenlohe-Schillingsfürst, zijn *Giochi d'acqua* gecomponeerd en in 1879 ook een van zijn laatste concerten gegeven. Anderhalf jaar voor de moord op tsaar Alexander II.

'Zo langzamerhand begin ik overal een verborgen boodschap in te zoeken,' steunde Sarah, nadat ze haar metgezel over haar acrobatische gedachtesprongen had verteld. Zijn antwoord verraste haar.

'Om het spoor van de windroos tot het eind te volgen, zal dat ook hard nodig zijn. Afgezien daarvan kent Bellincampi immers uw – hoe drukte hij het uit? – "passie voor Liszt". Misschien hebben dezelfde associaties hem op het idee gebracht u juist in het Tivoli te ontmoeten.'

Plotseling bleef Sarah voor een houten schutting staan. Die was met kleurige taferelen beschilderd, die kennelijk het pretpark in de negentiende eeuw verbeeldden. De professor keek zijn metgezellin vragend aan.

'Daarachter zou eigenlijk de ingang moeten liggen,' gaf ze met een gebaar aan.

'Naar het concertgebouw?' De Rus speurde de schutting af. 'Tja, klaarblijkelijk wordt het gebouw gerenoveerd. Als ik er goed over nadenk, is een bouwplaats zelfs nog geschikter om ongemerkt het terrein op te komen. Wacht even...'

Hij liep een stuk verder langs de schutting, bleef vervolgens staan, keek rond en stapte door de omheining heen. Zo zag het er althans voor Sarah uit.

Ze fronste haar voorhoofd. Terwijl ze de omgeving in de gaten hield, liep ze naar de plek waar Janin uit beeld was verdwenen, ontdekte daar een deur in de schutting en glipte erdoor. Aan de andere kant ervan werd ze door een uitstekend gehumeurde Oleg Janin opgewacht, die haar fluisterend duidelijk maakte dat ze zich vanaf dat moment aan huisvredebreuk schuldig maakten.

Sarah haalde de zaklamp uit haar jas en knipte hem aan. 'Is dit soort avondlijk vertier normaal voor de bevolking van Moskou?'

'In bepaalde kringen wel. Maar niet op de universiteit. Ik denk dat we daarlangs moeten.'

De professor wees naar een verzinkte deur, die met de entree die Sarah van vroegere bezoeken kende niets meer gemeen had. Op de plaats van de 'winteringang' van weleer bevond zich nu een ruwbouw.

De stalen deur die Janin had ontdekt, was niet op slot. Het stel ging het gebouw binnen. Waar het diffuse schijnsel van de lampen op straat nog voor een beetje licht buiten had gezorgd, heerste hier complete duisternis. Met behulp van de zaklamp baanden ze zich een weg tussen opgestapeld bouwmateriaal en gereedschap door. Toen ze in het oude gedeelte van het gebouw kwamen, wist Sarah weer waar ze langs moesten. Algauw hadden ze de ingang gevonden die naar het pretpark leidde. Ook hier stond de deur open.

Janin stak zijn handen diep in zijn jaszakken. 'Het ziet ernaar uit dat uw vriend al op de afgesproken plek is.'

'Voor de achtbaan moeten we die kant op,' gaf Sarah met een vluchtig gebaar aan, en ze ging hem voor. Nadat ze de zuilenhal van het concertgebouw was door gelopen, ging ze links af. Tot aan de achtbaan, het oudste nog in gebruik zijnde houten exemplaar ter wereld, was het niet ver meer; honderdzestig jaar geleden bouwde men nog pretparken die te overzien waren.

'Doe de lamp uit. De sneeuw weerkaatst licht genoeg van de omgeving,' gebood Janin haar na een paar passen.

Sarah deed het met een onbehaaglijk gevoel. Ze kende het Tivoli alleen fel verlicht, als een paar honderdduizend lampen het na zonsondergang de vrolijke sprankelende sfeer gaven die bezoekers van over de hele wereld aantrok. Maar nu was het park donker en stil. Een slapend sprookjesrijk. Een beetje griezelig.

De twee indringers verstoorden deze rust. Zo ervoer Sarah het tenminste, terwijl ze met Janin door de verlaten lusthof stapte en de sneeuw onder hun voeten knerpte. Bij het concertgebouw was de witte laag door bouwvakkersschoenen tot smurrie vertrapt, maar algauw wees slechts een enkel spoor het stel de weg.

Janin duidde op de voetafdrukken. 'Ik had gelijk. Uw vriend wacht al op ons.'

Winterkale bomen omzoomden het pad – verstarde reuzen, waarvan de ledematen af en toe in de koude wind klapperden. Even later zag het stel stukje bij beetje een bizar bouwwerk uit het halfduister tevoorschijn komen. Het bestond uit talloze houten schoren. Hier en daar verdwenen de pijlers, dwars- en diagonaalbalken onder kunstmatige bergen.

'Dat is de achtbaan,' fluisterde Sarah.

'Blijft de vraag waar Bellincampi is,' antwoordde Janin. Voortdurend speurde hij de omgeving af.

'Waarschijnlijk daar voor, waar je kunt instappen.' Ze duidde op de voetsporen die om het uiteinde van de houten kolos heen leidden.

Zwijgend liepen ze langs de kronkelbochten van de achtbaan, als twee wetenschappelijk onderzoekers bij de inspectie van een prehistorische lintworm die ter presentatie op een houten constructie was vastgespijkerd. Met elke krakende stap vond Sarah de situatie enger worden. Had Giordano hen niet allang moeten opmerken? Waarom liet hij zich niet zien?

Ten slotte bleef ze staan, greep Janin bij zijn mouw vast en fluisterde: 'Ik vind dat we terug moeten gaan.'

'En uw vriend dan? Hij wacht op u.'

'Deze hele toestand zit me niet lekker. Een print kan iedereen maken. Waarom heeft Giordano zijn bericht niet ondertekend?'

'Doet hij dat anders wel dan?'

'Nee. Hij gebruikt net als ik liever zijn computer als pen. Maar hoe dan ook, dit hele samenzweerderige gedoe eromheen zint me niet. Het kan wel een val zijn. En wat dan?'

'Dan hebt u altijd mij nog. Weet u nog: de premièreavond in Weimar?' De professor grijnsde.

Sarah bleef echter serieus. 'U bent uw zwaard vergeten, zwarte ridder.'

'Het grote misschien, maar het kleine heb ik bij me, waar ik ook ga.' Janin haalde zijn rechterhand uit zijn jaszak; er klikte iets en een slank lemmet glom in zijn hand.

Sarah deed een stap achteruit.

'Maak u geen zorgen, mijn Excalibur doodt alleen slechteriken.' Hij klapte het mes dicht en stopte het weer weg.

Sarahs onbehagen was daardoor absoluut niet verdwenen. Op de een of andere manier kwam dit hele gebeuren – een samenzweerderige ontmoeting in het gesloten Tivoli – haar even onwerkelijk voor als Janins zwaardaanval in Weimar een week daarvoor. Ze schudde haar hoofd. 'Er klopt hier iets niet.'

'Wat bedoelt u?' vroeg de professor.

'Ik voel me alsof ik in zo'n tv-programma zit waarin ze mensen met een verborgen camera op de hak nemen.'

Janin schudde zijn hoofd. 'Ik heb geen idee waar u het over hebt.'

'Nou, over al die bizarre toestanden van de laatste dagen. De politie van Weimar vertelde me dat de etalage van de wapenwinkel, waarin mijn zwarte ridder zijn toverzwaard heeft gevonden, normaal gesproken met een automatisch sluitend rolluik was beveiligd. Afgelopen donderdag weigerde het mechanisme. Vreemd toeval, vindt u niet?'

'Wat?' snoof Janin. 'Wil u soms beweren dat ík met het rolluik zou hebben geknoeid om een spectaculaire entree te maken?'

Sarah wilde wel antwoorden, maar het leek alsof haar hoofd opeens leeg was, en ze steunde: 'Ach, ik weet niet wat ik moet denken.' Ze draaide zich om en liep terug richting concertgebouw.

Janin kwam weer naast haar lopen en zei sussend: 'Ik kan uw wantrouwen wel begrijpen, hoor. Wie de Kleurenhoorders voor de voeten loopt, moet op nogal wat verrassingen zijn voorbereid. U hoeft alleen niet iedereen voor het hoofd te stoten of weg te jagen die het goed met u voorheeft.'

'Iedereen?'

'Hier laat u uw vriend de dirigent staan, en in Weimar bent u steeds voor míj weggelopen; aan de telefoon hebt u me drie keer afgewimpeld.'

'Drie keer?' Sarah snoof geamuseerd. 'U hebt me minstens zes keer proberen te bellen.'

De professor lachte. 'U overdrijft...'

'Ik weet heel goed...' viel Sarah hem in de rede, maar ze hield op slag haar mond weer, omdat ze rechts van zich iets had zien bewegen. Toen haar ogen aan de schaduwen onder de achtbaanconstructie waren gewend, zag ze even een schimmige gestalte. 'Daar is iemand,' bromde ze binnensmonds, en ze wees naar de achtbaan.

Janin ging meteen beschermend voor haar staan en riep Bellincampi's naam. Er kwam geen antwoord uit het duister. 'Weet u heel zeker dat u iets hebt gezien?'

'Mijn ogen zijn prima in orde,' antwoordde Sarah vinnig, en ze trok de Rus mee aan zijn jas. 'Laten we weggaan, voordat er iets gebeurt.'

De manier waarop ze zich terugtrokken leek eerder op stiekem wegsluipen, alsof ze elk moment vanuit de duisternis konden worden aangevallen, maar er gebeurde niets van dien aard. Ongehinderd bereikten ze het eind van de achtbaan. Van hieraf naar het concertgebouw was het nog maar een klein eindje. Sarah kreeg weer hoop. Misschien hadden ze de hinderlaag van de onbekende laten mislukken, of was het gewoon een zwerver die in het park beschutting zocht tegen de kou.

Toen het tweetal langs een dikke boomstam liep, hoorde Sarah opeens iets knakken. Van schrik kromp ze ineen. Toen ontwaarde ze een enorme gestalte, die op haar af kwam lopen. Hij was er binnen een paar snelle stappen, duwde Janin aan de kant, richtte een pistool op hem en zei tegen Sarah: 'Ik zou uw vriend een aantal pijnlijke dingen kunnen aandoen, madame d'Albis. Het is aan u dat te verhinderen.'

Ondanks alle consternatie ontging het Sarah niet dat deze kerel dezelfde woorden had gebruikt als die uit het zogenaamde bericht van Giordano Bellincampi, maar dan nu in het Frans. Bovendien sprak hij met de stem van de paukenist.

'Tiomkin?' snoof ze.

Die liet een rauwe lach horen. 'Had u nou serieus gedacht dat u mij kon afschudden? U hebt echt geen idee waartoe wij in staat zijn.'

'U bedoelt de Kleurenhoorders? Of kan ik beter zeggen: de Duisteren?' Sarahs verontwaardiging was groter dan haar verbazing. Koortsachtig dacht ze erover na wat ze voor de professor kon doen.

'Hebt u dat van hem hier gehoord?' Tiomkin zwaaide met zijn pistool voor Janins gezicht heen en weer.

'Dat doet er niet toe. Wat wilt u van ons, Tiomkin?'

'Dat heb ik u toch al een paar keer duidelijk gemaakt? Ik wil u verzoeken met me mee te gaan.'

'Madame d'Albis gaat helemaal nergens met u naartoe,' bromde de professor.

'Zo? En wilt ú me dat beletten?' reageerde de Kleurenhoorder spottend. Toen hij een stap in de richting van zijn landgenoot deed, viel er een flauw lichtschijnsel op Tiomkins gezicht. Zijn neus zat in het verband. Vermoedelijk Mario Palmes laatste goede daad als man met een vrije wil, dacht Sarah.

Janin verroerde zich weliswaar niet, maar gebaarde des te heftiger met zijn handen. 'Uw Broederschap heeft deze vrouw immers alleen maar nodig om de purperpartituur te vinden. Daarna zullen jullie je rustig van haar ontdoen.'

Tiomkin haalde iets zwarts uit zijn jaszak en antwoordde geamuseerd: 'We zullen zien of u er over een paar minuten nog zo over denkt.'

Toen Sarah een metalige glans op het voorwerp zag, liepen haar de koude rillingen over de rug. 'Monsieur Janin,' riep ze opgewonden, 'hij heeft zo'n boxje waar ik u over heb verteld!'

Voordat de professor kon reageren, had Tiomkin al op een knopje gedrukt, en uit de luidspreker stroomden – ditmaal zonder vertraging of storende geluiden – de klanken der macht, verborgen in het betoverende spel van een herdersfluit. 'Geniet maar gewoon van het stuk,' raadde hij zijn landgenoot aan, terwijl hij dreigend met zijn pistool zwaaide.

Luister en wacht. Zodra ik je roep, volg je mijn bevel op.

Het was dezelfde onderbewuste boodschap die de paukenist op het station in Weimar had gebruikt. Machteloos moest Sarah toezien hoe, na haar lijfwacht, nu ook Oleg Janin door het fluitspel werd betoverd. Hoewel het te donker was om in zijn ogen te kunnen kijken, leek de lichaamshouding van de professor al na een paar maten niet meer zo agressief, maar slap, als bij iemand die dronken was.

'Hou daarmee op!' smeekte Sarah. Tranen van radeloosheid liepen haar over de wangen.

Tiomkin lachte alleen maar. 'Rustig maar, madame d'Albis. We komen zo bij u.'

Hij heeft 'we' gezegd in plaats van 'ik', dacht ze. Er raasde een intense woede door haar heen.

Intussen deed de professor zijn ogen dicht.

'Oleg Janin, hoor je mij?' vroeg de paukenist, alsof hij een feestelijk ritueel uitvoerde.

Sarah huiverde toen de professor het antwoord schuldig bleef.

Luister en wacht... Uit het zwarte boxje klonk nog steeds gefluit.

Tiomkin zette een stap naar Sarah toe en richtte het pistool op haar hoofd. Zijn gezicht bleef naar de historicus toe gekeerd. 'Hoor je de muziek, Oleg Janin? Verzet je er niet langer tegen. Stel je ervoor open. Voel hoe hij door je heen stroomt en je wegvoert van al je twijfels. Vertrouw me, mijn broeder. In ons beider belang moeten we die vrouw hiervandaan halen. Er mag haar niets overkomen... als het te vermijden valt. Daarna ga je terug naar huis en wacht je tot de meester der harpen je nieuwe instructies geeft.'

Janin gaf geen gehoor aan het bevel, noch kwam hij ertegen in opstand. Hij stond daar maar wat, stijf als een wassen beeld.

Het fluitspel hield ineens op en Tiomkins stem dreunde: 'Hoor je me, broeder Janin?'

Knipperend opende de professor zijn ogen. Zijn blik was nog steeds op de plek gericht waar zijn tegenstander eerst had gestaan. Langzaam draaide hij zijn hoofd, totdat hij Sarah recht aankeek. Zo bleef zijn blik even op haar rusten.

Sarah huiverde, want ze wist heel goed dat ze tegen twee sterke mannen kansloos was.

Onwillekeurig kromp ze ineen omdat Janin een stap in haar richting had gedaan. Daarna volgden er nog twee. Toen hij bijna bij haar was, draaide hij zich bliksemsnel naar de paukenist om en sloeg hem het wapen uit de hand. Een tweede slag raakte hem in zijn maag. Tiomkin liet zijn geluidsapparaatje vallen en boog voorover.

'Verstop u onder de achtbaan!' riep Janin.

Ditmaal toonde Sarah meer tegenwoordigheid van geest dan op het station in Weimar. Ze sprong met beide voeten op het zwarte kastje, dat op de straatstenen onder de sneeuw werd vermorzeld; de herdersfluit verstomde. Pas toen volgde ze Janins instructie op en ging ervandoor.

Terwijl ze zich naar de achtbaan haastte, weerklonk er achter haar het gesteun, gepuf en gekreun van een hevig gevecht. Toen ze bij de houten steunconstructie aankwam, galmde er een schot door de lucht. Ze dook weg achter de dikke schoren en gluurde geschrokken achterom. Er vielen nog twee schoten. Een van de kogels sloeg boven haar in het balkenwerk in. Als in een reflex dook ze weg.

De situatie op het pad was meer dan onoverzichtelijk. Klaarblijkelijk had Tiomkin zijn pistool intussen weer te pakken gekregen. De tegenstanders vochten nu om het wapen en knalden er min of meer ongecontroleerd op los.

Nogmaals weerklonk er een schot door het park.

Janin haalde naar Tiomkins hand uit, één keer en toen nog een keer. Opnieuw ontglipte het pistool de paukenist. Het volgende moment lagen de twee mannen in de sneeuw te rollen.

Sarah trilde wanhopig. Ze had Janin er net nog van verdacht dat hij vuil spel speelde, en nu waagde hij zijn leven voor haar om haar tegen dit monster te beschermen. Ze moest hem helpen. Maar hoe? Moest ze tussenbeide komen in het gevecht? Even twijfelde ze tussen ja en nee, maar ten slotte haalde ze haar gsm uit haar jaszak.

Hulpeloos staarde ze ernaar. Ze kende dan wel het *numéro d'appel d'urgence*, het nummer voor medische noodgevallen in Frankrijk, maar hoe alarmeerde je de politie van Kopenhagen? Vanaf het pad klonk een kreet van pijn, die haar uit haar verdoofde toestand deed opschrikken. Ze koos maar gewoon het vertrouwde nummer: 112.

Een Deenssprekende vrouw nam op.

'Do you speak English?' wist Sarah uit te brengen.

'Yes, no problem,' was het prompte antwoord.

In trefwoorden beschreef ze de situatie: schietpartij op het Tivoli-terrein; ze hadden dringend hulp nodig; het ging om leven en dood. Toen verbrak ze de verbinding.

In het gevecht was inmiddels een patstelling ontstaan. De beide Russen leken op twee buldoggen die zich in elkaar hadden vastgebeten en niet meer van elkaar loskwamen. Er werden nauwelijks nog klappen uitgedeeld, ze omklemden elkaar alleen. Het pistool lag boven hun beider hoofden, praktisch voor het grijpen. Het was niet moeilijk te raden hoe dit zou aflopen.

Er ging een schok door de twee lichamen. Tiomkin speelde het klaar zijn arm even te bevrijden. Met zijn vingertoppen raakte hij het wapen aan, maar hij kreeg het niet te pakken. In plaats daarvan duwde hij het verder van zich af en hij moest er opnieuw naar reiken. De professor schreeuwde van inspanning toen hij zijn tegenstander probeerde tegen te houden.

Hoewel Sarah van angst nauwelijks nog op haar benen kon staan, wilde ze haar partner toch ook niet gewoon aan zijn lot overlaten. Tegen de tijd dat de politie er was, zou het gevecht allang voorbij zijn, en op dit moment was Tiomkin duidelijk in het voordeel. Ze moest Janin helpen.

Aarzelend stapte ze onder de houten constructie vandaan, haalde de zaklamp tevoorschijn en richtte de lichtkegel op het wapen. Ze hoefde alleen maar het pistool te pakken en...

Ineens maakte zich een arm uit de vechtende kluwen los; hij stak recht de lucht in. Plotseling flikkerde er iets in de hand. Toen schoot het als een dodelijke bliksemflits omlaag.

Opeens werd het stil. Geen van beide mannen bewoog zich. Ook Sarah bleef van schrik verstijfd staan. Ze hoorde niemand schreeuwen, wat haar nog het meest van haar stuk bracht. Het pistool lag nog steeds in de sneeuw. Wat was er gebeurd? Toen hoorde ze een enkel woord.

'почему?'

Het was voor haar even onbegrijpelijk als cyrillische lettertekens. Het had ongeveer als 'Pokémon' geklonken, maar dat kon het toch nauwelijks betekenen. Vanaf het pad klonk een zucht die haar deed huiveren.

Pas nu kwam er beweging in de ineengestrengelde lichamen van de twee mannen. De bovenste klom met moeite van de onderste af, draaide zich op zijn buik en kwam steunend uit de sneeuw overeind. In zijn rechterhand glansde een bloederig lemmet.

Oleg Janin keerde zich naar de achtbaan toe. Zijn schouders gingen op en neer terwijl hij lucht in zijn longen pompte.

Sarah herinnerde zich de zaklamp in haar hand en scheen ermee in zijn richting.

Hij wenkte met de stiletto en riep: 'Kom. Het is voorbij. We kunnen maar beter maken dat we hier wegkomen, voordat we het met de politie aan de stok krijgen.'

Nu ze het hadden gered, voelden ze zowel verbijstering als opluchting. De lichtvinger van Sarahs lamp tastte het roerloze lichaam in de sneeuw af. 'Is hij... dood?'

De blik van de professor gleed even over de paukenist. 'Daar ziet het wel naar uit, ja.'

Ze liep naar het pad terug en lette er goed op niet te dicht bij het lijk van Tiomkin in de buurt te komen. 'U hebt hem omgebracht,' fluisterde ze, volkomen van streek.

'Zou u liever hebben gezien dat hij mij had gedood?' vroeg Janin moeizaam.

Zijn vraag sloeg bij Sarah in als een bom. Nee, dacht ze ontzet, dat zou nog veel erger zijn geweest. Maar ze kon geen woord uitbrengen, haar keel leek dichtgesnoerd. Zwijgend maakte ze aanstalten haar weg naar het concertgebouw voort te zetten.

De professor stak zijn stiletto een paar keer in de sneeuw, veegde het lemmet af aan de broekspijp van de dode en klapte het weer dicht. Pas toen volgde hij Sarah.

Toen hij haar had ingehaald, zei hij: 'Het was noodweer.'

Ze sloeg haar armen om haar bovenlichaam en knikte.

'Alles in orde met u?'

Sarah schudde haar hoofd.

Janin zuchtte. 'Het spijt me. Ik had naar u moeten luisteren.'

'Ja... Maar toch bedankt dat u me hebt gered.'

'Als u me wilt bedanken, hou er dan mee op me te wantrouwen. Daarmee verzwakt u alleen maar uw positie en de mijne, in het voordeel van onze tegenstanders.'

'Neem me alstublieft niet kwalijk. Ik ben gewoon...'

'Laat maar. U hoeft me niets uit te leggen,' onderbrak Janin haar. Sentimenteel gedoe scheen niets voor hem te zijn.

'Het is oké als u Sarah tegen me zegt,' mompelde ze uit een gevoel van verplichting om hem haar dankbaarheid te tonen.

Na een korte stilte antwoordde hij: 'Je hebt geen idee hoe blij je me daarmee maakt! Mijn studenten zeggen trouwens Oleg tegen me; dat geldt natuurlijk ook voor jou...'

'Dank je... Oleg. Maar trek alsjeblieft geen verkeerde conclusies...'

'Ja, ja, dat had ik al begrepen. Onze relatie blijft zuiver platonisch. Je hebt mijn woord als man van eer.'

'Waarom heeft Tiomkin je niet met zijn geluidsboxje kunnen manipuleren?'

'Om verleid te worden, moet je verleid wíllen worden, Sarah. Je bent niet hulpeloos aan de klanken der macht overgeleverd. Op jou hadden ze immers ook geen vat.'

'Nee, maar bij mij is het meer een natuurlijke immuniteit.'

'En ik heb lang geleden geleerd hoe je je geestelijk tegen de klanken der macht kunt wapenen. Bij de Russische tv wilde een hypnotiseur me eens in een chimpansee veranderen, maar uiteindelijk zette hij zichzelf voor aap.'

Sarah was niet in de stemming om verder op het onderwerp in te gaan. Ze kneep in haar bovenarm om door de pijn haar verwarde gedachten uit haar hoofd te bannen. Met maar weinig succes. Terwijl ze apathisch de ene voet voor de andere zette, spookten de toestanden die ze zojuist hadden meegemaakt haar door het hoofd. Alles was zo gecompliceerd, zo ondoorgrondelijk! Zo afschuwelijk!

In haar ervaringsportefeuille had ze tot nu toe geen lijken gehad. Als kind had ze niet eens haar overleden moeder te zien gekregen, alleen een kist van cederhout, een mooi versierd meubelstuk. Werktuiglijk haalde Sarah in het donkere concertgebouw weer haar zaklamp tevoorschijn en ging vooroplopen. Vlak voor de ingang kon ze pas haar mond weer opendoen.

'Begrijp me alsjeblieft niet verkeerd, Oleg, maar heb je al eens eerder een mens gedood?'

'Je bedoelt omdat ik dit knipmes bij me draag?'

'Ja... Dat wil zeggen, eigenlijk meer door de manier waarop je het aan Tiomkins broekspijp afveegde. Dat was zo...' Ze zocht verwoed naar een woord dat minder kwetsend klonk dan 'koelbloedig'.

'Geroutineerd?' stelde Janin voor.

'Ja,' fluisterde ze.

Er viel een stilte. Sarah vroeg zich af of ze zich nu in een wespennest had gestoken en durfde niet verder aan te dringen. Zwijgend kwamen ze bij de verzinkte uitgangsdeur aan. Sarah hem wilde openen, maar Janin duwde er met zijn hand tegenaan.

'Wacht even!'

Sarah schrok. 'Wat...?'

In de lichtkegel van de zaklamp zag Janins gezicht er hard, haast griezelig uit. 'Je had gelijk,' zei hij toonloos. 'Tiomkin is niet de eerste mens die ik heb gedood.'

Ze schudde ongelovig haar hoofd. 'Maar hoe komt een muziekhistoricus ertoe...?'

'Laat me gewoon even uitpraten, Sarah. Want ik vertel je dit soort zaken geen tweede keer,' onderbrak hij haar.

Ze knikte.

Janin haalde diep adem. 'Ik ben op 11 januari 1947 in de Sovjet-Unie geboren, in de tijd dat Stalin er nog ijverig aan werkte drieënveertig miljoen mensen te vermoorden. Alsof de gruwelen van de Tweede Wereldoorlog nooit hadden bestaan. Ik was pas zes toen hij stierf. Maar mijn vader haatte de "rode moordenaarsbende"; zo noemde hij ze. Door de Kleurenhoorders beschikte hij over goede contacten in het Westen en wist hij dingen die je in de Sovjet-Unie toen algauw de kop konden kosten. Uit welke bron zijn informatie kwam, ontdekte ik pas veel later; ik heb je in Weimar immers al verteld over de documenten die ik had gevonden. Zijn afkeer van de rode slagers heeft me evenwel al vroeg beïnvloed. Met Stalins dood hielden de slachtingen immers niet op. Mao is de grootste slager aller tijden. Hij heeft zevenenzeventig miljoen moorden te verantwoorden, en hij leefde nog toen ik over mijn rol in de wereld begon na te denken. Ik wilde absoluut iets tegen het voortdurende, zinloze bloedvergieten doen, sloot me bij een verzetsbeweging aan...'

'En toen heb je zelf mensen omgebracht.'

Hij knikte. 'Het waren allemaal massamoordenaars, Sarah. Mannen die ook na Stalins overlijden als helden werden gevierd. Toch wil ik mijn daden niet goedpraten. Toen ik onderzoek naar de Kleurenhoorders begon te doen en me meer met muziek begon bezig te houden, werd me duidelijk dat er nog een andere weg bestond.'

'Een andere weg waarvoor?'

'Om de wereld te bevrijden van alle etterbuilen die hem ontsieren. Zou jij dat soms niet doen als je daartoe de macht had?'

'Zeker. Dat zou iedereen doen. Maar ik ben God niet. En jij ook niet, Oleg.'

'God is maar een titel. Wie de macht heeft, díé is een god.'

Sarah nam het van onderaf belichte, maskerachtige gezicht van de Rus op. Ze begreep sommige van zijn uitlatingen nu beter, maar echt opgelucht voelde ze zich er niet door. Om het onderwerp af te sluiten, zei ze: 'Misschien heb je gelijk. Maar ik ben maar een pianiste. Ik heb de macht om mensen twee of drie uur lang gelukkig te maken. Dat is voor mij genoeg.'

Janin doorstond haar onderzoekende blik en antwoordde bedachtzaam: 'Je bescheidenheid siert je, Sarah. Maar zou je nog net zo denken als je de purperpartituur in handen had?'

Met deze gedachtesprong had hij haar overrompeld. Ze wist een seconde lang niets te zeggen – voor Janin lang genoeg om de deur open te doen en naar buiten te stappen.

Voordat Sarah hem kon volgen, priemden er smalle bundels fel licht in haar richting en ze hoorde een snerpende stem, die als het felgeel van een tekstmarker in haar bewustzijn werd geprojecteerd. Al begreep ze het Deense bevel niet, het woord *politi* deed haar wel vermoeden wie hier door de megafoon sprak. Ze was haar noodoproep helemaal vergeten.

Met haar handen omhoog – zoals ze het ook uit de misdaadfilms kende – stapte ze naar buiten en ging ze naast Janin staan, die zich al in dezelfde houding voor talloze geweerlopen van de Kopenhaagse politie had opgesteld.

16

*Het geeft niet als je tussen eenden geboren wordt, als je maar uit een
zwanenei komt.*

— Hans Christian Andersen, *Het lelijke jonge eendje*

Zo langzamerhand hingen de politieverhoren Sarah de keel uit. Ditmaal was
het extra erg geweest. Een span van twee rechercheurs – een zwetende, roodharige kleine teckel en een koele blondine – had nota bene geïnsinueerd dat
ze bij een zwaar misdrijf betrokken was. Haar noodoproep had gefingeerd
kunnen zijn, zodat ze zich na de moord op Valéri Tiomkin als onschuldig
slachtoffer kon voordoen, meende de vlasblonde ijskoningin.

Sarah had haar hele arsenaal verdedigingswapens uit de kast getrokken:
het zogenaamde bericht van Giordano Bellincampi, het verhaal van de
ontvoeringspoging in Weimar en de informatie dat Valéri Tiomkin er in
Duitsland sterk van verdacht werd een collega te hebben vermoord. Maar
de ultieme klapper bleek het snel uit haar gsm tevoorschijn getoverde telefoonnummer van Monika Bach te zijn, de Weimarse collega van het Deense
verhoorteam.

Een paar telefoontjes naar verschillende Europese landen hadden ten slotte
voor een ontspanning van de situatie gezorgd. Inspecteur Bach – kennelijk
werkte de Weimarse politieagente de klok rond – bevestigde Sarahs verklaringen en deed haar op een fraaie manier de groeten: als het de sterpianiste
niet al te veel uitmaakte, zou ze het graag zo snel mogelijk nog eens met haar
over een aantal zeer curieuze gebeurtenissen op het hoofdstation in Weimar
willen hebben. Uiteindelijk was Giordano Bellincampi, die in hoogsteigen
persoon op het bureau verscheen, degene die voor Sarah d'Albis instond en
haar tegen halftwee met de taxi terugbracht naar het Imperial Hotel.

Oleg Janin had minder geluk gehad. De vorm van het lemmet van de in
beslag genomen stiletto uit zijn jaszak kwam gewoon té goed overeen met

de steekwond in Tiomkins borst. De zwetende roodharige teckel deelde Sarah mee dat ze nog een aantal zaken wilden uitzoeken voordat ze haar metgezel zouden laten gaan. Verder zouden ze erover nadenken wat ze met het onbevoegd binnendringen van het Tivoli moesten. Nadat ze Sarah haar paspoort hadden afgenomen – alleen totdat de feiten aangaande de noodweer volkomen duidelijk waren, maakte de Deense politieagent haar kenbaar –, mocht ze gaan.

'Eigenlijk was ik van plan je met mijn eigen Ferrari op te halen, maar mijn vrouw heeft het me uit mijn hoofd gepraat,' grapte Giordano Bellincampi toen Sarah voor het hotel de taxi uit stapte.

Ze wist dat hij niet eens een rijbewijs had, maar wel een fervent fietser was. 'Dan heb ik dus nog geluk gehad. Vergeet haar niet de groeten van me te doen.'

'Doe ik. En als je hulp nodig hebt, bel me.'

Ze boog zich over naar het rijraampje van de Volvo. 'Dat heb ik eigenlijk laatst al gedaan.'

'Ja, Britta heeft me wel doorgegeven dat je had gebeld, maar...'

'Je zat weer eens midden in de repetities.'

'Precies.'

Sarah schudde het gevoel dat ze in de steek was gelaten van zich af. Giordano kon het ook niet helpen dat zij in de ellende zat. Ze glimlachte naar de man die met zijn aanwezigheid haar hart nog steeds sneller kon doen kloppen, kuste hem op zijn wang en zei: 'Misschien heb ik je eerder nodig dan je denkt.'

Beroofd van haar Russische partner begon Sarah na een praktisch slapeloze nacht in haar eentje aan de wandeling naar het eiland Slotsholmen. De gebeurtenissen van de vorige avond lieten haar nog steeds niet los. Ze was er zonder meer door van slag geraakt, maar aan het besluit dat ze in Weimar had genomen was ze niet gaan twijfelen. Nee, ze zou zich er niet onder laten krijgen. Passiviteit is dé manier om de controle kwijt te raken. Dat devies motiveerde haar om door te gaan.

Hoe verschrikkelijk de dood van de paukenist ook was, die hield ook een kans in: hij verschafte haar een adempauze, omdat de Kleurenhoorders zich eerst moesten hergroeperen. Sergej Nekrasov had het geval-Sarah d'Albis niet aan de eerste de beste toevertrouwd, maar aan zijn rechterhand, Valéri Tiomkin. Die stond nu, om zo te zeggen, buitenspel.

Stipt om tien uur liet Sarah de receptioniste van de nationale bibliotheek schrikken terwijl deze de daghoroscoop zat te lezen, en vroeg naar

Bente Jensen. Ditmaal met succes. Binnen enkele minuten kwam de door Bellincampi geregelde assistente op haar af lopen: een jonge, bruinharige, beweeglijke, bijzonder goedgehumeurde, kleine bibliothecaresse met een korte rok en gebreide kousen aan en een bril uit de jaren vijftig op, die haar gezicht iets onnodig strengs gaf. Zoals al snel zou blijken, wist ze dit spanningselement handig te gebruiken, onder andere om haar vreemde humor een overtuigend tintje te geven.

'Aangenaam kennis met u te maken, madame d'Albis,' begroette ze de Franse bezoekster in soepel, verbazingwekkend goed Amerikaans-Engels; de Scandinavische bevolking kreeg dit door Amerikaanse film- en tv-producties, die in de originele taal werden aangeboden, met de paplepel ingegoten.

'Dank u,' antwoordde Sarah, en ze schudde de kleine bibliothecaresse de hand.

'Het is me een grote eer zo'n beroemde saxofoniste te mogen helpen.'

Sarahs mond viel open. Saxofoniste?

Jensen grijnsde ineens. 'Ik maakte maar een grapje. Ik weet wel dat u piano speelt. U bent mij voor de allergrootste, afgezien van Katrine Gislinge natuurlijk.' Daarmee gaf Jensen blijk van een patriottische hang naar Deense grootheden die voor Sarah nog een struikelblok zou blijken te zijn. Op dit moment voelde la d'Albis zich gewoon miskend. De Deense pianiste Katrine Gislinge was goed. Nee, eigenlijk was ze zelfs heel goed. Maar...

'Gaan we?' vroeg Jensen met een gebaar waarmee ze de richting aanduidde.

Sarah glimlachte en voegde zich bij de bijdehante bibliothecaresse.

Kort na de ontnuchterende begroeting had de vrolijke dame, die in Hans Christian Andersen was gespecialiseerd, haar beschermelinge meegevoerd naar de westvleugel, waar ze een bescheiden leeszaal met krakend parket, smalle hoge ramen en een kleine dertig werkplekken binnenstapten. De vrouwen namen plaats achter een computerscherm, en Sarah moest een paar minuten lang gebabbel over koetjes en kalfjes over zich heen laten gaan voordat ze de kans kreeg te vertellen wat ze van plan was te onderzoeken.

'U wilt dus muziekbladen?' vroeg Jensen voor de zekerheid.

'Niet zomaar muziekbladen,' preciseerde Sarah. 'Het zou gaan om op muziek gezette werken van Hans Christian Andersen. Ik ben met name geïnteresseerd in de *Liden Kirsten* van Hartmann, bij voorkeur in het Duits en Deens.'

'Daar is vast wel het een en ander over te vinden. Dat werk was in de negentiende eeuw een van de meest uitgevoerde opera's in Denemarken.'

'Ik heb de tijd. Mijn partner zit in de gevangenis.'

Jensen keek Sarah door haar retrobril verward aan. Toen liet ze opeens een klaterende lach horen. 'Uw gevoel voor humor mag ik wel, madame d'Albis. Wat wilt u? Handschriften of gedrukte versies?'

'Allebei. Wat ik zoek, zijn handgeschreven aanvullingen, mogelijk van Franz Liszt.'

'Maar dat is bijzonder.'

'Ja, inderdaad!' Sarah dwong haar vermoeide gezicht tot een glimlach. 'Verder nog iets?'

'Voorlopig niet.'

Jensen klapte in haar handen. 'Goed, daar gaan we dan.'

Vervolgens liet ze haar vingers over het toetsenbord vliegen. Ondertussen kauwde ze op een potlood, dat ze ook af en toe gebruikte om treffers op te schrijven. Binnen de kortste keren had ze een aanzienlijke lijst van signaturen samengesteld en vatte trots samen: 'We hebben zelfs het originele muziekmanuscript van J.P.E. Hartmann, bovendien de eerste druk uit 1846, die hier in Kopenhagen bij C.C. Lose & Delbanco is verschenen, een andere van dezelfde uitgeverij uit 1870, een...'

'Ik wil ze graag allemaal zien,' kapte Sarah de opsomming af.

Ettelijke microfilms later werd ze wanhopig. In de partituren hadden wel heel wat met de hand geschreven aantekeningen gestaan, maar meestal ging het daarbij om notities in de marge. De voor Liszt gebruikelijke 'verbeteringen' ontbraken volledig. Toen Sarahs begeleidster wegging voor haar lunchpauze, stond het voor Sarah vast dat het gezochte geheim niet in de *Liden Kirsten* verborgen lag. Althans niet in de exemplaren in de Deense nationale bibliotheek.

Ze moest beslissen of het misschien beter was om zich op andere composities te gaan richten of om haar strategie nog maar eens heel goed te overdenken. Haar verstand raadde het laatste aan, maar haar gevoel weigerde de *Liden Kirsten* los te laten. Vandaar dat ze Jensen, toen die terugkwam van haar pauze, meteen met een nieuw idee overviel.

'Andersen heeft toch ook het libretto voor de *Liden Kirsten* geschreven? Hebt u het originele manuscript hier?'

'Sst!' deed de bibliothecaresse, en ze gebaarde naar de inmiddels bijna volle zaal. Fluisterend antwoordde ze bevestigend op Sarahs vraag en ze voegde eraan toe: 'Maar dat zijn geen muziekbladen.'

'Dat geeft niet.'

'Maar u wilde immers muziekbladen zien.'

'Ik ben van mening veranderd.'

Jensen schudde grinnikend haar hoofd en excuseerde zich. Vijf minuten later kwam ze met een andere microfilm terug en legde die in het leesapparaat.

Sarah kneep een paar keer haar ogen dicht, alsof ze een tic had. Andersens handschrift was nog rampzaliger dan dat van Franz Liszt. Of kwam dat doordat alles in het Deens was? In elk geval kon ze vrijwel niets ontcijferen. Toch begon ze het werk onmiddellijk grondig te onderzoeken, bladzij voor bladzij, zin voor zin, inktvlek voor inktvlek. Alsof er een scanner in haar ogen was ingebouwd die op de hoogste resolutie was ingesteld, zocht ze elk detail, hoe klein dan ook, af.

Het werk deed de eigenlijke betekenis van het begrip 'libretto' – boekje – eer aan, want Andersen had de zangtekst in klad geschreven; op de zwartwitbeelden kon je duidelijk zien waar de bladen waren ingenaaid. Zijn grote, zwierige handschrift vulde het relatief smalle beschrijfbare gedeelte van de afzonderlijke bladzijden. Op de meeste bladen stonden meerdere passages, die de schrijver telkens had genummerd. Jensen wees op een omcirkeld getal.

'Dit kringetje hier heeft hij er achteraf in gezet, voor zover ik me kan herinneren, met een blauw kleurpotlood.'

Sarah mompelde: 'Dat heeft hij waarschijnlijk van Liszt afgekeken.' En draaide de film door naar het volgende blad. Hier waren aantekeningen in de marge te zien. In vergelijking met de dunne pennenstreken vielen ze duidelijk breder, maar ook bleker uit. Meestal bestonden ze uit een enkel woord, soms alleen uit een letter. Toch kon Sarah er niet veel van ontcijferen. Ze bladerde verder.

En stokte. Had ze daarnet niet...?

Snel draaide ze nog een keer terug en bracht haar gezicht heel dicht bij het beeldscherm van het leesapparaat.

'Wat is dat daar?' vroeg ze, naar een lijn helemaal onderaan het blad wijzend.

Jensen haalde het afgekauwde potlood uit haar mond en antwoordde: 'Waarschijnlijk vliegenpoep.'

Sarah schudde haar hoofd. 'Nee. Daar staat iets. En ziet u dat daar? Het eerste teken? Het ziet eruit als een... *ster*.'

'Laat mij maar eens kijken.' De bibliothecaresse schoof het beeld zo ver mogelijk naar boven en draaide aan een wieltje, waarmee ze de foto sterk vergrootte.

'Zo wordt het helemaal wazig,' foeterde Sarah.

'Dat los ik wel op.' Jensen stelde met een andere knop de scherpte bij. Het potlood tussen haar tanden knarste. Toen werd het beeld kristalhelder en ze zei: 'Wauw!'

Op het beeldscherm waren een kleine windroos en een tekst te onderscheiden, in het Duits. Sarah kreeg een schok:

✻ *Kirsten zingt met de zwaan op de sterrenburcht*

De bibliothecaresse leunde achterover en knikte haar gaste waarderend toe. 'Ik ben behoorlijk onder de indruk.'

'Anders ik wel!' bekende Sarah. De windroos en de zwaan – de symbolen van de Lichte Kleurenhoorders – schreeuwden er letterlijk om te worden geïnterpreteerd zoals Liszt ze had bedoeld.

Jensen zette haar bril recht. 'Het lijkt op een regieaanwijzing. Of nee, misschien toch eerder als een ingenieuze inval, die de beste H.C.A. later weer heeft verworpen. Ik ken de opera. Kirsten zingt niet met de zwaan, en al helemaal niet op de sterrenburcht.'

Sarah schudde haar hoofd. 'De aantekening is in het Duits.'

'Nou en? Toch zou hij van H.C.A. kunnen zijn. Als leerling heeft hij E.T.A. Hoffmann in de onvertaalde versie gelezen en later bezocht hij in het theater van Odense vaak Duitse uitvoeringen. De *Klein Karin*, de Duitse versie van de *Liden Kirsten*, heeft hij zelfs persoonlijk goedgekeurd...'

'Mevrouw Jensen,' onderbrak Sarah de verhitte jongedame, 'ik wil niets afdoen aan de intellectuele vaardigheden van uw nationale held, maar...'

De bibliothecaresse lachte uitbundig en kreeg vanaf de omringende leestafels een paar verontwaardigde blikken toegeworpen. 'Ik kan u verzekeren, madame d'Albis, dat Hans Christian Andersen wel meer van die rare dingen had. Wie het grootste deel van zijn tijd in hotels doorbrengt, maakt misschien ook zijn aantekeningen in het Duits. Leonardo da Vinci maakte zijn notities zelfs in spiegelschrift.'

Het was overduidelijk dat Bente Jensen een hartstochtelijk bewonderaarster van H.C.A. was. Omdat Sarah in haar eentje toch niet veel met het raadselachtige bericht in het libretto kon beginnen, probeerde ze het met datgene waar de Fransen zo goed in zijn: diplomatie.

'Eigenlijk wilde ik er alleen maar op wijzen dat Andersen kennelijk tot ver over de grenzen van Denemarken een grote schare bewonderaars had.

Kennelijk voelden zelfs belangrijke personen zich niet te goed om hem hun diensten aan te bieden.'

'Diensten?' echode Jensen argwanend.

Sarah knikte. 'Voor zover je het werk van een secretaris zo kunt noemen.' Ze duidde op de raadselachtige tekst die ze bij vergissing voor vliegenpoep had aangezien. 'Vermoedelijk wilde u me alleen maar op de proef stellen, en vanwege de piepkleine letters had ik het inderdaad niet meteen door, maar nu herken ik het handschrift weer – in Weimar heb ik talloze werken van Franz Liszt onder ogen gehad.'

'Zou Liszt de klerk van Andersen zijn geweest?'

'Het was misschien alleen maar een vriendendienst, waarschijnlijk eenmalig.'

Jensen keek bedenkelijk. 'Waarom zou H.C.A. dat hebben toegelaten?'

Wellicht omdat hij een Kleurenhoorder was en zijn meester der harpen niets kon weigeren, dacht Sarah. Of omdat ze allebei wisten dat het spoor van de windroos op een met de hand geschreven Deens stuk cultuur generatieslang zou overleven. Maar het was natuurlijk uitgesloten dit hardop uit te spreken.

Jensen interpreteerde het zwijgen van haar gaste op haar eigen manier. 'Dat dacht ik al, dat u daar even niets zinnigs op zou weten te zeggen.'

Om de gevoelens van de bibliothecaresse te ontzien, liet Sarah het onderwerp van het auteurschap maar rusten en vroeg: 'U vertelde me daarnet dat Kirsten niet met de zwaan zong en al helemaal niet op de sterrenburcht. Is er een bepaalde reden voor dat u niet "op *een* sterrenburcht" hebt gezegd?'

'Zeker. Ik ga er namelijk van uit dat H.C.A. aan de enige sterrenburcht heeft gedacht die op deze plek ter wereld dé sterrenburcht is, namelijk de Stjärneborg op het eiland Ven. Die werd ontworpen door Tycho Brahe, de grootste astronoom voor de uitvinding van de telescoop, die overigens uitstekend Duits sprak en vergeleken bij wie Johannes Kepler maar een hulpje was.'

'Johannes Kepler is anders de assistent van Brahe geweest,' zei Sarah toonloos. Opeens vielen haar de schellen van de ogen. Stjärneborg! Het observatorium en de Deense astronoom kende ze uiteraard.

'Dat wist ik niet,' gaf Jensen verbaasd toe. 'Hoe komt het dat een pianiste zo veel van de geschiedenis van de astronomie weet?'

'Mijn vader was doctor in de astrofysica.'

'O!'

'Ik wil uw constatering niet in twijfel trekken, maar zou hier met de sterrenburcht ook iets anders bedoeld kunnen zijn? De naam klinkt me nogal sprookjesachtig in de oren, al hoeft dit bij Andersen natuurlijk ook niemand te verbazen.'

Jensen schudde gedecideerd haar hoofd: 'Ik zou u gelijk geven...' Ze tikte met haar gummetje vol speeksel tegen het beeldscherm en voegde eraan toe: '... als er geen sprake van Kirsten was geweest. Zo heette Tycho Brahes lieftallige echtgenote.'

Op slag herinnerde Sarah het zich weer. Maurice, haar adoptievader, had haar toen ze twaalf was een ontroerend liefdesverhaal verteld, om haar duidelijk te maken dat alle mensen gelijk waren. Het ging over Tycho, een jonge man uit de adelstand, die verliefd werd op Kirsten, een eenvoudige boerendochter; hij trouwde met haar en werd om die reden door zijn familie verstoten. Het stel trok naar een klein eiland in de Sont, de zeestraat tussen Seeland en de zuidwestkust van Zweden. Daar, op Ven – *Hven*, in het Deens – kon hun liefde opbloeien tot in de hemel, en daarmee stond Tycho Brahe ook toen al op vertrouwde voet.

Sarah bevochtigde haar lippen met het puntje van haar tong. Hoewel ze opgewonden was, sprak ze heel bedachtzaam toen ze Jensen vroeg: 'Stel dat Andersen de uitdrukking "Kirsten zingt met de zwaan" figuurlijk heeft opgevat, wat zou hij daarmee volgens u dan hebben kunnen bedoeld?'

De bibliothecaresse liet het gummetje een paar keer tegen haar brillenglas stuiteren, stak haar lip naar voren en zei: 'Ik weet natuurlijk niet of de term "zwanenzang" in Frankrijk door de opwarming van de aarde nog bekend is, maar hier in het noorden hoor je hem vaker dan menig dierenvriend lief is.'

'Ik kan u niet helemaal volgen.'

'Het komt voor dat zwanen tijdens hun slaap met hun poten in het ijs vastvriezen. Het verhaal wil dat ze, met de dood voor ogen, nog één keer prachtig zouden zingen; waarschijnlijk schreeuwen ze eerder voor hun leven. In ieder geval noemt men het laatste optreden van een groot zanger of van een operadiva "zwanenzang".'

'En ook het laatste, misschien wel belangrijkste werk van een kunstenaar,' voegde Sarah er gedachteloos aan toe. 'Franz Schuberts laatste dertien liederen zijn door zijn uitgever zo genoemd. Franz Liszt heeft ze later getranscribeerd.'

'Is dit het soort beeldspraak dat u bedoelt?'

'Wist ik het maar!' mompelde Sarah. Ze zocht nog steeds naar een geloofwaardig verband met de Lichte Kleurenhoorders, de Zwanen.

Jensen beschreef met haar potlood een halve cirkel. 'In onze bibliotheek hier vindt u een heleboel materiaal over dat onderwerp. Alleen, wat me zo een-twee-drie te binnen schiet kon wel eens genoeg zijn voor een meerdaagse leestournee door het gebouw: de zwanen staan al eeuwenlang de goden ten dienst, als boodschappers of ook als trekdieren voor hun wagens; Zeus nam de gedaante van een zwaan aan toen hij Leda benaderde om de mooie Helena te verwekken; de zwaan staat symbool voor ontwikkeling en volmaaktheid, maar ook voor de reinheid van de Maagd Maria...'

'En Lohengrin werd door een zwaan voortgetrokken,' vervolgde Sarah de opsomming. 'De vleugels van engelen worden vaak als zwanenvleugels afgebeeld; de betoverde prinses Odette in Tsjaikovski's *Zwanenmeer* is overdag een zwaan. Enzovoort, enzovoort, enzovoort.' Ze stak haar handen de lucht in. 'Zo komen we niet verder.'

'U bent wel heel erg bezeten door uw... onderzoek,' zei Jensen, terwijl ze Sarah kritisch opnam.

'Neemt u me niet kwalijk.' Sarah wees naar het leesapparaat. 'Voor mij hangt er nogal wat van af om dit kleine raadsel hier op te lossen.'

'Ik zou het niet zo ingewikkeld maken, madame d'Albis. Tenslotte hebben we hier met een manuscript van Hans Christian Andersen te maken, de auteur van het sprookje *Het lelijke jonge eendje*, dat uiteindelijk in een mooie zwaan verandert.'

Sarah hield haar blik strak op de speekselvlek op de bril van de assistente gericht, terwijl ze diep nadacht. Jensen had daarnet iets gezegd wat behoorlijk slim klonk. Een metamorfose... 'Hoe kom ik het snelst op het eiland Ven?'

De vraag floepte zo onverwachts Sarahs mond uit dat de bibliothecaresse geschrokken opveerde. 'Op Ven? Het is eigenlijk niet ver, hemelsbreed misschien zo'n vijfentwintig kilometer. Als het zomer was geweest, zou ik hebben gezegd: "Pakt u in de haven de eerstvolgende veerboot." Die vaart in de winter alleen niet.'

'En dat houdt in?'

'Dat er niets anders voor u op zit dan via de Øresundbrug naar Zweden te rijden en dan vanuit Landskrona over te steken. Die route is waarschijnlijk ongeveer vier keer zo lang.'

'Is er geen andere verbinding?'

Jensen schudde haar hoofd. 'Nee. Tenzij u kon vliegen als een zwaan.'

Over Sarahs gezicht trok even een glimlach.

17

Laat mijn leven niet vergeefs zijn geweest.

— Laatste woorden van Tycho Brahe, 24 oktober 1601

Het lawaai in de helikopter overspoelde Sarahs fijne zintuigen met een roodbruine, viltige hagelbui. Ze zat naast een potige marineveteraan met een vliegeniersjack en een stekeltjeskapsel. Om haar een gevoel van veiligheid en kameraadschap te geven, had hij zich voorgesteld als voormalige blauwhelm van de Verenigde Naties en hij had er vervolgens op gestaan dat ze hem Olle zou noemen. Hoewel de ochtendlijke hemel grijs was, droeg de asblonde eind-veertiger een zonnebril, vermoedelijk omdat hij zijn betalende klanten niet wilde teleurstellen. En betaald had Sarah niet te weinig: tweeduizend dollar vooraf voor het eerste uur. Desondanks bespaarde ze zich door te vliegen een heleboel tijd en – zo hoopte ze althans – onaangenaamheden met de Zweedse autoriteiten. Haar paspoort werd nog steeds door de Deense politie achter slot en grendel gehouden. Evenals haar partner.

Oleg Janin was de vorige middag aan een vrouwelijke rechter voorgeleid, die zijn inverzekeringstelling in voorlopige hechtenis had omgezet. Met die laatste ambtelijke daad voor het weekend was de professor voor ten minste zestig uur schaakmat gezet.

Daarom had Sarah in haar eentje met de charter moeten vliegen. Ongeveer tien minuten nadat ze waren opgestegen, kwam de reisbestemming al in zicht. Het eiland Ven zag eruit alsof het met poedersuiker was bestrooid; het relatief warme zeewater liet een dikkere laag sneeuw vermoedelijk niet toe. Aan de omtrekken te zien, leek het op een naar rechts gekantelde miniatuur van het Australische continent.

'Het eiland is ongeveer vierenhalve bij krap tweeënhalve kilometer groot, een hoog plateau met steile kusten,' kraakte Olles stem uit de gehoorbeschermer, die tegelijkertijd voor de communicatie aan boord werd gebruikt. Naar de geroutineerde toon van de piloot te oordelen had hij al voor heel wat vermogende gasten de reisgids uitgehangen. Hij wees naar voren. 'De resten van de twee sterrenwachten liggen precies in het midden, op het hoogste punt, ongeveer vijfenveertig meter boven de zeespiegel.'

Algauw zweefde de helikopter boven het centrum van het eiland. De weg die vanuit het zuidoosten kwam, maakte hier een bocht naar het noordnoordoosten. In de 'knieholte' lag een handjevol gebouwen, waaronder een kerk en ook een park, waarin nog de contouren van de toenmalige Uraniborg te herkennen waren. Ruim honderd meter zuidelijk daarvan bevond zich een tweede, duidelijk kleiner complex, waarvan de aanblik Sarah een schok gaf.

'Een windroos!' fluisterde ze.

'Wat zei u, *ma'am*?'

Ze wees omlaag. 'Dat bouwwerk daar lijkt op een grote windroos.'

'Daar zegt u wat! Zo heb ik het nog nooit bekeken. Maar het klopt wel. Met een beetje fantasie kun je in de Stjärneborg een kompasroos zien.'

'Is dat de sterrenburcht?' Sarah keek even naar de piloot en meteen weer omlaag. Eigenlijk was het terrein van de sterrenwacht eerder een groot vierkant, met aan elke zijde een uitbouw in de vorm van een halve cirkel. Als je je die als de afgeronde pijlpunten van een windroos voorstelde, dan waren ze precies op de hoofdwindstreken gericht; de vier hoeken daarentegen op de tussenwindstreken.

'Daar is een veld waar we kunnen landen,' zei de piloot, en hij wees naar beneden. Op het eiland had je bijna alleen maar velden, maar Olle speelde ook maar gewoon zijn rol.

Een paar honderd rotordraaiingen later landde de Bell 206 Jet Ranger zachtjes ten zuiden van de weg. De piloot schakelde de turbine uit. Sarah verzocht hem bij de helikopter te wachten, omdat ze hier niet langer wilde blijven dan nodig was.

Olle grijnsde. 'Prima, hoor. Zo komen we misschien onder een bon voor fout parkeren uit. Eigenlijk had ik namelijk in Sankt Ibb moeten...'

Meer hoorde Sarah niet, want ze was al door de opgedwarrelde sneeuwvlokken in de richting van het observatorium verdwenen.

Vaag herinnerde ze zich een gesprek van meer dan vijftien jaar geleden met Maurice. In tegenstelling tot de vroeger gebouwde, duidelijk grotere Uraniborg had Tycho Brahe de Stjärneborg ondergronds aangelegd om bij zijn metingen zo veel mogelijk oorzaken van fouten uit te sluiten.

Haar korte wandeling naar de burcht van de sterren eindigde voor een houten hek, dat ongeveer tot haar taille reikte. Daarachter rezen vanaf een plaveisel van veldkeien diverse ronde torenkappen op; zo zagen de piep-kleine bouwsels er tenminste uit. Een van de met groen koper bedekte daken had de vorm van een koepel; de andere deden Sarah denken aan de hoeden van Chinese rijstboeren. Nergens waren toeristen te bekennen, wat niet zo verwonderlijk was, omdat...

'We zijn gesloten,' klonk ineens een stem van redelijk dichtbij.

Geschrokken draaide Sarah zich om. Vanaf de weg kwam een man met ruige blonde haren haar tegemoet. Hij kon niet groter zijn dan één meter zestig en droeg een bruine corduroy broek en een blauw gewatteerd jack, waardoor hij eruitzag als een michelinmannetje. Naar het gestamp van zijn laarzen op de vorstharde grond te oordelen, had hij eerder een zware reus moeten zijn. Door een zilverkleurige bril keek hij Sarah strak aan, alsof hij de sheriff van Nottingham was op zoek naar Robin Hood. Hij had zelfs Engels gesproken.

'Hoe weet u dat ik geen Zweedse ben?' vroeg Sarah, terwijl de sheriff verder op haar af kwam lopen.

'Ten eerste omdat er op uw helikopter een Deens nationaal embleem staat en ten tweede omdat alleen Amerikanen op het idiote idee komen om...' Opeens bleven de woorden hem in de keel steken. De afstand tussen hen was inmiddels nog maar een kleine drie meter.

Sarah had er wel een idee van wat de haar maar al te bekende blik te betekenen had. Ze glimlachte minzaam en legde ten overvloede uit: 'Ik ben Française.'

'Maar... Maar... Maar dat weet ik toch,' stotterde de sheriff van Nottingham stralend van vreugde. 'De beroemde pianiste... Ik ben een groot bewonderaar van u, madame Grimaud.'

Sarah kreeg op slag een droge mond. Ze maakte er in gedachten een aantekening van om bij de eerstvolgende gelegenheid haar agent te bellen en hem opdracht te geven een promotietournee door Scandinavië te organiseren. Toen dwong ze zichzelf weer tot een glimlach en zei: 'Ik bewonder madame Hélène Grimaud minstens zozeer als u.'

Er wolkte verwarring over het gezicht van de sheriff. 'Dus u bent geen pianiste?'

'Jawel. Maar mijn naam is Sarah d'Albis...'

'Ach, natúúrlijk,' viel de man haar in de rede, en hij sloeg zichzelf op zijn bovenbeen. 'Het spijt me echt enorm, madame, dat ik me zo pijnlijk heb vergist. Dit overkomt me niet voor het eerst. Maar wat ik over mijn bewondering voor uw pianospel heb gezegd, klopt wel.'

Daar was Sarah weliswaar niet meer zo zeker van, maar ze liet die twijfel maar voor wat hij was. 'Bent u hier zoiets als de sheriff?' vroeg ze op opzettelijk vrolijke toon.

'Ik?' De man lachte. 'Ja, zo zou je het kunnen zeggen.' Hij kwam naar Sarah toe en gaf haar een hand. 'Aangenaam kennis met u te maken, madame d'Albis. Ik ben doctor Knud Lundstrøm, de directeur van het Tycho Brahe Museum, dat echter, zoals al gezegd, gesloten is.'

'En wanneer gaat het weer open?'

'Half april.'

'Zoveel tijd heb ik niet.'

Lundstrøm wreef verlegen in zijn handen. Ook dat gebaar kende Sarah. Ze deelde mannen ruwweg in twee categorieën in: de macho's, die zelfverzekerde, wellustige blikken op haar afvuurden, en de roodhoofden, die in aanwezigheid van een vrouw, als ze maar aantrekkelijk genoeg was, ineens motorisch gestoord werden en zich als malloten gedroegen. De directeur van het Tycho Brahe Museum was overduidelijk een roodhoofd.

'Toevallig,' zei Lundstrøm na lang aarzelen, 'heb ik even niets anders te doen. Het zou me dan ook een grote eer zijn u een beetje rond te leiden.'

'U bent een schat, doctor. Dat is echt heel aardig van u.'

Lundstrøm liep rood aan. 'Zeg alstublieft Knud tegen me. Dat is niet zo... formeel.'

'Graag, Knud. En ik ben Sarah.'

'En niet Hélène.' Hij trok zijn hoofd met een ondeugende blik tussen zijn schouders.

Sarah vond dat het moment was aangebroken om ervoor te zorgen dat het gesprek weer zakelijk werd. 'Eigenlijk, Knud, gaat mijn belangstelling uit naar een... heel speciaal iets. Voor zover me bekend is, werd een van de vijf crypten van de Stjärneborg niet voor sterrenkijken gebruikt, maar als zit- en studeerkamer.'

'Klopt. Je hebt het over het zogenoemde hypocaustum, een vierkant vertrek in het midden van het complex. Zoals de naam al zegt, was het zelfs verwarmd. Tycho Brahe heeft zich daar op zijn observaties voorbereid, gestudeerd of er gewoon, als het bewolkt was, zijn tijd wachtend doorgebracht.'

'Hing daar dan ook een sterrenkaart? Eentje waarop het sterrenbeeld Zwaan te zien is?' Sarah hield haar adem in.

Lundstrøm keek haar vol verbazing aan. 'Ik ben erg onder de indruk, Sarah! Dat staat niet eens in onze museumgids. Hoe wist je dat?'

Met kracht ademde ze weer uit. Het liefst had ze een triomfantelijke kreet geslaakt, maar ze beheerste zich en zei alleen: 'Dat heb ik ergens gelezen. Mag ik de sterrenkaart zien, Knud?'

Het gezicht van de doctor straalde helemaal. 'Graag. Kom maar mee. Hij hangt daar in het museum.'

Met 'daar' had Knud Lundstrøm het terrein van de Uraniborg bedoeld. Terwijl ze met z'n tweeën de weg overstaken en naar het museum liepen, vertelde Sarah over haar adoptievader, waarmee ze nog meer punten bij haar Zweedse bewonderaar scoorde.

Over zijn schouder naar de helikopter gebarend zei hij: 'Met muziek val je zeker ook wel met je neus in het goud?'

'Ik mag niet klagen.'

Hij keek haar ondeugend van opzij aan. 'Zo begin ik mijn museum- rondleiding ook altijd. "Met je neus in het goud vallen" – die uitdrukking is vermoedelijk op Tycho Brahe terug te voeren. In zijn jonge jaren schijnt hij in een duel een deel van zijn neus te zijn kwijtgeraakt. Daarom droeg hij ook altijd een prothese van zilver of geelkoper. Maar bij feestelijke aan- gelegenheden koos hij voor zijn gouden neus.'

Sarah deed alsof ze onder de indruk was. 'Wat ben je toch een slimme man, Knud.'

Hij kreeg weer een kleur en maakte een wegwerpgebaar. 'Ach, dat stelt niet veel voor.'

Het tweetal liep een plein over. Even later maakte de directeur van het museum de deur open van de kerk, die Sarah al vanuit de helikopter had opgemerkt.

'Vroeger was dit de Allerheiligenkerk, nu is het ons museum,' deelde Lundstrøm mee, en hij liet Sarah voorgaan.

Ditmaal hoefde ze niet eens toneel te spelen om kenbaar te maken dat ze geraakt was. Het was een reis naar de mooiere tijd uit haar kinderjaren. Weemoed overviel haar toen ze in het vroegere kerkschip de afbeeldingen van sterrenkundige instrumenten zag, uitvindingen van de grote astronoom Brahe. Nieuwsgierig en onbevangen als een klein meisje wandelde ze tussen de spitsboogramen en de vitrineborden door.

Plotseling bleef ze als aan de grond genageld staan. Aan een bord in het koor hing te midden van andere tentoonstellingsstukken de bewuste ster- renkaart, ingelijst en achter glas.

... Het komt voor dat zwanen tijdens hun slaap met hun poten in het ijs vastvriezen...

Flarden van het gesprek met de bibliothecaresse van de nationale biblio-theek warrelden Sarah door het hoofd. Bevroren water en een glasplaat leken op elkaar. Was Kirsten tijdens het zingen met de zwaan in dit 'ijs' komen vast te zitten?

Sarah liep naar de kaart en probeerde erdoorheen te kijken. Tevergeefs; hij was van dik perkament.

Lundstrøm legde de nieuwsgierigheid van zijn gaste verkeerd uit. 'De titel *Hemisphaerium Coeli Boreale* betekent zoveel als "noordelijk half-rond".'

Dat had Sarah zelf ook wel kunnen bedenken. Toch bedankte ze hem met een glimlach voor de tip en speurde de kaart verder af. Het betrof een kopergravure, waarop het zomerse hemelgewelf cirkelvormig was afgebeeld. In de linkerbovenhoek en de rechterbenedenhoek waren Brahes observato-ria Uraniborg en Stjärneborg te zien, en in de twee andere herkende Sarah instrumenten uit de tentoonstelling. De sterrenbeelden waren ingetekend als figuren, onder andere ook de Zwaan, rechts daarvan Hercules met de Lier en iets verder naar beneden de Adelaar...

Sarah huiverde inwendig toen ze zich ervan bewust werd hoe dicht de twee in onmin geraakte fracties van de Broederschap der Kleurenhoorders naast elkaar aan de hemel stonden. Terwijl ze naar de constellatie keek, voelde ze vanbinnen een onrust groeien die vrijwel ondraaglijk werd; ze had het gevoel dat ze naar een vage boodschap keek die ze bijna, maar net niet helemaal kon ontcijferen. Onwillekeurig stak ze haar hand uit naar de Zwaan.

'Niet aankomen!' riep Lundstrøm als in een reflex uit.

Ze deinsde achteruit. 'Sorry.'

Hij glimlachte toegeeflijk. 'Niets aan de hand. Wat je daar stond te be-wonderen is de zomerdriehoek, zogezegd de hemelse vorm van veel sym-bolen die we van oudsher kennen, bijvoorbeeld de uit twee driehoeken bestaande davidster of het christelijke teken van de Drie-eenheid. Zelfs de vrijmetselaars hebben zich de naar boven wijzende driehoek toegeëigend, vaak gecombineerd met het alziend oog...'

'De vrijmetselaars?'

Lundstrøm knikte gewichtig, zichtbaar trots om zijn kennis tegenover de even mooie als prominente bezoekster tentoon te kunnen spreiden. 'Ja-zeker. Volgens Hermes Trismegistos, de legendarische stamvader van alle magiërs, luidt een van de belangrijkste regels van de alchemie: "Zo boven, zo beneden". Die sloot ook aan bij Brahes visie op het universum. Kijk hier maar eens.' De doctor wees naar een citaat van de astronoom, dat vlak onder de sterrenkaart was aangebracht:

Het is belangrijk te weten dat de zeven planeten aan de hemel overeenkomen met de zeven metalen op aarde en de zeven belangrijkste organen van de mens. Samen zijn ze in schoonheid en harmonie geordend, zodat het schijnt dat ze allemaal dezelfde functie, essentie en aard hebben.

'Zo boven, zo beneden,' herhaalde Lundstrøm. 'Laten we elkaar niets wijsmaken: de gevierde pioniers van de moderne natuurwetenschap werden in hun tijd meer gewaardeerd vanwege hun esoterische en occulte kennis. Copernicus, Galilei, Brahe en Kepler... allemaal verdienden ze hun brood met horoscopen trekken. En Paracelsus was een groot alchemist.'

Sarahs blik trok weer naar de sterrenbeelden Zwaan en Adelaar. *Kirsten zingt...* 'Zou ik ook een blik achter...?' begon ze schuchter, maar ze beet meteen op haar tong. Onzin. De consciëntieuze directeur van het museum liet niet eens toe dat ze de lijst vástpakte. Ze moest een andere manier bedenken...

'... achter... de coulissen van het museum kunnen werpen?' raadde Lundstrøm weer enigszins ondeugend.

Op dat moment kreeg de pianiste voor wie hij zoveel bewondering had volkomen onverwachts een hevige hoestaanval, die met zo'n afgrijselijk gekokhals gepaard ging dat het leek alsof haar ingewanden haar direct de keel uit zouden komen.

'Mijn god, Sarah! Wat gebeurt er ineens?' bracht Lundstrøm bezorgd uit.

'Ik moet iets te drinken hebben, Knud!' rochelde ze.

'Natuurlijk. Kom maar...'

Weer hoestte ze zich haast de longen uit haar lijf, en ze zakte daarbij bovendien door haar knieën. Blijkbaar niet in staat om ook nog maar een woord uit te brengen, schudde ze haar hoofd en maakte de doctor met gebaren duidelijk dat hij zo snel mogelijk het reddende vocht voor haar moest halen. Lundstrøm rende weg.

Zodra hij de ruimte had verlaten, was Sarahs hoestaanval op wonderbaarlijke wijze ineens over. Ze kwam weer overeind, liep naar het bord en pakte de sterrenkaart eraf.

'Vergeef me, doctor Lundstrøm.'

Nadat ze op deze manier de hoeder van de Tycho Brahe-devotionalia om vergiffenis had gevraagd, gooide ze de lijst op de grond. Het versplinteren van het glas ging Sarah door merg en been. Als de kopergravure een origineel was, dan had ze zojuist heiligschennis gepleegd. Gelukkig was de kaart, voor zover ze kon zien, niet ernstig beschadigd door de val.

Bezorgd keek Sarah naar de deur. Hopelijk had Lundstrøm het gerinkel niet gehoord. Het was nu een kwestie van seconden. Om zich van de scherven te ontdoen, draaide ze de lijst om, haalde met haar vingertoppen een paar grote stukken omhoogstaand glas weg, liep daarbij een pijnlijke snee op en pakte toen eindelijk het perkament uit de lijst. Het begon haar te duizelen.

Ze waren er daadwerkelijk! Diverse muziekbladen uit de ouverture van de *Liden Kirsten*. En wat Sarah nog het meest opwindend vond: de gedrukte partituur stond vol handgeschreven wijzigingen.

'Van harte welkom, betoudovergrootvader,' fluisterde ze.

Snel pakte ze de bladen uit de lijst, rolde ze samen en stopte ze voor in haar jas. Toen haalde ze een honderddollarbiljet uit haar zak tevoorschijn, legde het op de kopergravure, schreef vervolgens met haar eigen bloed een boodschap voor Lundstrøm op de stenen vloer, sprong op en rende naar de uitgang.

De zware deur viel met een knal in het slot, en het kerkschip lag er weer verlaten bij. Van het bezoek van Sarah d'Albis getuigden alleen nog een vernielde lijst, een oude sterrenkaart te midden van scherven, het bankbiljet en een bloedrode verontschuldiging:

SORRY!

Sarah was nog niet ver gekomen op de weg, toen achter haar Lundstrøms kreet weerklonk.

'Stop!'

Ze versnelde haar pas.

Haar chique laarzen waren uitstekend geschikt om op boulevards in de grote stad te flaneren, maar voor een veldloop was de museumdirecteur veel beter uitgerust. Met zijn bergschoenen rende hij trefzeker over de bevroren akker. Sarahs voorsprong werd snel kleiner. Toen ze in het zicht van de helikopter kwam, maakte ze de piloot door opgewonden met haar hand boven haar hoofd rond te draaien duidelijk dat hij de motor moest aanzetten.

Olle reageerde even cool als zijn vliegeniersbril eruitzag, en startte onmiddellijk de turbine.

'Wacht nou even, Sarah! Het is niet het eind van de wereld,' zei de wetenschapper hijgend op de achtergrond. Hij had haar al bijna ingehaald.

Ze keerde zich naar hem om. 'Vaarwel, Knud! Als het geld niet genoeg is, stuur ik meer.' En rende verder.

'Maar je kunt toch niet zomaar...' Lundstrøm slikte de rest in en verhoogde hardnekkig zijn tempo.

Sarah moest zo vlug mogelijk iets zien te bedenken. Zelfs als ze aan hem ontkwam, zou de helikopter waarschijnlijk nooit op tijd kunnen opstijgen. Ze wijzigde haar plan.

En minderde onmerkbaar haar snelheid.

De voorsprong die ze nog had, werd algauw kleiner. Toen Knud Lundstrøm van achteren haar jas te pakken kreeg, waren ze al behoorlijk dicht bij de helikopter. Olle had net zijn zonnebril afgezet om de merkwaardige wedloop ongestoord te kunnen bekijken. Des te beter, dacht Sarah.

Ze liet zich door de wetenschapper op spectaculaire wijze omdraaien en schreeuwde uit alle macht.

'Kalm nou toch alsjeblieft,' riep hij bezwerend, maar tegelijkertijd piekerde hij er niet over haar weer los te laten.

'Blijf met je handen van me af. Zo'n soort meisje ben ik niet!' brulde Sarah, en ze sloeg wat in het wilde weg naar hem. Over Lundstrøms schouder zag ze dat Olle de deur van de helikopter had opengedaan.

'Raak nou niet zo over je toeren,' antwoordde de museumdirecteur, terwijl hij haar klappen probeerde te ontwijken.

'Ik laat me door jou niet verkrachten!' krijste Sarah.

'Wat? Je begrijpt me verkeerd. Ik wilde alleen maar...'

Verder kwam Lundstrøm niet, want de piloot sprong plotseling achter hem vandaan en gaf hem een vuistslag op zijn kin. De wetenschapper draaide zijn ogen naar boven en viel om als een zoutzak.

Sarah wankelde een paar passen achteruit en hijgde: 'Moest u nou meteen zo hard slaan?'

Olle knipperde verward met zijn ogen. 'Ik dacht dat hij u wilde verkrachten.'

'Dat was alleen maar figuurlijk bedoeld.'

'Dat snap ik niet.'

Sarah hurkte naast de bewusteloze man neer. 'Hopelijk hebt u zijn kaak niet gebroken.'

'Maak u geen zorgen,' merkte hij sussend op. 'Bij gevechtstraining leren we hoe je je krachten gedoseerd moet gebruiken.'

Ze betastte de kin van de wetenschapper. Verbrijzeld was hij tenminste niet. Zijn oogleden knipperden. 'Ik geloof dat hij bijkomt.'

'Moet ik nog een keer...?'

'Als u dat maar laat!' Sarah tikte op de wangen van de man op de grond en zei op verzoenende toon: 'Ik vergeef je, Knud, en wil zelfs van aangifte afzien als ook jij het incident van vandaag vergeet. De weg naar het museum vind je vast zelf wel.'

Hij deed zijn ogen nu helemaal open, maar wekte niet de indruk dat hij zijn redster in de nood ooit eerder had gezien.

Sarah kwam overeind en zei tegen de piloot: 'Laten we maken dat we hier wegkomen.'

Olle schudde zijn hoofd en lachte. 'Altijd hetzelfde met die klanten. Eerst zoeken ze het avontuur en uiteindelijk staan ze te zeuren om de kosten van de terugvlucht te drukken.'

Het tweetal liep naar de helikopter terug en stapte in. De rotor begon te brullen. Terwijl doctor Lundstrøm zijn pijnlijke kin vasthield en wankelend weer opstond, werd hij in een wolk van sneeuw en stof gehuld. Het toestel steeg op en met een wazige blik zag hij het wegvliegen.

18

Maar muziek kan [...] met gewone woorden niet worden bijgebracht. Dus onderwees hij die, zoals ook Christus had gedaan, door soms gelijkenissen of beelden te gebruiken.

— Carl Valentine Lachmund, 1882, over zijn leraar Franz Liszt

KOPENHAGEN, 23 JANUARI 2005, 16.00 UUR

'Volgens mij ben je moeilijker te pakken te krijgen dan een forel in de beek,' zei Sarah. Ze had al de hele zondag geprobeerd om Giordano Bellincampi telefonisch te bereiken.

De stem uit de gsm klonk Italiaans onbezorgd. 'Ik ben net een espresso aan het drinken. Moet je jezelf ook eens gunnen, een koffiepauze.'

'Volgende maand misschien. Ik moet je om een gunst vragen...'

'Vanavond heb ik een optreden, Sarah...'

'Luister nou eerst even naar me, voordat je meteen weer nee zegt. Ik heb een partituurfragment van J.P.E. Hartmann gevonden. Van de *Liden Kirsten*. Er staan handgeschreven wijzigingen van Franz Liszt op. Hij heeft de blazerspartij radicaal bewerkt. Je repeteert de opera toch al; zou je niet met je orkest de muziek kunnen spelen? Eén keertje maar?'

'Gevonden?' vroeg de dirigent argwanend.

Sarah haalde diep adem en zei tegen zichzelf: hij is je vriend. Je kunt niet iedereen wantrouwen. Toen vertelde ze Bellincampi over haar bliksembezoek aan Ven. De details van haar theatrale afgang bespaarde ze hem maar. Desondanks reageerde hij met zuidelijk temperament.

'Ben je nou helemaal gek geworden, Sarah? Je gaat tegen de instructies van de autoriteiten het land uit en steelt die muziekbladen. Het verbaast me dat de politie nog niet bij je op de stoep staat. Die Lundstrøm heeft vast aangifte gedaan.'

'Dat denk ik niet.'

'Ach, en waarom dan wel niet?'

'Hij is... een fan van me.'

'Dat ben ik ook, maar...'

'Bovendien weet hij niets van die muziekbladen. Ik heb net gedaan alsof het allemaal een ongelukje was. Ik heb ook geld voor de reparatie van de lijst achtergelaten.'

'Je bent onmogelijk.'

Ze lachte in de telefoon. 'Ach nee toch! Dat zei Maurice ook altijd.'

De dirigent bromde: 'Als je adoptievader dit te weten kwam, zou hij je waarschijnlijk voor je broek geven.'

'Hij heeft me nooit geslagen. Doe je het, Giordano?'

'Wat? Je over de knie leggen?'

'Met je orkest de veranderde passages spelen. Ik heb ze in mijn muzieknotatieprogramma ingevoerd en kan zoveel uitdraaien maken als je wilt.'

Even hoorde Sarah alleen de adem van de dirigent. Toen antwoordde hij: 'Goed, mij best. We repeteren in het oude theater aan het Kongens Nytorv. Ik zal je voor morgenvroeg tien uur aankondigen. Kom alsjeblieft op tijd.'

Het zag er goed uit, had de verantwoordelijke agent van de Kopenhaagse recherche over de telefoon gezegd toen Sarah op maandagmorgen naar haar Russische partner informeerde. Vermoedelijk zou Oleg Janin tegen de avond weer op vrije voeten zijn.

Met dit veelbelovende bericht in gedachten nam ze even na halftien een taxi naar het Kongens Nytorv, het nieuwe Koningsplein. Ze had vanaf het Imperial Hotel natuurlijk ook kunnen lopen, maar ze vond de voorzorgsmaatregelen van de professor achterhaald. Nekrasov was zijn rechterhand kwijt. Tegen de tijd dat hij Tiomkin had vervangen, was zij er allang vandoor, als alles de komende een à twee uur tenminste volgens plan verliep.

Kopenhagen genoot sinds kort de luxe van diverse operagebouwen. Het eerbiedwaardige, bijna tweehonderdvijftig jaar oude Koninklijk Theater, waar Bellincampi aan het repeteren was, lag aan het grootste en belangrijkste plein van de stad. Sarah stapte vlak voor het gebouw uit waar ze zelf ook al eens een concert had gegeven. Het was een mengelmoesje van classicisme en renaissance, met een lage koepel erbovenop, die aan een joods keppeltje deed denken. Boven het portaal troonde een beeldengroep van betoverende vrouwen in klassieke gewaden. De muze in het midden hield een lier in haar handen. Hoe toepasselijk, dacht Sarah, terwijl ze zich onrustig de sterrenkaart herinnerde waaraan ze dit bezoek te danken had.

De niet meer zo jonge portier herkende la d'Albis meteen, bovendien was hij op de hoogte. In een vreemd Engels met veel keelklanken zei hij: 'Loopt u maar door, madame. De maestro verwacht u al.'

Sarah wist de weg naar de orkestruimte. Ze bespaarde zich de trieste aanblik van het achtertoneel en koerste zelfverzekerd door de foyer. Van daaruit moest ze een stuk onder kroonluchters door en langs olieverfschilderijen, tot aan een van de zij-ingangen, die naar de zaal leidde. Die zaal was een droom, zelfs voor een musicus die niet zo veel met opera op had. In Det Kongelige Teater was de tijd stil blijven staan. Vier rijen balkons omgaven het toneel als grote hoefijzers van wit stucwerk en bladgoud. De klapstoelen in het parket waren met wijnrood fluweel overtrokken en aan het plafond prijkte een grote rozet met klassieke figuren.

De muziek hield op en Bellincampi's stem galmde als die van een tenor door het theater. 'Sarah, je bent zowaar op tijd.'

Ze liep met grote passen en een warme glimlach naar het orkest toe. Omdat de musici in het Koninklijk Theater hoger zaten dan in gewone operagebouwen, sprong Bellincampi met een lichte zwaai over de balustrade en kwam haar met verende tred tegemoet; de Italiaan in hem was onmiskenbaar.

Sarah begon inwendig te trillen, een nawee van haar vroegere idolatie voor de dirigent. Hij zag er nog steeds goed uit: slank, zwart haar, vurige donkere ogen en een adelaarsneus, waarvan ze altijd had gevonden dat die hem heel bijzonder maakte. Toen hij haar omhelsde en haar twee vluchtige kussen op haar wangen gaf, floten een paar musici instemmend.

'Zo te horen, ben je de ouverture al aan het repeteren,' zei Sarah na de begroeting, waar ook haar collega's in de 'bak' van hadden kunnen meegenieten. Daar slenterden pianiste en dirigent nu arm in arm naartoe.

Bellincampi lachte fijntjes. 'Ja, maar alleen de klassieke versie. De musici weten al van je "experiment"; zo heb ik het hun gebracht. Ik ben zelf ook wel benieuwd.'

Sarah gaf haar vriend het pakket met muziekbladen die ze die ochtend in het hotel had afgedrukt en met paperclips alvast had gesorteerd voor de verschillende musici. 'Ik heb één verzoek, Giordano. Het is kinderachtig, ik weet het, maar mag ik vanuit de koninklijke loge naar jullie luisteren?'

Hij lachte. 'Nog steeds de kleine sterrenfee die zo graag een kroon wil hebben? Voor mij ben je allang de koningin onder de pianistes.'

'Laat Katrine Gisling het maar niet horen.'

In verwarring gebracht fronste hij zijn voorhoofd.

Nu was het haar beurt om te lachen. 'Dat is een ander verhaal, dat ik je nog wel eens wel vertel. Dan ga ik nu maar.'

Terwijl Sarah zich naar boven naar de eerste rang begaf, bestudeerden de musici de muziekbladen. Moeilijke loopjes werden geoefend. Gewoon het gebruikelijke gefiedel en geschetter.

In de koninklijke loge aangekomen nam Sarah plaats op een barokstoel met beklede armleuningen. Majesteitelijk wuifde ze Bellincampi toe.

De dirigent gaf de musici de gelegenheid de stemming van hun instrumenten nog een keer te controleren. Het ritueel was in de meeste klassieke orkesten over de hele wereld hetzelfde: nadat de hobo de kamertoon a had aangegeven, nam de concertmeester hem op zijn viool over en gaf hem aan de andere musici door. Het opheffen van de dirigeerstok was genoeg om een stilte te laten neerdalen. Sarah sloot haar ogen, zodat ze haar audition colorée de vrije loop kon laten. Toen klonk een ouverture van de *Liden Kirsten*, die vermoedelijk geen mens ooit eerder had gehoord.

De eerste langzame maten kwamen van de strijkers. Ze verspreidden de melancholie van groene nevelsluiers die op een rustige herfstochtend boven de Sont heen en weer bewogen. Plotseling zetten de fluiten in; als vrolijke gele vissen sprongen ze uit zee omhoog, eerst nog ongeordend, maar hoe heftiger de instrumenten tegen elkaar op speelden, des te meer voegden de lijnen en vlekken zich in Sarahs geest tot een vorm samen. Haar hartslag versnelde.

Opeens schrok ze. Al bij het invoeren van de noten in haar computer had ze beseft dat deze aanwijzing van een andere orde moest zijn dan de klankboodschap in Weimar. Ze had eigenlijk eerder op een 'telegram' van haar voorvader gerekend, een korte mededeling, zoals Liszt die bij de dwarsfluit van Jacob Denner op het bukshouten corpus had geschreven. Maar niets van dat alles. Voor haar geestesoog verscheen...

'Een... kroon?'

Het symbool van koninklijke macht bestond uit een diadeem met twee beugels die elkaar kruisten. Bovenop zat een kruis, dat vervaarlijk naar één kant overhelde, alsof het elk moment kon omvallen. Waarschijnlijk was de scheefstand een compromis van haar voorvader, dacht Sarah, om de *Liden Kirsten* niet door al te veel dissonanten te ontsieren.

Gespannen wachtte ze af of er nog iets anders zou komen. In Weimar was er immers ook na een symbool – het FL-signet – een tekst gevolgd. Toen het groene gegolf van de strijkers in de orkestbak echter weer de overhand kreeg, was het duidelijk dat zoiets niet meer zou gebeuren.

Verward zakte Sarah in haar barokstoel achterover en schudde haar hoofd. Daar zat ze dan, de sterrenfee in haar koninklijke loge... met niets dan een kroon.

19

De uiterlijke verschijning van Liszt [...] was geweldig imposant: het lange dichtgeknoopte gewaad dat hij als abbé droeg, zijn weelderige witte haardos, zijn fascinerende gestalte [...] Dit alles gaf hem iets bovenaards, iets wereldvreemds; hij leek niet alleen enorm groot, maar het zag eruit alsof hij boven de anderen, boven de hele zaal zweefde.

— Alexander Siloti, 1884, over Franz Liszt

'*Vi ses i København,* We zien elkaar in Kopenhagen.' Met die woorden had Giordano Bellincampi afscheid genomen van zijn vriendin. Sarah had het niet gemakkelijk gevonden haar teleurstelling voor hem te verbergen. Ze wilde niet met een taxi terug naar het hotel. Ze moest nadenken.

Toen ze de Deense designerkoelkast – de entree van het Imperial – binnenstapte, klaarde haar humeur enigszins op. In de lobby ontdekte ze Oleg Janin. Hij zat in een van de witleren fauteuils waarvan de ijskoude chromen armleuningen een aanraking met je huid tot een afschrikwekkende ervaring maakten. Kennelijk blij om aan het meubelstuk te kunnen ontsnappen, sprong de professor op toen hij de pianiste zag binnenkomen.

'Sarah, daar ben je dan!' riep hij terwijl hij kwam aansnellen.

Ze wachtte totdat hij bij haar was en schudde zijn krachtige hand. 'Hartelijk welkom in de vrije wereld, Oleg. Ze hebben je dus eindelijk laten gaan.'

'Ja. Mijn pech was dat ik in de weekendval ben gelopen. Vanmorgen vroeg heeft eindelijk iemand de fax uit Weimar gelezen en de feiten gecontroleerd. Ze hebben me verzekerd dat het geen twijfel meer lijdt dat er daadwerkelijk sprake van noodweer is geweest. En ons illegale uitstapje naar het Tivoli zal ook geen nasleep hebben; ze willen het gezien de omstandigheden bij een vermaning laten.'

'En onze paspoorten?'

'Ik heb dat van mij al weer terug. Helaas wilden ze dat van jou niet mee-geven. Waarschijnlijk moet je de officiële uitbrander persoonlijk bij het politiebureau afhalen... Wat is er met je? Ik dacht dat je een gat in de lucht zou springen van blijdschap.'

Ze voelde zich harteloos, omdat ze er niet in slaagde, gezien Janins vrijla-ting, wat meer enthousiasme aan de dag te leggen. Met een zucht antwoordde ze: 'Ik ben inderdaad niet in een hoerastemming. Liszts laatste aanwijzing... die heb ik kunnen opsporen. En ben, zacht uitgedrukt, verward.'

'Wat zou je ervan zeggen als we in het atrium gaan zitten en je me het hele verhaal vertelt bij een kopje thee?'

Sarah stemde daarmee in, en even later was Janin weer helemaal op de hoogte. Over de rand van haar dampende kopje thee heen nam ze hem op. 'Wat denk je ervan?'

'Beschrijf die kroon nog eens,' vroeg hij, en hij streek in gedachten ver-zonken over zijn baard.

Ze haalde haar schouders op. 'Glanzend geel diadeem. Twee beugels die elkaar bovenop kruisen.'

'Dat klinkt als een Latijnse kroon. Waren er nog andere details?'

'Ja, het kruis.'

Janin ging ineens rechtop zitten. 'Wat voor kruis?'

'Nou, gewoon een kruis. Niets ten nadele van de grote meester Liszt, maar daar had hij wel wat beter zijn best op mogen doen. Het ding was zo scheef als de toren van Pisa.'

De professor fronste zijn borstelige wenkbrauwen. 'Het kruis helde over?'

'Zo kun je het ook zeggen, ja.'

Een triomfantelijke glimlach deed Janins gezicht stralen. 'Liszt heeft niet zitten prutsen, mijn beste Sarah. Dat moet ik de meester der harpen nageven: hij weet hoe hij met de klanken der macht moet omgaan! Wat hij in de ouverture van de *Liden Kirsten* heeft verwerkt, was niet zomaar een koninklijk hoofddeksel, maar de Stefanskroon, Hongarijes heiligste nationale relikwie.'

Er verschenen diepe rimpels op Sarahs voorhoofd. 'Vreemd.'

'Staat mijn uitleg je niet aan?'

'Nee. Dat wil zeggen, ja, wel. Maar ik verbaas me over Liszts... wankel-moedigheid. Ik had zo het gevoel dat hij met het spoor van de windroos niet alleen wegwijzers wilde plaatsen, maar ons ook een nieuwe manier van denken wilde laten zien. Je hebt *La Révolution*, die ons aan vrijheid en gelijkheid herinnert. Dan Andersens sprookje over de kleine zeemeermin: een verhaal over onbaatzuchtige liefde. En nu een monarchistisch symbool?' Ze schudde haar hoofd. 'Op de een of andere manier sluit dat voor mij allemaal niet op elkaar aan.'

'Maar dat komt alleen doordat je je te veel door je eigen ervaringswereld laat beperken, Sarah. In de context van de aanwijzingen tot nu toe heeft dat wat je vandaag hebt gezien beslist een betekenis. Vergeet niet: Franz Liszt was een Hongaar. Hij hield van zijn land. En de Stefanskroon is het symbool bij uitstek van de Hongaarse eenheid. Over het scheve kruis doen tal van legendes de ronde. Volgens een daarvan werd het door de Habsburgers kromgebogen om de kroon van zijn magische krachten te beroven.'

'Ik vraag me alleen af hoe dat ons zou moeten helpen de volgende aanwijzing te vinden.'

'We kunnen nu uitsluiten dat Liszt met het vierde teken in N + BAL- ZAC de noordwestenwind Aparctias bedoelde; uit het zuidwesten waait Apeliotes.'

'Ja, dat is zo, maar ik had het graag wat nauwkeuriger gezien. Zonder verdere concrete aanknopingspunten zouden we naar de Hongaarse hoofdstad moeten vliegen en daar iedere straatsteen moeten omkeren. Liszt heeft op latere leeftijd vaak wekenlang in Pest gezeten.'

'Wist je dat de vrome abbé in 1870 als erelid tot de Boedapestse vrijmetselaarsloge Zur Einigkeit is toegetreden?'

Sarah beantwoordde de vraag, die nog eens door een zelfgenoegzame glimlach van Janin werd benadrukt, met een norse blik. 'Schieten we daar dan iets mee op?'

'Jazeker wel, mijn beste Sarah. Het herinnert ons aan de geheime kant van de o zo gevierde Hongaarse volksheld Franz Liszt. Hij voelde zich met de vrijheidsstrijd van de Magyaren verbonden. Hoe zal hij het hebben ervaren toen hun heilige kroon een Habsburger toeviel? Ik heb het over Franz Joseph I, de keizer van Oostenrijk-Hongarije.'

Sarah liet haar kopje thee, waaraan ze net nog had genipt, abrupt zakken. 'Wacht eens even! Liszt heeft voor de kroningsceremonie een mis gecomponeerd.'

De professor gniffelde. 'En het wordt nog mooier: hij was daar al mee begonnen voordat hij er de opdracht voor kreeg.'

'Pardon?' Sarah knipperde verward met haar ogen.

Janin knikte. 'Eigenlijk had de Weense hofkapelmeester de eer ten deel moeten vallen. Toch ging Liszt al een jaar voor de kroning aan het werk. En toen – wonder boven wonder! – kreeg hij inderdaad de opdracht.'

'De bevolking van Boeda heeft hem, toen hij op de kroningsdag door de stad liep, toegejuicht alsof híj hun nieuwe koning was,' mompelde Sarah met een wezenloze blik.

'En dat vind je niet raar? Hij was niet eens uitgenodigd. En toch steelt híj, en niet de keizer, die op het punt staat de Stefanskroon te ontheiligen, de harten van de mensen.' Janin pakte met een zelfvoldane glimlach zijn kopje espresso. 'Daar heb je je "concrete aanknopingspunt".'

Ze vertrok haar gezicht tot een grimas. 'Ik raak het gevoel maar niet kwijt dat je Liszt ergens van wilt beschuldigen, Oleg.'

'Beschuldigen?' De professor lachte. 'Laten we elkaar maar niets wijsmaken, je voorvader was een meester der harpen. Hij wist hoe je anderen kon manipuleren. Zo is hij aan de opdracht voor de compositie gekomen, en op dezelfde manier heeft hij ook de harten van de mensen weten te veroveren.'

'Probeert niet elke musicus dat?'

'Denk je nu niet toevallig aan jezelf?'

Sarah ontweek de doordringende blik van de professor. 'Liszt heeft altijd bekendgestaan om zijn bescheidenheid.'

'Laten we geen tijd verspillen aan speculaties over zijn beweegredenen, Sarah. We kunnen ons beter afvragen uit wat voor overtuigingen hij een borstbeeld met de naam La Révolution heeft laten plaatsen. Wilde hij daarmee niet dezelfde boodschap overbrengen als waar we nu mee te maken hebben? Hij wilde niets liever dan dat de mensen bevrijd zouden zijn van slavernij en ongelijke behandeling door potentaten als Franz Joseph. Ik geloof dat, toen bij de kroningsceremonie in de Matthiaskerk op 8 juni 1867 Liszts Hongaarse kroningsmis weerklonk, dat geen lofzang op de keizer was, maar op de vrijheid...'

'De Matthiaskerk?' viel Sarah de Rus peinzend in de rede.

Janin spreidde zijn armen. 'De Hongaren noemen hem Mátyás templom, maar ook wel Onze-Lieve-Vrouwekerk of Mariakerk. Daar werd Franz Joseph I de Stefanskroon op zijn hoofd gezet.'

'En waar bevindt die zich tegenwoordig?'

'Voor zover ik weet is die... nog altijd te bezichtigen in de Matthiaskerk.'

Ze keken elkaar met grote ogen aan.

'Denk jij hetzelfde als ik?' vroeg Sarah zachtjes.

Hij knikte. 'Waarschijnlijk. We moeten de stad waar al die vreemde dingen zijn gebeurd maar eens wat beter gaan bekijken.'

APELIOTES

(HET ZUIDOOSTEN)

———

BOEDAPEST

✳

Wat een heerlijke rust! Wat een geestelijke verhevenheid! Iets onzichtbaars leek majesteitelijk de lucht in te stromen, we konden het niet zien, we konden het alleen voelen. Het was alsof er iets heiligs om ons heen zweefde. De meester hield zijn hoofd geheven, zijn blik was ergens in de verte gericht, zijn ziel in een andere wereld. We zaten er als betoverd bij, alsof hij ons een engel uit de hemel had gebracht.

Carl Valentine Lachmund over zijn leraar Franz Liszt, 1882

20

Als ik speel, dan speel ik altijd voor het volk op de galerij, zodat de mensen die maar vijftig cent voor hun plaats betalen ook iets horen.

— Franz Liszt

De Donau meanderde groen in het zonlicht. Slechts af en toe belemmerden wolken het zicht. Sarah meende de geschiedenis gewoon te kunnen voelen toen de copiloot de passagiers aanraadde naar buiten te kijken, omdat ze op dat moment net over Esztergom vlogen, waarvan de historische Duitse naam Gran luidde. Het was precies honderdvijftig jaar geleden dat Franz Liszt zijn *Missa solemnis zur Einweihung der Basilika in Gran* had gecomponeerd. En in het jaar 1000 was Stefan I in deze stad aan de zuidelijke oever van de Donau tot de eerste koning van Hongarije gekroond. Met precies die kroon waarvan ze de synesthetische weergave de dag daarvoor in een Kopenhaags theater had gezien.

De tweemotorige Fokker 70 van de Hongaarse luchtvaartmaatschappij Malév had de daling al ingezet. Even na twaalven landde hij op luchthaven Ferihegy van Boedapest. Drie kwartier later zaten Sarah en Janin, opeengepakt met negen andere passagiers en hun bagage, in een minibus en hobbelden ze naar de binnenstad van Boedapest.

De professor pleitte voor een 'onopvallend, goedkoop hotel'. Vijfsterrenhotels zouden naar zijn idee met zekerheid door de Kleurenhoorders als eerste worden gecontroleerd als ze erin slaagden het 'spoor van de windroospelgrims' tot aan Hongarije te volgen. Sarah bracht ertegen in dat een onopvallend goedkoop hotel op dat moment wel het laatste was waar ze behoefte aan had. Gezien de magere resultaten van zijn geheimhoudingsstrategie in Kopenhagen wist ze hem uiteindelijk tot vier sterren over te halen, en dus namen ze hun intrek in het Béke Hotel.

Het Béke lag aan de Terez Korut, een centraal gelegen ringweg vlak bij het station, van waaruit de Matthiaskerk gemakkelijk te voet bereikbaar was, wat, zoals Janin niet vaak genoeg kon benadrukken, alleen maar hun eigen veiligheid ten goede kwam. Hij popelde om een bezoek aan de kerk te brengen. Zodra ze hun bagage in hun kamers hadden gezet, gingen ze op weg.

Hoewel Sarahs gedachten, terwijl ze door het historische centrum van Pest liepen, hoofdzakelijk op het spoor van de windroos waren gericht, kon ze zich toch niet geheel aan de charme van de Donau-metropool onttrekken. Evenals de rouge, mascara en lipstick op het rimpelige gelaat van een al oudere Czardas-vorstin, verbloemden de overal zichtbare relicten van de keizerlijke en koninklijke monarchie de oneffenheden die door de tand des tijds waren nagelaten. Juist aan dat historische vernisje van de vele panden uit de tijd van het classicisme en de jugendstil had de al oudere 'Koningin van de Donau' haar charme te danken, een uitstraling die herinnerde aan een gouden tijd.

Via de kettingbrug bereikten de windroospelgrims de andere kant van de rivier. Hun wandeling vanaf het hotel bleek uiteindelijk langer dan verwacht. Ze hadden een kleine drie kilometer afgelegd voordat de Matthiaskerk voor hen opdoemde. Die bevond zich in de burchtwijk, een oord van geschiedkundig belang met tal van historische gebouwen. Van hieruit had de stad Boeda, beter bekend onder zijn Hongaarse naam Buda, zich uitgebreid.

Omdat Sarah en Janin de burchtheuvel beklommen bij het oude Vissersbastion, zagen ze eerst alleen maar een torenspits en een dak, dat met verscheidene kleuren dakpannen was gedekt en glinsterde als de huid van een bonte draak. Nadat ze door een van de poorten van de burcht waren gelopen, kwamen ze eindelijk op het plein bij de kerk aan.

Al was Sarah nog zo gecharmeerd van de levenslustige, praktisch ingestelde Magyaren, toch was haar houding ten opzichte van de Hongaarse taal tweeslachtig. Szentháromság tér... alleen al de naam van de grote U waarin de basiliek zich voegde, scheen haar onuitsprekelijk toe. Zelfs met Mátyás templom had ze al moeite.

De neogotische 'Tempel van Matthias' brokkelde aan alle kanten af. Om de bezoekers tegen omlaagvallende demonen en andere verrassingen uit de hemel te beschermen, werden ze door een afrastering op afstand gehouden. Om dezelfde reden waren ook de ingangen overdekt. Toen Janin en Sarah in westelijke richting langs het gebouw liepen, stootte hij haar aan.

'Valt je aan de gotische Goliath daar ook iets op?' Hij wees naar de tachtig meter hoge witte hoofdtoren met zijn spitsboogramen.

Ze stak haar onderlip naar voren. 'Moet dat dan?'

'Hij is achthoekig.'

'Het getal van de windroos?' fluisterde Sarah.

Janin knikte. 'Nog een stukje dat in de puzzel past.'

Het tweetal betrad de basiliek via het zuidwestelijk portaal. In de voorhal wisselde Janin twaalfhonderd forint in tegen twee kaartjes. Via een stenen poort, waarvan bij de beelden de hoofden ontbraken, kwamen ze in het binnenste van de kerk. Ondanks de verlichting maakte het een donkere en nauwelijks minder vervallen indruk op Sarah dan de buitenkant. Hier en daar zorgde een bonte rozet of een kleurrijk glas-in-loodraam voor een lichtpunt. Het rook er muf.

Een paar oppervlakkige ademtochten lang liet Sarah haar blik over de talrijke ornamenten en versieringen van de bijna achthonderd jaar oude kerk gaan. Door de drie schepen van de Onze-Lieve-Vrouwekerk weergalmde het veelstemmige geroezemoes van talloze toeristen. Hoewel niemand de waardigheid van de heilige plek met luid gepraat waagde te verstoren, leek het wel alsof er een leger dwergen krijgsraad hield.

'Wonderlijke akoestiek, hè?' merkte Janin fluisterend op.

Sarah rukte zich los van de vuil geworden en verschimmelde fresco's om hem aan te kijken. 'Daar staat deze kerk om bekend. Er worden hier veel concerten gegeven. Zullen we de Stefanskroon gaan bekijken? Misschien ontdekken we daar wel iets wat ons bij onze zoektocht naar de volgende aanwijzing kan helpen.'

'Absoluut! Ik ben heel benieuwd.'

Ze liepen over een uitgesleten trap naar de eerste verdieping van de zijvleugel, waar zich het koninklijke oratorium bevond. Daar lagen achter glas verschillende tentoongestelde stukken die aan de keizerkroning herinnerden. Zelfs een deel van het feestgewaad van Sissi, de echtgenote van Franz Joseph, kon je hier bewonderen. Het klapstuk van de verzameling werd gevormd door de insignes: de rijksappel met een Byzantijns dubbel kruis, de scepter met een oud-Egyptische kristallen bol en de Stefanskroon. Toen Sarah de Engelse beschrijving bij het tentoonstellingsstuk las, trok ze wit weg.

'Gaat het wel?' informeerde Janin bezorgd.

'Het is maar een kopie! De echte kroon wordt in het parlementsgebouw tentoongesteld,' antwoordde Sarah uit het veld geslagen.

De professor ging dicht bij het glas staan en kneep zijn ogen tot smalle spleetjes. Nadat hij de kroon uitvoerig had bestudeerd, bromde hij: 'Denk je dat dat iets uitmaakt?'

Ze keek hem verbijsterd aan. 'Hoe bedoel je?'

'Het gaat er toch om wat de kroon ons wil vertellen? Daarvoor is de kopie – voor zover het een getrouwe is – waarschijnlijk even goed geschikt als het historische exemplaar.'

Vervolgens drukten ze allebei hun neus plat tegen het glas.

Zelfs als imitatie was de Stefanskroon indrukwekkend. De goudsmeden hadden tientallen parels en edelstenen in het diadeem en de beugels ingezet. Daartussenin waren afbeeldingen van Christus, engelen, heiligen en apostelen te zien, die Sarah qua vormgeving aan Russische iconen deden denken. Aan de onderste rand van het diadeem waren aan weerszijden vier kettinkjes bevestigd, die allemaal in een blad met drie kleine edelstenen eindigden. Boven op het geheel troonde het scheve gouden kruis.

Een lijvige museumsuppoost maakte aan het gepeins van het tweetal een eind met een stortvloed van Hongaarse woorden. Sarah en Janin deden instinctief een stap achteruit.

'Enig idee?'

'Als de aanwijzing in de kroon verstopt zit, dan zullen we dagen of zelfs weken nodig hebben voordat we elk detail hebben onderzocht en naar de symbolische waarde ervan hebben gekeken.'

Ze knikte. 'Mijn gevoel zegt me dat dat zonde van de tijd zou zijn. Laten we eens aannemen dat de kroon niet zelf de aanwijzing bevat, maar alleen een hint geeft, zoals de nixe in de tuin van het berghuis in Jena.'

'Zover waren we in Kopenhagen ook al. Of denk je te weten waar het kroonsymbool voor staat?'

'Wat dacht je van: "Niet een mens regeert over de mensenharten, maar de schoonheid van de kunst – het heilig vuur." Precies dat heeft Liszt immers op 8 juni 1867 gedemonstreerd toen híj, en niet Franz Joseph, de show stal.'

Janin bromde: 'Je idealiseert je voorvader naar mijn idee toch te veel, Sarah.'

Ze nam hem met samengeknepen ogen op. 'Gisteren zei je dat ik de stukjes van de puzzel in handen had en ze alleen nog maar in elkaar hoefde te passen.'

'Zeg maar gewoon wat je denkt. Ik sta voor elke hypothese open, zolang hij maar logisch is.'

Sarah beet op haar onderlip. De oplossing leek bijna voor het grijpen te liggen. Bedachtzaam zei ze: 'De in Weimar ontdekte "schatkaart" werd, als we het slotgedeelte even buiten beschouwing laten, in hetzelfde jaar afgemaakt als waarin Liszt zijn kroningsmis heeft gecomponeerd – in eerste instantie zonder opdracht uit Wenen. Ik heb het idee dat hij die helemaal niet nodig heeft gehad om zijn werkelijke doel te bereiken.'

'Dat ben ik helemaal met je eens. Zijn belangrijkste bedoeling was vermoedelijk een plek te creëren om zijn Apeliotes-boodschap te verbergen, zoiets als een muzikale schatkist.'

Sarahs ogen werden glazig. Ze keek als het ware door de muren heen naar het kerkschip beneden terwijl ze mompelde: 'Ik kan de oplossing van het raadsel al zien, maar kan er nog niet helemaal bij...'

Plotseling sloeg ze een gebiedende toon aan. 'Kom mee!'

Met grote stappen liep ze langs de norse museumsuppoost in de richting van de trap en naar beneden de hoofdruimte van de kerk in. Janin kon haar nauwelijks bijhouden. In het noordelijke zijschip bleef ze abrupt staan, niet om haar metgezel de tijd te geven om op adem te komen, maar omdat haar oog op een meertalig aanwijsbord was gevallen, dat ze daarvoor over het hoofd had gezien.

'Oratorium van de Maltezers?' mompelde ze.

De professor haalde haar in, zag haar verbaasde gezicht en vroeg: 'Wist je niet van het bidvertrek? Het ligt daar waar we net vandaan komen, aan het einde van de koningstrap.'

'Nee,' antwoordde Sarah zachtjes en ze beet weer op haar onderlip. De Maltezers hadden eeuwenlang als dekmantel voor de volgelingen van Jubal gediend. 'Zeg Oleg, hebben de Kleurenhoorders ook heilige plekken?'

'Je bedoelt een soort Mekka, waar ze op pelgrimstocht naartoe gingen? Nee, daar zou ik van moeten weten. Maar ze hebben wel altijd een soort spiritueel centrum gehad, waaromheen alles zich afspeelde. Een plek waar hun grootste meesters lesgaven en hun belangrijkste schatten werden bewaard.'

'En waar lag dat centrum?'

'Dat zou ik ook graag willen weten.'

'Zou het híér geweest kunnen zijn?' Sarah omvatte met haar uitgestrekte hand als het ware de hele kerk.

Janin aarzelde. Uiteindelijk haalde hij zijn zware schouders op en antwoordde: 'Misschien. Ik kan het je niet echt zeggen.'

Sarah bleef nog even staan piekeren, maar zei toen resoluut: 'Het Maltezer oratorium loopt niet weg. Eerst wil ik iets anders uitzoeken.'

Even later stonden ze met z'n tweeën in het koor, en Sarah riep: 'Ha!' Het was een heel kort, maar luid 'Ha!', dat haar twee dingen vertelde: ten eerste dat kerkbezoekers het niet bijzonder op prijs stelden als je in een godshuis je stem verhief – behalve om de Heer te prijzen –, en ten tweede dat de kerk inderdaad een ongeëvenaarde akoestiek had. Dat ene 'Ha!' had een nagalm van ettelijke seconden.

Sarah knikte begrijpend. 'Dat moet het zijn.'

Janin plukte nerveus aan zijn baard. 'Ben je nu helemaal gek geworden?'

'Nee, alleen heel optimistisch. Ik heb me eens in Liszts situatie verplaatst. Wat ik zie als ik muziek hoor, hangt sterk af van de klankkleur: van het instrument én van de ruimte met zijn eigen akoestiek. Soms telt het verschil tussen twee zalen voor mijn waarneming nauwelijks, maar hier' – ze spreidde haar armen en draaide zich een keer om haar as – 'hier is de akoestiek uniek.'

Dit laatste woord had Sarah nogal hard uitgesproken. Prompt volgde als echo een veelstemmig 'Sst!' Een van de vele aanwezige veiligheidsmensen loerde hun kant op.

'En wat doen we nu met die ingeving?' vroeg Janin op demonstratieve fluistertoon. 'Moeten we de Hongaarse kroningsmis gaan zitten neuriën?' Kennelijk zinspeelde hij erop dat die mis een koorwerk was.

'Liszt heeft delen van de mis getranscribeerd. Er zijn versies voor orkest, voor piano...' Ze stokte omdat ze boven het westelijke portaal een arsenaal van pijpen had ontdekt. 'En het offertorium voor orgel.'

'Bij mijn weten zijn die bewerkingen allemaal ná de kroning ontstaan,' gaf Janin haar in overweging.

'Je moet niet alles geloven wat in de oeuvrecatalogi staat. Er zijn er verschillende over Franz Liszt en gedeeltelijk spreken ze elkaar tegen. Wie heeft er dus gelijk?' Sarah schonk haar metgezel een lieflijke glimlach, en voordat hij de kans kreeg om iets te zeggen was ze al richting het orgel verdwenen. Met haar handen op haar rug en haar hoofd in haar nek slenterde ze door de kerk. Het veiligheidspersoneel slaakte een zucht van verlichting.

Het neogotische orgel met zijn speeltafel bevond zich op een oksaal. Sarah probeerde het aantal pijpen te schatten, maar gaf het algauw op, omdat er sowieso maar een deel van zichtbaar was. Ze herinnerde zich dat in het Engels het woord *organ* niet alleen orgel betekende, maar ook orgaan. En inderdaad hadden grote kerkorgels veel weg van gecompliceerde organismen. Van buitenaf zag je alleen het omhulsel – het orgelfront –, maar het echte leven ervan lag onder de oppervlakte verborgen.

Inmiddels had Sarah een plekje gevonden waar ze in verband met het kikkerperspectief moest blijven staan, wilde ze de details van de rijkelijk versierde orgelkast niet uit het oog verliezen. Opeens verstijfde ze en slaakte een gesmoorde kreet.

'Wat is er?' vroeg Janin achter haar.

Ze wees omhoog naar het orgelfront. 'De engel.'

De professor tuurde omhoog naar het houten beeld, en zijn gelaatsuitdrukking werd hard.

'Herken je hem?' vroeg Sarah.

'Die lange neus is toch duidelijk herkenbaar.'

De engel leek als twee druppels water op Franz Liszt.

Sarah wenkte een van de kerkbewakers naderbij en vroeg hem of ze hallucineerde of dat daar boven daadwerkelijk een beeld van de beroemde componist hing.

De veiligheidsman, een Hongaar op leeftijd met een dikke buik, nam haar op alsof ze hem had gevraagd of er inderdaad een zon aan de hemel stond. 'Natierluk dat sijn Ferenc Liszt,' antwoordde hij in gebroken Engels.

'Wanneer is het orgelfront eigenlijk gebouwd?'

'Tweede halve negentien eeuw.'

'Het jaar weet u niet, toevallig?'

'Jaar ies onbelangrijk. Mensen kopen toch kaartje.'

Sarah fronste haar voorhoofd. Haar vragen waren de knorrige oude man zichtbaar te veel. 'Heeft de kerk een organist?'

De bewaker keek haar niet-begrijpend aan.

'Zal ik in het Russisch…?' wilde Janin voorstellen, maar Sarah onderbrak hem.

'Alsjeblieft niet! Straks verwijt hij ons de onderdrukking van de Hongaarse Opstand nog.' Toen herhaalde ze haar vraag in gebarentaal door voor zijn neus met haar vingers een paar snelle loopjes te spelen.

Daarop reageerde de oude man meteen. Hij knikte geestdriftig en braakte uit: 'Laszlo Lotz. Komen donderdagavond weer. Dan koor oefenen.'

Dat betekende dat ze een hele dag zouden verspillen. Bovendien was het niet echt te verwachten dat de organist de koorrepetitie zou opvrolijken met Sarahs persoonlijke verzoekprogramma. Ze hield haar hand met zijwaarts gespreide pink en duim tegen haar wang. 'Kunt u meneer Lotz bellen?'

De bewaker keek haar argwanend aan. Kennelijk kon hij dat wel, maar wilde hij het niet.

'Alstublieft!' bedelde Sarah, en ze gooide al haar charmes in de strijd. Terwijl ze nog eens met haar handen in de lucht tingelde, legde ze hem uit: 'Ik pianist. Collega van Laszlo Lotz.'

Er steeg een diep gebrom op uit het lichaam van de bewaker. 'Goed. Ik bellen hem. Komen met mij.'

Hij slofte onder de onthoofde beelden door naar het voorportaal waar Janin de entreekaartjes had gekocht. De veiligheidsman sprak kort met de kaartjesverkoopster, die achter een raam van een afgeschoten kamertje zat en hem met een kribbig gezicht aanhoorde. Herhaaldelijk schoot haar blik naar Sarah en Janin. Uiteindelijk gaf ze een telefoonhoorn door de opening in het raam aan, koos een nummer, en de bewaker begon een nieuw, opgewonden gesprek.

Ongeveer vijf minuten later liet hij de bezoekers weten dat Laszlo geen Engels sprak.

'Spreekt hij behalve Hongaars misschien nog een andere taal?' informeerde Sarah moedeloos.

'Zijn moeder Duits.'

Sarah herademde en stak haar hand naar de hoorn uit. 'Mag ik met hem praten?'

De bewaker sprak nog een poosje in de hoorn voordat hij aan haar verzoek voldeed.

'Dag meneer Lotz, u spreekt met Sarah d'Albis,' begon ze haar begroeting, en ze werd onmiddellijk onderbroken.

'Ja, sakkerloot! Toch niet soms dé Sarah d'Albis, de beroemde virtuoze?'

Sarah bleef nog even luisteren, maar de organist probeerde haar geen saxofoon of ander instrument in de maag te splitsen. Oprecht verlegen antwoordde ze: 'Ik voel me vereerd dat de organist van zo'n belangrijke kerk mijn naam kent. Meneer Lotz, ik zou u om een grote gunst willen vragen, die u misschien in eerste instantie wat vreemd voorkomt.'

'Euforisch' zou een te zwak woord zijn geweest om Sarahs stemming te beschrijven. Toen ze met Oleg Janin naar het hotel terugging, voelde ze zich domweg alsof ze vleugels had gekregen, wat niet alleen kwam doordat ze de engel had gezien die met het gezicht van de grote componist over een imposant orgel waakte. Als ze ooit het gevoel had gehad dat ze met een vermoeden goed zat, dan was het nu wel. Dit instrument en de buitengewone akoestiek in de kerk moesten wel samen de klankkast vormen waarin de werkelijke bedoeling van Liszts offertorium uit de Hongaarse kroningsmis tot uiting kon komen.

Laszlo Lotz had zich bereid verklaard Sarah de volgende morgen een halfuurtje het orgel te laten gebruiken om het werk van haar voorvader leven te kunnen inblazen. Mits het Onze-Lieve-Vrouwebestuur met het plan instemde. 'Zorg alstublieft dat u precies om zes uur bij de westelijke ingang bent,' had hij over de telefoon gezegd. Het vroege uur was de prijs voor het exclusieve genoegen; om zeven uur opende het gebouw zijn deuren voor het publiek.

Op Sarahs vraag hoe oud de Liszt-engel was, deelde Lotz mee dat de orgelkast naar ontwerpen van Frigyes Schulek in het kader van een grondige verbouwing van de kerk opnieuw was vormgegeven en tegelijk met het gerenoveerde godshuis in 1893 was ingewijd.

Dus zeven jaar na Liszts dood.

Even had Sarah gedacht dat haar prachtige theorie als een kaartenhuis was ingestort, maar toen bedacht ze ineens een aantal plausibele verklaringen voor de schijnbare paradox. Schulek zou een Kleurenhoorder geweest kunnen zijn. Of Liszt had hem – zoals Oleg Janin beweerde – met de klanken der macht beïnvloed om voor zichzelf een gedenkteken op te richten. Mogelijk had ook de geadresseerde van de Weimarse klankboodschap – vermoedelijk de neef van de componist – zijn invloed doen gelden om het spoor van de windroos voor latere generaties te behouden.

Dit laatste scheen te worden bevestigd toen Sarah later vanuit haar hopeloos oververwarmde hotelkamer het een en ander op internet over de Matthiaskerk en zijn orgel uitzocht. Het godshuis kon bogen op een roerige geschiedenis. Het was twee keer in handen van de Turken gevallen, die het in een moskee veranderden. In de Tweede Wereldoorlog had het zware schade opgelopen: het dak brandde af, de gewelven stortten in en het orgel hield ermee op. Het betreden van de basiliek was een levensgevaarlijke onderneming geworden.

'Tot op de dag van vandaag blijft het een geheim aan wie het eigenlijk te danken is dat de kerk onder het communistisch regime niet werd afgebroken,' las Sarah op een internetsite. Kon het zijn dat de Lichte Kleurenhoorders over het spoor van de windroos waakten? Zo ja, dan vergiste Oleg Janin zich als hij dacht dat de Broederschap der Zwanen niet meer bestond.

Een blik op de klok aan de rechterbovenrand van het scherm deed Sarah schrikken. Ze had afgesproken die avond om zeven uur met de professor te gaan eten. Het was nu halfzeven en ze wilde eerst nog even douchen. Vliegensvlug trok ze haar kleren uit en ging ze de badkamer in. Toen ze zo'n twintig minuten later, in een grote handdoek gewikkeld, haar föhn uitzette, hoorde ze een bekende melodie.

Het hoofdmotief uit Franz Liszts *Liebestraum*.

De muziek klonk merkwaardig gedempt. Kwam hij uit een van de kamers naast haar? Dat zou een vreemd toeval zijn. Liszts composities waren geen lekker in het gehoor liggende melodieën die je overal hoorde, al paste de *Liebestraum* nog het meest in die categorie. Desondanks liep er een rilling over Sarahs rug. Hoewel ze niet in dergelijke dingen geloofde, zou een ontmoeting met Tiomkins geest haar op dit moment nauwelijks hebben verbaasd.

Langzaam sloop ze de badkamer uit en keek om zich heen. Toen ze haar hotelkamer was binnengekomen, had ze deur achter zich afgesloten en de veiligheidsketting erop gedaan. Alles scheen in orde te zijn. Afgezien van de *Liebestraum*, waar maar geen eind aan kwam. Dit is geen concertopname, drong tot Sarah door, maar een... gsm?

Inmiddels had ze gelokaliseerd waar het niet bijzonder fraai klinkende geluid vandaan kwam: haar hoofdkussen. Verbouwereerd keek ze naar haar nachtkastje, waar haar mobiele telefoon lag. Roerloos en stil.

Ze voelde paniek opkomen. Angstvallig, alsof de vreemde telefoon haar ieder moment kon aanvliegen, liep ze naar het bed toe, verzamelde al haar moed en duwde het hoofdkussen opzij.

En inderdaad. Op het witte laken lag een glimmend zwarte gsm, die haar de *Liebestraum* nu ongedempt tegemoet blies, blijkbaar met het volume op maximaal. In het display stond het Franse woord MAÎTRE te lezen: meester.

Sarah huiverde. Voorzichtig stak ze haar hand naar de telefoon uit. Vlak voordat ze hem met haar vingertoppen aanraakte, viel hij stil.

Een seconde lang stond ze als gebiologeerd naar het toestel te kijken alsof het een giftig insect was. Toen pakte ze het op.

Plotseling kwam het opnieuw tot leven.

Sarah slaakte een schelle kreet en liet de trillende gsm van schrik vallen. Op het bed speelde hij de *Liebestraum* vrolijk verder. Vastbesloten pakte ze het toestel een tweede keer op en drukte de opneemtoets in.

'Hallo?'

De beller aarzelde. Alleen zijn ruisende ademhaling was te horen. Toen zei hij zachtjes, bijna fluisterend: 'Waarom loop je steeds voor ons weg, Sarah?'

Hoewel het in de kamer bijna tropisch warm was, rilde ze van de kou. De stem was onmiskenbaar die van een man. Sarahs gevoelige waarnemingsapparaat deelde hem in dezelfde categorie in als het geluid van droge bladeren die opdwarrelden door overmoedige voeten. De beller sprak Frans. Met een Russisch accent.

'Wie bent u?' vroeg ze, terwijl ze er allang een vermoeden van had.

'Mijn naam is Sergej Nekrasov.'

Sarah liet zich op haar bed zakken. Ze had knikkende knieën gekregen. 'De baas van Musilizer en grootmeester van de Adelaars?'

Er klonk een merkwaardig sissend lachje uit de hoorn. 'Heeft de professor je dat...?'

'Voor u ben ik nog altijd madame d'Albis,' viel ze hem scherp in de rede.

Nekrasov was even stil, alsof hij de woede die haar opstandige trots teweeg had gebracht eerst moest beteugelen. Toen ging hij onverstoorbaar verder: 'Ik bel je niet om over Gospodin Janin te praten...'

'Hoe hebt u überhaupt zo snel ontdekt waar ik op het ogenblik zit, en ook nog eens die gsm in mijn kamer weten te smokkelen?' onderbrak ze hem nogmaals.

Deze keer zweeg de Kleurenhoorder langer, en toen hij eindelijk antwoordde, kreeg ze kippenvel van zijn ijskoude krakende stem. 'Je bent een erg hardleers meisje, Sarah. Tiomkin zou je toch moeten hebben geleerd dat mijn broeders niet alleen telefoons leveren. Als die gsm je te onpersoonlijk is, dan...' Vertrouwend op haar fantasie liet hij het bij een onuitgesproken dreigement.

Sarah had het gevoel alsof haar keel werd dichtgeknepen. Als die kerel de gave van de audition colorée heeft, besefte ze, dan kan hij in de klank van een stem beslist de angst zien glinsteren. Ze vermande zich en antwoordde zo koel mogelijk: 'Zegt u me maar gewoon wat u van me wilt.'

Zijn ademhaling reutelde. 'We volgen je carrière al geruime tijd met grote belangstelling. Met je synesthetische gave en je vermoedelijke afstamming van Franz Liszt heb je grote verwachtingen bij ons gewekt. Je gedrag tijdens de première in Weimar heeft ten slotte onze laatste twijfels weggenomen: jij bent voor ons de juiste persoon. Daarom willen we je graag voor onze... onderneming zien te winnen.'

'Bedankt voor het aanbod, maar ik ben de komende vier jaar volgeboekt.'

'Nu is het uit met het spelletje, Sarah! En waag het niet gewoon de verbinding te verbreken!' Nekrasovs stem siste zo koud als vloeibare stikstof. 'Of wil je net zo eindigen als de paukenist in Weimar?'

Ze huiverde. Die moord was dus aan de Kleurenhoorders toe te schrijven. Toonloos antwoordde ze: 'Met chantage bereikt u bij mij precies het tegenovergestelde, Nekrasov. Ik ben niet geïnteresseerd.'

Kennelijk zag de Kleurenhoorder inderdaad haar onderdrukte angst, en hij scheen het wel amusant te vinden. 'Waarom zo afwijzend, mijn kind? We kunnen je sluimerende potentieel tot volle ontplooiing brengen. In de kring van mijn grootste vertrouwelingen zijn we het eens: jij bent de toekomstige meesteres, in staat de koningin der klanken te vinden en daarmee nieuwe melodieën te creëren die de hele mensheid ten goede zullen komen, veel machtiger dan alles wat we ooit in onze roemrijke geschiedenis hebben voortgebracht.'

'Ik geloof niet in dat soort macht.'

Hij lachte op een manier waar Sarah de rillingen van kreeg. 'Nou ja. Eerlijk gezegd had ik er al rekening mee gehouden dat je niet spontaan zou toezeggen mee te doen – als je bedenkt hoe je met mijn boodschapper, de arme Valéri, bent omgesprongen. Wat zou je ervan zeggen als ik je een bewijs van onze macht lever?'

'Doe wat u niet laten kunt,' antwoordde ze zo onverschillig mogelijk.

'Goed dan. Bij het vollemaansfeest zullen we een godin voor je ten val brengen. Let op het nieuws. Tot dan leen ik je mijn telefoon. Voor je eigen bestwil raad ik je aan hem niet te verliezen. Ik laat weer van me horen, Sarah, en dan wil ik graag je beslissing weten.'

Ze hoorde een klik. Nekrasov had opgehangen.

21

Ik had alles ter wereld liever willen zijn dan een musicus in dienst van
hooggeplaatste heren, gepatroniseerd en betaald door hen als een jongleur
[...]

— Franz Liszt

BOEDAPEST, 26 JANUARI 2005, 05.57 UUR

Het was nog donker toen de taxi stopte voor het hoofdportaal van de Matthiaskerk. Terwijl Oleg Janin de chauffeur betaalde, stapte Sarah met haar laptoptas en een akelig gevoel in haar maag uit de auto. Er woei een ijzige wind over het voorplein van de basiliek. Ze speurde al naar donkere gestalten die verdekt stonden opgesteld, maar de Kleurenhoorders konden zich onzichtbaar maken zo lang ze wilden, en zich laten zien wanneer ze dat maar wensten. Het enige wat Sarah op dit veel te vroege tijdstip kon ontdekken, was een man bij de westelijke poort die nieuwsgierig naar de auto met het gele nummerbord gluurde. Ze had er geen zin in gehad de drie kilometer vanaf het hotel te lopen. De Adelaars schenen toch al voortdurend boven haar te cirkelen en iedere stap van haar in de gaten te houden.

Sinds ze de gsm onder haar hoofdkussen had gevonden, voelde ze zich als een marionet van Sergej Nekrasov. De enorme drang het zwarte ding gewoon door het toilet te spoelen, weerstond ze alleen vanwege zijn dreigement een tweede Tiomkin op haar af te sturen. Dan maar liever een telefoon met een batterij die algauw leeg zou zijn.

Ze kon misschien maar het best haar stamboomonderzoek voor onbepaalde tijd in de ijskast zetten, had ze onder het avondeten trillend tegen Oleg Janin gezegd, want om het raadsel van haar afkomst te ontwarren moest ze het spoor van de windroos verder volgen. Daarmee zou ze de Kleurenhoorders onvermijdelijk de purperpartituur in handen spelen. Of hij dát soms wilde, had ze gevraagd.

'Laten we het niet zo snel opgeven. Het acroniem N + BALZAC bestaat uit acht tekens, en we zoeken nog maar naar de A, de vierde mijlpaal,' had Janin haar proberen gerust te stellen. 'Als Nekrasovs trawanten ons na de zesde of zevende etappe nog steeds op de hielen zitten, bedenken we iets nieuws. Misschien kunnen we ze op de een of andere manier van ons af schudden.'

'Eerlijk gezegd heeft Nekrasov me de stuipen op het lijf gejaagd. Waarom zou ik het risico nemen?'

'Omdat elke aarzeling nog veel ergere gevolgen zou kunnen hebben. Ik maak me zorgen over wat de harpmeester over die godin heeft gezegd.'

'Die hij bij het vollemaansfeest ten val wil brengen? Je neemt die onzin toch zeker niet serieus, of wel?'

Janin had een kleine zwartleren agenda uit zijn colbertjasje gehaald, hem opengeslagen en haar de bewuste bladzij onder haar neus gehouden. 'Volle maan is op 26 januari. Vandaag dus, Sarah! De bedenktijd die hij je heeft gegeven, is maar heel kort en ik ben bang dat Nekrasov daarbij niet gedacht heeft aan hoe lang zijn telefoonbatterij nog zou meegaan.'

'Waar dan wel aan?'

'Aan het uur van de Kleurenhoorders, de beslissende dag, de ultieme showdown. Ik kan het gevoel niet kwijtraken dat de Adelaars wel eens eerder zouden kunnen toeslaan dan ik steeds heb gevreesd.'

'Zonder de purperpartituur?'

'Ik dacht dat ik je dat had uitgelegd. Het hoofddoel van de Duisteren is de mensheid van het kwaad te bevrijden en een nieuwe wereldorde te vestigen. De klankleer van Jubal is de koninklijke weg, maar zonder kan het ook. De Duistere Kleurenhoorders zouden de partituur liever vernietigen dan hem aan de vijand afstaan.'

'Dat schijnt een oude Russische deugd te zijn: je kostbaarste schatten in de fik steken. Als ik dan aan Moskou denk...'

'De tactiek van de verschroeide aarde is geen typisch Russische uitvinding,' onderbrak Janin haar met een doodgraversgezicht, 'maar hij heeft zijn effectiviteit wel herhaaldelijk bewezen. Napoleons Grande Armée en de Duitse Wehrmacht waren zweren die je alleen met vuur kon bestrijden. De bewoners van Moskou hebben hun huizen in brand gestoken omdat ze de vrijheid waardevoller vonden dan hun stad. Maar deze keer gaat het om meer, Sarah. Als je de dreiging blijft negeren, zou de hele wereld wel eens in vlammen kunnen opgaan.'

'In het uur van de Kleurenhoorders?'

'Inderdaad.'

Hoewel Sarah een zo gigantische samenzwering nog altijd zag als een overdrijving van de professor, had ze zich uiteindelijk toch laten overhalen om door te gaan. Met z'n tweeën liepen ze nu zij aan zij op het fel verlichte westelijke portaal van de Matthiaskerk af, waar Laszlo Lotz al op hen stond te wachten.

Ondanks zijn wijde loden jas maakte de organist van de Mátyás templom een magere indruk. Hij liep waarschijnlijk al tegen de zeventig. Zijn gerimpelde, met wratten bedekte gezicht deed Sarah aan een leguaan denken, als je je een hagedis met grijze haardos voorstelde; het kapsel van meneer Lotz zou ook een borstbeeld van Beethoven eer hebben aangedaan. In zijn bovenkaak zagen ze twee gouden snijtanden schitteren toen hij hen in het Duits verwelkomde. Eigenlijk begroette hij alleen Sarah.

'Madame d'Albis! Het is een grote eer kennis met u te maken.' Hij boog zich over de hand die ze naar hem had uitgestoken en gaf er vluchtig een kus op. Aan Oleg Janin besteedde hij geen aandacht.

Sarah vroeg zich even af of het een vergissing was geweest haar metgezel als Russische muziekhistoricus over de telefoon voor te stellen. 'Muziekhistoricus' was misschien genoeg geweest. Om de pijnlijke situatie te doorbreken, schonk ze de organist een lieftallige glimlach en reageerde met: 'Het genoegen is geheel aan mijn kant, meneer Lotz. Dank u dat u me het genoegen doet mij op uw prachtige orgel te laten spelen.'

Het gezicht van de oude man, dat daarnet nog straalde, betrok op slag.

'Is er iets?' vroeg Sarah.

De oude man wreef in zijn magere handen, alsof hij ze wilde wassen in onschuld. Verlegen antwoordde hij: 'We hebben een probleempje, madame. Het Onze-Lieve-Vrouwebestuur was niet bijster ingenomen met uw idee.'

Janin liet een sissend geluid horen, waarop hij prompt een grimmige blik van de organist toegeworpen kreeg.

'Vertelt u ons alstublieft niet dat we voor niets zijn gekomen,' steunde Sarah.

'Nou, eigenlijk wel...'

'Maar u hebt toch...'

'Aan de andere kant,' zei Lotz snel en met galante stelligheid, 'kan ik zo'n mooie en begaafde musicus als u onmogelijk teleurstellen. Uw wens wordt vervuld.'

'Ik zou niet graag willen dat u door mij in de problemen komt.'

De organist lachte zachtjes. 'Maak u geen zorgen, madame. Ik ben al meer dan vijftig jaar met mijn orgel vergroeid. Ze zouden een kettingzaag nodig hebben om me ervan los te krijgen.'

'U hebt geen idee hoe blij u me daarmee maakt!' bekende Sarah.

Lotz haalde een zware sleutel uit zijn jaszak en terwijl hij daarmee in het slot van de kerkpoort morrelde, knipoogde hij samenzweerderig. 'Maar dit blijft onder ons.' Hij wierp een wantrouwige blik op Janin.

'Mijn metgezel kan net zo goed zwijgen als ik.'

De deur ging onder luid gekraak open, bijna alsof hij zich tegen de indringers verzette. Een paar minuten later stonden ze met z'n drieën op het oksaal. In de basiliek hing een nevelige schemer, veroorzaakt door het zwakke schijnsel van de straatlantaarns dat door de grote ramen naar binnen viel en de opgloeiende noodverlichting. Janin leunde, met zijn jas nog aan, tegen de balustrade, uit het zicht van de wantrouwige grijsaard. Lotz zat gekleed in een zeker honderd jaar oud en met stukken leer op de ellebogen versteld rood gebreid vest naast Sarah op een klapstoel. Ze was aan de met een leeslamp verlichte speeltafel gaan zitten en luisterde naar zijn instructies. Hoewel ze met kerkorgels, vooral met de diverse pedalen ervan, lang niet zo virtuoos kon omgaan als met een concertvleugel, had ze toch voldoende kennis en vaardigheden in huis om ook daarop op overtuigende wijze veeleisende stukken te kunnen spelen.

Het orgel in de Matthiaskerk had altijd nog vijf manualen en maar liefst zevenduizend pijpen. Geen wonder dat Laszlo Lotz trots op zijn 'diva' was; zo noemde hij het instrument met zijn enorme stemgeweld.

De muziek voor het offertorium van Franz Liszts Hongaarse kroningsmis had hij meteen meegebracht. Het betrof een eerste druk van de partituur, die hij als piepjonge organist bij het opruimen van de nalatenschap van zijn voorganger had gevonden. Het was niet uitgesloten dat de componist die ooit in zijn handen had gehouden, merkte Lotz met een knipoog op.

'Heeft Liszt ooit persoonlijk deze toetsen aangeraakt?' Sarah wees naar de manualen.

Lotz stak zijn onderlip naar voren. 'Ik weet het niet. Maar het is mogelijk. Tenslotte heeft hij, de katholieke abbé, toch ook op het grote orgel in de joodse synagoge van Boedapest gespeeld.' De oude man tikte zachtjes op Sarahs hand. 'Maar door u, madame, zal de stem van de engel daar boven in ieder geval in mijn diva weerklinken. Wacht even...' Hij trok een reeks registers open die naar zijn mening nog het meest overeenkwam met de voorstelling van de meester van hoe het stuk zou moeten klinken.

Sarah legde behoedzaam haar handen op de toetsen. In haar hoofd spookten talloze gedachten rond. Waren er ergens in de kerk, tussen de onthoofde beelden en aangetaste fresco's, ogen die haar bekeken en oren die de volgende aanwijzing op het spoor van de windroos als met adelaarsklauwen wilden grijpen en als buit wilden meenemen? Haar vingers trilden. Toen ze, om te oefenen, een toets aansloeg, dreunden de orgelpijpen als een koor wraakengelen. Onwillekeurig kromp ze ineen. Het duurde lang voordat de rust in de kerk eindelijk was weergekeerd.

Lotz grinnikte. 'Van het stemgeweld van de diva sla je steil achterover, hè?'

Sarah knikte. 'En dan die akoestiek!'

Hij wees achter zich naar het hoofdschip. 'Wanneer ik een slotakkoord door alle registers blaas, dan duurt het zegge en schrijve zeven seconden voordat het geluid is weggestorven. Bij de polyfone gedeelten en snelle tempi moet je erg op de accentuering letten, anders komt er algauw een onverteerbare klankbrij uit.'

'Ik wil de *Missa Coronationalis* graag spelen, geen boogiewoogie,' zei Sarah, zinspelend op het langzame tempo van het geestelijke werk. Het offertorium, dat in de wisselende gezangen van de katholieke misviering op de vierde plaats staat, kondigt de bereiding van de gaven aan. In de voorstelling van de gelovigen veranderen brood en wijn hierbij in het lichaam en bloed van Christus. Snelle tempi waren per definitie uitgesloten.

Sarah dacht dat er in de bijzondere akoestiek van de kerk zelfs een voordeel schuilde waarmee Liszt in zijn compositie rekening had gehouden. Doordat de klanken vervaagden, konden klanklijnen moeiteloos met elkaar versmelten en zo weer letters of andere vormen doen ontstaan. Ze hoefde de volgende mijlpaal op het spoor van de windroos alleen nog maar zichtbaar te maken.

Toen ze geconcentreerd was, begon ze te spelen. De eerste akkoorden van het offertorium zouden zelfs voor een beginnende pianoleerling niet te veel zijn gevraagd. Rustig en met waardige plechtigheid vloeiden ze uit de registers van het machtige orgel. Het godshuis vulde zich met sferische klanken.

Noot na noot veranderde de partituur in veelkleurige tonen. Na het eerste muziekblad werd Sarah onrustig. Het volle geweld van het pijpenbataljon hulde haar in een dicht geweven cape van nagenoeg alle kleuren van de regenboog. Maar ze kon er geen systeem in ontdekken. Na amper twee minuten angstig gespannen luisteren dreigde haar optimisme te verdwijnen.

Toen het laatste akkoord was weggestorven, bleef ze met gesloten ogen zitten als een opwindpop waarvan het mechaniek was afgedraaid.

Naast haar hoorde ze twee knokige handen klappen. 'Prachtig!' zei Lotz vol enthousiasme.

'Alles in orde?' klonk Janins stem vanaf de balustrade op.

Ze schudde haar hoofd. 'Ik heb niets kunnen zien.'

'Zien?' vroeg de organist verbaasd.

Eindelijk sloeg ze haar ogen op, keek de oude man aan en vertelde hem over haar vermogen kleuren te horen. Lotz vroeg hierop of synesthesie ook besmettelijk was en Sarah moest iets meer uitweiden om hem duidelijk te maken wat haar speciale verwachtingen van het stuk waren. Ze vertelde iets over de erfenis van haar voorvader, maar niet over de purperpartituur.

'Mijn waarneming hangt sterk af van de klankkleur,' legde ze ten slotte uit. 'Misschien moeten we de registratie veranderen.'

De oude man trok zijn lip op. 'Graag. Zegt u me wat u wilt en ik trek de betreffende registers open. U moet alleen wel de tijd in het oog houden. Over twintig minuten moet ik u, hoezeer het me ook spijt, eruit gooien.'

Ze fronste haar voorhoofd. 'Hoeveel registers heeft het orgel?'

'Honderddrie.'

Sarah steunde. 'Te veel om ze allemaal uit te proberen.'

'Daar hebt u helemaal gelijk in. We zouden hier tot sint-juttemis kunnen zitten experimenteren. Maar laten we voordat we uw kostbare tijd verspillen met klagen liever nog maar een paar registraties uitproberen die het best bij de aard van het stuk passen.'

Sarah keerde zich naar Janin om. Die knikte. Ze wendde zich weer tot de organist, haalde diep adem en zei: 'Goed idee, meneer Lotz. Laten we beginnen.'

Laszlo kende de krachten en zwakheden van zijn 'diva' heel goed. Hij koos verschillende klankbeelden, die zowel pasten bij het tijdvak als bij het oeuvre van de componist, en dan vooral bij Liszts orgelwerken. Daarmee veranderde ook elke keer de bonte 'cape' waarmee Sarah zich tijdens het spelen omhuld zag. Maar in geen enkel geval nam ze meer dan willekeurige kleuren en vormen waar. Ondertussen vloog de tijd voorbij.

Midden in haar spel – ze had nog maar amper vijf minuten over – brak ze weer een poging af en riep: 'Stop! Dit heeft geen zin. We kunnen zo eindeloos doorgaan zonder dat we het juiste klankbeeld vinden.'

'Tot sint-juttemis,' herhaalde Lotz.

'Ik weet zeker dat Liszt een aanwijzing voor de juiste registratie van het orgel heeft achtergelaten. Hij is er, maar we zien hem niet.'

'Het enige aanknopingspunt dat we hebben is de Stefanskroon,' bracht Janin haar ten overvloede in herinnering.

Ze keek de organist strak aan. 'Bestaat er zoiets als een koninklijk register, meneer Lotz? Of eentje met de naam "kroon"?'

Hij schudde zijn hoofd. 'Als het majesteitelijk moet klinken, trek ik meestal een of meer principalen uit. Maar die hebben we al gehad.'

Sarahs blik werd glazig. Haar uitgestoken wijsvinger bewoog op en neer, terwijl ze mompelde: 'Ja, maar alleen samen met andere. U vertelde me daarstraks dat de akoestiek van de kerk om een speciale accentuering bij veelstemmige passages vraagt...' Ze draaide zich met een ruk naar Janin om. 'Het schoot me opeens te binnen wat er in een boek over Liszts latere werk stond: hij heeft, zoals hij het uitdrukte, afstand gedaan van de "polyfone vetzucht" van zijn vroegere jaren...'

'Dat is het!' flapte de professor eruit. 'Wie weet, misschien heeft hij daarbij zelfs aan de Matthiaskerk gedacht. Schakelt u alstublieft de andere registers uit, zodat alleen de principalen te horen zijn.'

Lotz zette zijn stekels overeind. 'Mijn diva is geen hammondorgel. Daarbij kunt u registers uitschakelen zoveel als u wilt. Hier worden ze "afgesloten".'

'Alstublieft!' smeekte Sarah. Haar halfuur was al bijna voorbij.

De organist schoof alle registers in hun oorspronkelijke stand terug, alleen de principalen liet hij staan.

Opnieuw begon Sarah aan het offertorium. Ongeveer op de helft brak ze de poging weer af en schudde haar hoofd: 'Ik zie niets waar ook maar enigszins een zinnig patroon in te herkennen valt.'

Lotz vertrok zijn gezicht. 'Ik wil niet zeuren, maar het wordt hier zo meteen een drukte van belang. We moeten zo langzaamaan ophouden.'

Sarah keek wanhopig omhoog naar de engel, die met het gezicht van Franz Liszt neerkeek op haar zinloze pogingen. Ze knipte met haar vingers. 'Is er niet ook een register dat "hemelse stem" heet?'

'U bedoelt de Vox Coelestis?'

'Ja! Alstublíéft, meneer Lotz...'

'Al goed!' onderbrak de organist haar toen ze hem opnieuw smeekte. Hij sloot de principalen af en trok de 'hemelse stem' uit.

Sarah intoneerde het stuk nog een keer – en brak nog voor het einde af. 'Dat is het ook niet,' steunde ze.

'Ik ben bang dat ik u dan niet kan helpen, madame.'

Hulpzoekend keek ze nog eens om naar Janin, maar die haalde alleen maar radeloos zijn schouders op.

'Heeft uw orgel dan helemaal niets majesteitelijks?' richtte ze zich weer tot de oude man.

'De diva is een en al koninklijkheid,' reageerde Lotz beledigd.

'Neemt u me niet kwalijk, zo bedoelde ik het niet. Ik wilde alleen maar...'

'Madame d'Albis,' viel de oude man haar gedecideerd in de rede, 'u bent een begenadigd pianiste en ik bewonder u enorm. Ik heb er ook geen spijt van mijn orgelklavier een halfuur aan u te hebben afgestaan, maar nu is het echt afgelopen. Als de koster ons hier betrapt, breekt de hel los.'

'Dan moet hij wel een echte beëlzebub zijn,' bromde Janin.

Lotz vuurde een giftige blik op de professor af.

'Bestaat er misschien een keizerspijp?' vroeg Sarah; het was meer een afleidingsmanoeuvre.

'Nee,' mompelde de organist.

'Of een kroonregister?'

'Ook niet. Uw tijd is voor... Wacht eens! Daar schiet me iets te binnen.'

Sarah boog zich onwillekeurig naar de oude man toe. 'Ja?'

Die begon opeens te lachen – zijn gouden tanden glinsterden – en sloeg met vlakke hand tegen zijn voorhoofd. 'Dat ik daar niet eerder aan gedacht heb! Een paar jaar geleden was er een parochie uit het Andalusische Marchena bij ons op bezoek, onder anderen ook de organist. Hij had in Duitsland muziek gestudeerd en dus konden we met elkaar over ons vak praten. Natuurlijk hebben we het toen ook gehad over het hoe en wat van onze instrumenten. "Weet u, meneer Lotz, wat werkelijk raar is," zei hij tegen mij. "Uitgerekend de 'Spaanse trompet' heet in Spanje niet 'Spaanse trompet', maar 'trompeta real.'" Dat betekent...'

'... Koninklijke trompet,' fluisterde Sarah, en ze keek de organist met grote ogen aan.

'Nee,' zei hij vastberaden, voordat ze haar wens onder woorden kon brengen.

'Geeft u me alstublieft nog een laatste kans, en zet de Spaanse trompet open,' smeekte Sarah.

De oude man kronkelde als een aal. 'Ik zou niets liever doen, maar...'

Vanuit het kerkportaal drong een gekraak naar het oksaal boven door.

'U hoort het toch zelf, madame d'Albis? Er komt iemand aan. Veel te vroeg, weliswaar, maar voor u is het daardoor helaas te laat.'

'Laszlo?' hoorde Sarah iemand van beneden roepen, gevolgd door een stortvloed van onverstaanbare woorden.

De organist antwoordde iets in het Hongaars, waarna hij zich weer fluisterend tot Sarah richtte. 'Dat is pater Gink. Hij heeft het orgel gehoord en wil dat ik stop met oefenen.'

In een impuls stond Sarah op van de orgelbank, nam het gezicht van de oude man tussen haar handen, kuste hem op beide wangen en fluisterde: 'Oké. Ik wil u niet in de problemen brengen. Dank u voor uw vriendelijkheid.' Ze gaf een derde smakkerd op het voorhoofd van de organist en liet hem weer los.

Hij zuchtte. 'Dat is niet eerlijk, madame.'

'Neemt u me niet kwalijk. Ik wilde u niet in verlegenheid...' Ze viel stil, omdat Lotz net de Vox Coelestis had afgesloten en nu, enigszins uitdagend, de Spaanse trompet uittrok.

Plotseling klonk er geroezemoes door het kerkschip. Kennelijk had de priester de eerste bezoekers al binnengelaten.

Lotz gebaarde naar de manualen.

'En pater Gink dan?' vroeg Sarah fluisterend.

'Die zal verbaasd zijn over mijn nieuwe vingervlugheid. Terwijl u zich op de toetsen werpt, kan ik alvast over mijn galgenmaal gaan nadenken. Speel nu maar.'

Dat liet Sarah zich geen tweemaal zeggen. Omdat ze de partituur allang uit haar hoofd kende, sloot ze haar ogen en speelde.

De Spaanse trompet was een horizontaal opgesteld orgelregister en klonk alsof er een dubbele rij middeleeuwse blazers op een kasteelmuur stond die de komst van de koning aankondigde. Het nasale timbre deed beslist geen recht aan het offertorium, maar anderzijds werd Sarah ditmaal niet teleurgesteld. Al na enkele maten vloeiden Liszts werk en de Matthiaskerk met zijn hoeken en gaten samen tot een uniek klankgeheel, en voor Sarahs geestesoog verscheen een nieuwe boodschap:

TREK DOOR HET HELLEDAL
WAAR JE DE ZWARTE PRINS ZIET

EN MET VAN DE HARPEN DER WIND HET GETAL
ZIJN EERSTE HOEDER JE BEGROET

IN HET PURPER GESMEED GEKONKEL
ZAL JE OPENBAREN DE CRUX

DE KLEURENHOORDERS VOEREN TOT DE FINALE
POST TENEBRAS LUX

Toen de laatste klank was weggestorven, trok ze haar handen van de toetsen alsof ze zich eraan gebrand had. Woedend keek ze naar de engel omhoog en riep: 'Dit is krankzinnig! Moet ik nu rechtstreeks naar de hel afdalen en een verbond met de duivel sluiten?'

Het geroezemoes uit het kerkschip was luider geworden. Enkele bezoekers applaudisseerden. Pater Ginks opgewonden stem klonk luid op. Vragend. En boos.

De organist pakte Sarah bij haar arm. 'Kom mee! Ik breng u naar buiten.'

22

Desalniettemin zou ik graag zo moedig willen zijn mijn beide handen ter
ondersteuning van een concert aan te bieden dat binnenkort ten bate van
de overstromingsslachtoffers wordt gegeven [...] In het jaar 1838, toen ik
voor het eerst naar Wenen terugkeerde, gaf ik mijn eerste concert daar ter
ondersteuning van de slachtoffers van de overstroming van Pest [...] Het
zal een troost voor me zijn als ik nu mijn lange carrière als virtuoos zou
kunnen besluiten door een dergelijke taak te vervullen. Ik blijf, tot aan
mijn dood, Hongarijes ware en dankbare zoon.

— Franz Liszt, 1 maart 1876, in een brief aan August von Trefort, de
Hongaarse minister van Opvoeding en Onderwijs

BOEDAPEST, 26 JANUARI 2005, 07.11 UUR

Sarahs heftige reactie op de laatste klankboodschap van haar voorvader had,
meer nog bij Lotz dan bij Janin, voor aardig wat opschudding gezorgd. Ze had
de organist alleen nog maar meer in verlegenheid gebracht toen ze op haar
vreemde kreet nog een paar verwarde verontschuldigingen had laten volgen.
Om aan de strenge pater Gink te ontkomen was het drietal zonder bevredi-
gende uitleg van het voorval via omwegen naar buiten gevlucht. Toen Sarah
de Hongaar bij het afscheid honderd dollar voor zijn diensten aanbood,
toonde die zich overtuigend verontwaardigd, maar nam het geld ten slotte
toch maar aan om het voor het onderhoud van zijn 'diva' te gebruiken.

Hierna was Sarah met Janin bij het Vissersbastion afgedaald naar de
Donau. Ze had tegen hem gezegd dat de wandeling haar hielp om na te
denken. De werkelijke reden voor haar plotselinge bewegingsdrang waren
de Kleurenhoorders, omdat ze wel vermoedde wat haar te wachten stond.
Als bloedhonden zouden ze haar geur opvangen en haar achternakomen
op weg naar het volgende station op het spoor van de windroos. Wat kon
ze doen om haar achtervolgers af te schudden? Het liefst had ze zich onzichtbaar gemaakt.

'Wat heb je gezien, Sarah?' vroeg Janin, terwijl het tweetal langs de Boeda-oever slenterde. Tot op dat moment had de professor zich in discreet stilzwijgen gehuld.

Ze schoof de schouderriem van haar computertas goed en antwoordde zachtjes: 'Een nieuwe boodschap.'

'Dat had ik ook wel door. Vind je niet dat we erover moeten praten?'

'Natuurlijk moeten we dat. Ik moet bovendien dringend het een en ander uitzoeken op internet. Maar niet in het hotel, waar ze je stiekem telefoons in je maag splitsen. Daar zijn we niet veilig.'

Op verdere vragen van de professor had Sarah niet meer gereageerd. Zo liepen ze zwijgend naast elkaar, als een machteloze vader met zijn puberende dochter die net in haar opstandige fase zat. Via de kettingbrug keerden ze naar Pest terug. Daar vonden ze een café dat al open was. Het heette Farger. Een sticker op het raam duidde aan dat het een internetcafé was, en dus voor Sarah de juiste plek. Zonder haar metgezel iets te vragen stapte ze naar binnen.

In de entree werden de gasten met koele zakelijkheid ontvangen: een ronde toonbank van blauw glas met krukken eromheen, die er met hun lage leuningen even trendy als ongemakkelijk uitzagen; bovendien een met tijdschriften en kranten gevuld wandbord, posters van koffiekopjes (vol en leeg), een veelarmige cactus (vermoedelijk Mexicaans) en een glimlachende, niet geheel uitgeslapen overkomende jonge vrouw, die op de vraag om een rustig plekje spontaan het vertrek ernaast aanraadde.

Daar zaten ze dan op spartaans beklede banken aan een tafeltje tegenover elkaar en warmden ze zich aan een heet drankje. Sarahs laptop stond opengeklapt voor haar. Ze had net een paar zoektermen ingetikt en checkte de resultaten.

Janin liet zijn blik door het café dwalen. Het Farger was een afspiegeling van de stad: modern, maar tegelijkertijd met het oude verbonden. De parketvloer en de sobere meubels van licht hout zouden ook bij het hippe publiek van Kopenhagen in de smaak zijn gevallen, terwijl de zwartleren banken die her en der in het vertrek stonden, evenals de Perzische tapijten, waarschijnlijk eerder de traditionele Hongaarse smaak vertegenwoordigden.

Opeens glimlachte Sarah grimmig. 'Misschien stelt de macht van de Kleurenhoorders uiteindelijk toch niet zoveel voor. Zevenenhalf uur na volle maan is er op het web nog steeds niets bekend over een ten val gebrachte godin.'

Janin had net zijn tong aan zijn mokka verbrand, vertrok zijn gezicht en vroeg: 'Heb je Nekrasovs gsm eigenlijk bij je?'

'Die ligt in de hotelkamer. Misschien halen de moordenaars die hij stuurde hem wel weer op en dan is het hele gedoe voorbij.'

'Dat geloof je toch zelf niet?'

Ze schudde haar hoofd. 'Eerlijk gezegd ben ik er niet eens zeker van of we het raadsel van de laatste aanwijzing wel moeten oplossen.'

'Ik dacht dat we het daar gisteren al over eens waren. Als je nu opgeeft, stel je het uur van de Kleurenhoorders niet uit, maar haal je het juist sneller dichterbij. Bovendien zou je dan voor de Kleurenhoorders niet meer van nut zijn. Alleen nog maar gevaarlijk.'

Sarah slikte. Ze had het gevoel alsof een koude hand haar keel dichtkneep. 'Je bedoelt dat Nekrasovs waarschuwingen...?'

Hij knikte. 'Door je gave beschik je over kennis die je voor de Broederschap tot een bedreiging maakt. Alleen als we de Kleurenhoorders steeds een stap voor blijven, zullen uiteindelijk wíj triomferen.'

Ze staarde naar het beeldscherm van haar computer zonder de tekens erop te zien. Waar had ze zich toch mee ingelaten!

'Sarah?' klonk Janins stem voorzichtig.

Ze rukte zich van het beeldscherm los. 'Wat?'

'In de kerk... Je was zo... van streek. Wat heeft het orgel je laten zien?'

Sarah herhaalde de inhoud van de laatste klankboodschap woordelijk en was verrast over hoe de man die tegenover haar zat erop reageerde. Eerst werd de professor bleek, vervolgens staarde hij haar onthutst aan en ten slotte boog hij zich naar voren om zijn ontstemming op heftige manier kenbaar te maken.

'Wil je nu soms nog steeds beweren dat Liszt een engel van het licht was?'

Janins uitbarsting trof Sarah als een donderslag bij heldere hemel. Woedend keek ze hem met fonkelende ogen aan. Zijn neiging om haar voorvader van allerlei kwalijks te betichten begon haar zo onderhand behoorlijk tegen de borst te stuiten. Verontwaardigd diende ze hem van repliek: 'Liszt kan onmogelijk het monster zijn geweest dat je maar steeds van hem schijnt te willen maken. Hij heeft talloze benefietconcerten gegeven, herhaaldelijk ook voor Hongaarse slachtoffers van overstromingen.'

Even weerstond de professor haar vuurspuwende blik, maar ten slotte leunde hij weer achterover en maakte een afwijzend gebaar. 'Het heeft geen zin daarover te discussiëren. Laten we ons liever concentreren op de oplossing van zijn nieuwste raadsel.'

Al waren ze het op dit punt met elkaar eens, Sarah kon niet zo snel weer overschakelen naar een andere stemming. Terwijl haar kwaadheid uiteindelijk wegebde, kwam de onzekerheid die ze in de Matthiaskerk al had gevoeld terug. Ze schudde haar hoofd. 'De verzen van de laatste boodschap komen me warriger voor dan alles waarmee Liszt ons tot nu toe verblijd heeft. Met de laatste zin kan ik al helemaal niets beginnen.'

'*Post Tenebras Lux* betekent "Na de duisternis het licht".'

Sarah tikte de woorden in haar zoekmachine in, drukte op de entertoets – en floot tussen haar tanden door. 'Dat zijn wel tig-duizend treffers!' Ze klikte op het eerste artikel en las vlug de tekst door. 'Hierin wordt een monument in Genève beschreven. Het heeft kennelijk met de Reformatie te maken.'

De professor gaapte. 'Helaas kon noch het protestantse licht, noch het katholieke duister de mensheid geluk en vrede brengen. De reis door de duisternis naar het licht speelt trouwens ook in de symboliek van de vrijmetselarij een belangrijke rol. Die heeft alchemistische wortels: pas door de mystieke dood en rotting bereikt de materie een staat van volmaaktheid die omzetting tot de steen der wijzen mogelijk maakt.'

Sarah staarde met een somber gezicht naar de cijfers boven aan het beeldscherm: meer dan vierentwintigduizend treffers verwezen naar het Latijnse *Post Tenebras Lux*. 'Liszt heeft met Marie d'Agoult, zijn eerste levenspartner, in Genève gewoond,' merkte ze met matte stem op.

'Dat kan alles en niets betekenen. Hoe past Genève bij de rest van de aanwijzingen, bij het "helledal" en de "zwarte prins"? Probeer het credo eens met die begrippen te combineren.'

'Je hebt gelijk. Dat zou het aantal treffers wel eens kunnen beperken.' Sarah tikte de extra zoektermen in. Twee seconden later verscheen de teleurstellende melding: '1 resultaat gevonden', dat evenwel niet relevant was.

'Vreemd,' zei Janin verbaasd.

Met samengeknepen ogen nipte Sarah aan haar hete thee. Plotseling zette ze opgewonden haar kopje neer. Het toetsenbord ratelde opnieuw.

'Had je een ingenieuze inval?' wilde Janin weten.

'Nou ja. Ik heb daarnet de zoektermen in Liszts moedertaal ingevoerd, het Duits. Nu probeer ik het in het Frans met *Val d'Enfer* en *Prince Noir*.' Vliegensvlug drukte ze op de entertoets.

'Wauw!' fluisterde ze toen het antwoord vanuit het world wide web op haar scherm floepte.

Janin stond op van de bank en kwam naast haar staan. Toen zijn blik op het beeldscherm viel, fronste hij zijn voorhoofd. 'Al de tweede treffer?'

Sarah klikte op het artikel en klikte door naar een lange beschrijving, die ze vlug doorlas: 'Er wordt een ruïnecomplex vermeld dat Post Tenebras Lux heet. En Le Prince Noir is een kunstenaarshuis, een kleine bed & breakfast in de oude citadel van Les Baux de Provence.'

'Zuid-Frankrijk? Klinkt veelbelovend. Liszt heeft de omgeving waarschijnlijk goed gekend. Als ik me niet vergis, is hij daar al als vijftienjarige op concerttournee naartoe geweest. Bovendien past het prima in het spoor van de windroos. Als volgende letter in N + BALZAC volgt de L voor Lips, de wind die uit het zuidwesten waait.'

'Dat geldt eveneens voor Genève. Dat ligt bijna precies op de lijn tussen Weimar en Les Baux.'

Janin ging weer tegenover Sarah zitten en grinnikte: 'Je hebt voor aardrijkskunde vast altijd een tien gehad.'

Ze haalde haar schouders op. Haar ogen bleven op het beeldscherm gericht. Terwijl ze verder over het web surfte, legde ze uit: 'Ik ben gewoon veel onderweg. Bovendien heb ik een tijdje geleden een bezoek gebracht aan Château d'Arpaillargues in Uzès. Die stad ligt in de buurt van Les Baux. Marie de Flavigny heeft daar gewoond.'

'Wie?'

'De latere gravin Marie d'Agoult, die Franz Liszt drie kinderen heeft geschonken.'

'Ach! Had je soms gehoopt dat je van haar dochter Cosima afstamde?'

'Je bedoelt omdat ze met Richard Wagner is getrouwd en ik daardoor tot een van de meest prominente muzikantenfamilies zou behoren? Nee. Cosima's stamboom is waarschijnlijk waterdicht. Ik dacht eerder aan de twee anderen: Daniel en Blandine... *Dat bestaat toch niet!*' gooide Sarah er opeens uit.

Janin stak zijn kin naar voren en tuurde langs zijn neus naar het scherm. 'Vertel: heeft je wilde geklik iets opgeleverd?'

'Dat kun je wel zeggen, ja!' Sarahs blik gleed over de computer heen naar Janins donkere ogen. 'Toen je me in Weimar over het schisma van de Kleurenhoorders vertelde, zei je dat dat allemaal met de intriges van een machtsbeluste geestelijke te maken had gehad.'

Hij knikte. 'Ja. De als partituur op papier gezette klankleer van Jubal is naar het kardinaalspurper genoemd.'

'Kan het zijn dat de intrigant niemand anders was dan kardinaal Richelieu, de eerste minister in de staatsraad van Lodewijk XIII en zijn troonopvolger, de Zonnekoning?' Demonstratief draaide ze haar laptop naar Janin toe, zodat hij zelf kon lezen door welk noodlot Les Baux de Provence was getroffen.

Het ancien régime, waarvan Franz Liszt de ongelijke behandeling en uitbuiting van de mensen uit het diepst van zijn hart had verafschuwd, was onder de compromisloze machtspolitiek van Richelieu pas tot volle bloei gekomen. Om het absolutisme te versterken had de kardinaal zijn tegenstanders bepaald niet met fluwelen handschoenen aangepakt. Vooral de hugenoten – calvinistische protestanten – had hij verfoeid. Na de bloedige belegering en bezetting van La Rochelle had hij zijn aandacht op Les Baux de Provence gevestigd, een ander centrum van het protestantisme.

De leenheer aldaar, Jean Baptiste Gaston – de hertog van Orléans – was zo onvoorzichtig geweest tegen zijn broer samen te spannen, wat verder niet zo tragisch geweest zou zijn, ware het niet dat het hier om Lodewijk XIII ging, de koning van Frankrijk. Richelieu zag de intrige als een welkome aanleiding om de citadel van Les Baux in 1632 te belegeren. Zevenentwintig dagen later was het verzet van het dorp gebroken. De bewoners, die de strijd moe waren, sloopten eigenhandig de burcht om de onverbiddelijke kardinaal te sussen.

'In principe ben ik met de historische verbanden bekend,' zei Janin toen hij uitgelezen was.

Sarah draaide de computer weer naar zich toe. Ze kookte vanbinnen. Niet voor het eerst voelde ze zich door Janin kort gehouden. Koeltjes zei ze: 'Ik wil graag een eerlijk antwoord van je, Oleg. Wist je dat de purperpartituur zijn naam aan Richelieu te danken had?'

De professor aarzelde.

Sarah beschouwde zijn zoeken naar woorden als een bekentenis, en daardoor werd ze pas echt razend. 'Vind je niet dat je me dit kleine detail had kunnen verklappen? Slinger een willekeurige Fransman het woord "kardinaal" naar zijn hoofd en hij zal automatisch meteen aan Richelieu denken. Waarom heb je zijn identiteit voor me verzwegen?'

'Omdat ik je niet met vermoedens in een mogelijk verkeerde richting wilde sturen. Ik ben historicus, Sarah. In de wetenschap tellen feiten, geen speculaties.'

Ze nam hem op met ogen die nauwelijks meer dan spleetjes waren. 'Je speelt toch geen dubbel spel met me, hè?'

'Begin je daar nu weer over?'

'Het is voor ons allebei duidelijk hoe bezeten je ervan bent om de purperpartituur te vinden. Eerlijk gezegd zou het me niet verbazen als je me probeerde te lozen.'

Janin spreidde zijn armen uit op tafel. 'Je schat me verkeerd in, Sarah. Toegegeven: ik heb op mijn zoektocht naar de koningin der klanken een paar grenzen overschreden, maar jóú aan de kant schuiven?' Hij schudde gedecideerd zijn hoofd. 'Hoe stel je je dat voor? Alleen jíj hebt de speciale audition colorée om de klankleer te vinden.'

Dat klopte. Zonder haar zou hij echt niet zover zijn gekomen. Misschien kon hij niet zo gemakkelijk aan zijn oude leraarsgewoonten ontsnappen, waardoor hij zich gedwongen voelde zijn leerlingen onbevangen aan een bepaalde opdracht te laten beginnen. Ze ademde hoorbaar uit en wees weer naar het beeldscherm: 'In elk geval zijn we wat de betekenis van het laatste raadsel betreft al redelijk ver gekomen. Met IN HET PURPER GE-SMEED GEKONKEL verwees Liszt waarschijnlijk naar Richelieus verraad. De CRUX is dan vermoedelijk het kruis van de tweedeling waaronder de Kleurenhoorders sindsdien gebukt gingen. Heb je enig idee wie hij met de hoeder van de harpen der wind bedoelde?'

'Geen idee.'

Janins antwoord kwam zo snel dat Sarahs wantrouwen weer werd aangewakkerd. 'Echt niet?'

De professor zuchtte. 'Misschien bedoelde hij een eolusharp, een muziekinstrument waarover de menselijke wil geen macht heeft, dat alleen de wind gehoorzaamt.'

'Een windharp? Ja, natuurlijk! De verzen zijn zo ingewikkeld geformuleerd dat ik er uit mezelf gewoon niet op ben gekomen. Ik kan wel eens kijken wat mijn wandelende bibliotheek erover zegt.'

Weer tikte ze wat op het toetsenbord, zocht eerst in de naslagwerken op de harde schijf en toen weer op internet. De eolusharp leverde een heleboel artikelen en verkoopaanbiedingen op, maar zodra ze de naam van het muziekinstrument met die van het dorp Les Baux de Provence of met de andere begrippen uit de offertoriumboodschap combineerde, was er slechts een gapende leegte op het beeldscherm te zien. Sarah probeerde verbeten andere combinaties uit, maar hoe langer ze op de zee van informatie rondzwalkte, des te overheersender het gevoel van onmacht werd. Ten slotte klapte ze driftig haar laptop dicht en keek woedend in het uitdagend opgewekte gezicht van de professor.

'Wat zit je nou te grijnzen?'

Zijn borst schudde onder zijn ingehouden lach op en neer. 'Sorry hoor, Sarah, maar het idee dat je niet elke vraag met dat internet van je kunt beantwoorden, vind ik wel vermakelijk.'

'Het is niet míjn internet,' knorde ze.

'Desalniettemin schijnt het Franz Liszt gelukt te zijn de vooruitgang af te troeven. Ik wil niet de helderziende uithangen, maar volgens mij kan er achter zo'n geraffineerd "slot" alleen iets speciaals verborgen liggen.'

'Blijft alleen de vraag hoe we het kunnen openbreken.'

'Ligt dat niet voor de hand? Pak je computer in. En op naar Les Baux de Provence!'

LIPS

(HET ZUIDWESTEN)

———

LES BAUX DE PROVENCE

✳

Ik heb een open oor voor raadselspreuken,
Bij het spel op de lier onthul ik een geheim.

Psalm 49:5

23

Zuivering der kunst is zuivering der mensheid.

— Franz Liszt

LES BAUX DE PROVENCE, 26 JANUARI 2005, 22.19 UUR

Als een schip dat door piraten was opgebracht, dreef de smalle kalksteen-
rots door de nacht. Het plateau zat vol spleten, alsof het urenlang onder
kanonvuur had gelegen. Sommige bouwwerken lagen in puin, andere
daarentegen waren ongeschonden en nog steeds bewoond. Hier en daar
schenen navigatielichten. Het beschadigde schip met de naam Les Baux
de Provence had in zijn stormachtige geschiedenis heel wat zwaar weer
meegemaakt, maar was nooit gezonken. Trots strekte het zich uit naar de
fonkelende sterrenhemel.

De maan keek met zijn cyclopenoog ongeïnteresseerd neer op de wrakke
Peugeot die zich over de weg naar de grootste burchtruïne van Frankrijk
omhoogworstelde. Op de achterbank van de taxi zaten Sarah d'Albis en
Oleg Janin. Sarah had ongeveer vierentwintig uur geleden een muur van
stilzwijgen tussen haar en haar metgezel opgetrokken, om hem te laten
voelen wat ze van zijn geheimzinnige gedoe vond.

Les Baux de Provence betekende het voorlopige einde van hun kleine
odyssee. Met de bedoeling Nekrasovs onzichtbare achtervolgers van zich
af te schudden, waren ze vanuit Boedapest eerst met de trein naar Wenen gereisd. Daar hadden ze de middagvlucht van Air France naar Lyon
genomen en even voor achten waren ze naar Marseille doorgevlogen. In
vergelijking met de plaatsen die ze tot dusver tijdens hun omzwervingen
hadden aangedaan, wist Sarah in de havenstad heel goed de weg. Om zo
weinig mogelijk sporen achter te laten, had ze een voormalig soldaat van
het vreemdelingenlegioen uit Oezbekistan een schandalig hoog bedrag betaald om hen met zijn halflegale taxi naar hun plaats van bestemming op
de zuidhelling van de Alpilles te brengen.

De Oezbeek reed zijn Peugeot met levensgevaarlijke snelheid landinwaarts, alsof hij het Légion Etrangère nooit vaarwel had gezegd en tot een snelle commandogroep behoorde die een geheime operatie uitvoerde. In elk geval bereikte hij het beoogde kaartvierkant binnen een uitstekende tijd van eenenvijftig minuten zonder vijandelijke ontmoetingen en noemenswaardige nevenschade (een rat die het voertuig de weg had versperd, was platgewalst). Zichtbaar voldaan over zijn prestatie zette hij zijn beide passagiers af in de Grande Rue Frédéric Mistral in het labyrint van smalle straatjes van Les Baux.

'Dat daar is uw onderkomen. De tent noemt zich Hôtel Bautezar. Precies wat u wilde: geen luxe verblijf, maar met drie sterren nog net binnen de grenzen van het draaglijke. In deze tijd van het jaar krijg je meestal wel een bed.'

Daar had Sarah zo haar twijfels over. Met argwaan keek ze door het zijraampje naar de renaissancevilla. Meer dan een tiental kamers had het hotel vast niet. Hopelijk hoefden ze de nacht niet buiten door te brengen. Ze betaalde de legionair zijn soldij en stuurde hem terug naar de basis.

Janin ving zijn metgezellin voor de ingang van het hotel op met de verzoenende woorden: 'Mochten de Duisteren ons spoor ooit tot die kerel weten te volgen, dan zijn we hier allang weer weg.'

Sarah deed alsof ze niets had gehoord. Met haar ogen volgde ze de achterlichten van de taxi, totdat die in de wirwar van straatjes verdwenen. Daarna liet ze haar blik langs de zandsteengevel omhoogdwalen... waar hij plotseling bij een wapenschild in reliëf boven de ingang bleef hangen. Er ging een schok door haar heen.

Het met een rechthoek omlijste heraldische embleem werd in plaats van door een helm gesierd door een gekroonde Moor. Op het schildhoofd daaronder was een windroos te zien. Bij wijze van devies stond onder het wapenschild – schijnbaar fout gespeld – de naam van het etablissement:

BAVTEZAR

'Bavtezar?' mompelde Janin verbaasd. Sarahs belangstelling voor het wapen was hem bepaald niet ontgaan.

'Niet Bav-, maar Bautezar! Dat is Provençaals,' maakte ze hem duidelijk. 'Je kent hem misschien als de magiër Balthazar.'

'Magiër?'

Sarah had het Franse begrip *rois mages* in gedachten gehad: koninklijke magiërs. 'De Drie Koningen of *Three Kings*. Ik weet niet hoe ze in jouw moedertaal heten. In elk geval zeggen de evangeliën over een vorstelijke afkomst in werkelijkheid niets. Er wordt simpelweg over magiërs of astrologen gesproken.'

Janin knikte. '*Tri volhva.* Zo worden ze gewoonlijk in Rusland genoemd: drie magiërs.'

'En Balthazar was volgens de overlevering de oudste. Het oude heersersgeslacht van Les Baux de Provence voerde zijn afkomst op hem terug.'

'Dat heb je vast en zeker op internet gelezen.'

'Precies. Valt je iets op aan die Balthazar daar boven?' Ze wees naar het reliëf boven de deur.

Janin haalde zijn schouders op. 'Moet dat dan?'

'Het hoofd boven het wapenschild. Zie je die volle lippen? Het gezicht heeft onmiskenbaar negroïde trekken.'

'Ja, en? Ik neem aan dat Balthazar een Moor was?'

'In de katholieke geschiedenis van de heiligen is meneer de professor kennelijk minder goed thuis,' schamperde Sarah. 'Volgens de legende had de jongeling Caspar namelijk een donkere huidskleur, en niet de oude Balthazar. Ik zou maar wat graag willen weten hoe het tot die verwarring heeft kunnen komen.'

'Speelt dat een rol? Liszt heeft ons met zijn laatste aanwijzing beslist alleen maar een ondubbelzinnige plaatsaanduiding willen geven: "Trek door het helledal, waar je de zwarte prins ziet." Het Val d'Enfer ligt aan de voet van het dorp, en daar hebben we de gekroonde Moor.' Janin wees omhoog naar het wapenschild in reliëf.

De verklaring van de professor klonk logisch, maar Sarah had er toch geen goed gevoel over. Liszts klankboodschappen waren tot nu toe allemaal meerduidig geweest: wegwijzers zowel in de echte wereld als in die van zijn gedachten. *Niet iedereen is wie hij beweert te zijn.* Was de verwijzing naar de valse Balthazar een bedekte waarschuwing?

'Waar denk je aan?' vroeg Janin naast haar.

Sarah keek hem knipperend met haar ogen aan. 'Niets. Ik probeer het alleen te begrijpen.'

'Wat denk je ervan om daarmee binnen in de warmte door te gaan? De wind hier buiten is behoorlijk onaangenaam.'

'Daar heb ik niets op tegen. Aan de mistral moet je trouwens maar wennen. In deze omgeving waait hij in de winter soms dagenlang.'

Ze stapten het hotel binnen. Een paar treden voerden omlaag naar een grote eetzaal met een gewelfd plafond. De aanblik die het oude dorp bood, was in de ambiance van het Bautezar terug te vinden: kale, lichte stenen muren, die gedeeltelijk met groene gobelins waren behangen, waardevolle oude meubelen, kandelaars en een trap van donkerbruin hout – het decor voor een stuk van Shakespeare had niet authentieker kunnen zijn. Afgezien van de nieuwkomers was er niemand op het toneel. Zowel het restaurant als de rechts in een nis verscholen piepkleine receptie waren verlaten.

Op de balie stonden een gegraveerd naambordje met het opschrift ALBERT-BERNARD CORNÉE, en een bel. Janin gaf er een klap op om de aandacht te trekken. Naar de wand met vakken achter de balie wijzend, zei hij: 'Alle sleutels hangen er nog. Ik heb zo het vermoeden dat we niet onder de brug hoeven te slapen.'

Ergens vanuit het vervallen gebouw klonk een stem op.

Sarah telde elf kamersleutels. Ernaast zag ze een houten bord met in tinnen letters een citaat erop: EEN RAS JONGE ADELAARS, AAN NIEMAND ONDERWORPEN. FRÉDÉRIC MISTRAL.

Ze stootte de professor aan en wees ernaar. 'Zou de dichter daarbij aan de Duistere Kleurenhoorders hebben gedacht?'

Voordat Janin antwoord kon geven, verscheen er een slungelachtige conciërge met een warrige donkere haardos ten tonele. Naar Sarahs idee had hij vast ook een dubbelrol als hotelhouder. Het leek haar althans ondenkbaar dat een gewone werknemer zo nonchalant mocht optreden. De ongeveer veertigjarige man droeg een zwarte katoenen broek met uitgezakte knieën en een bijpassend overhemd, waarvan de drie bovenste knoopjes door zijn dichte borsthaar waren opengesprongen. Dit wat donkere ensemble had hij opgefleurd met een bont glinsterend vest. Aan zijn voeten droeg hij grijze viltpantoffels.

'Goedenavond, madame en monsieur. Mijn naam is Cornée. Wat kan ik voor u doen?' begroette hij de gasten, hen blootstellend aan een glimlach rond zijn onrustbarend brede mond. In zijn gezicht was zo ongeveer alles scheef: zijn glimlach, zijn tanden en zijn lange neus, en zelfs zijn ogen waren niet even groot.

Terwijl Janin ervoor zorgde dat ze werden ingeschreven, keek Sarah nog eens naar de spreuk van de Provençaalse dichter met de naam van de droge noordenwind die op dat moment net buiten door de straatjes gierde. Het 'ras van jonge adelaars', dat aan niemand onderworpen wilde zijn... Deze omschrijving, meer dan tweehonderd jaar na het schisma van de Kleurenhoorders ontstaan, paste heel goed in het beeld van eigenzinnige neofieten die zich noch door purperdragers, noch door al te milde Zwanen-broeders wilden laten betuttelen. Toeval? Of was de dichter zelf een afstammeling van die...?

'... vindt u de poëzie van Mistral mooi?' drong de nasale stem van de hôtelier opeens Sarahs gepeins binnen.

Ze rukte zich van het bord los en glimlachte vriendelijk. 'Ik vroeg me alleen af waarom hij het uitgerekend over adelaars heeft.'

'De adelaar geldt als de koning der vogels. Veel landen dragen hem in hun wapen. Hij is een oeroud zinnebeeld van de goddelijke of imperiale heerschappij, maar ook van spiritueel inzicht, wedergeboorte en van vrijheid,' zei Janin werktuiglijk.

Van het asymmetrische gezicht van monsieur Cornée was eerst verwondering te lezen, vervolgens iets ondeugends. 'En niet te vergeten de jonge Napoleon Bonaparte. Ook hij werd *aiglon* genoemd, "jonge adelaar".' Met zijn duimen over zijn schouder gebarend, zei hij: 'Frédéric Mistral heeft waarschijnlijk eerder aan de onbuigzame bewoners van dit dorp gedacht. Les Baux de Provence lijkt op een adelaarsnest, van waaruit de weg door de Alpilles in de gaten kon worden gehouden, maar dat ook als toevlucht voor andersdenkenden diende.'

'Hebt u ooit van een Broederschap gehoord die zich "De Adelaars" noemde?' vroeg Sarah op de man af. Ze hoorde de professor naast zich diep inademen.

Met zijn donkere ogen nam de hôtelier de twee gasten op, wier gedrag hij vermoedelijk maar merkwaardig vond. Toen antwoordde hij: 'Zo goed ken ik de geschiedenis van de hugenoten nu ook weer niet.'

'Zegt het begrip Kleurenhoorder u iets?'

Janin snoof.

'Het spijt me, madame.'

'Of de Orde van de Witten, of de Duisteren, of...'

'Je hebt hier de kapel van de Witte Boetelingen. Daar staat een standbeeld ter ere van Sainte-Estelle, de beschermster van de schrijversbeweging...'

'De Pénitents Blancs zijn een religieuze Broederschap. Ik denk niet dat dat ons verder brengt...' mengde haar Russische vriend zich in het gesprek, maar Sarah legde hem met een handgebaar het zwijgen op.

'Monsieur Cornée, sinds wanneer siert de zwarte prins met de windroos bij de ingang uw gevel?'

'Dat is geen windroos, dat is de ster van Bethlehem.'

Maar natuurlijk, dacht Sarah; Balthazar werd een Moor en de kompasroos de ster van Bethlehem – het oog ziet wat het wil zien. 'Is het wapen ouder dan honderdvijftig jaar?'

'Nee. Het werd in 1953 aangebracht, toen hier het restaurant werd geopend. Maar dat soort motieven vind je overal in het dorp.'

'Oké. Ik heb nog één vraag: woont hier toevallig iemand die de hoeder der harpen wordt genoemd, of zegt die titel u iets?'

Ditmaal nam Cornée de tijd voor zijn antwoord. Toen schudde hij langzaam zijn hoofd en zei: 'Nee...' Opgewonden voegde hij eraan toe: 'Maar misschien kan madame Le Mouel u verder helpen. Ze heeft vroeger in het Orchestre Philharmonique de Marseille gespeeld. Als harpiste.'

De trolley zakte verdacht ver in de matras door. Terwijl Sarah een aantal kledingstukken uitpakte, stelde ze zich voor hoe het ding straks dan wel onder haar eigen gewicht zou vervormen. Waarschijnlijk stond haar een ochtend met grandioze rugpijn te wachten.

De hotelkamer was ingericht in de stijl van Lodewijk XVI, niet zozeer wat betreft de hang naar luxe van de monarch – die zelfs met de guillotine voor ogen nog waarde aan een verzorgd uiterlijk had gehecht –, maar meer gezien de verouderde meubilering: een hemelbed met een uitbundig gebloemde sprei, een kromgetrokken kledingkast die niet dicht ging, en een kleine badkamer met prehistorische kranen – Sarah had al lang niet meer onder zulke bescheiden omstandigheden ergens overnacht.

Het museumachtige onderkomen was kennelijk al langere tijd niet meer gelucht. Het eerste wat Sarah dus deed was naar het raam lopen, de raamvleugels wijd opentrekken en diep inademen. In Les Baux de Provence had je tenminste noch de ijzige temperaturen van Kopenhagen, noch de klamme kou van Boedapest. Nu monsieur Cornée haar de weg naar het huis van madame Florence le Mouel had uitgelegd, was ze sowieso te opgewonden om het koud te hebben. Alleen wanneer de mistral een al te hevige vlaag door het raam blies en de opbollende gordijnen in haar nek kriebelden, rilde ze een beetje. Ergens in de verte blaften honden.

Toen ze op het punt stond de knaapjes waarop ze net haar kleding had opgehangen naar de kast te brengen, gleed haar blik over haar zwarte laptoptas. Plotseling viel er in haar hoofd een dominosteen om, die een hele kettingreactie van gedachten ontketende, met aan het eind ervan een gemompelde herinnering.

'De ten val gebrachte godin.'

Sarahs ogen zochten het raam, waar de maan volop door de onrustige gordijnen scheen. Resoluut klapte ze haar koffer dicht en ging met haar computer aan een meubelstuk zitten dat de naam 'tafel' nauwelijks verdiende, zo piepklein was het. Via haar gsm maakte ze verbinding met internet en herhaalde de zoekactie die ze die ochtend al in Café Farger in Boedapest had ondernomen. Stilletjes hoopte ze dat Nekrasovs onheilspellende aankondiging toch nog grootspraak zou blijken te zijn, maar ze vond iets: 'De tragedie van de maanpelgrim.' Zo luidde de titel op het onlineportaal van de Londense *Times*. Het bericht bezorgde Sarah kippenvel. Woensdag al – de dag dat het volle maan was – hadden in de buurt van het Indiase Wai meer dan driehonderd mensen bij massale paniek het leven verloren. Honderdduizenden mensen hadden een pelgrimstocht naar Mandher Devi gemaakt om de beschermgodin van het dorp te vereren, de godin Kalubai.

We zullen een godin voor je ten val brengen...

Zoals door Nekrasov was aangekondigd, had de zogenoemde beschermgodin machteloos gestaan toen er in een drukke straat bij de markt brand was uitgebroken en een aantal gelovigen ten prooi viel aan de vlammen. Anderen waren bij de daarna uitgebroken massale paniek onder de voet gelopen, zo luidden de berichten. De slachtoffers waren overwegend vrouwen en kinderen.

Over wat de aanleiding tot de ramp was geweest, waren de meningen verdeeld. Sommige media op internet spraken van kortsluiting, andere van natte traptreden – het meeste berustte op speculaties. Een paar verslaggevers gaven echter openlijk toe dat de oorzaak van het ongeluk tot op heden onbekend was.

Geen enkele journalist had het over klanken der macht.

Religieuze feesten en rituelen waren zonder muziek vrijwel ondenkbaar. Ongetwijfeld hadden ook de pelgrims rondom de Mandher Devi-tempel hier heel wat van te horen gekregen. Hadden in sommige melodieën onderbewuste boodschappen verborgen gezeten...?

Sarah kromp van schrik ineen toen ze opeens de *Liebestraum* van Franz Liszt hoorde. Het fluitspel kwam uit haar trolley. Ze had Nekrasovs gsm helemaal vergeten – of de gedachte eraan verdrongen? Met knikkende knieën liep ze naar het bed, klapte haar koffer open, haalde de mobiele telefoon eruit en drukte op de opneemtoets.

'Ja?'

'Geloof je me nu?' vroeg Sergej Nekrasov zonder begroeting. Hoewel hij met geen woord over het ongeluk in India repte, of misschien juist daardoor, werd Sarah woedend.

'Zit u achter die massale paniek in Mandher Devi?'

'Ik was je een bewijs van onze macht verschuldigd.'

Sarah snakte naar adem. 'En daarvoor brengt u dríéhonderd mensen om het leven? U bent echt krankzinnig!'

'We hebben niemand gedood, alleen maar de kettingreactie uitgelokt.'

Ze voelde dat haar keel werd dichtgesnoerd door afschuw en haat. 'Dat is de meest erbarmelijke smoes die ik ooit heb gehoord. Dan had u de paniek dus ook net zo goed kunnen beteugelen.'

'Zeker. Niets werkt zo rustgevend als een vredige melodie. Maar wat als de dag dat het volle maan was zonder een spectaculair voorval was verlopen? Had je me dan niet voor een charlatan versleten, Sarah?'

'Denkt u dat u als de duivel in eigen persoon een beter figuur slaat?'

'Hou je even wat in! Dat soort vergelijkingen is bepaald niet op zijn plaats. Denk aan Joséphine. Die verloor nooit haar zelfbeheersing.'

Sarah huiverde. Alsof het nog niet genoeg was dat Nekrasov háár voortdurend met haar voornaam aansprak, deed hij zich nu ook nog eens voor als een goede vriend van haar moeder. Met verstikte stem antwoordde ze: 'We hadden het over uw misdadigheid. Er bestaat geen rechtvaardiging voor wat u hebt gedaan. Het is afgrijselijk, demonisch...'

'Zwijg, voordat je spijt krijgt van wat je zegt!' onderbrak Nekrasov haar. Zijn stem ritselde als bevroren loof. 'Het ligt in jouw handen of de weg naar het geluk voor de mensheid moeizaam of aangenaam wordt.'

'Geluk?' Sarah lachte bitter. 'U bedoelt zeker het soort zaligheid dat je tijdens een lsd-trip mag ervaren.'

'Ik kan je verzekeren, kind, dat de klanken die we met behulp van de purperpartituur zullen scheppen, een heel wat verfijndere uitwerking hebben dan welke drug ook. Wereldwijd zullen mannen, vrouwen en kinderen naar rede luisteren, omdat ze het wíllen.'

Ze snoof minachtend. 'Eerder, lijkt me, omdat u de mensen met uw soort "rede" hebt geïnfecteerd. En al zou ik het met de dood moeten bekopen, ik wil niets met uw praktijken te maken hebben.'

Nekrasovs ijzige stem werd op een griezelige manier kalm. 'Ik raad je dringend aan mijn aanbod nog een keer te overwegen.'

'Vergeet het maar!'

'Bind nou toch eindelijk eens in, Sarah! Je weet nu waartoe we in staat zijn en je kunt je niet langer aan onze zaak onttrekken. Jij alleen hebt de macht om de wereld op een zachte manier te helen. Anders...'

Sarah stak uitdagend haar kin naar voren. 'Anders?'

'Als je je tegen je lot blijft verzetten, rest ons slechts de ultima ratio: het mensdom met vuur te louteren.'

Ze hapte naar adem, schudde verontwaardigd haar hoofd, zocht naar een acceptabele reactie en antwoordde uiteindelijk toch nog behoorlijk grof: 'U bent een levensgevaarlijke psychopaat, Nekrasov, en als ik even aan die moordenaar Tiomkin van u denk, dan schijnen uw zogenaamde broeders geen haar beter te zijn.'

'Valéri had alleen de opdracht je naar een afgelegen plek te brengen, zodat we je ongestoord onze missie duidelijk konden maken.'

'Toen hij in het Russischer Hof mijn kamer binnendrong en wild om zich heen schoot, leek dat me nu niet direct een uitnodiging.'

'Allemaal dramatisch gedoe, een theatrale poging om je mee te krijgen.'

'Even uit belangstelling: hoe luidde zijn bevel als ik u naar de hel zou hebben gewenst?' Sarahs stem droop van de galgroene verachting.

'Over wat er daarna zou gebeuren hadden we nog niets afgesproken. Valéri Tiomkin moest jou alleen overhalen om met hem mee te gaan. Overigens, Sarah, was het jóúw partner die hém naar de andere wereld heeft geholpen.'

'U draait eromheen, Nekrasov. Stel, ik zou meespelen, u zou uw purperpartituur en de nieuwe klanken der macht krijgen die u zo vreselijk graag wilt hebben. Wat gebeurt er daarna met mij? Wordt er dan gezegd: "De Moor heeft zijn werk gedaan, hij mag nu gaan"?'

'Je bent voor ons een meesteres der klanken zoals Jubal. Als je je bij ons aansluit, zal ik zelfs het hoofd voor je buigen.'

De prachtige betuigingen uit de telefoon maakten op Sarah totaal geen indruk. 'Dank u feestelijk. U mag dan misschien massale paniek kunnen ontketenen, maar een nieuwe wereldorde scheppen zou zelfs voor uw Kleurenhoorders wel eens te hoog gegrepen kunnen zijn.'

Een moment lang, waarin alleen Nekrasovs piepende adem weerklonk, hoopte ze de meester der harpen er eindelijk van te hebben overtuigd dat wat hij wilde geen enkele zin had. Maar even later eiste zijn ritselende stem met kille vastberadenheid de aandacht weer op.

'Goed dan. Toch zal ik je nog een laatste bewijs leveren van waartoe we nu al in staat zijn. In Kopenhagen, waar onze broeder door je partner werd gedood, heb je je door Hans Christian Andersen laten leiden. We zullen van deze lichtfiguur een onheilsprofeet maken. Ben je bijgelovig, Sarah?'

Ze slikte. 'Nee, hoezo?'

'Omdat we Franz Liszts symfonisch gedicht nr. 13 als motto zullen hanteren. Het heet...'

'"Von der Wiege bis zum Grabe – Van de wieg tot aan het graf",' fluisterde Sarah met een naar voorgevoel.

'Slimme meid. Maar waag het niet me nog eens te onderbreken. Wat ik nu zeg, zal je te zijner tijd de ogen openen: de Zwanenbroeder Andersen werd op 2 april 1805 geboren. Vergeet die datum niet! Terwijl over twee maanden de dag wordt gevierd dat de kleine Hans Christian voor het eerst zijn wieg zag, zal voor iemand anders het graf zich openen. Zijn dood zal de wereld in beroering brengen. Hoe die er daarna uitziet, ligt alleen in jouw handen.'

Sarah kneep in de gsm als in een citroen. De als bij een gebedsmolen steeds herhaalde uitspraak dat zíj voor alle rampspoed in de wereld verantwoordelijk zou zijn, was voor haar de laatste druppel. Ze verloor haar zelfbeheersing en schreeuwde: 'Wat een gestoorde, volslagen idiote kletspraat! U en uw Kleurenhoorders zouden allemaal in de gevangenis moeten worden opgesloten, en de sleutel zou moeten worden weggegooid. Wat u ook in me ziet, ik ben het niet en zal het ook nooit zijn. Ik ben nog liever dood dan dat ik me in dienst zou stellen van die krankzinnige missie van u.'

Er viel een korte stilte. Toen vroeg Nekrasov enkel: 'Is dat je laatste woord?'

Zonder iets te antwoorden smeet Sarah de telefoon met een boog het raam uit.

24

Eolusharp, windharp. Deze namen geeft men aan een snaarinstrument
dat, blootgesteld aan de wind, vanzelf geluid begint te maken [...] De
diepste klanken zijn die van de unisono, maar wanneer de wind opsteekt,
ontwikkelt zich een verscheidenheid aan fascinerende klanken, die elke
beschrijving tart. Het is moeilijk te verklaren hoe een enkele snaar al die
harmonieuze klanken, zeven tot acht in getal, kan voortbrengen, en soms
verscheidene ervan tegelijkertijd kan laten horen.

— Johann Samuel Traugott Gehler, *Natuurkundig woordenboek*, 1787

LES BAUX DE PROVENCE, 27 JANUARI 2005, 08.48 UUR

Het restaurant van het Bautezar zinderde van de klanken. Ze stroomden
uit een bruine piano, waarvan menige toon niet al te zuiver was. Maar de
handen die hem nu eens liefkoosden en dan weer het uiterste van hem verg-
den, maakten van de kleine tekortkomingen iets speciaals, wat het stuk een
nog betoverender effect gaf. Al hadden deze haast magische vingers laatst
alleen even over de rand van een tafel of een lage kast mogen dansen, deze
donderdagochtend was te horen dat ze hun vaardigheid geenszins hadden
verloren. Sarah speelde Frédéric Chopins *Nocturne in cis klein* met een gratie
en melancholie waar geen mens zijn hart voor kon sluiten.

Weer had ze een nagenoeg slapeloze nacht achter de rug. Ze was zich
niet zozeer wezenloos geschrokken van Sergej Nekrasovs laatste woorden,
maar meer van de kille vastberadenheid waarmee die waren uitgesproken.
Voor de verontrustende context had ze zelf nog gezorgd: *Ik ben nog liever*
dood dan dat ik me in dienst zou stellen van die krankzinnige missie van u...
Misschien had ze haar walging iets omzichtiger moeten uitdrukken.

Chopin hielp haar om haar balans weer te vinden. Omdat Janin niet zoals
afgesproken om halfnegen aan het ontbijt was verschenen, had Sarah de
verleiding niet meer kunnen weerstaan en was ze achter de piano gaan zitten. Terwijl de laatste klanken van Chopins 'nastuk' nu in de middeleeuwse

eetzaal wegstierven, brak achter haar een denderend applaus los. Ze keerde zich verrast om.

Cornée en Janin waren stiekem komen aansluipen om naar haar pianospel te luisteren. Nu wilden ze hun waardering laten blijken. Janin klapte beheerst, maar de ovatie en de enthousiaste kreten van de hotelhouder klonken als van wel een tiental concertbezoekers. 'Bravo, madame d'Albis!' riep hij voor de zoveelste keer. 'Ik heb me gisteren al de hele tijd afgevraagd waarom u me zo bekend voorkwam. Nu weet ik het weer. Uw spel is goddelijk.'

De onverwachte manier waarop ze de gewone wereld weer in werd gesleurd maakte haar verlegen. Vriendelijk bedankte ze en vroeg om een kopje thee. De slungelige Cornée verwijderde zich. Toen Sarah met de professor alleen was, deed ze hem de ontwikkelingen van de vorige avond uit de doeken. Janins gezicht was opeens als versteend. 'Je had me meteen over dat telefoontje moeten vertellen,' verweet hij haar.

'Waarom? Zou je soms met me vertrokken zijn?'

'Dat zou ik je in elk geval hebben voorgesteld. Inmiddels moet je wel duidelijk zijn hoe machtig en gevaarlijk de Kleurenhoorders zijn.' De naam van de Broederschap sprak de professor opvallend zachtjes uit. Sarahs antwoord klonk des te harder.

'Ach, hou toch op, Oleg! Je hebt de naam van kardinaal Richelieu voor me verzwegen omdat dat in je voordeel was. Het komt jou immers alleen maar goed uit wanneer we verder zoeken naar de purperpartituur.'

'Maar niet tegen elke prijs, Sarah. Nekrasov heeft waarschijnlijk allang een nieuwe trawant op ons af gestuurd. Eigenlijk dacht ik dat je gisteren al had begrepen dat ik je praatlust tegenover die monsieur Cornée nogal roekeloos vond. Hou je een beetje in, totdat we hier weg zijn.'

Meer uit trots dan uit overtuiging antwoordde ze: 'Weg? Vergeet het maar, zolang ik het raadsel van Franz Liszt niet heb opgelost. Ik moet zien uit te vinden wat hij precies met de crux bedoelde die ons het in het purper gesmeed gekonkel moet openbaren en ons naar de finale moet leiden. Misschien kan madame Le Mouel ons daarbij verder helpen.'

'En als die tot het adelaarsras behoort? Je weet wel wat ik bedoel.'

Sarah werd geen wijs uit Janins plotselinge besluiteloosheid. In Boedapest had hij haar nog aangespoord om door te gaan, en nu hing hij ineens de scepticus uit. Ze schudde heftig haar hoofd. 'Als we de harpiste uit de weg gaan, zullen we nooit weten of ze ons kan schaden of verder kan helpen. Wat mij betreft, mijn besluit staat vast. Of je met me mee wilt, is aan jou.'

Het huis van Florence le Mouel was direct onder de burchtruïne tegen de rotswand gebouwd, had de eigenaar van het Bautezar gezegd. Het was eigenlijk niet moeilijk te vinden. Toen Sarah met Oleg Janin de straat op ging, had ze het gevoel alsof ze een bewegende schijf in een schiettent was. Nekrasovs duistere dreigementen kon ze maar niet uit haar hoofd krijgen. Zou hij zijn achtervolgers al in stelling hebben gebracht?

Onderweg door het schilderachtige dorp keek ze voortdurend om. In tegenstelling tot haar sombere stemming liet het weer zich van zijn beste kant zien. De droge noordenwind had alle wolken van de hemel geblazen. Algauw deed ze haar jas open, want op beschutte plekken zorgde de zon al voor haast lenteachtige temperaturen.

Het was zo goed als onmogelijk om in Les Baux de Provence te verdwalen. Verleden en heden verdrongen elkaar op een rots van zeshonderd bij tweehonderd meter. De dorpsbevolking bestond uit amper vierhonderdvijftig mensen en een garnizoen van straathonden die overal door het dorp patrouilleerden, elkaar achternazaten of in de straatjes met de toeristen meeliepen. Zonder erbij stil te staan had ze toen ze het hotel verlieten een van de viervoetige 'gidsen' een koekje gevoerd. Sindsdien was de zwartwitte cicerone, zeer tegen Janins zin, niet meer van hun zijde geweken en hij blafte nu hardnekkig omdat concurrenten hem zijn klanten wilden afpakken.

De tocht die ze te voet over het hobbelige kinderkopjesplaveisel moesten afleggen was eigenlijk maar een klein eindje, en toch leek het een reis naar het verleden. In de Grande Rue Frédéric Mistral, de hoofdstraat, liepen ze tussen liefdevol gerestaureerde renaissancehuizen door, ooit domicilies van adellijke en burgerlijke families.

Toen Sarah zich voor de zoveelste keer omdraaide, gleed haar blik over een gedrongen man met een zwarte jas, een zonnebril en een hoed. Hij scheen hen in de gaten te houden. Na een tijdje draaide ze zich nog eens om. De onbekende was verdwenen.

'Is er iets?' vroeg Janin.

'Ik weet het niet,' mompelde ze. 'Ik had het gevoel dat...' Ze schudde haar hoofd. 'Waarschijnlijk zie ik spoken.'

Hij lachte. 'Die heb je in dit gat waarschijnlijk bij bosjes. We moeten die kant op.' Hij duidde op een zijstraatje.

Sarah zocht nog een keer naar de donkere gestalte. Toen ze niets verdachts kon ontdekken, verliet ze met Janin en haar vierpotige metgezel de hoofdstraat.

In de nauwe doorgang moesten ze een stukje bergopwaarts. Algauw kwamen ze in de Rue de Lorme Cité Haute, waar ze zoals aangekondigd het huis van de harpspeelster vonden. Op de voet gevolgd door Janin beklom Sarah een door pijnbomen beschaduwde trap. De hond bleef achter.

Links torende een muur van grof gehouwen stenen op, rechts stelde een roestige ijzeren leuning het evenwichtsgevoel van bezoekers op de proef. Het gebouw dat mevrouw Le Mouel bewoonde, was als een verzameling zwaluwnesten nauw met de rots van Les Baux verweven. Sarah gaf het al snel op te proberen de ware afmetingen van het bouwwerk in te schatten.

Door een poortgewelf liep ze de kleine binnenplaats op: niet meer dan een spleet in de rots, van waaruit het huis via een paar ramen met roedeverdeling en glasloze openingen van een galerij zijn licht kreeg. De tijdreis door les Baux eindigde voorlopig voor een eikenhouten deur, die met zijn ijzeren beslag een weerbare indruk maakte. Naast de ingang hing aan een gesmede houder een bel.

Sarah trok verscheidene malen aan het koord dat aan de klepel was bevestigd. Haar audition colorée tekende groengele kometenstaarten in haar geest. Toen volgde er een duistere stilte. Alleen de mistral blies overmoedig door de toppen van de pijnbomen. Ze wisselde een blik met Janin. Die trok een typerend misschien-is-ze-niet-thuis-gezicht. Opnieuw stak ze haar linkerhand uit naar het klepeltouw, maar nog voordat ze kon aanbellen, werd boven haar een van de boogramen opengetrokken.

Daarin stond in een donkerblauwe jurk een lijvige vrouw, wier zwoegende boezem zo'n beetje over de vensterbank heen hing. Haar asgrijze haar was strak achterovergekamd en samengebonden in een vlecht die langs haar nek haar lichaamsrondingen naar beneden volgde. Ze had een waakzame blik in haar donkerbruine ogen, een korte wipneus en een ronde kin. Uit haar ovale, praktisch rimpelloze gezicht spraken waardigheid, vastberadenheid en een onverzettelijke wil. Sarah schatte haar midden of eind zestig.

'Goedemorgen. U wenst?' vroeg de vrouw in het raam. Haar diepe stem klonk niet onvriendelijk, maar toch onverwacht autoritair.

Sarah voelde zich door de tastbare kracht van de vrouw in de verdediging gedrukt en legde onwillekeurig haar hand op haar borst, alsof de hanger onder haar leikleurige trui haar sterker zou maken. 'Goedemorgen... Madame Le Mouel, neem ik aan. Deze heer naast me is professor Oleg Janin, een in Parijs werkende muziekhistoricus. En ik heet...'

'... Sarah d'Albis. Ik weet het,' onderbrak Florence le Mouel haar ongeduldig. 'Ik treed wel niet meer in het openbaar op, maar het zou van een armoede getuigen waar ik mezelf absoluut niet op zou willen betrappen om zo'n begenadigd collega als u bent niet te kennen. Wacht u even, ik kom naar beneden.'

Ze liet haar blik over de daken dwalen, alsof ze een horde paparazzi in het kielzog van de prominente pianiste verwachtte. Of houdt ze rekening met andere achtervolgers, vroeg Sarah zich af. Misschien met een man in een zwarte jas, met zonnebril en hoed? Onwillekeurig keerde ze zich naar de ingang van de binnenplaats. Toen ze weer naar het raam omhoogkeek, was dat dicht en was de harpiste verdwenen.

Even later deed madame Le Mouel de huisdeur open. Ze droeg nu aan een gouden ketting een zwarte, met glinsterende stenen bezette bril om haar nek. Het zwarte, waarschijnlijk bijbehorende etui hield ze in haar hand. Nadat ze de bezoekers uitgebreid had opgenomen, informeerde ze naar de reden van hun komst.

'U hebt misschien ook al van de geruchten rond mijn afstamming van Franz Liszt gehoord?' vroeg Sarah.

'Ha!' lachte de harpiste op een manier die eerder klonk als een droge hoest. 'Ik heb de berichtgeving gevolgd. Geen enkele bijdrage vond ik trouwens overtuigend. Dat was zeker een pr-stunt, hè?'

'Als dat al zo was, dan van de media, die er hun oplagen of kijkcijfers mee wilden verhogen. Ik heb steeds weer benadrukt dat mijn stamboom allesbehalve zeker is,' gaf Sarah verrast te kennen. De vrouw tegenover haar was de eerste persoon in lange tijd die zich niet door de mediacampagne had laten misleiden.

'Ik wil niet onbeleefd zijn, madame d'Albis, maar wat wilt u eigenlijk?'

'Mij gaat het erom eindelijk de waarheid te achterhalen wat mijn vermeende voorvader betreft. Onlangs ben ik op een aantal... zaken uit de nalatenschap van Franz Liszt gestuit die mijn afstamming van hem lijken te bewijzen. Hij vond het trouwens leuk om zijn onthullingen in raadsels te vervatten.'

'Dat verbaast me niets. Kunstenaars neigen tot excentrieke ideeën. Ze moeten zich altijd en overal bewijzen.'

Sarah had fijne antennes voor de lichaamstaal van haar medemens, en hoewel madame Le Mouel zich oppervlakkig gezien gedroeg alsof ze niet onder de indruk was, zond ze signalen van groeiende belangstelling uit. Vreemd genoeg keek de harpiste niet naar haar gezicht, maar naar haar... borst?

Verrast merkte Sarah op dat haar vingers alweer zochten naar de hanger onder haar trui. Snel liet ze haar hand zakken en maande ze zichzelf voorzichtig te zijn. Ze had eindelijk duidelijke antwoorden nodig. Een snelle blik op Janin verried haar dat hij haar volgende zet al voorzag, en afkeurde. Desondanks zei ze: 'In een van zijn raadsels heeft Liszt het over een windharpen en hun eerste hoeder.'

De gelaatstrekken van Florence le Mouel verhardden zich. Haar donkere ogen echter leken opeens vuur te spuwen. Wat er ook in haar omging, het was heftig. En kort. Het volgende moment getuigde alleen de kille toon in haar stem nog van deze innerlijke uitbarsting. 'Ik ben bang dat ik u moet teleurstellen, madame d'Albis. Mijn instrument speelt wat ík het beveel. Een eolusharp daarentegen gehoorzaamt alleen de wind. Kijkt u in de Gouden Gids als u een expert nodig hebt.'

Als dat geen afwijzing was! Sarah moest eerst diep ademhalen voordat ze met de nodige kalmte kon antwoorden: 'Vast en zeker zult u ook de kracht van het raadsel voelen wanneer u de eerste twee verzen als geheel op u laat inwerken. Liszt dichtte: TREK DOOR HET HELLEDAL, WAAR JE DE ZWARTE PRINS ZIET, EN MET VAN DE HARP DER WIND HET GETAL ZIJN EERSTE HOEDER JE BEGROET. In Les Baux de Provence heb je het Val d'Enfer en meerdere verwijzingen naar Le Prince Noir – alleen de eerste hoeder van de harpen der wind ontbreekt nog.' Sarah glimlachte beminnelijk. 'Hebt u misschien enig idee om wie het hierbij gaat?'

Le Mouels gezicht bleef uitdrukkingsloos. Alleen in haar donkere ogen laaide weer dat vuur op, waarachter ongetwijfeld veelzeggende emoties en gedachten schuilgingen. Zou het Janin ook zijn opgevallen?

Behoedzaam in woord en gebaar antwoordde de harpiste: 'Madame d'Albis, vergeef me dat uw betoog me in verwarring brengt. Liszt is al honderdwintig jaar dood. Aan welke persoon hij bij het schrijven van zijn verzen ook mag hebben gedacht, die moet dan ook allang tot stof zijn vergaan. Ik ben bang dat ik u niet verder kan helpen. Bovendien... O!'

Terwijl Le Mouel haar woorden met gebaren kracht had bijgezet, was haar briletui uit haar hand gegleden en met een klap vlak voor de voeten van haar bezoekster beland. Nog voordat Oleg Janin zijn plicht als gentleman kon vervullen en het zwarte leren doosje kon oppakken, had Sarah zich al als in een reflex voorovergebogen. Toen ze haar hand naar het gevallen voorwerp uitstak, gebeurde er iets wat haar even volledig van haar stuk bracht.

De hanger glipte uit de hals van haar trui.

Snel raapte ze het briletui van de grond op. Ze zag daarbij madame Le Mouels strakke blik, die op het glinsterende kleinood gefixeerd bleef totdat het weer onder Sarahs trui verdween. Met eenzelfde intensiteit keek de vrouw des huizes vervolgens haar jonge bezoekster recht in de ogen. Sarah voelde zich als het spreekwoordelijke konijntje dat door de slang wordt gehypnotiseerd.

Ze gaf het etui terug.

'Bedankt,' zei de harpiste. 'Dat is erg vriendelijk van u, madame d'Albis. Wilt u niet verder komen? Mag ik u beiden een kop koffie of thee aanbieden?'

Sarah hoorde achter zich dat Janin zich eerst verslikte en toen tegen een hoestaanval vocht. Vermoedelijk had hij de hanger niet eens gezien, waardoor de plotseling veranderde stemming van madame Le Mouel hem misschien nog wel meer verraste dan zijn partner. De uitnodiging werd met graagte aangenomen.

De gastvrouw en haar bezoekers zakten weg in een zwart bankstel, dat een even kolossale indruk maakte als vermoedelijk ooit de buffels hadden gedaan die hun huid ervoor hadden opgeofferd en nu niet meer op groene weiden, maar op een blauw-rood Perzisch tapijt graasden. De tot meubels gemuteerde runderen dartelden rond in een opzienbarende salon.

Achter de uiterlijke verschijning van het complex ging veel meer schuil dan je zo op het eerste gezicht zou vermoeden. Over meerdere verdiepingen waren vertrekken uit de rots gehouwen. De overwegend grof geëgaliseerde binnenmuren verleenden het woonlandschap in combinatie met tal van verdekt opgestelde lampen een unieke ambiance, die ongepolijst en tegelijkertijd beschaafd aandeed. De meest uiteenlopende soorten snaarinstrumenten sierden de muren, en daarnaast hingen overal impressionistische of abstracte schilderijen, zo te zien voornamelijk originele. Bovendien ontdekte Sarah talloze sculpturen. En te midden van de buffelkudde stond een gouden concertharp.

Terwijl de sterke persoonlijkheid van Florence le Mouel steeds voelbaar was, bleek ze nu van nature ook een verrassend hartelijke gastvrouw te zijn. Nadat ze voor haar gasten thee en mokka had gezet, zorgde ze een paar minuten lang met ongedwongen gebabbel voor een ontspannen sfeer. Vrijmoedig vertelde ze over haar carrière als harpiste, en ze had het er ook nog even over dat ze door een hartafwijking vroegtijdig met pensioen had moeten gaan.

Op zeker moment kwamen ze over Sarah en haar stamboomonderzoek te spreken. Janin trok met een kuchje zo nu en dan de aandacht en stuurde, door druk gebruik te maken van zijn gezichtsspieren, heimelijke waarschuwingen in Sarahs richting, maar ze lette er nauwelijks op. Ze voelde zich geborgen in het zwaluwnest van madame Le Mouel, al had deze nog niet eens de vraag naar de hoeder der windharpen beantwoord.

'Onder de vele chordofonen die ik hier heb, bevindt zich inderdaad ook een eolusharp,' liet de gastvrouw terloops weten.

'O?' zei Sarah verwonderd. 'Daarnet klonk het nog alsof u alleen maar op zulke instrumenten neerkeek.'

'Neerkijken? O nee. Hoe zou ik nu op iets kunnen neerkijken waarvoor Goethe, Schiller, Jean Paul, E.T.A. Hoffmann en Mörike zulke bewonderende woorden hebben gevonden? Ik wilde alleen maar wijzen op wat wij solisten beslist gemeen hebben: de wens om muziek zelf te interpreteren. Eolusharpen vallen daarbuiten. Ze zijn net als katten: eigenzinnig, en af en toe huilen ze.' Le Mouel schonk Sarahs metgezel een glimlach. 'Uw landgenoot, Nicolaj Leskov, heeft er honderd jaar geleden over gemopperd dat wanneer de wind door de snaren "van dit eigenzinnige instrument" voer, ze "vreemde tonen produceerden, die van een zacht, diep gemurmel in een onrustig en disharmonisch gejammer overgingen en vaak niets anders dan ondraaglijk lawaai" waren. Denkt u daar net zo over, monsieur Janin?'

Janin had tot op dit moment weinig aandacht van de twee vrouwen gekregen, zodat hij verbaasd vroeg: 'Ik? Eh... Eerlijk gezegd heb ik tot nu toe niet de kans gehad de klank van de windharp op me te laten inwerken.'

Sarahs blik flitste tussen hen beiden heen en weer. Had ze het mis, of had madame Le Mouel zojuist geprobeerd Janins ziel te doorgronden? De donkere ogen van de harpiste volgden oplettend elke beweging van haar gast. Haar stem daarentegen bleef op een charmante manier afstandelijk, al was er nu wel een ondertoon van teleurstelling hoorbaar.

'Wat jammer! Geen instrument weet de gemoederen beter in licht en duister te scheiden dan de windharp. Over Hector Berlioz wordt gezegd dat hij zich, terwijl hij naar een *harpe eoliènne* luisterde, al in een ander leven waande en de verleiding om zelfmoord te plegen daarbij maar moeilijk kon weerstaan.'

'Misschien kon hij gewoon niet verdragen dat hij maar niet de erkenning kreeg waarnaar hij zijn leven lang hunkerde.' Janins parade nam Sarahs laatste twijfels weg: de professor en de harpiste kruisten de degens. Le Mouels riposte liet dan ook niet lang op zich wachten.

'Vergis ik me, of bent u niet erg gecharmeerd van Berlioz?'

'Hij laat me koud. Ik heb me alleen met hem beziggehouden in het kader van een onderzoeksproject, net als met zijn beschermer Franz Liszt, of met

Rimski-Korsakov, Alexander Nikolajevitsj Skrjabin, Wassily Kandinsky en vele anderen.'

'Interessant! Als ik me niet vergis, waren dat allemaal synestheten.'

'Verbazingwekkend wat u zoal weet, madame.'

'Dat maakt deel uit van de algemene ontwikkeling van een serieuze kunstenaar, monsieur Janin. Bent u ook kleurenhoorder, of hebt u een andere synesthetische gave?'

Sarah hield haar adem in. Wat gebeurde er tussen die twee?

'Volgens mij is elk mens min of meer synesthetisch begaafd,' antwoordde de professor.

Was dat nu weer een parade geweest of een fint?

De gastvrouw riposteerde in elk geval met een flèche, een snelle aanval. 'Zou u de mistral eens willen horen wanneer hij op mijn eolusharp speelt, monsieur Janin?'

Verward keek Janin naar Sarah. 'En madame d'Albis dan? Die popelt vast en zeker ook om uw windharp te horen.'

Madame Le Mouel glimlachte geheimzinnig. 'Ook uw jonge metgezellin zal een voorproefje krijgen. Maar – noem het een test van uw natuurlijke audition colorée – ik wil graag dat ieder voor zich de betovering van het instrument ervaart. Laten we naar het dakterras gaan. Daar komt de klank het best tot zijn recht.' De harpiste kwam uit haar stoel overeind.

Alleen al uit beleefdheid stond Janin eveneens op. Van zijn gezicht waren de argwaan en tegenzin af te lezen. Vermoedelijk was het hem duidelijk dat de harpiste zijn dekking had doorbroken. Als hij in het bijzijn van de twee vrouwen niet wilde afgaan, dan moest hij de uitdaging aannemen.

25

Leunend tegen de klimopwand
van dit oude terras,
ach, geheimzinnig snarenspel
van een luchtgeboren muze,
zet in,
zet weer in
je melodieuze weeklacht!
[...] Maar plots,
als de wind heftiger stoot,
hierheen,
brengt een bevallige schreeuw van de harp,
tot mijn zoete schrik,
mijn ziel opeens weer in beweging [...]
— Eduard Mörike, 'An eine Aeolusharfe', 1837

LES BAUX DE PROVENCE, 27 JANUARI 2005, 10.24 UUR

Sinds een kleine eeuwigheid vloeide de tijd voor Sarah zo traag als Provençaalse honing. Het ongeduld was inmiddels tot in haar tenen doorgedrongen – rusteloos liep ze tussen de buffelkudde van zitmeubels heen en weer. Het was allemaal zo verwarrend. Waarom had madame Le Mouel zich tegenover Janin zo vreemd gedragen? Wilde ze op het dakterras werkelijk alleen de synesthetische gave van haar gasten testen? En waarom was haar aanvankelijke geslotenheid, nadat ze het FL-signet had gezien, omgeslagen in het tegenovergestelde? Sarah had bijna het gevoel dat de vreemde bewoonster van dit 'zwaluwnest' de hanger had herkend...

Toen Sarah het gekraak van de houten trap aan de rand van het woonlandschap hoorde, draaide ze zich met een ruk om. Eén blik op haar horloge zei haar dat wat haar een eeuwigheid had geleken maar twintig minuten had geduurd. Janin kwam in zijn eentje de trap af. Zijn sombere gezicht sprak boekdelen. Er moest daar boven iets zijn gebeurd, iets wat zijn humeur volledig had bedorven. Sarah liep naar hem toe.

Van dichtbij zag het gezicht van de professor er asgrauw uit. 'Vond je de harp niet mooi klinken, Oleg?'

'Nee,' bromde hij.

'En waarom niet?'

Hij wees omhoog de trap op. 'Die oude dame spoort niet helemaal. Overtuig je zelf maar. Madame Le Mouel verwacht je op het dakterras. Je moet de glazen deur aan het eind van de gang hebben.' Janin wendde zich af en slofte naar de zitgroep.

Sarah schudde haar hoofd. In dit zwaluwnest scheen elke stemmingswisseling mogelijk. Ze was benieuwd welke metamorfose het haar had toebedacht.

Met grote stappen liep ze de krakende treden op. De trap kwam uit in een smalle gang. Rechts leidde een andere, steile trap nog verder naar boven. Sarahs ogen moesten eerst aan het schemerdonker wennen. Vervolgens zag ze ruw pleisterwerk, nog meer schilderijen en een lange donkerrode loper.

Ze volgde het licht, en nadat ze om een vooruitspringend deel van de muur heen was gelopen, ontdekte ze aan het eind van de korte gang een fel verlichte deur. Ter bescherming van het glas zat er een smeedijzeren traliewerk voor. Dit werd gesierd door zes of acht lieren – een instrument, vooral bekend uit de oudheid en de voorloper van de harp.

De deur zwaaide open en het silhouet van madame Le Mouel tekende zich af tegen het verblindende zonnelicht. Ze stak uitnodigend haar arm uit en riep: 'Komt u maar!'

Sarah liep de gang door en stapte langs haar gastvrouw het dakterras op. Dat was bedekt met rode lemen vloerplaten, waarop een handjevol bronzen plastieken het weer trotseerde. Achter een witgepleisterde balustrade begon, zo scheen het, de oneindigheid.

'Wat u in de verte ziet, is het Val d'Enfer – "het Helledal",' vertelde de harpiste. Ze gebaarde naar een tegen de wind beschutte nis rechts van haar. 'En dát daar is mijn *machinamentum*.'

Het geval stond op een lage rolwagen en leek op een smalle klokkenkast, met een deur die uit twee delen bestond; de wijd openstaande vleugels waren evenwel veel te groot om elkaar bij het sluiten niet in de weg te zitten. Inderdaad ging het hier om een toestel om de wind te kunnen vangen. In de kast zelf was een reeks snaren gespannen.

Sarah liep, haar bovenlichaam voorovergebogen, haar handen op haar rug gekruist, met kleine stappen dichter naar het schijnbaar al heel oude instrument toe. Zonder haar blik van de eolusharp af te wenden, vroeg ze: 'Waarom noemt u hem *machi*... Hoe was het ook alweer?'

'Machinamentum nr. 10. Zo heeft zijn maker, Anthanasius Kircher, hem genoemd,' antwoordde Le Mouel.

Sarah keek verrast op. 'Dé Anthanasius Kircher, de uitvinder van de laterna magica?'

'En vele andere wonderwerken,' bevestigde de harpiste. 'Hij was een universeel genie. En een tijdgenoot van Armand-Jean du Plessis de Richelieu, die de hugenoten vervolgde en deze burcht heeft laten slopen.' Ze stak haar hand uit naar boven, alsof ze het over de gehele hemel had.

'Mag ik uw windharp horen?'

'Daarvoor zijn we tenslotte hier. Ik had uw metgezel alleen gevraagd hem hiernaartoe te duwen, zodat u zich er eerst een beeld van kunt vormen.'

'Heeft monsieur Janin uw test niet doorstaan? Hij maakte nogal een... norse indruk.'

'Ik neem aan dat de harp hem niet heeft laten zien waarop hij had gehoopt.'

Sarah merkte dat haar mond openviel, maar ze kon er niets aan doen.

'U lijkt verrast,' constateerde madame Le Mouel.

'Houdt dat in... dat Oleg Janin een... Kleurenhoorder is?'

Le Mouel knikte. 'Ik dacht al wel dat hij u daarover niets had verteld. Maar laten we het straks over uw partner hebben. Help me alstublieft even het instrument weer op de juiste plek te zetten. Zonet heeft het daar prachtig gespeeld.' Ze gebaarde met haar kin naar een onbeschutte plek naast de stenen balustrade.

Samen duwden ze het machinamentum over het terras.

'De lucht mag niet te zachtjes, maar ook niet te heftig door de magische harp stromen,' liet de bezitster ervan nonchalant weten.

'Magische harp?' herhaalde Sarah wat versuft; het nieuws van Janins synesthesie bezorgde haar maagkrampen.

'Het instrument kent vele namen. Déze heeft het waarschijnlijk omdat je de harpenaar, die de snaren laat weerklinken, niet ziet. Zo, dit moet goed genoeg zijn. En spits dan nu uw oren, of wat u er ook maar bij moet halen om te kunnen horen, madame d'Albis.' Le Mouel zette de wielen van het onderstel met haar tenen op de rem en stapte opzij, zodat de wind ongehinderd tegen de uitgespreide 'vleugels' van de harpkast kon blazen.

Sarah legde de vele vragen die haar op dat moment door het hoofd gingen naast zich neer om zich volledig op het instrument te kunnen concentreren.

Het duurde niet lang of ze hoorde een sferische klank. Nu eens werd hij krachtiger, dan weer zwakker, precies zoals het de wind beliefde. Hij leek op het aanzwellende en langzaam weer wegstervende gezang van koren in de verte, en in alle opzichten meer op het harmonisch gegoochel van etherische wezens dan op een product van menselijke ambachtskunst. En terwijl de betovering van de eolusharp Sarah met vleugels zo blauw als lapis lazuli en zo zacht als vers mos omvatte, vormde zich uit de schijnbare willekeurigheid van het spel geleidelijk aan een beeld. Als door bewegende nevelslierten gaf het zijn contouren maar aarzelend prijs. Zodra ze even verschenen, verdwenen ze ook meteen weer in het blauwe gegolf.

Sarah had haar ogen gesloten om elke afleiding buiten te sluiten. De omtrekken toonden een symbool. Ze moest meteen aan een Maltezer kruis denken vanwege de naar binnen toe smalle en naar buiten toe breder wordende armen. Maar omdat die rond uitliepen, leek de figuur tegelijkertijd op een vierbladig klaverblad. Of...

'Hoeveel ziet u er?' De stem van madame Le Mouel verstoorde Sarahs waarneming.

Hoeveel? Even was ze verward en wilde ze vragen wat Le Mouel precies bedoelde, maar plotseling herinnerde ze zich weer de woorden van Liszts laatste klankboodschap.

EN MET VAN DE HARPEN DER WIND HET GETAL ZIJN EERSTE HOEDER JE BEGROET

Sarah huiverde. Niet omdat de mistral te hard door haar trui blies, maar omdat ze opeens besefte dat ze aan een oud ritueel was begonnen. Florence le Mouel moest de hoedster der windharp zijn, en wat ze van Sarah wilde horen, was een getal.

'Acht en acht,' antwoordde ze spontaan.

Le Mouel zweeg.

Sarah rilde weer. Voor haar geestesoog zag ze de meest klankloze van alle kleuren, een zwart niets. Was het de stilte van teleurgestelde verwachting? Ze opende haar ogen, keek in een verstard, vragend gezicht en wist instinctief dat ze nog maar een paar opgewonden hartslagen de tijd had om het foute antwoord te verbeteren.

Een hevige windvlaag deed de snaren van de eolusharp gillen en er schoot een blauwe vonkenregen door Sarahs geest. Toen de stralende stortbui vervaagde, kwam er een herinnering achter vandaan. Boven de ingang van de Bautezar had ze een windroos gezien – zogenaamd de ster van Bethlehem – en die had twee keer zoveel punten als die in het Weimarse stadsslot.

'Zestien,' zei Sarah, en ze ontmoette zelfverzekerd de onderzoekende blik op Florence le Mouels strenge gezicht.

Het machinamentum begeleidde de stille strijd van de beide vrouwen met een golvend snarengeluid.

'Het getal van de eolusharp,' zei de hoedster eindelijk. Haar gezicht ontspande zich en ze stak haar handen naar Sarah uit. 'Welkom, zuster, in de kring der Kleurenhoorders.'

26

Geheimzinnige klanken,
Voor geesten der lucht besnaard,
Door geen menselijke gezangen,
Enkel door stormen gebaard!

In jouw diepten vindt
Men de melodieën der sterren,
Zo roept een huilend kind
Om zijn moeder in den verre

Geluiden van de troosteres der eenzaamheid!
Zo trekt over rivieren menig zwaan,
Zo wiegt in dromen de zaligheid
De smartlenigende traan.

— Hermann von Lingg, 'Eolusharp'

LES BAUX DE PROVENCE, 27 JANUARI 2005, 20.45 UUR

Sarah voelde zich als een fluit – de mistral blies door elke opening in haar kleding. Met de nacht was de winterse kou in het dorp teruggekeerd; de zon en de laatste toeristenbussen waren drie uur geleden al verdwenen. Les Baux de Provence behoorde weer toe aan zijn bewoners. En zijn honden.

De kleine zwart-wit gevlekte straathond tippelde weer achter Sarah aan. Niet toevallig. Tegen beter weten in had ze een puntje worst van het avondeten meegenomen en dat aan de kortbenige 'gids' gevoerd, die voor het Bautezar op haar had zitten wachten. Telkens wanneer ze zich naar hem omdraaide, keek hij haar vol verwachting aan; zijn rechteroor stond daarbij waakzaam overeind, zijn linker hing constant halfstok. Omdat ze zijn echte naam niet wist, had ze hem Capitaine Nemo genoemd.

In elk geval hoefde ze deze weg nu niet in haar eentje te gaan, die haar meer hartkloppingen bezorgde dan een soloconcert in de New Yorkse Carnegie Hall. Telkens weer keek ze om; ze was bang elk moment de man in de zwarte jas weer te zullen ontdekken, maar niemand liet zich zien. De straatjes leken uitgestorven. Afgezien van Nemo en haar.

Aan Sarahs schouder hing het gewicht van haar laptoptas; misschien had ze haar wandelende bibliotheek vanavond nog nodig. Ze had een sjaal om haar hals geslagen, alle knopen van haar jas dichtgedaan en haar kraag opgezet, maar ze had het nog steeds koud. Vermoedelijk was het niet de wind die haar deed huiveren. De kou trok omhoog uit de krochten van haar onderbewustzijn, waar ze de herinnering aan Nekrasovs laatste woorden had weggesloten. Daar kwam nog het voorgevoel bij dat ze binnenkort waarheden onder ogen zou moeten zien die ze misschien helemaal niet wilde weten.

De Zwanen zijn niet dood, ze slapen alleen. Met deze enkele mededeling had Florence le Mouel Sarahs wereldbeeld de vorige middag voorgoed veranderd. Tot dan toe had Sarah het verhaal van de Duistere Kleurenhoorders eigenlijk alleen als een vaag Russisch sprookje beschouwd. Ze had zichzelf wijsgemaakt dat de Broederschap der Adelaars niet meer dan een kliek doorgedraaide muziekfanaten was. Maar nu had ook de andere kant van zich laten horen. De Zwanen. Daardoor nam alles een veel grotere vorm aan, zoals wanneer zich bij een enkele pianopartij ineens een heel symfonieorkest voegde.

Florence le Mouel was inderdaad de eerste hoedster der windharpen en ze vond het, zo had ze Sarah overtuigend verzekerd, heel belangrijk om haar nieuwe zuster in een groot aantal geheimen in te wijden. Ook al was Sarahs identiteit uit het FL-signet gebleken, een vergadering van bewaarders moest eerst nog hun vertrouwen in haar uitspreken – de kunstenares omschreef de geheime kring van uitverkorenen waarvan zij de leiding had als 'bewaarders' of 'hoeders der windharpen'.

'Je metgezel mag hier niets over te weten komen,' had ze op het dakterras nog eens extra benadrukt.

Sarah verloor toen even haar zelfbeheersing. 'Al verscheidene malen heb ik Oleg erop betrapt dat hij belangrijke informatie voor me achterhield. Maar die audition colorée van hem slaat alles!'

Le Mouel had met een ernstig gezicht geknikt. 'Hij speelt vuil spel, zoveel is zeker. Jammer genoeg kan ik nog niet zeggen wat hij met zijn oneerlijkheid denkt te bereiken.'

'Hij heeft zijn zinnen op de purperpartituur gezet.'

De eerste hoedster had zich geschrokken aan Sarahs arm vastgeklampt. 'De purperpartituur? Weet hij daarvan?'

'Ja. In de raadsels waarmee Franz Liszt ons hierheen heeft gevoerd, draait het daar voornamelijk om. De plek waar hij verborgen...'

'Sst! Zeg niets meer! Les Baux heeft duizend oren. Ik zal de andere bewaarders inlichten, zodat je ons er vanavond op een veilige plek uitvoerig over kunt vertellen. Voorlopig moet je tegenover Janin maar doen alsof je bezoek aan mij een teleurstelling is geweest. Dwaal gewoon wat door het dorp, alsof jullie ergens anders de hoeder der windharpen zoeken. Om negen uur zien we elkaar dan bij de Porté Mage.'

Door een keihard geblaf keerde Sarah in de werkelijkheid terug. Capitaine Nemo dwong net een ruigharige rivaal ertoe zich terug te trekken. Ze keek op haar horloge. Het uur van de waarheid brak over enkele minuten aan.

Ze liep door de Rue Porté Mage, die met een wijde bocht naar rechts naar de 'Poort van de Magiër' leidde; de zwarte prins was op deze plek overal aanwezig. Had het schisma van de Kleurenhoorders misschien hier, in Les Baux de Provence, zijn oorsprong gehad? Het dorp stond letterlijk bol van de sporen waarin je de namen en symbolen van de verbroken Broederschap meende terug te kunnen vinden: de adelaars van Frédéric Mistral, de zwarte prins, de Witte Boetelingen, de ster van Bethlehem, zelfs op de putdeksels van de riolering stond een achtpuntige ster...

'Wat heb je gezien?' had Janin de vorige middag nerveus gevraagd toen Sarah met de harpiste weer in het hart van het zwaluwnest terug was.

'Een blauwe oneindigheid.' Haar antwoord was voor velerlei uitleg vatbaar geweest.

Daarna had ze, zoals madame Le Mouel haar had aangeraden, de professor kriskras door Les Baux gesleurd, steeds op haar hoede voor eventuele achtervolgers. Ze verbaasden zich over de kitscherige fresco's in de kapel van de Witte Boetelingen, brachten een bezoek aan het bijna vierhonderd jaar oude Hotel de Manville – inmiddels het raadhuis van het dorp –, bezichtigden twee musea en struinden in de Grande Rue Frédéric Mistral wat in een ruïnewijk rond, waarin boven een renaissanceraam het devies POST TENEBRAS LUX prijkte.

Het laatst zwierven ze door de overblijfselen van de citadel, en Janin probeerde zijn metgezellin nogmaals uit te horen over de gebeurtenissen op het dakterras van madame Le Mouel. Sarah deed alsof ze hem niet goed begreep en scheepte hem af met onbenulligheden. Uiteindelijk keerden ze laat in de middag naar het Bautezar terug. Het leek alsof ze verder van de oplossing van Liszts raadsel verwijderd waren dan ooit. Daarom vond Sarah het in eerste instantie ook niet verdacht toen de professor gelaten stelde dat ze vermoedelijk op een dood spoor waren geraakt.

'Dat gevoel moet je na zoveel jaren en tegenslagen toch kennen,' antwoordde ze luchtigjes terwijl ze de treden naar de middeleeuwse eetzaal van het hotel af liep.

'Zeker,' reageerde Janin. 'Maar vroeg of laat bereik je een punt waarop je je verstand niet langer het zwijgen kunt opleggen. Ik wilde ons allebei nog een kans geven. Daarom heb ik vandaag nog afgewacht, voordat ik je dit hier zou geven.' Hij stak zijn hand in de zak van zijn jas, haalde er een smalle witte envelop uit en reikte hem Sarah aan.

Ze bekeek het couvert argwanend en vroeg: 'Wat zit erin?'

'Krantenknipsels. Ik heb twee van mijn studenten iets laten uitzoeken en hun gevraagd het resultaat naar het Béke Hotel te sturen. De fax werd me gistermorgen overhandigd, toen we van de Matthiaskerk terug waren. Ik vond het geen geschikt moment om hem toen aan je te geven, omdat je boos op me was. Zover ik je inmiddels ken, was je alleen al uit koppigheid toch naar Les Baux de Provence vertrokken.'

'Ik? Jíj was toch degene die per se hiernaartoe wilde?'

'Kan zijn. Maar ondertussen ben ik tot de conclusie gekomen dat het verstandiger is om de speurtocht af te blazen en me weer met serieus wetenschappelijk onderzoek te gaan bezighouden. Ik kan je alleen maar dringend aanraden je eveneens om je carrière te bekommeren, Sarah. Zie de envelop maar als mijn afscheidscadeau.'

Sarah kon haar oren niet geloven. Was Janins 'afscheidscadeau' soms een nieuwe truc om van haar af te komen? Ze nam het couvert aan, maakte het open en haalde er een paar vellen papier uit. Het ging om een vierdelig artikel uit de *Thüringische Landeszeitung*. De rubriek was begonnen op 24 december 1991 en beëindigd op 11 januari 1992. De artikelen gingen, zoals Sarah kon zien toen ze ze snel doorlas, over Ilona Frieda Höhnel, geboren Kovatsits (ook geschreven als Kovacsics), vermoedelijk een dochter van Franz Liszt.

Janin maakte van Sarahs verbazing gebruik om eraan toe te voegen: 'Je wilde toch weten van welke van zijn kinderen je afstamde? Het zou me niets verbazen als je aan de hand van deze reportage de leemten in je stamboomonderzoek zou kunnen vullen. Wat erin staat is allemaal veel concreter dan dat vage spoor van de windroos.'

'I-ik... heb nog nooit van die Ilona Höhnel gehoord,' stamelde Sarah verbouwereerd.

'Geen wonder. Historici hebben haar tot nu toe ook niet opgemerkt. Haar grootmoeder Marie was trouwens een leerlinge van de beroemde Italiaanse harpist Antonio Zamara en werd later in Weimar aangesteld als groothertogelijk harpiste.'

'Wát?'

'Vreemd toeval, nietwaar? Terwijl Jubal toch de stamvader is van allen die op de lier of de fluit spelen.' De professor knikte met een wetende glimlach naar de bladzijden in Sarahs hand. 'Dat staat allemaal in die artikelen. Kort voor haar dood, in 1963, heeft Ilona van de stad zelfs een erepensioen gekregen. Als je de foto's van haar bekijkt, weet je waarom. Ze lijkt sprekend op Franz Liszt. Ze konden haar simpelweg niet negeren.'

Meteen nadat Sarah de artikelen grondig had bekeken, had ze vanaf haar kamer het Goethe-Schiller-Archiv gebeld. Misschien wisten ze daar meer over Liszts vermeende dochter. Jammer genoeg was het al laat in de middag, niemand nam de telefoon meer op. Ze zou het de volgende ochtend nog eens moeten proberen.

Janins onverwachte actie had haar aan het twijfelen gebracht. Na een vroege en gezamenlijke avondmaaltijd was ze weer naar haar kamer gevlucht. Een tijdlang had ze gefrustreerd in het donker gezeten en met zichzelf overhoop gelegen. Moest ze de nachtelijke ontmoeting met de hoeders der windharpen – de bewaarders – maar gewoon laten zitten? Eigenlijk wilde ze alleen maar weten wie ze werkelijk was; ze wilde eindelijk meer zijn dan een telg zonder wortels. De strijd van de Kleurenhoorders interesseerde haar in feite bar weinig.

Omdat ze er geen wijs uit kon worden waarom Janin zo plotseling van mening was veranderd, had ze de gesprekken met hem nog eens de revue laten passeren. Herhaaldelijk waren de harde maatregelen van de Duistere Kleurenhoorders ter sprake gekomen. Kon ze zijn samenzweringstheoriën nog steeds als hersenspinsels afdoen nu ze de eerste hoedster der windharpen eenmaal had ontmoet?

Uiteindelijk had ze er toch toe besloten de afspraak bij de Porté Mage na te komen, en nu liep ze moeizaam over het kinderkopjesplaveisel, vergezeld door onrust en twijfels. En door Capitaine Nemo.

De 'Poort van de Tovenaar' bevond zich midden in de ruïne van een huis, had monsieur Cornée geantwoord toen ze hem om een routebeschrijving had gevraagd. Die zag ze nu voor zich opdoemen. Rechts van haar leidde een bouwvallige trap het niets in, en links werd ze vanuit duistere vensteropeningen in de muur aangestaard als vanuit de oogkassen van een doodskop. De laatste straatlantaarn had ze al een flinke tijd geleden achter zich gelaten. Er was nauwelijks genoeg licht om op het oneffen terrein overeind te blijven.

Plotseling begon Nemo te grommen.

Ze kromp ineen. Nogmaals vroeg ze zich af of het wel zo'n goed idee was geweest zich naar deze plek te laten lokken. Wat had de kleine keffer ontdekt? Vast en zeker weer een lastige rivaal, stelde ze zichzelf gerust, en ze sloop verder.

Capitaine Nemo gromde nog steeds. Zijn blik was naar boven gericht, maar Sarah kon in de schaduwen helemaal niets ontwaren. De stadspoort lag nu vlak voor haar. Ze kon vaag een ronde boog onderscheiden, met eronder niets dan duisternis. Hier moest ergens een kleine deur zijn, had monsieur Cornée gezegd.

Ineens flikkerde rechts boven Sarah een licht op. Ze had het alleen vanuit haar ooghoek gezien. Haar gevlekte aanbidder blafte onrustig. Toen ze naar boven keek, stolde het bloed in haar aderen.

Aan het eind van de schijnbaar naar het niets leidende trap stond een geheel in het zwart geklede gestalte met een lantaarn in zijn hand.

De man van vanmorgen vroeg, schoot het door Sarahs hoofd. Geschrokken wankelde ze terug naar de muur. Verblind door angst vielen de verschillen haar niet direct op – de schim boven haar was lang niet zo gedrongen als de vreemdeling van die ochtend.

Het flakkerende licht gaf de schaduw iets griezeligs. Hij was groot en in een wijde cape gehuld. Zijn hoofd was bedekt met een Frygische muts, zoals de jakobijnen die tijdens de Franse Revolutie hadden gedragen, en zijn gezicht was achter een Venetiaans aandoend masker verborgen, dat echter het gezicht van een Moor liet zien...

TREK DOOR HET HELLEDAL, WAAR JE DE ZWARTE PRINS ZIET

Sarah huiverde. Weer had ze het gevoel dat ze in een bizarre toneelscène was beland.

De donkere poortwachter slingerde iets de straat op in de richting van het dorp.

Capitaine Nemo's geblaf verstomde meteen en hij vloog achter het projectiel aan; blijkbaar ging het om een of ander lekker hapje. Een teleurgestelde jongedame bleef achter.

'Kleine verrader!'

'Sarah d'Albis?' vroeg de zwarte prins. Aan de volle, zonder meer vriendelijke stem te horen ging het hier duidelijk om een man.

Ze vatte moed, liep naar het midden van het straatje terug en antwoordde: 'Ja. En wie bent u? Wat heeft die gekke maskerade te betekenen?'

'De eerste hoedster stuurt me. Ik moet je hier ophalen, zuster.'

'Madame Le...?'

'Sst! Geen namen!' onderbrak de tussenpersoon haar. Snel liep hij de brokkelige treden af. Te oordelen naar de lichtvoetigheid waarmee hij zich bewoog, moest hij wel jonger zijn dan madame Le Mouel.

'Je zult wel vinden dat ik er raar uitzie. Neem me niet kwalijk,' zei de vreemdeling toen hij bij Sarah was aangekomen.

'Bent u me vanmorgen vroeg al eens achternagelopen?'

Twee blauwgrijze fonkelende ogen keken haar vanachter het masker vragend aan. 'Nee. Weet je zeker dat iemand je gevolgd heeft?'

Aarzelend gaf ze toe: 'Het was maar een gevoel.'

'Gevoelens zijn het kompas van onze ziel. We kunnen maar beter vertrekken.' Hij gebaarde met de hand waarin hij de lantaarn hield in de richting van de poort. 'Kom. Ik breng je naar de auto.'

Sarah wierp nog een weemoedige blik op het hondje, dat genietend op zijn omkoopcadeautje kauwde. Toen volgde ze het licht.

'U hebt me nog niet verteld wie u bent, monsieur.' Het vertrouwelijke 'je' kreeg ze niet zo gemakkelijk over haar lippen als de zwarte prins.

'Kinnor,' antwoordde deze kort.

'Is *kinnór* niet het Hebreeuwse woord voor harp?'

'Ja.'

'Het verhaal gaat dat koning David een meester op dit snaarinstrument is geweest.'

'En de Talmoed zegt dat hij de kinnór boven zijn bed heeft gehangen. Toen om middernacht vervolgens de noordenwind waaide, liet het instrument harmonische klanken horen.'

'Dus was het ook een windharp,' zei Sarah verbaasd. 'Maar waarom dit verstoppertje spelen? Is het vanwege de Duistere Kleurenhoorders?'

Hij knikte. 'Onze echte namen en gezichten kent alleen de eerste hoedster der windharpen. Haar ordenaam luidt trouwens Nével.'

Kinnor deed de deur onder de stenen poortboog open en liet Sarah voorgaan. Na maar een paar passen voorbij de Porté Mage kwamen ze uit bij het begin van de geasfalteerde weg, waarover de dag daarvoor nog een Oezbeek met zijn rammelende taxi had gejakkerd. Daar stond een onverlichte minivan. Op de passagiersstoel voorin herkende Sarah het silhouet van madame Le Mouel.

'Stap maar in,' zei Kinnor, en hij wees met zijn lantaarnhand naar het voertuig.

Ze opende het achterste portier. 'Waar gaan we naartoe?'

'Dat mag ik niet zeggen.'

'Naar het Val d'Enfer?'

'Hoe...?' De zwarte prins was met stomheid geslagen.

Uit de auto klonk de geamuseerde stem van madame Le Mouel. 'Laat maar, Kinnor. Onze nieuwe zuster weet meer over de Broederschap dan menigeen van ons.'

Dus liet Kinnor het er maar bij. Zonder verder commentaar ging hij achter het stuur zitten. Sarah nam achter hem plaats. De eerste hoedster draaide zich naar haar om, heette haar vriendelijk welkom, duidde toen op de zwarte nylontas en vroeg: 'Heb je een mobiele telefoon bij je?'

'Ja.'

'Schakel in godsnaam alles uit waarmee je kunt worden opgespoord.'

Sarahs gevoel van onbehagen nam toe. In stilte verklaarde ze zichzelf voor gek, omdat ze Sergej Nekrasovs gsm van Hongarije naar Frankrijk had meegesleept. Als de Kleurenhoorders daadwerkelijk in staat waren de signalen van zulke toestellen te traceren, dan...

'En zet dan nu alsjeblieft dit masker op,' maakte de eerste hoedster een eind aan Sarahs vage voorgevoelens. Ze overhandigde haar een masker met dichtgeplakte kijkgaten.

'Waar is dat nu weer voor nodig?' vroeg Sarah argwanend.

'Voor ons aller bescherming. Je mag dan weten dat we bijeenkomen in het Helledal, maar de precieze locatie van ons heiligdom moet geheim blijven, totdat de andere broeders en zusters je in hun midden hebben opgenomen.'

Met tegenzin zette Sarah het masker op. Vanaf dat moment kon ze alleen nog maar geluiden zien. Voor haar geestesoog ontrolde zich een vuilblauw Flokati-tapijt toen Kinnor de motor startte en optrok.

Onderweg kwam ze te weten dat de andere hoeders der windharpen alleen het gezicht van madame Le Mouel kenden. Toch werd ze door iedereen met haar ordenaam Névél aangesproken. De identiteit van de andere bewaarders bleef geheim om te voorkomen dat er verraad zou worden gepleegd, zoals Richelieu daar eens toe had aangezet.

Zoals Sarah het inschatte, was er nog maar amper een kwartier verstreken toen de auto van de weg afsloeg. Een tijdje reden ze langzaam over oneffen terrein. In haar levendige fantasie schoten een paar schrikwekkende scenario's als giftige paddenstoelen op uit de grond. Een wel uitzonderlijk onfris exemplaar spiegelde haar voor dat ze in de val van de Duisteren was gelopen en straks met doorgesneden keel op een afgelegen plek zou worden begraven.

De minivan kwam tot stilstand.

Sarahs hart begon wild te kloppen. Stijf als een plank zat ze op de achterbank en keek naar de kleuren van de geluiden. Het portier van de bestuurder werd opengeduwd – roodbruin –, Kinnor stapte uit – oranje –, trok ook haar portier open – weer roodbruin – en pakte haar bij haar hoofd. Zwart.

'Die mogen nu weg,' zei hij met zijn warme, overwegend okergele stem, en opeens kon Sarah weer zien doordat hij de plakstrips van haar masker had getrokken.

'Het is beter dat de andere broeders en zusters je gezicht niet zien,' legde Nével uit. 'We hebben ook een cape voor je, om je lichaam te verhullen. Hoe zou je graag willen heten?'

'Ik? Eh...' Sarah was veel te verrast om zo gauw een waardige schuilnaam voor zichzelf te bedenken.

'Neem me niet kwalijk, zuster. Dit moet allemaal heel verwarrend voor je zijn. Wat dacht je van Kithára? Dat is het Griekse woord voor harp.'

'Mij best,' zei Sarah als een knorrig kind. Eigenlijk beviel de naam haar prima.

Nével knikte tevreden. 'Kom dan maar.'

De vrouwen stapten uit. Kinnor haalde voor elk van hen een cape achter uit de auto, die hij om hun schouders sloeg. De mantel van Florence le Mouel verschilde alleen van die van Sarah doordat er een gouden lier in het midden zat. Als laatste moest Sarah de muts met de afgeronde, naar voren vallende punt opzetten. Anders dan bij de anderen was die van haar wit.

'Zo herkennen ze je allemaal als neofiet,' legde de eerste hoedster uit, terwijl ze Sarah hielp haar haar onder het eigenzinnige hoofddeksel te stoppen.

Inmiddels brandde ook Kinnors lantaarn weer. Hij verstopte de auto, die hij in een door struiken overwoekerd dal had neergezet, onder een camouflagenet, en nam de leiding over hen drieën. Over een smal, platgetreden pad liepen ze ongeveer een halve kilometer tussen kalksteenrotsen door, langs de steil oprijzende berghelling van het Helledal.

Onderweg schoot Sarah te binnen dat ze van pure opwinding haar laptoptas op de achterbank van de auto had laten liggen. Het liefst was ze teruggegaan, maar ze durfde de eerste hoedster niet met zulke futiliteiten lastig te vallen.

Het laatste stuk liepen ze dwars door het veld, totdat ze op een grotingang stuitten. Die lag achter groenblijvende bomen en was voor Sarah alleen maar zichtbaar doordat de takken met een net voor de lage spleet vandaan werden gehouden. Twee nachtzwarte gestalten, die sprekend op Kinnor leken, hielden ervoor de wacht. Allebei hadden ze een automatisch geweer. Eentje richtte zijn zaklantaarn op de eerste hoedster.

Névels hand kwam tussen de plooien van haar cape vandaan en haar vingers maakten een dans in de lucht. Sarah kon de verwarrende choreografie niet volgen, maar had het vermoeden dat het hier om een soort geheim herkenningsteken van de bewaarders ging. De twee posten waren in elk geval tevreden over de vertoning. Ze begroetten de eerste hoedster met het vriendelijke respect dat je een bejaarde moeder betoont. Haar metgezellen werden eveneens welkom geheten.

Daarna stapte Kinnor met zijn lantaarn de grot binnen. Hij werd gevolgd door Sarah. Nével vormde de achterhoede. De ingang was zo laag dat je er alleen gebukt doorheen kon. Zwijgend bewoog het drietal zich voort door een smalle tunnel, die als een getande scheur door de rotsen liep. Noch aan de ruwe wanden, noch aan de oneffen grond kon je zien dat hij naar een plaats van samenkomst leidde.

Na ongeveer twintig meter werd de gang breder. Hoewel die in het lantaarnlicht nog een paar meter doorliep, maakte Kinnor opeens een scherpe bocht naar links en verdween in een andere spleet, die Sarah niet had opgemerkt doordat hij achter een vooruitstekend stuk in de wand verborgen lag. Ze moest zich haasten om Kinnor niet kwijt te raken, want het licht in de smalle opening werd snel vager.

De doorgang kon, zoals Sarah constateerde toen hij achter haar lag, met een mechanische constructie worden afgesloten. De 'deur' werd gevormd door een stèle-achtig rotsblok, dat – zo leek het althans – uit hetzelfde lichte gesteente bestond als de omringende wanden. Ze hadden er kennelijk veel moeite aan besteed hem zo goed als onzichtbaar te maken.

Sarah volgde Kinnor door een klein voorvertrek. Achter een ronde boog aan de andere kant was een met fakkels verlichte grote zaal te zien. Zacht geroezemoes drong kabbelend haar oor binnen. Ze aarzelde.

Achter haar klonk de fluwelige stem van de eerste hoedster. 'Toe maar, Kithára! Je nieuwe broeders en zusters wachten op je.'

Sarah haalde diep adem – en liep onder de boog door.

Voor haar strekte zich een verrassend groot, rechthoekig vertrek uit met onberispelijk gladde wanden van wit kalksteen. Het was ongeveer negen of tien meter hoog en net zo breed; de lengte schatte Sarah op het drievoudige hiervan. Ze moest onwillekeurig aan de geheime plaatsen van samenkomst van vroegere christenen denken, de Romeinse catacomben of de rotskerken van Cappadocië. Er was hier echter geen enkel kruis te vinden en ook verder was de symboliek van het 'heiligdom' in het Helledal anders dan ze van christelijke kerken kende.

Slechts drie of vier passen bij haar vandaan stonden vlak achter elkaar twee zitmeubels met lage leuningen, waarvan de krullende ornamenten ook goed in de gastenkamers van het Bautezar zouden hebben gepast. Langs de twee lange zijden van de zaal stonden nog meer stoelen op een rij, alleen dan met hoge leuningen, waarop ruim dertig in het zwart gehulde gestalten zaten. Enkele plaatsen waren leeg.

De vrije ruimte in het midden van de zaal werd gedomineerd door een donkerblauw tapijt en drie zware, goudkleurige, manshoge kandelaars die in de vorm van een gelijkbenige driehoek waren opgesteld. De punt van deze 'piramide' wees naar de voorkant van de zaal. De wand werd hier gesierd door een donkerblauwe tapisserie, zo groot als een vlag, met daarop een witte windharp erop geborduurd, waarvan de fraai gekrulde hoorns op die van een lier leken. Daarvoor stonden drie lege, barokachtige tronen. Voor de linker bevond zich een tafel met papier, inktpot en pen: kennelijk de plaats van de schrijver. Tussen zijn troon en die in het midden ontdekte Sarah bovendien een kleine harp, die eruitzag als een Ierse *cláirseach*.

Kinnor leidde Sarah naar de plaats van de neofiet, de voorste van de beide apart staande stoelen. Het geroezemoes in de rotszaal ebde weg. Nével, de eerste hoedster, nam plaats op de middelste troon. Daarnaast bezette Kinnor de zetel van de secretaris achter de lessenaar. Intussen stak een andere bewaarder de drie kaarsen aan en vervolgens liet hij zich in de derde leunstoel neer.

Achter haar rug merkte Sarah een beweging op. Toen ze haar hoofd enigszins draaide, zag ze dat de stoel achter haar werd bezet door een breedgeschouderde, gemaskerde hoeder, wat ze niet echt een rustgevende ontdekking vond. Moest die kerel soms voorkomen dat ze vluchtte?

Het werd stil in de zaal.

Achter het masker sloot Sarah haar ogen. Haar audition colorée schilderde een pikzwarte grondlaag in haar bewustzijn, waarop ze een parelsnoer van pastelrode stippen zag: het kloppen van een opgewonden hart. Ze had het gevoel dat ze droomde en kneep onder haar mantel in de rug van haar hand. Nee, ze droomde niet.

Het stilzwijgen duurde langer dan verwacht. Maar toen verhief Nével haar stem. 'Welkom, broeders en zusters, hoeders der windharpen, bewaarders van de geschiedenis van het Verbond der Kleurenhoorders.'

Sarah kromp onwillekeurig ineen toen de andere bewaarders in koor antwoordden: 'Welkom, zuster Nével.'

'Er zijn vele generaties voorbijgegaan,' ging de eerste hoedster door, 'sinds er een meester der harpen is geweest, een meester der klanken zoals Jubal; onze boeken beschermen zijn naam.'

'Ja, wij bewaren hem,' bekrachtigde het koor.

'Toen Franz Liszt hier, op deze plek, afscheid van ons nam, kondigde hij een tijd van stilte aan, waarvan wij dachten dat die symbolisch was. De Zwanen zouden zwijgen, terwijl de Adelaars hun macht zouden laten gelden, zei hij. Muziek zou in dit donkere tijdperk niet, zoals hij nog gehoopt had, tot innerlijke loutering van de mensen leiden, maar een middel tot een doel worden om hen te manipuleren of om zich te verrijken. Zijn voorspelling hebben wij opgetekend.'

'Ja, wij bewaren hem,' bevestigde de gemeenschap weer.

'Maar de meester der harpen sprak ons ook moed in. Hij gaf een nieuwe, bredere betekenis aan ons credo *Post Tenebras Lux* door te beloven dat na de duisternis van de Adelaars het licht van de Zwanen weer in de muziek zou terugkeren. En hij prentte ons in: "Let op het teken",' – Nével duidde plechtig op het tapijt – '"zodat jullie diegene herkennen die na mij komt, om jullie het licht terug te geven." Zo hebben wij het opgetekend.'

'Ja, zo bewaren wij het,' verklaarde het koor.

En Sarah verstijfde. Tevoren had ze aan de blauwe loper in het midden van het vertrek verder geen aandacht besteed, maar nu herkende ze er een embleem in, dat gezien vanaf de plek waar ze zat iets hoger was dan de rest van het tapijt.

Het was een volmaakte kopie van haar hanger.

'... laat ons het kleinood alsjeblieft zien, Kithára.'

De stem van de eerste hoedster drong maar druppelsgewijs Sarahs bewustzijn binnen. Ze moest eerst nog wennen aan haar nieuwe naam. Toen ze merkte dat alle 'Morenhoofden' nu haar kant op draaiden, begon ze ontzettend te trillen.

'Ze willen graag je signet zien, zuster,' maakte de eerste hoedster haar zachtjes duidelijk.

Sarah begon zenuwachtig onder haar mantel aan het slotje van haar ketting te prutsen. Toen ze het eindelijk open had, liet ze hun allemaal haar fonkelende erfstuk zien.

De als pek glanzende maskers konden geen emotie tonen, maar eronder vandaan klonken heel wat kreten van verbazing.

'Kithára, laat het even rondgaan, wil je?' vroeg Nével.

Sarah ging staan en gaf de hanger aan de eerste bewaarder links van haar. Het was een vreemd gevoel te zien hoe het sieraad dat ze zo lang voor de wereld verborgen had gehouden opeens door zo veel ogen bewonderd en door zo veel vingers aangeraakt werd. Toen het FL-signet eenmaal door iedereen uitvoerig was bekeken en Sarah het had teruggekregen, nam Nével weer het woord.

'Weet je wat het kleinood betekent, zuster Kithára?'

Sarah fronste onder haar masker haar voorhoofd. 'Betekent? Tja, de initialen van mijn voorouder, Franz Liszt, staan erop.'

Sommigen in de zaal lachten zachtjes. De eerste hoedster legde hun het zwijgen op, waarna ze de neofiet snel uitlegde: 'Natuurlijk, maar dat is alleen de oppervlakkige betekenis. Ben je je er nooit van bewust geworden dat in de moedertaal van meester Liszt ook het samengesteld woord *Farben-Lauscher* –Kleurenhoorder – met dezelfde letters wordt afgekort?'

De vraag trof Sarah als een mokerslag. 'N-nee,' stamelde ze.

Nével spreidde haar armen. 'Toch is het heel eenvoudig, nietwaar? Aan de ene kant staat het signet voor Franz Liszt, maar als je het omdraait, zogezegd de voor het publiek verborgen keerzijde van de meester bekijkt, blijkt hij een Kleurenhoorder te zijn. Ik denk dat dit het juiste moment is om onze broeders en zusters wat meer over jezelf te vertellen. Het is niet nodig je naam of beroep te noemen, maar vertel ons alsjeblieft hoe je in het bezit van het kleinood bent gekomen en hoe het je naar ons toe gebracht heeft.'

Gehoorzaam, al was het in het begin eerder voorzichtig, voldeed ze aan het verzoek. Ze vertelde over haar kinderjaren, de veel te vroege dood van haar moeder, de erfenis, de zoektocht naar haar voorouders, het concert in Weimar en de odyssee op het spoor van de windroos. Af en toe stelde de 'Moor' aan Névels rechterkant een kritische vraag, waardoor Sarah aanvankelijk in verwarring raakte. Toen ze daardoor stokte, liet de hoeder achter haar ineens van zich horen en herinnerde hij de mopperaar aan iets wat de neofiet al eerder had gezegd. Kennelijk was de sprekende kleerkast in haar rug geen bewaker, maar haar *advocatus Dei*, een pleitbezorger die haar opname in de Broederschap steunde. Dienovereenkomstig was de kankeraar naast de eerste hoedster de rol van *advocatus diaboli* toebedacht: hij moest de spreekwoordelijke haar in de soep vinden, gegronde redenen tegen de initiatie van de kandidate aanvoeren.

'Onze ritus schrijft voor dat we het voor en tegen grondig afwegen voordat we iemand in onze kring opnemen,' legde de eerste hoedster vriendelijk uit; ze had de onzekerheid aan de andere kant van het vertrek waarschijnlijk aangevoeld.

En dus ging Sarah door. Langzaamaan werd ze wat losser, temeer omdat de advocaat van de duivel haar steeds minder onderbrak. Anderzijds reageerden de Kleurenhoorders vaak met kleine geluiden van verbazing, vooral wanneer ze Liszts klankboodschappen citeerde die ze alleen dankzij haar audition colorée had kunnen waarnemen.

'Ik denk dat de klank van de waarheid in de verklaring van onze zuster duidelijk te horen is,' vatte Nével tot besluit samen. 'Bovendien draagt ze het teken van de laatste grootmeester van de Zwanen. En ten derde had ze het getal van de windharp goed. Daarom pleit ik ervoor Kithára in de gemeenschap der Kleurenhoorders op te nemen. Mocht één van jullie een geldig bezwaar hebben, laat hem dan nu spreken of anders voorgoed zwijgen.'

Iedereen was stil. Kinnor noteerde iets in zijn protocol.

De eerste hoedster knikte en richtte het woord weer tot Sarah. 'Elk verbond wordt door twee kanten aangegaan. Aangezien jij nu ons onvoorwaardelijke vertrouwen geniet, willen we dat van jou ook graag winnen. Laat me je een verhaal vertellen...'

Zoals een pauze in een symfonie het eerste deel van het tweede scheidt, zo nam Nével nu een kort stilzwijgen in acht.

'Volgens de legende,' begon ze toen, 'zijn wij, hoeders der windharpen, al sinds het begin der tijden de kroniekschrijvers van de Kleurenhoorders.' Ze vertegenwoordigden een Orde binnen een Orde, ging ze verder, of preciezer uitgedrukt: een speciale graad die uitsluitend openstond voor Kleurenhoorders met een bijzondere muzikaliteit en waarnemingsgave. Hun taken waren strak omlijnd, hun rol was altijd passief. Nóóit mocht een bewaarder in de geschiedenis van de wereld ingrijpen. In zekere zin waren ze als de windharp, waarvan de klanken niet door de wil, maar door krachten van buitenaf werden bepaald. Aan deze metafoor hadden ze hun naam te danken.

Vele eeuwen lang was de omgeving rond Les Baux de Provence hun thuis. Hier woonde doorgaans ook de eerste hoeder of hoedster. Het Val d'Enfer was tegelijkertijd toevluchtsoord en een centrum van kennis. Tot op de dag van vandaag doen hier sagen over heksen, geesten en feeën de ronde die in het Helledal in de grotten zouden leven. 'Wij Kleurenhoorders hebben ook altijd wel enigszins de hand gehad in deze verhalen, die er generaties lang voor hebben gezorgd dat we met rust werden gelaten,' verklaarde Nével op bijna vrolijke toon.

Toen begon ze over de gebeurtenissen die Sarah en Oleg Janin voor een deel zelf al hadden gecombineerd. De purperpartituur dankte zijn naam aan kardinaal Richelieu, zei ze. Deze behoorde zelf tot een geheim genootschap, dat zich de Kring der Schemering noemde en in veel opzichten dezelfde doelen nastreefde als de meer radicale geesten onder de Jubal-volgelingen. Door Richelieus gekonkel kwam het rond het jaar 1632 tot een overtreding van de codex van de Kleurenhoorders.

De kardinaal had de Broederschap ontmaskerd en wilde de klanken der macht voor zijn eigen doeleinden gebruiken. Het lukte hem de meest intieme vertrouweling van de meester der harpen te corrumperen. Richelieu beloofde hem rijkdom en invloed als hij de klankleer van Jubal voor hem op notenschrift zou zetten. Toen hij die eenmaal in zijn bezit had, vergat hij zijn belofte. Hij liet de burcht belegeren en door de inwoners van de stad slopen.

Als gevolg van zijn complot brak de strijd van de Kleurenhoorders uit, in de loop waarvan zowel de grootmeester als de meeste van zijn vertrouwelingen werden vermoord. Uiteindelijk kwam ook de verrader om het leven. De Broederschap was in tweeën gedeeld: in Zwanen en Adelaars. Richelieu ging eveneens ten onder. Zonder de speciale audition colorée hadden de klanken der macht geen waarde voor hem. Na zijn dood raakte het gekonkel waartoe hij had aangezet in vergetelheid.

Maar de hoeders der windharpen tekenden het allemaal op, zoals ze dat altijd hadden gedaan.

Hun boeken waren op een geheime plek verborgen – hun 'schat' –, vertelde Nével verder. Als kroniekschrijvers stelden ze de toekomst zeker door het verleden in zijn puurste vorm te bewaren: een zuivere geschiedschrijving. De laatste meester zoals Jubal – Franz Liszt – had de Orde bovendien nog verplicht het geheim van de purperpartituur te beschermen.

Dit laatste was heel wat moeilijker dan de traditionele plicht om de gebeurtenissen te ordenen en op te tekenen, omdat de eerste hoeder niet eens wist waar de klankleer van Jubal was verborgen. Liszt had zijn kennis niet meer aan de bewaarders kunnen of willen toevertrouwen. Tijdens de laatste dertig jaar van zijn leven was Zabbechá hun leider. Wanneer die bij de meester aandrong vanwege de purperpartituur, gaf Liszt altijd even vriendelijk als vaag het antwoord: 'Hij moet blijven waar hij is, een boom in een bos.'

Liszt voelde zich door de Duisteren achtervolgd en in het nauw gedreven. De man met de zeis had in zijn omgeving vreselijk huisgehouden, had hij eens tegen Zabbechá gezegd. Veel van zijn intieme vrienden waren dood. In december 1859 overleed zijn zoon Daniel, in september 1862 zijn dochter Blandine Ollivier en in februari 1866 zijn eigen moeder.

In het jaar 1881 gingen de Adelaars toen tot de frontale aanval over, ging Nével met dramatische stem verder. Liszt maakte een zware val in de Weimarse Hofgärtnerei, luidden de officiële lezingen van biografen en historici. Het heette dat hij nooit volledig van het ongeluk was hersteld, dat hij daardoor zelfs een aantal aandoeningen kreeg die vijf jaar later tot zijn dood leidden. In geen van de geschiedenisboeken werd echter vermeld wie de meester had geduwd, noch weet men waarom hij de koningin der klanken tot een gevangene in een vergeten kerker had gemaakt.

Nével vertelde dit allemaal zonder beschuldigende ondertoon. Kroniekschrijvers oordelen niet. Ze observeren en tekenen op – met distantie. Sarah kon echter wel begrijpen dat haar voorvader op zeker moment had besloten om in zijn lot te berusten of wantrouwend was geworden. Hij had de moord op tsaar Alexander II niet kunnen verhinderen en was maar een paar weken later bijna zelf het slachtoffer van een aanslag geworden. Eén ding begreep ze alleen niet.

'Waarom heeft hij zich niet verzet?' vroeg Sarah.

In de gelederen van de bewaarders ontstond onrust. Het protocol voorzag waarschijnlijk niet in zulke onderbrekingen van de eerste hoedster.

Maar Nével leek de weetgierigheid van de neofiet wel te bevallen. Vriendelijk antwoordde ze: 'O, hij wist zijn gave prima te gebruiken om zichzelf en zijn kameraden te beschermen. Hoe denk je dat hij ondanks alle intriges tegen hem bijna vijfenzeventig jaar oud is geworden? Eén keer – dat was bij de Parijse première van zijn *Graner Messe* in de Saint-Eustache – heeft hij een hele afdeling soldaten met zijn orgelspel in toom gehouden. Hij handelde uit noodweer. In principe wees hij manipulatie en hoe dan ook elke vorm van geweld af.'

Sarah had nog nooit van het voorval gehoord. 'Als de Adelaars en de zijnen hem zoveel leed hebben berokkend, waarom legde hij de last van zijn positie dan niet gewoon neer?'

'Omdat dat tegen zijn principes van plicht en verantwoordelijkheid zou hebben ingedruist. De meester der harpen is, net als de eerste hoeder der windharpen, altijd ook een schild voor de Broederschap geweest. Hij wist dat zolang hij de vurige pijlen van de vijand naar zich toe trok, anderen zich in stilte aan hun taken konden wijden.'

'Heeft hij daarom het spoor van de windroos bedacht? Als de koninklijke weg om de purperpartituur te behouden?'

'Daar zijn wij van overtuigd,' antwoordde Nével.

'Ja, dat zijn wij,' stemde het koor met haar in.

De eerste hoedster voegde eraan toe: 'Hij moest ervan uitgaan dat hij de koningin der klanken in het graf moest meenemen, voordat een nieuwe meester zoals Jubal hem zou kunnen opvolgen. De ziende, zei hij altijd, zou de weg naar de klankleer vinden en de klankleer de weg naar hem. Jij, zuster Kithára, hebt bewezen deze ziende te zijn.'

'Ja, dat heb je,' bevestigden de bewaarders als uit één mond.

Sarah wou dat ze zich als een houtworm in de stoel kon boren waarop ze voor de verzamelde menigte zat.

Nével stond op, en nadat iedereen in de zaal – onwillekeurig ook de neofiet – haar voorbeeld had gevolgd, intoneerde ze plechtig: 'Dus vraag ik je nu: wil jij, Kithára de ziende, vanaf nu tot aan je dood deel uitmaken van het Verbond der Lichte Kleurenhoorders? Beloof je de geheimen van de Witten te bewaren en ze met je leven te beschermen? En zweer je de idealen van de Zwanen in ere te zullen houden door de klanken der macht te allen tijde voor het welzijn en geluk van je medemensen en voor niets anders te gebruiken? Antwoord wijs en antwoord waar.'

Alle Morengezichten keerden zich naar Sarah toe.

Ze slikte. Voelde zich overrompeld. De gelofte klonk zo gewichtig, zo definitief. En wat zou er eigenlijk gebeuren als ze voor haar opname in de gemeenschap der Lichte Kleurenhoorders bedankte...?

Wilde ze dat eigenlijk wel? Sinds ze zich in haar puberteit bewust was geworden van haar bijzondere gave, voelde ze zich vaak vreemd onder de mensen, bijna als een buitenaards wezen. Een synnie is niet als alle anderen. Sommige starre tijdgenoten zagen haar als een monstrum, bij wie de afwijking uit het hoofd moest worden gesneden. Maar haar lijden was al veel eerder begonnen. Haar moeder was niet in staat geweest het meisje, dat zich moedwillig verminkte, geborgenheid te bieden. Geen kind kan het verdragen om in zijn eigen huis een verstoteling te zijn. Maar hier was een gemeenschap die haar begreep, die zelfs uit kleurenhoorders bestond, die haar konden helpen haar wortels te vinden...

'Antwoord wijs en antwoord waar,' herhaalde Nével, niet zozeer dwingend, maar toch met de milde nadruk van een bezorgde moeder.

Sarah haalde diep adem en zei: 'Ja!'

'Het zij zo,' weerklonk het veelstemmig door de rotszaal. Toen applaudisseerden de hoeders der windharpen, totdat Nével haar armen spreidde om weer aan het woord te komen.

'Kennelijk zijn de bewaarders blij dat je in het Verbond bent opgenomen. Afgezien van de schriftelijke vastlegging van je initiatie, die broeder Kinnor zo meteen voor zijn rekening zal nemen, is er nog één ding dat je moet weten, lieve zuster Kithára, om een volwaardig lid van onze gemeenschap te kunnen zijn: het herkenningsteken. Je mag nu door de piramide van licht treden om naar mij toe te komen.'

De eerste stap ging Sarah niet gemakkelijk af. Ze deed moeite er waardig uit te zien terwijl ze tussen de erehaag van Kleurenhoorders door liep en het tapijt met het FL-signet overstak, tussen de kandelaars door. Bij de punt van deze symbolische 'piramide van licht' moest ze beslissen aan welke kant ze langs de derde kaars zou lopen. Omdat ze linkshandig was, nam ze de linkerkant, waarmee ze onbewust de juiste keus had gemaakt, want vanuit de eerste hoedster gezien gaf ze daarmee aan rechts de voorkeur.

'Let nu goed op mijn hand,' nodigde Nével haar nieuwe zuster uit toen Sarah voor haar bleef staan, en ze voegde eraan toe: 'Om het teken beter te kunnen onthouden, zal Kinnor het voor jou met klanken begeleiden. Normaal gesproken is het zonder geluid.'

Sarah voelde het kriebelen onder haar masker. De kijkgaten beperkten haar zicht. Het liefst had ze het ding van haar hoofd getrokken. Maar voordat die behoefte al te sterk kon worden, stak Nével haar onderarm uit haar cape en maakte met haar hand een reeks snelle bewegingen.

Ogenschijnlijk ging het om dezelfde choreografie als die welke Névels dansende vingers bij de ingang van de grot hadden gevolgd. Het zag eruit alsof ze op een verticaal in de lucht hangend toetsenbord tingelden. Sommige vingers sloegen de onzichtbare toetsen verder naar boven aan, andere bespeelden de wat lagere. Tegelijkertijd tokkelde Kinnor op de harp een reeks staccato-klanken. Sommige waren luid, andere heel zacht, waarmee hij vlekken van verschillende grootte op het glazen scherm van de nieuwe Kleurenhoorder schilderde.

Wat zo willekeurig leek, volgde een strak omlijnd patroon, en Sarah – haar adem stokte – kende dit beeld, dat door haar audition colorée nog werd versterkt. Als een aardverschuiving riep het een hele reeks associaties bij haar op: in gedachten zag ze de smeedijzeren deur naar het dakterras van madame Le Mouels zwaluwnest, de muzen op het Koninklijk Theater in Kopenhagen en Tycho Brahes sterrenkaart in de Allerheiligenkerk op het eiland Ven. Het laatste deel van de gedachtereeks was een herinnering van twee weken oud.

Sarah trilde over haar hele lichaam. Een vaag voorgevoel bekroop haar. Ze kneep haar ogen dicht, maar daardoor werd de echo van haar verschillende waarnemingen, die toch ook weer zo op elkaar leken, alleen nog maar luider. In gedachten zag ze afwisselend de samengesmolten herinneringen en het oorspronkelijke beeld dat ze in Weimar bij het kiezen van Oleg Janins gsm-nummer had gezien:

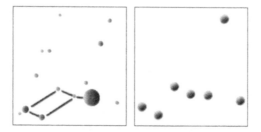

'Gaat het?' vroeg de eerste hoedster bezorgd.

Sarah sperde haar ogen open. 'Ik ken het teken. Het is de Lyra, het sterrenbeeld de Lier.'

Nével knikte goedkeurend. 'Het lukt je telkens weer me te verbazen, Kithára. Je hebt ons wel verteld dat je vader astrofysicus was en dat hij je met de sterren vertrouwd heeft gemaakt, maar daarmee heb ik niet...'

'Nee, u begrijpt me verkeerd,' onderbrak ze de eerste hoedster opgewonden. 'De klanken van de laatste zeven getallen van het gsm-nummer van Oleg Janin vertonen bijna hetzelfde basispatroon. In Weimar kwam het me al bekend voor, maar het drong niet tot me door dat het hierbij om het oude sterrenbeeld Lyra ging. Mijn telefoon liet alle klanken horen met eenzelfde afstand ertussen, waardoor de constellatie enigszins werd vervormd. Bovendien was hij onvolledig.'

'Maar de verbindingspunten van het teken waren er allemaal?' vroeg Nével bezorgd.

'Ja! Ook Vega, de helderste ster,' bevestigde Sarah.

'Mijn god!' De eerste hoedster bracht haar hand naar haar hals en wankelde. Er steeg geroezemoes op in de zaal. Meteen was Kinnor bij haar om haar te ondersteunen. Ze schudde verbijsterd haar hoofd. 'De Lier is het meest geheime en oudste herkenningsteken van de Kleurenhoorders, Kithára. Zelfs Richelieu heeft daar niets van geweten, wat sommigen van ons toen het leven heeft gered. Onmogelijk dat een muziekprofessor daar achter kon komen.'

'Wilt u daarmee zeggen dat Janin...?' Het idee van zo'n ongelooflijk verraad snoerde Sarahs keel dicht.

Nével knikte. Haar stem klonk gespannen. 'Weet je waar de naam Vega vandaan komt? Hij is van Arabische oorsprong en betekent zoveel als Vallende Adelaar...'

'Nee!' zei Sarah hevig geschrokken.

'Jawel! Ik ben bang dat je, zonder het te willen, onze ergste vijand naar ons toe hebt gebracht. We verkeren allemaal in groot gevaar.' Nével keerde zich naar de secretaris en wilde iets zeggen, maar opeens greep ze naar haar borst.

'Waar heb je je medicijnen?' stootte Kinnor uit. Zijn stem verried hoe ernstig hij Névels flauwte inschatte.

Ze schudde haar hoofd. 'In mijn handtas. En die ligt in de auto.' Ze lachte schor. 'Je moet de grot zo snel mogelijk evacueren, Kinnor! Misschien zijn de Duisteren ons gevolgd. Gebruik de tweede uitgang en...' Een onderdrukte pijnkreet belette haar verder te spreken.

Kinnor riep een paar namen en aanwijzingen door de zaal.

De Kleurenhoorders reageerden prompt en doelgericht, bijna alsof er voor zulke gevallen een rampenplan bestond dat nu tot in de kleinste details ten uitvoer werd gebracht.

Sarah was als verlamd van schrik. Roerloos aanschouwde ze de vluchtmaatregelen. Een paar vermomde figuren trokken het wandkleed achter de tronen van de muur af. Iemand bediende een verborgen mechanisme, en in de rots ging een deur open die op de draaibare stèle bij de hoofdingang leek, maar duidelijk smaller was.

Sarah was veel te aangeslagen om zich nuttig te maken. Pas toen Nével door haar knieën zakte, ontwaakte ze uit haar verstarring, kwam snel in actie en hielp Kinnor de hoedster op de grond te leggen.

'We moeten jou eerst naar buiten brengen,' zei Kinnor.

'Onzin!' zei Nével met op elkaar geklemde kaken. 'Ik zou alleen de geheime uitgang maar versperren. De eerste hoedster vertrekt als laatste.'

Blijkbaar kende de secretaris haar stijfkoppigheid, want hij ging rechtop staan en riep: 'Alix, jij houdt toezicht op de evacuatie. Ik moet voor Nével zorgen.'

'Doe ik, broertjelief,' antwoordde op de achtergrond een vrouwelijke stem.

Met krachtige gebaren maakte Kinnor zijn andere kameraden duidelijk dat ze de zaal onmiddellijk moesten verlaten. Toen de eerste bewaarders in de smalle doorgang verdwenen, richtte hij zich weer tot de hoedster.

'We zijn hier niet op een schip en jij bent niet de kapitein, die het pas als laatste mag verlaten. Wees nu toch alsjeblieft verstandig, Florence...!'

'Geen namen!' zei Nével hoestend.

'Luister nou naar me, zuster! We weten immers niet eens of de Duisteren ons inderdaad wel hebben gevonden...' Hij verstomde. Als om hem te logenstraffen, klonk er opeens uit de verte geknetter door de zaal. En stierf meteen weer weg.

Hoewel het geluid bijna in het opgewonden gedruis van de Kleurenhoorders verloren was gegaan, schrok Sarah er vreselijk van. Had daar iemand geschoten?

'Kun je ze horen? De Adelaars zijn zojuist geland,' kreunde Nével.

Kinnor schudde wanhopig zijn hoofd. 'Des te sneller moeten we je naar buiten zien te krijgen. Je hebt dringend een arts nodig.'

Moeizaam kwam Nével omhoog, en ze siste: 'Dan zou ik maar gauw aan de slag gaan, Kinnor! Je bent namelijk de beste die ik ken.' Ze zakte weer achterover, hapte naar adem en zei verbazingwekkend zachtjes tegen haar nieuwe zuster: 'En jij, Kithára, ga alsjeblieft! Ik ben alleen maar het verleden, maar jij belichaamt onze toekomst.'

Hoewel Sarah de strenge madame Le Mouel pas een paar uur geleden had leren kennen, had ze het gevoel dat ze een tweede keer haar stervende moeder in de steek moest laten. Koppig schudde ze haar hoofd. 'Ik blijf bij u.'

'Mijn god! Je bent al net zo erg als ik,' bromde Nével. Het volgende moment greep ze weer naar haar borst.

Kinnor maakte de cape bij de hals van de hoedster los en fluisterde in Sarahs richting: 'Dat ziet er niet al te best uit. We moeten haar hier zo snel mogelijk weg zien te krijgen. Blijf bij haar. Ik kom zo terug.'

Hij liep haastig naar de muur en pakte het wandtapijt dat daar was neergelegd. Nog steeds drongen de hoeders, de een na de ander, door de smalle vluchtdeur. Meer dan de helft was nog in de zaal. Terwijl Kinnor het kleed naar de tronen sleepte, hoorde Sarah een nieuw salvo schoten, die bloedrode striemen in haar geest achterlieten. Ze klonken dichterbij dan eerst. Vermoedelijk werd er in de hoofdtunnel gevochten.

'Ze kunnen elk moment hier zijn,' zei Kinnor. Snel spreidde hij naast de eerste hoedster het wandtapijt uit op de grond. Nével had haar verzet gestaakt. Ze was waarschijnlijk niet eens meer bij bewustzijn.

Sarahs bange blik flitste naar de deurboog aan de andere kant van de zaal. Haar fijne gehoor had slepende voetstappen waargenomen. En inderdaad: een zwarte gestalte met een Morenmasker struikelde het voorvertrek binnen. Uit diverse gaten in zijn cape sijpelde bloed. Hij wankelde naar de doorgang, riep: 'Verraad!', en zakte in elkaar.

'Help me haar op het tapijt te tillen,' hoorde Sarah de stem van de secretaris naast zich. Ze had er moeite mee zich van het beeld van de met kogels doorzeefde bewaker los te rukken. Sarah pakte de bewusteloze hoedster bij haar voeten vast en Kinnor schoof zijn handen onder haar schouders. Toen hij knikte, hesen ze Nével in één keer op het kleed.

Op dat moment klonk er een enorme explosie.

Meteen daarna joeg er een allesvernietigende draak door de tunnel. Toen hij de zaal van de hoeders in spoot, leek de hel te zijn losgebarsten. Een vuurtong blies zo ongeveer tot in het midden van het vertrek en likte fel gloeiend aan de omgekomen bewakers, de stoelen, het tapijt en de kaarsen. De hete adem van de draak was genoeg om Sarahs haar te verschroeien. Hierna bereikte de luchtdrukgolf het vertrek. Puin, rotssplinters, stof en meubels vlogen door elkaar. Binnen een mum van tijd kon je geen hand voor ogen meer zien.

'We moeten naar de vluchtdeur!' brulde Kinnor.

Sarah likte langs haar lippen en proefde de zoutige smaak van bloed en tranen. Hoewel ze gewond was, haar knieën knikten en ze haar oriëntatie volledig kwijt was, bleef ze haar zenuwen de baas. Nooit meer de controle kwijtraken! Van dat voornemen week ze niet meer af. Ze pakte haastig de stof bij de voeten van de eerste hoedster bijeen, kwam overeind en volgde in den blinde de trek die Kinnor aan het andere eind van de provisorische brancard uitoefende.

Na een paar stapjes weerklonk er als een zweepslag een salvo schoten door het heiligdom. Sarah zette haar kiezen op elkaar om haar last nog sneller naar de reddende geheime deur te sjouwen. Maar opeens bleef Kinnor staan; bijna was Sarah over de bewusteloze hoedster gestruikeld. Verbijsterd keek ze naar de Kleurenhoorder op. Was hij geraakt door een kogel?

In de maar langzaam optrekkende stofwolk zag ze hem in zijn volle lengte opgericht. Ze kon geen verwondingen ontdekken. Desondanks verroerde hij zich niet; hij keek alleen strak over de eerste hoedster heen.

'Tijd om de zwanenzang aan te heffen,' klonk onverwachts een diepe stem vanaf de achtergrond.

Sarah draaide haar hoofd met een ruk om en verstijfde. Ze zag een gedrongen gestalte in een donker gevechtstenue staan. In zijn handen hield hij een kort machinepistool, waarvan de loop op Kinnor was gericht. In plaats van een Morenmasker droeg hij een helm met een spiegelend vizier. Zijn gedrongen postuur deed Sarah akelig denken aan de man in de zwarte jas, die haar 's morgens in Les Baux was opgevallen.

'Wil je een broeder doden?' vroeg Kinnor verbazingwekkend rustig aan de vreemdeling.

Die bromde. 'Zwanen zijn hoogstens de buit van de Adelaars, nooit hun broeders. Ik lust je rauw.' De Duistere Kleurenhoorder hief zijn wapen.

Sarahs adem stokte. Ze verwachtte elk moment het dodelijke salvo.

Plotseling dook er uit de stofwolk achter de Duistere een schim op. Hij droeg een Morenmasker en draaide in het rond als in een dans. In zijn handen hield hij een soort staaf, die in het flakkerende schijnsel van het vuur metalig opflitste. Opeens ketste er een steentje op de grond.

De Adelaarman reageerde met het instinct van een roofdier. Bliksemsnel keerde hij zich om en liet tegelijkertijd zijn wapen afgaan. Er ratelde een korte vuurstoot van kogels uit de uzi. Vervolgens raakte de zware kandelaar hem onder zijn helm. Sarah meende geknak te horen. De man zakte zwijgend in elkaar.

'Hij is nog maar de voorhoede. Zo meteen wemelt het hier van de Duisteren,' klonk ineens een vrouwenstem achter het Morenmasker op.

'Alix?' bracht hij verbaasd uit. 'Ik dacht dat je allang buiten was.'

Ze lachte. 'Hoe dan? Je hebt me immers opgedragen onze aftocht te...'

'Laat maar,' onderbrak hij haar. 'Help Kithára Nével naar buiten te brengen. Ik hou zolang de Duisteren wel op afstand.'

'Je bent niet goed snik, helemaal in je eentje tegen...'

'Geen tegenspraak, zuster! Machtige Kleurenhoorders vechten niet met vuurwapens. Waarschijnlijk hebben we hier alleen maar met Nekrasovs voetvolk te maken. Dat red ik wel. Ga nu!'

Alix loste Kinnor af bij het hoofdeind van de provisorische brancard.

'Je hebt geen wapen. Hoe wil je ze tegenhouden?' vroeg Sarah bezorgd.

'Met iets wat sterker is dan springstof en lood. Hoe noemde de Duistere het? De zwanenzang.'

Ze merkte dat Alix aan het andere eind van het tapijt trok en tilde op haar beurt de bewusteloze vrouw bij haar voeten op. Nével was zwaar. Ze kwamen maar met kleine stappen vooruit.

Op dat moment galmde er een warme, volle mannenstem door de stofwolk. Hij had een timbre dat in Sarahs waarnemingswereld de kleur en structuur van geel zandsteen had. Toch was de melodie net zo vreemd en betoverend voor haar als de klankenreeksen uit Tiomkins box in het Kopenhaagse Tivoli. Verbluft keek ze om naar Kinnor. Hij stond wijdbeens tussen de oplaaiende vuren en vulde de zaal met de klanken der macht.

Vanuit de rook doken nu ineens andere gestalten op. Ze droegen gevechtstenues en machinepistolen, zoals hun omgekomen broeder. Sarah begon te beven. Het was een spookachtig tafereel: de vuren, de schimmen die kwamen aansluipen, en de zingende 'Moor'. Eén vreselijk moment lang verwachtte ze een dodelijk kruisvuur dat een abrupt einde aan de zwanenzang zou maken, maar toen begreep ze dat Kinnor al macht had over de wil van de Adelaars. Hij lokte ze naar zich toe, zoals de rattenvanger de kinderen van Hameln.

'Het lukt ons nooit Nével daaroverheen te tillen. We moeten haar eromheen dragen,' kreunde Alix plotseling. Ze was kennelijk ongevoelig voor de klanken der macht.

Sarah keerde zich om en keek in een paar groene ogen. Toen zag ze de hindernis: een ontzettend hoge berg puin; vermoedelijk was er bij de explosie een groot stuk uit het plafond weggeslagen. Dat betekende een tijdrovende omweg. Het zweet brak haar uit toen Alix Nével weer verder het vertrek in loodste.

Kinnors stem werd luider, dwingender. Sarah sperde vol afschuw haar ogen open toen ze zijn bevel herkende...

De Duistere Kleurenhoorders verroerden zich weer. En Kinnor schalde zijn lied. Ze brachten hun wapens in de aanslag. Maar Névels kameraad zong verder...

Vervolgens keerden de Adelaars zich naar elkaar toe en begonnen te vuren.

Van schrik liet Sarah het tapijt uit haar handen glippen. Sprakeloos staarde ze naar de strijders die elkaar neermaaiden. Het vuurgevecht duurde maar een paar tellen. Ook Kinnor hield nu op.

Er viel een spookachtige stilte.

'Help me, Kithára!' steeg vanuit de duistere stilte Alix' stem op.

Sarah knipperde verdwaasd met haar ogen en bukte zich naar de punt van het kleed die haar was ontglipt. Twee, drie schuifelende passen later was Kinnor bij haar en hielp hij mee dragen.

'Dat heb je goed gedaan, broertjelief,' complimenteerde Alix hem.

'Het is niet meer dan een adempauze. Wie deze onderneming ook mag leiden, hij zal snel van tactiek veranderen,' antwoordde Kinnor. Hij zou gelijk krijgen.

Vlak voordat het viertal de reddende vluchttunnel bereikte, ontploften er nog eens twee springladingen.

Ditmaal leek het alsof het hele bergmassief begon te trillen. Weer blies een vlammenzee het vertrek binnen en direct daarna een hele massa projectielen. Névels dragers werden door de luchtdrukgolf als stropoppen weggeslingerd. Naar het kabaal te oordelen braken er nog meer zware stukken uit het plafond. Ja, de berg bulderde alsof hij elk moment uit elkaar zou barsten.

Sarah hoestte, spuugde en kon amper nog ademhalen. Moeizaam krabbelde ze weer overeind. Welke kant moest ze op? Ze dreigde in het inferno haar oriëntatie kwijt te raken. Maar opeens hoorde ze Kinnors stem.

'Kithára? Deze kant op naar de tunnel. Kom!'

Ze strompelde voort. Zag ze daar licht? Ze kreeg nieuwe hoop. Ja, licht! Ze moest alleen nog...

Opeens hoorde ze boven zich een afschuwelijk gekraak. Instinctief deed ze haar armen omhoog om zichzelf te beschermen. Maar te laat. Ze voelde een harde klap op haar achterhoofd. Een zwarte golf misselijkheid poogde haar bewustzijn weg te spoelen. Ze zakte door haar knieën. Wanhopig vocht ze tegen een flauwte, probeerde weer op te staan. Maar er kwamen nog meer steenbrokken op haar neer; ze raakten haar rechterschouder en haar arm. Ze schreeuwde het uit van pijn en doodsangst.

Plotseling leek haar schedel te exploderen en ze bezweek onherroepelijk. Ze belandde met haar gezicht midden in het puin. Binnen in haar leek een vat te zijn kapotgesprongen en een hete, giftige, bijtende vloeistof verspreidde zich tot in alle hoeken van haar geschonden lichaam. Een gekwelde ademtocht lang meende ze te voelen hoe ze vanbinnen oploste. Toen voelde ze helemaal niets meer.

[...] niets kan men liefhebben of haten wat men niet eerst gekend heeft.

— Leonardo da Vinci

Een zachte stem als die van een engel zweefde door het vertrek. Hij zong een lied met volkomen vreemde woorden. Wie kende nou de taal van goddelijke wezens? Hoogstens profeten en heiligen, maar toch niet zij, die hier in bed lag te luisteren, niet...

De jonge vrouw deed haar ogen open.

Ze staarde naar een witgekalkt plafond dat door zwartbruine, kromme balken in stroken werd verdeeld. Vanuit haar ooghoek zag ze een standaard van fonkelend chroom, waaraan een transparante plastic zak hing. Daaruit drupte heldere vloeistof in een slangetje naar beneden, dat al kronkelend uit haar gezichtsveld verdween. Meer kon ze eerst niet zien.

Het hemelse gezang bleef haar oor strelen. Maar de begeleidende muziek klonk vreemd hol en onwezenlijk, bijna alsof het orkest in een blikken doos speelde.

Opeens liet zich in datzelfde blik een mannenstem horen. Formeel en ongeïnteresseerd – maar zonder meer verstaanbaar – vertelde deze over een land dat kennelijk tussen hemel en hel lag. Gisteren, zo zei de emotieloze stem, waren er bij diverse aanslagen elf mensen gedood en vier gewond geraakt. Aangezien vandaag de eerste vrije parlementsverkiezingen in Irak plaatsvonden, verwachtte men tegen het eind van de dag een nog veel bloediger balans...

De heraut werd abrupt de mond gesnoerd, alsof iemand het deksel van de blikken doos had dichtgeklapt. Zonder begeleidende muziek begon de engel weer te zingen.

Voor de pas ontwaakte luisteraarster waren deze akoestische indrukken vreemd en tamelijk verwarrend. Ogenschijnlijk lag ze in een Provençaals

landhuis, maar sinds wanneer werd een dergelijk verblijf door engelen bewoond? Ze probeerde haar hoofd op te tillen om na te gaan waar het bel-
canto vandaan kwam, maar meteen al toen ze haar nekspieren aanspande,
ging er een helse pijnscheut door haar heen en ze schreeuwde het uit.

Hoewel toch echt iedereen weet dat engelen zich het liefst zwevend
voortbewegen – in dringende gevallen misschien nog in duikvlucht –,
hoorde de jonge vrouw plotseling zachte voetstappen die snel dichterbij
kwamen. Twee keer piepte er iets, en vlak daarna verscheen er boven haar
een gezicht dat nu niet direct met het engelenbeeld overeenkwam dat ze
in de diepten van haar voorstellingswereld had opgeslagen. Maar het zag
er wel lief vrouwelijk uit, had zomersproeten, een wipneus en groene ogen,
en werd door roodblonde krullen omlijst. De Godsgezante kon niet ouder
zijn dan vijfentwintig jaar.

'Goddank! Ze is wakker!' jubelde ze, waarbij ze in haar onderkaak een
scheve snijtand ontblootte. Uit haar kreet kon worden opgemaakt dat een
hogere macht haar had bijgestaan.

Nogmaals waren er voetstappen te horen, iets zwaarder dan die van
de sproetige engel, en er verscheen een tweede gezicht voor het gekalkte
plafond en de houten balken. De jonge vrouw, die haar hoofd niet kon
bewegen, deelde het meteen in de categorie 'mannnelijk' in. Als dit eveneens van een engel was, dan moest ze nog een cliché overboordgooien: het
cliché dat zegt dat engelen jong horen te zijn. Deze hier was niet echt oud,
maar zag er wel naar uit alsof hij al eind dertig was. Van kleine voorboden
van de ouderdom – rimpels op het voorhoofd en kraaienpootjes – zou
een rasechte engel in geen miljoen jaar last hebben. Bovendien zag hij er
terneergeslagen en moe uit. Daarom ging het hier vermoedelijk om een
heel gewone man.

Maar daarvoor zag hij er wel weer heel redelijk uit. Het gezicht werd,
afgezien van een bultje op zijn neus, niet door grote onvolkomenheden
verstoord. Zijn asblonde haar was dik, maar iets te kort om het lang te
noemen. Zijn grijsblauwe ogen straalden energie uit, maar verraadden ook
bezorgdheid. En uit zijn grote mond kwam duidelijke taal.

'Snel, haal even wat te drinken, Marya!'

Het vrouwelijke gezicht verdween uit het gezichtsveld van de jonge
vrouw.

De man legde zijn vingers omgekeerd tegen haar wang, toen op haar
voorhoofd en zei: 'De koorts schijn je achter de rug te hebben. Hoe voel
je je?'

De jonge vrouw dacht goed na over de vraag, omdat die onzekerheid bij haar opriep. Hoe heette deze man die zo vertrouwelijk tegen haar sprak? Waar was ze? Wíe was ze?

Marya kwam met een vreemd kopje terug, dat meer op een kleine kan leek. De man met de grijsblauwe ogen legde de tuit tegen de lippen van de jonge vrouw en goot druppelgewijs water in haar mond. 'Zo beter?' vroeg hij toen ze de beker voor de helft had leeggedronken.

Ze knikte. Maar één keer. Door de helse pijn schreeuwde ze het meteen weer uit.

'Je hebt diverse wonden, sommige zijn behoorlijk diep. Bovendien tal van kneuzingen. Rechts ben je het ergst te pakken genomen: je hebt twee ribben gebroken, evenals je sleutelbeen en de twee botten in je onderarm. En dan heb je nog een hersenschudding. Voordat ik je hierheen heb gebracht, hebben ze je in het ziekenhuis grondig onderzocht. Je verwondingen zijn wel ernstig, maar als je de instructies van je lijfarts opvolgt, word je weer helemaal gezond.'

'W-wie... wie ben jij?' stotterde de jonge vrouw. Zelfs het bewegen van haar kaak deed haar al ontzettend pijn.

'Herken je mijn stem niet?' vroeg hij.

'N-nee.'

'Ik ben de arts.'

Ergens had ze het gevoel dat hij haar daarmee meer wilde vertellen dan zijn beroep. Omdat ze met de beste wil van de wereld niet kon bedenken waar hij op doelde, kreunde ze: 'En?'

Hij boog zich naar haar over en fluisterde: 'Ik ben Kinnor.'

Nu was ze nog meer in de war. 'I-is dat... een bijnaam?'

Zijn gezicht betrok. 'Herinner je je wat er met je is gebeurd?'

Ze dacht er diep over na, ook al werd haar hoofdpijn daardoor nog erger. Na een poosje antwoordde ze: 'Nee.'

Hij knikte. Het was een ernstig, begrijpend knikken. Nadat hij iets over een schedel-hersentrauma en retrograde amnesie had gemompeld, rechtte hij zijn schouders en richtte het woord weer tot zijn patiënte.

'Je hebt gelijk. In werkelijkheid heet ik Krystian Jurek; dat is een Poolse naam – ik kom oorspronkelijk uit Warschau. Een lieve vriend, die joods was, heeft me ertoe gebracht de naam Kinnor aan te nemen. Maar genoeg gepraat over mij. Jij bent veel belangrijker dan ik. Kun je me jóúw naam vertellen?'

Ze staarde hem geschrokken aan. Het gevoel van onzekerheid werd ondraaglijk. Haar naam? Opeens voelde ze de sterke behoefte om over te geven.

De kamer scheen te draaien, eerst langzaam, maar algauw in een waanzinnig tempo. De arts, die zich Kinnor had genoemd, was ineens een mallemolen-figuur, die met haar meedraaide en van wie ze zich snel verwijderde, alsof ze een donkere tunnel in werd gezogen. En hoe verder de man van haar terugweek, des te overweldigender werd de duisternis om haar heen.

Ten slotte was er alleen nog maar zwart en een grote rust.

28

Mannen weerstaan vaak de beste argumenten en zwichten voor een
oogopslag.

— Honoré de Balzac

Het zou een enorm understatement zijn geweest om de conferentiekamer
op de directie-etage van het Parijse hoofdkwartier van Musilizer simpelweg
afluistervrij te noemen. Hij beschikte over een reeks technische snufjes die
het gebruikelijke repertoire van veiligheidsmaatregelen om bedrijfsspionnen
en hun materiaal te weren, ver oversteeg. Uiteraard was er geen enkel raam
dat door de geluiden van de mensen die zich erin bevonden in trilling kon
worden gebracht en met laserstralen kon worden afgetast – de kamer lag
diep in het hart van het gebouw. Bovendien werd hij door een fijnmazig net
van koper in een kooi van Faraday veranderd, waarvan de buitenkant ef-
fectieve bescherming bood tegen de energie van elektromagnetische velden.
De vloer, het plafond en alle muren waren bedekt met lood, dat zelfs voor
röntgenstralen ondoordringbaar was. En een sterke stoorzender vervormde
elk radiosignaal dat zich ook maar in de buurt van de kamer waagde. Al
deze middelen dienden maar één enkel doel: de geheimen van de Duistere
Kleurenhoorders te beschermen.

Aan de ovale tafel zaten acht mannen. Geen van hen was jonger dan
vijftig, en de oudste, Sergej Nekrasov, was een normale levensverwachting al
een eeuwigheid voorbij. Hij was ook degene die, nadat hij zijn medebroeders
had begroet, het eerste punt van de agenda aansneed.

'Nog steeds geen spoor van haar?'

Rechts van hem zat Oleg Janin. Van zijn gezicht was geen enkele emotie
af te lezen toen hij antwoordde: 'Niemand van onze broeders heeft sinds
operatie-Zwanenzang ook maar iets van Sarah d'Albis gezien of gehoord.
Ze lijkt nog steeds van de aardbodem verdwenen.'

'Ik neem aan dat u, wanneer u het puin uit de grot van de windharphoeders ruimt, haar botten wel zult vinden.'

Janin schudde zijn hoofd. 'De explosie heeft te veel stof doen opwaaien – figuurlijk gesproken, bedoel ik. Er hangen nog steeds verslaggevers en schatzoekers in de omgeving rond. Sinds kort tonen zelfs archeologen belangstelling voor de vergaderruimte van de geschiedschrijvers. En de politie patrouilleert regelmatig in de omgeving om de plaats delict vrij te houden van onbevoegden totdat het onderzoek is afgerond. Mocht iemand ooit de loge blootleggen, dan zullen we te weten komen wat – of liever gezegd: wie – zich nog daarin bevindt –, afgezien van onze omgekomen broeders, bedoel ik. Tot dan blijven we in opperste staat van paraatheid, want mocht Sarah d'Albis de Zwanenzang hebben overleefd, dan zou ze ons grote plan nog steeds kunnen laten mislukken.'

'Denkt u dat echt? Die vrouw weet toch helemaal niets?' bracht een ander aan tafel te berde. De man met de Aziatische gelaatstrekken heette Chen Wang en was de officiële belangenvertegenwoordiger van Musilizer in Hongkong en het gehele Verre Oosten.

'Die vrouw weet veel te veel over de Adelaars,' preciseerde Nekrasov met een verwijtende blik in zijn richting.

'Ons plan was om de erfgenaam van Liszts nalatenschap te rekruteren, alsook de klankleer van Jubal in ons bezit te krijgen. Om Sarahs vertrouwen te winnen moest ik wel het een en ander over onze Broederschap prijsgeven. Iedereen hier in de kamer was het met die handelwijze eens,' bracht Janin de anderen aan tafel in herinnering.

Nekrasov schudde zijn sneeuwwitte hoofd. 'Ik wil niet vervelend doen, maar we moesten dat meisje maar vergeten. Zeker, het zou gunstig voor ons zijn geweest als ze u naar de purperpartituur had geleid, maar wees eens eerlijk: Sarah d'Albis heeft u nooit echt vertrouwd, en heeft bovendien ondanks niet mis te verstane dreigementen al onze voorstellen van tafel geveegd. En dan speelt zij ook nog klaar wat ons sinds het schisma niet gelukt is: ze vindt de hoeders der windharpen. Ik herinner u even aan uw eigen woorden: die Florence le Mouel had u door, zei u. Zo was het toch, of niet?'

'We stonden op het punt te worden ontmaskerd,' gaf Janin met tegenzin toe.

'Ik ben blij dat u nog net op tijd aan de noodrem hebt getrokken. Om geen verraad aan onszelf en onze doelen te plegen, móésten we gewoon toeslaan, meteen en genadeloos. Wat mij betreft mag dat meisje samen met die prulschrijvers branden in de hel.' De grijsaard stond zichzelf een glimlach toe, omdat hij de dubbelzinnigheid van zijn opmerking over het Val d'Enfer erg leuk vond.

'Spreek alstublieft met iets meer respect over Sarah. Ze was tenslotte een meesteres der klanken,' fluisterde Janin met een knalrood hoofd.

Nekrasov grinnikte. 'Alsof dat de reden is waarom u zich zo opwindt! Kalm maar, broeder. Iedereen hier begrijpt uw tweestrijd. Maar met verhitte gemoederen komen we niet verder. Plan B vraagt om onze volledige inzet. Het gaat er tenslotte om de wereld compleet te veranderen. Zeker ú kunt zich dan nog wel het allerminst een zwakheid permitteren.'

Janin keek de grijsaard met fonkelende ogen woedend aan. Maar toen ineens ontspande hij zich en antwoordde opgeruimd: 'U hebt gelijk. Laten we overgaan tot het volgende punt op de agenda.'

Nekrasov knikte. 'Ja, laten we het over onze onverwoestbare "vriend" hebben. Hij ademt nog steeds. Van de strottenhoofdontsteking en de snee in zijn luchtpijp heeft hij zich kennelijk hersteld. In elk geval melden zowel onze informant als de officiële media dat het weer beter met hem gaat. Hij is vandaag uit de Gemelli-kliniek ontslagen. De artsen zijn voorzichtig optimistisch over zijn gezondheidstoestand.'

'Dat zijn ze altijd,' bromde Janin. 'Hij gaat wel dood.'

Op Nekrasovs rimpelige gezicht verscheen een glimlach, en hij antwoordde met zijn zachte, altijd een beetje als ritselend perkament klinkende stem: 'Maar natuurlijk gaat hij dat. Toen u met uw mooie meisje door de wereldgeschiedenis reisde, heb ik het nodige voorbereid. Ik geef onze afgetakelde vriend nog twintig dagen. En dan laten we de wereld naar ons pijpen dansen.'

29

Van alle kunsten is de muziek de enige die geschikt is om gevoelens als
het ware door een schitterende zeef te gieten, om ze, schoongespoeld van
alle excessen van de geest en het hart, als parels in hun oorspronkelijke
zuiverheid te laten schijnen.

— Franz Liszt

ERGENS BIJ LES BAUX DE PROVENCE, 16 MAART 2005, 06.50 UUR

Wordt een mens na een goede nachtrust gevraagd hoe hij heeft geslapen, dan is hij geneigd te antwoorden dat hij zich als herboren voelt. Vanochtend had Sarah dat gevoel sterker dan ooit. Ze werd wakker als een ander mens.

Het begon zoals wel vaker de laatste dagen: Krystian begroette de nieuwe dag met een pianostuk; precies bij zonsopgang klonk het eerste akkoord. De deur naar de gastenkamer, die als ziekenverblijf voor haar werd gebruikt, stond op een kiertje. Zo vonden de klanken hun weg naar haar oor. Ze sloeg haar ogen op.

Met stijgende verbazing luisterde ze naar de eerste paar maten. Deze melodie kende ze. Het was geen vaag gevoel dat ze hem ooit ergens had gehoord. Nee, deze noten had ze zélf al vaak gespeeld. Ze namen je zachtjes mee naar het rijk der dromen – een zogenoemd 'nachtstuk'. Dit speciale stuk, *Nocturne in cis klein*, dat Krystian met zoveel passie speelde, was van de hand van Frédéric Chopin. Hij hield van Chopin, en Sarah wist opeens dat ook zij deze componist meer waardeerde dan de meeste andere. Ze had dezelfde noten in Hotel Bautezar gespeeld, op de dag dat ze haar geheugen verloor...

Nu kwam het allemaal terug; er stortte een waterval van herinneringen over haar heen. En eindelijk werden de vele nieuwe beelden van de afgelopen weken in een groter geheel ingevoegd en kregen ze betekenis.

Alsof ze een kuiken was dat net uit het ei kroop, liet ze haar blik ronddwalen door de kamer met het balkenplafond. Hier was ze als een tabula rasa ontwaakt, als een schoongeveegde geesteslei. En omdat ze de eerste zeven dagen de kamer niet uit kon en zich nauwelijks details van haar vroegere leven herinnerde, was hij haar kleine wereld geworden. Een wereld met witgekalkte muren, een vloer van klinkers, gekleurde droogbloemen als decoratie, een boekenkast met vier planken en precies vierentachtig boeken, de schommelstoel van honingkleurig grenenhout, de gordijnen met een zonnebloemenpatroon, de schommelstoel bij het raam en het rustieke houten bed.

Uit de kamer ernaast drong een virtuoze klankenreeks tot Sarah door. Ze glimlachte gelukzalig, zoals zo vaak wanneer ze naar Krystians pianospel luisterde. Nu eens leken zijn zachte handen de toetsen meer te liefkozen dan aan te slaan; dan weer konden ze er met bandeloze kracht op los hameren, alsof hij de pianoforte aan gruzelementen wilde slaan.

Toen Sarah hem anderhalve week geleden na haar ontwaken voor het eerst had horen spelen, waren de tranen haar over de wangen gelopen. Het blikkendoosorkest op de radio kon met deze muziek niet concurreren. De snelle, aanzwellende en afnemende loopjes riepen zeeblauwe golven in haar op, die zich van top tot teen door haar lichaam verspreidden. Verbaasd had ze geconstateerd dat zelfs haar vingers jeukten, alsof ze Krystian op de piano wilde begeleiden. Nu wist ze waar die reflex vandaan kwam: ze was zelf pianiste. Een tamelijk goede zelfs.

Onwillekeurig moest ze grinniken toen ze er weer aan dacht dat Krystians privéconcert niet de enige verrassing op die bewuste tiende dag van haar nieuwe leven was geweest. Hij had de deur geopend en iets naar buiten geroepen, wat ze niet verstond. Opeens was er een hondje de kamer in gestoven. Hij had een zwart-wit gevlekte vacht en kromme poten, en was niet veel groter dan een weldoorvoede kater. Zijn vochtig glanzende neus, vol met littekens, had meteen Sarahs kant op gewezen, terwijl hij met kwispelende staart opgewonden op haar af liep. En toen ze zijn oren zag – het zwarte stond recht omhoog, het witte was naar beneden geknikt –, had ze de naam van de kleine zwerver gefluisterd, die haar geur klaarblijkelijk niet vergeten was.

Sarahs blik ging terug naar het bed en ze glimlachte. Voorzichtig trok ze haar voeten onder Capitaine Nemo vandaan, die het sinds kort tot zijn zeer dringende taken rekende om over haar te waken als ze sliep. Hij tilde zijn kop op en keek haar met een gespitst oor vol verwachting aan. Sarah hield haar uitgestoken wijsvinger voor haar mond. Alsof hij precies wist wat ze hem daarmee wilde zeggen, liet hij zijn gebruikelijke goedemorgengeblaf achterwege. In plaats daarvan keek hij waakzaam toe hoe ze uit haar bed gleed en naar de deur sloop. De oude scharnieren kraakten toen ze de deur net ver genoeg opendeed om erdoorheen te kunnen glippen. Krystian speelde door; hij leek volledig op te gaan in de prachtige harmonieën.

Het aangrenzende vertrek was een rustieke woonkeuken met een fornuis, nog meer klinkers op de vloer en balken aan het plafond, met een bont samenraapsel van oude muziekinstrumenten en boerengereedschappen aan de muren, evenals menig ander liefdevol accessoire waarin de smaakvolle hand van de eigenares te herkennen was – Marya was vrij kunstenaar en kon van de opbrengst van haar schilderijen heel goed leven.

In het woon-kook-eet-ensemble stond bovendien een aftandse televisie, maar Sarah had het geflikker ervan de laatste weken maar zelden gezien – meestal alleen tijdens het dagelijks nieuws. Des te regelmatiger schetterde de kleine radio, die met zijn blikkendoosgeluid Marya vrij vaak stimuleerde om haar Poolse liederenschat te onderhouden.

Hoewel haar heldere gekwinkeleer in Sarahs bonte waarnemingswereld nog steeds zo zuiver klonk als dat van een engel, was er toch iets wat Sarah nog prachtiger vond: Krystians warme, zandgele stem. Hij hoefde niet eens te zingen. Eén woord van hem was genoeg om haar pols tot een wild staccato op te zwepen.

Op blote voeten glipte ze naar haar vaste plekje: een met dikke kussens gevulde rieten stoel, van waaruit je over het terras de tuin in kon kijken. Ze liet zich erin zakken, sloot haar ogen en zoog de klanken, kleuren en vormen van de nocturne in zich op. En elke klank legde weer een stukje van haar vergeten herinneringen bloot.

Later had ze de manier waarop de brug naar haar vroegere leven was geslagen altijd zo en niet anders beschreven, al zouden neurologen, psychologen of andere hersenologen haar idee waarschijnlijk belachelijk hebben gemaakt. In elk geval had Krystian haar, toen hij langzaam zijn handen van de toetsen haalde, eindelijk gegeven waar ze al wekenlang het meest naar verlangde. En vanaf dat moment viel alle zelftwijfel van haar af.

Ze wist dat haar liefde voor hem puur en echt was.

In het begin was ze zich er nauwelijks bewust van geweest. Ze had wel gemerkt hoe graag ze zich, wanneer hij haar 's morgens onderzocht, door hem liet aanraken. Daarbij speelde het geen enkele rol hoe alledaags de omstandigheden waren. Toen hij eens haar steunkousen had verwisseld – die moest ze dragen om trombose te voorkomen –, was er een aangename rilling door haar lichaam getrokken. Ook wanneer hij haar vroeg haar bovenlichaam te ontbloten, voelde ze geen schaamte. Ze had deze verwarrende situatie geen liefde durven noemen. Tot de dag dat Capitaine Nemo was opgedoken.

Sarah was zo blij geweest als een kind, was helemaal vol van dit gelukzalige gevoel, dat zoals alles in deze tijd de frisse smaak van het nieuwe had. Zonder aan haar gebroken ribben te denken was ze letterlijk opgesprongen, had haar gezonde arm en die in het gips om Krystians nek geslagen en hem gekust. En terwijl haar lippen op zijn warme, zinnelijke mond lagen, kwam uit haar geheugenbank ongewenst een ervaring naar boven die haar eraan herinnerde hoe verraderlijk mannen konden zijn. Was er niet ooit een ander geweest, ook een musicus, die het hart van een hem geliefd persoon had gebroken?

Verlegen had ze zich van Krystian terug willen trekken, maar hij liet het niet toe. Hij hield haar vast en beantwoordde haar kus, een kleine oneindigheid lang, waarin voor Sarah tijd noch ruimte bestond. Al haar twijfels verdwenen volledig, weggeblazen door de storm van haar gevoelens. Ze wilde voor altijd zo door Krystian worden gekust en gestreeld, wilde zich geborgen voelen in zijn armen, wilde nooit meer ophouden van zijn warmte te genieten en zijn geur in te ademen...

Maar toen was Capitaine Nemo begonnen te blaffen en even later schraapte iemand hoorbaar zijn keel: Krystians zus. Hun schijnbaar met elkaar verweven lichamen maakten zich van elkaar los. Met een gegeneerde blik keken ze naar de klinkervloer.

'Ik kom wel op het verkeerde moment,' stelde Marya vast.

Of precies op het goede, dacht Sarah. Ze wist niet wat haar bezield had.

'Ze wilde me alleen maar bedanken voor Capitaine Nemo,' zei Krystian kleintjes, terwijl hij naar de hond wees, alsof het allemaal zijn schuld was.

'Zo zag het er ook precies uit,' reageerde Marya. Opeens verscheen er een vraagteken op haar gezicht. 'Nemo? Zoals de bootcommandant van Jules Verne? Was dat jouw idee, Krystian?'

De bruine ogen van de kleine zwerver flitsten van de ene spreker naar de andere, alsof hij elk woord verstond.

'Nee. Ík heb hem zo genoemd. Het betekent "niemand",' antwoordde Sarah. Haar blik was op Krystian gericht. 'Dat was in de nacht dat ik voor het eerst de zwarte prins Kinnor ontmoette.'

Later had de vrouw des huizes Sarah apart genomen en gezegd: 'Het spijt me dat ik jullie tortelduifjes daarstraks gestoord heb. Maar ik moet je iets vragen, Sarah: speel niet met Krystians gevoelens. Hij is bijna kapotgegaan aan Eva's dood. Zoveel verdriet zou hij niet nog eens kunnen verdragen. Als je mijn grote broer pijn doet, maak ik je van kant.'

Op dat moment wist ze al van Krystians vrouw. Vanwege haar was hij medicijnen gaan studeren en had hij zich later als een bezetene op de oncologie gestort en enkele slapeloze jaren lang in het farmaceutisch onderzoek gewerkt. Eva was desondanks gestorven. Aan bloedkanker.

Marya's vurige dreigement haar te zullen vermoorden – ook al was het alleen figuurlijk bedoeld – had Sarah onzeker gemaakt. Niet dat ze serieus vreesde voor haar leven, maar wel voor haar identiteit. Elke keer als Krystian haar met zijn grijsblauwe ogen vol verlangen aankeek, spookte in haar hoofd de vraag rond of hij met het wezen dat hij steeds Kithára noemde niet in werkelijkheid een nieuwe Eva wilde creëren.

Maar van nu af aan zou haar naam niet langer een leeg omhulsel zijn. Vreemd genoeg voelde ze nu voor het eerst dat er van haar werd gehouden om wie ze was, nu pas, omdat ze zich weer een compleet mens en niet alleen maar een mantel zonder inhoud voelde. Ze was geen reïncarnatie van Eva, ze was...

'Sarah d'Albis.'

Pas toen Krystian haar stem hoorde, keek hij op van de toetsen en keerde zich naar haar om. Hij glimlachte. Niet verrast, maar op een diepe, wetende manier. 'En? Ben je nu tevreden?'

Tevreden? Nee, dat was niet het juiste woord. Ze had de laatste weken met Krystian te veel brokstukken van haar herinneringen naar boven gehaald om de gevoelens die ze nu had met dit onschuldige woord te omschrijven. Ze wist dat hij om Névèl treurde – de eerste hoedster der windharpen was na de bomaanslag van de Adelaars nog in Val d'Enfer aan een hartaanval bezweken –, wist van de twee bewakers die doodgeschoten waren aangetroffen, en de vijf andere Lichte Kleurenhoorders die verenigd in de dood met hun Duistere broeders onder het puin van het grotplafond begraven lagen. Met zoveel verliezen in gedachten kon je niet tevreden zijn. Maar omdat Sarah inmiddels al heel wat van haar geduldige leraar Krystian had opgestoken, besefte ze nu ook wat haar ware bestemming was. Het was geen bijrol die het lot haar had toebedeeld, zoveel stond vast.

Ze schudde haar hoofd. 'Ik ben verdrietig.'

Krystian stond op van de pianokruk en sloeg zijn armen om haar heen. Hij hoefde niet meer echt rekening te houden met gebroken ribben of een gipsverband. Dat waren voor Sarah alleen nog maar lastige of pijnlijke schimmen uit het verleden. Dus hield hij haar vast zoals hij haar nog nooit had vastgehouden en zei zachtjes in haar oor: 'Je gaat me verlaten, hè?'

Sarah vocht tegen haar tranen. Tevergeefs. Ze was veel te sterk aangegrepen om het onvermijdelijke onder ogen te zien. Te plotseling waren haar herinneringen teruggekomen, te zwaar drukte de last van haar bestemming op haar, te groot was het verdriet om de nog maar net gevonden liefde alweer los te moeten laten. Desondanks fluisterde ze: 'Ik kan niet blijven en doen alsof er niets gebeurd is. Als het alleen om mijn eigen wortels ging...' Ze schudde wanhopig haar hoofd. 'Ik moet de purperpartituur vinden. Kun je niet met me meegaan?'

Hij trok zijn rechtermondhoek omhoog, een gebaar dat Sarah inmiddels wist te duiden als uitdrukking van verlegenheid. 'Moet ik daar echt antwoord op geven?'

Nee. Dat hoefde hij niet. Geduldig had hij haar tijdens de afgelopen weken een nieuwe kijk op de wereld en de rol van de Kleurenhoorders daarin gegeven, en daarbij ook de codex van de windharphoeders uitgelegd. Als een leergierige neofiet declameerde ze: 'Kroniekschrijvers oordelen niet en grijpen nooit actief in de gebeurtenissen in. Ze observeren en tekenen op – met distantie.'

Hij knikte. 'Zo is het altijd geweest en zo zal het altijd zijn.'

Florence le Mouel had op tijd een opvolger aangewezen en hem gedurende vele jaren alles geleerd wat hij moest weten. Het was Krystian Jurek, oftewel Kinnor. Na de brute aanval van de Duisteren hoorde hij daar te zijn waar zijn broeders en zusters hem nodig hadden. Zijn eerste plicht was de eeuwenoude kennis van de Kleurenhoorders te beschermen. Hij mocht zich niet laten afleiden door persoonlijke gevoelens...

'Ik zou bijna willen dat ik monsieur Cornée niets had gevraagd,' zei Krystian. Hij had Sarahs zwijgen waarschijnlijk niet langer kunnen verdragen.

Ze legde haar hoofd in haar nek en keek hem vragend aan.

'Over de *Nocturne in cis klein*,' voegde hij eraan toe. 'Nadat je door Capitaine Nemo een deel van je herinneringen terug had gekregen, was ik voortdurend op zoek naar andere belangrijke ervaringen die misschien nauw met het ongeluk waren verbonden. Gisteren was ik weer eens in het Bautezar, en opeens kwam de hôtelier met iets nieuw aanzetten. Hij zei dat je op de ochtend voor je verdwijning in het restaurant een onbeschrijflijk mooi stuk op de piano had gespeeld. Hij kon me alleen niet vertellen hoe het heette. Ik heb zeker een vol uur op het ontstemde instrument daar mijn hele repertoire aan hem ten beste gegeven voordat hij zeker wist dat het precies deze, de meest synesthetische van alle composities van Chopin was die hij van je te horen had gekregen.'

'Waarom noem je de nocturne synesthetisch?' vroeg Sarah verrast.

'Omdat er krachtige klanken in zijn verwerkt. Hij heeft mijn mentor zelfs ooit het leven gered.'

'Daar heb je me nooit iets over verteld.'

'Als ik me er bewust van was geweest wat Chopins compositie bij je kon losmaken, dan had ik dat zeker gedaan. Heb je ooit van Wladyslaw Szpilman gehoord?'

'Zeker. Die was lid van het legendarische Warschause pianokwintet. Roman Polanski heeft een film over hem gemaakt: *The Pianist*.' Sarahs ogen werden groot. 'Wil je zeggen...?'

Krystian knikte. 'Als jongen was ik al idolaat van Wladek. Hij was voor ons Polen een soort Cole Porter, George Gershwin en Paul McCartney ineen.'

'Ik ken hem alleen als vertolker van klassieke muziek.'

'Hij was een van de meest veelzijdige pianisten die ooit hebben bestaan. Een enkeling weet dat hij een muzikale nazaat van Franz Liszt was. Szpilman is bij diens pupillen in de leer geweest. En ik heb veel van hem geleerd. We hebben elkaar voor het eerst ontmoet op de Frédéric Chopin-muziekacademie, waaraan hij lange tijd voor mij had gestudeerd.'

'Dan klopt het verhaal dus? Dat hij door Chopins *Nocturne in cis klein* te spelen een Duitse commandant van de Wehrmacht zover heeft gekregen dat hij hem hielp, in plaats van hem te verraden?'

'Precies zo heeft hij het me verteld.'

Sarah legde haar wang op Krystians borst. Er spookten een heleboel vragen door haar hoofd. De eerste, die zachtjes, bijna plechtig over haar lippen kwam, was: 'Is Wladyslaw Szpilman de joodse vriend aan wie je de naam Kinnor te danken hebt?'

'Ja.'

'Dan was hij dus een Lichte Kleurenhoorder?'

Krystian streelde zachtjes haar haren en antwoordde geheimzinnig: 'Wat denk jij?'

'Ik heb je horen spelen. En wat nog veel belangrijker is: ik kon zíén hoe je de synesthetische stukken vertolkte. Als die kunst op zijn invloed is gebaseerd, dan heeft hij van zijn pianoleraar-voorvader niet alleen veel ontvangen, maar Liszts nalatenschap ook doorgegeven. Bestaat er een betere definitie van een Lichte Kleurenhoorder?'

'Je hebt gelijk; die bestaat niet. Liszt heeft muziek altijd als "de universele taal van de mensheid" gezien, en wij hoeders der windharpen hebben er veel aan gedaan om komende generaties van dat besef te doordringen. We ondersteunen ook instellingen zoals de Franz Liszt-muziekacademie in Weimar of het Europese Liszt-centrum in Londen, of ook veelbelovende jonge kunstenaars. Aan de nodige financiële middelen daarvoor ontbreekt het niet. Het vermogen van de Broederschap is oud en ondanks het schisma nog altijd groot.'

'Dan zijn de hoeders dus toch niet helemaal passief.'

'Met leugens kun je geen tempel van waarheid oprichten. Daarom hebben we ons er ook altijd voor ingezet de herinnering aan dat wat werkelijk is gebeurd wakker te houden. In zoverre geef ik je gelijk: de geschiedenis aan het nageslacht overleveren betekent de toekomst vormgeven. Maar het nalaten zou inhouden dat die wordt verwoest.'

'Dat klinkt haast als een stelling uit het handboek voor aankomende windharphoeders. Hij is toch niet toevallig van Név…el?'

'Ja. En zij heeft hem weer van haar voorganger geleerd.'

Sarah zuchtte. 'Jammer genoeg heb ik de laatste tijd minder geluk gehad met de mensen op mijn weg.'

'Doel je op Oleg Janin?'

'Absoluut. Ik moet blind zijn geweest!' Ze snoof vol verachting. Achteraf leek Janins dubbelspel haar een uitgekiende theaterenscenering, louter met het doel haar in zijn armen te drijven: hij had de solopaukenist van de Staatskapelle Weimar laten vermoorden om Valéri Tiomkin vervolgens ten tonele te kunnen laten verschijnen als zogenaamde bedreiging voor haar, versterkte deze illusie nog door de operetteachtige ontvoeringspoging in het nachtelijke Weimar en blies het gevaar daarna elke keer weer op als ze aan hem twijfelde: door de inbraak in het Russischer Hof, met de derderangskomedie op het hoofdstation van Weimar en – het toppunt van schandelijkheid – door de moord op zijn eigen logebroeder in het Kopenhaagse Tivoli.

'Poqemu?' had Tiomkin verbaasd gevraagd voordat hij stierf. Omdat Krystian Russisch kende, wist Sarah inmiddels dat de paukenist het niet over Pokémon, het lelijke zakmonstertje, had gehad. Tiomkins laatste uitspraak betekende gewoon: 'Waarom?'

Dat vroeg Sarah zich zo ondertussen ook af. Ze kon weinig ter verdediging van zichzelf aanvoeren, behalve misschien dat ook zij de menselijke eigenschap bezat de meest bizarre gebeurtenissen voor waar aan te nemen zodra die haarzelf overkwamen. Waarschuwingstekens waren er genoeg geweest: de koelbloedige manier waarop Janin zijn lemmet aan de broekspijp van de dode paukenist had afgeveegd; zijn nu eens norse, dan weer defensieve reacties op haar minachtende opmerkingen over de Duistere Kleurenhoorders; zijn grote schrik toen ze in Café Farger in Boedapest over de eerste hoeder der windharpen begon, en niet in de laatste plaats dat hij zo plotseling van mening was veranderd na hun bezoek aan de harpiste Florence le Mouel.

'Waarom wilde hij me met alle geweld uit Les Baux de Provence weg hebben?' merkte ze peinzend op. Krystian fronste zijn voorhoofd. 'Ik kan je niet volgen.'

Ze trok hem mee naar de comfortabele bank voor de kachel, duwde hem erop neer, vlijde zich tegen hem aan en vertelde nog eens over haar avontuurlijke reizen. Dit keer nam ze de tijd en noemde ze ook de details die ze in de grot van de windharphoeders had weggelaten. Haar verslag eindigde met de fax die Janin haar op de avond van de aanslag had gegeven om haar naar Weimar terug te lokken.

'En een paar uur later probeert hij me om te brengen,' vatte Sarah haar onbegrip samen. Ze leunde met haar rug tegen Krystians borst. Daardoor voelde ze dat hij zijn schouders ophaalde.

'Vaak vertonen ook monsters menselijke trekken. Dat maakt het voor ons zo moeilijk ze te herkennen. Je bent prachtig, Kithára, je hebt een lief karakter, kunt iedereen aan de piano betoveren en bent lang genoeg met hem samen geweest om misschien iets als genegenheid of in elk geval medelijden bij hem op te wekken.'

'Meen je dat serieus?'

'Zeker.'

'Nee. Ik bedoel dat je me leuk vindt... lief vindt.'

'Nou...' Hij schraapte zijn keel, en hoewel ze zijn gezicht niet kon zien, meende ze letterlijk te horen hoe zijn rechtermondhoek op dat moment richting zijn oorlel bewoog. 'Laat ik het zo zeggen: de ware schoonheid van een mens ligt toch wel in zijn ínnerlijke waarden.'

Sarah sperde haar ogen open, hapte verontwaardigd naar lucht en foeterde: 'Schurk! Hoe durf je zoiets tegen je meisje te zeggen?' Het lukte haar niet helemaal een gniffel te onderdrukken terwijl ze zich omdraaide, geknield over hem heen ging zitten en hem met haar vuisten bewerkte.

Capitaine Nemo blafte, ook al was het dan een wat halfslachtig geblaf. Vermoedelijk kon hij de ernst van de situatie niet helemaal goed inschatten. Misschien herinnerde hij zich zijn eigen onschuldige gestoei als pup.

Zijn protest ging over in een hoog zacht gepiep toen het ravottende tweetal plotseling aan elkaar kleefde, heel rustig werd en – zo zag het er tenminste voor hem uit – voedsel bij elkaar in de mond stopte. Hij legde zijn snuit op zijn poten om het eind van de voedertijd af te wachten.

Dat kwam sneller dan verwacht, want opeens stormde Marya de kamer binnen, met haar armen geheven in de lucht, haar handen fraai met allerlei kleuren verf besmeurd, terwijl ze riep: 'O god!'

Wat ze daar ook mee bedoelde, het maakte op de bank een onmiddellijk einde aan de voedseluitwisseling. Het paartje nam de houding aan die mensen van honden verwachten wanneer ze 'Zit!' roepen.

Marya rolde met haar ogen, deed met haar hoofd komische strekoefeningen en steunde: 'Hebben jullie misschien nog ergens een paar tenen voor me? Dan kan ik daar net zo goed meteen ook even op gaan staan.'

30

In de vervallen torenmuur
Weerklinkt waar winden waren
Met dra halfgebroken snaren
Een harp nog met stervend vuur...

In een vervallen lichaamskleed
Zetelt een hart, nog halfbesnaard
Meermaals een lied nog uit hem waart
In de stilte der nachten vol leed.

— Justinus Kerner, 'De eolusharp in de ruïne', 1839

LES BAUX DE PROVENCE, 16 MAART 2005, 23.55 UUR

Het was donker toen Sarah het dorp had verlaten, en het was donker toen ze het dorp weer binnenkwam. Net als in die koude nacht in januari liep ze de Porté Mage door met Kinnor aan haar zijde en net als toen blies de mistral door de smalle straatjes van het dorp – inmiddels wat minder ijzig. Ach ja, en ook Capitaine Nemo was weer van de partij; hij had zich de kans niet laten ontgaan een bezoekje aan zijn oude jachtgebied te brengen.

De kleine zwerver tippelde met opgeheven snuit vooruit en gromde al te nieuwsgierige straathonden niet mis te verstane waarschuwingen toe. De tweebenige rest van zijn roedel volgde met een handkar, die dankzij zijn licht opgepompte banden bijna geruisloos over het oneffen plaveisel hobbelde.

Anders dan zesenhalve week geleden droegen Krystian en Sarah geen maskers en zwarte gewaden. Je had bijna kunnen denken dat ze gewone nachtbrakers of een doodnormaal liefdespaartje waren, als dat enorme instrument niet op hun wagen had gestaan. Met zijn twee hoorns en de daartussen gespannen snaren deed het denken aan een lier; het had alleen nog een zwaar onderstel.

'Jouw windharp ziet er heel anders uit,' fluisterde Sarah terwijl ze de Rue Porté Mage op liepen.

'Anders dan wat?' reageerde Krystian zachtjes.

'Dan de klankkast van Nével.'

'Ah! Laat je door uiterlijk niet misleiden. Heb je ooit *Musiques Éoliennes* van Christine Armengaud gelezen? Een knap boek over de muziek van windharpen.'

'Nee. Voordat ik naar Les Baux kwam, was ik meer in andere instrumenten geïnteresseerd. Hoezo?'

'Omdat ze schrijft: "Op het 'grote bal der winden' verschijnt de eolusharp met gemaskerd gezicht."'

'Waart madame Armengaud soms wel eens als zwarte prinses verkleed in het Val d'Enfer rond?'

'Dat zou je bijna denken, hè? Haar poëtische beschrijving doelt er waarschijnlijk meer op dat de instrumenten behalve hun naam maar weinig van een harp hebben. De meeste zien eruit als een citer, deze hier lijkt op een lier. Bovendien wordt de klank niet zozeer door de lengte van de snaren, maar veeleer door de spanning ervan bepaald. Ze wijst op nog een paar andere bijzonderheden, waar je vast verbaasd over zult staan. Je zult het hopelijk al snel te horen krijgen.'

'Hoeveel van die speciale windharpen heeft de Broederschap?'

'Niet meer dan een stuk of vijf. Afgezien van het exemplaar in Névels huis worden ze bij onze boeken in een andere grot bewaard. De eolusharp van de eerste hoedster diende er uitsluitend voor om jou te vinden. Deze hier heeft Franz Liszt laten maken om de uitverkorene – dat ben jij dus weer – nog een stuk dichter bij de purperpartituur te brengen.'

'En waarom moeten we er op dit spookuur mee door Les Baux sjouwen?'

'Nou, waarom denk je?' Krystian liet zijn stem dramatisch dalen. ' "Krachtiger suisde de nachtwind... en daarbij weerklonken enkele tonen van de windharp als verre orgelklanken, opgeschrikt steeg het gevogelte van de nacht op en scheerde krijsend door het struikgewas." '

Capitaine Nemo jankte angstig.

'Wil je met me op eendenjacht?'

'Onzin. Dat was E.T.A. Hoffmann, en je begrijpt de beeldspraak niet.'

'Vertel me nou maar gewoon waarom we om middernacht de mensen uit hun bed moeten orgelen.'

'Omdat het bijgeloof rond deze tijd het sterkst is.'

Sarah knipperde verward met haar ogen. 'Pardon?'

Hij grijnsde. 'Je herinnert je vast nog wel Névels uitspraak over de legenden waarmee de hoeders der windharpen zich tegen de nieuwsgierigheid van de mensen beschermden. Er is er ook eentje over het zingen van de mistral om middernacht. In de volksmond heet het: "Als de noordenwind zijn lied begint, hij weldra met zijn offer zwindt." Het spreekt voor zich dat hij uitsluitend menselijke offers meeneemt, het liefst maagden. En natuurlijk geeft hij wat hij eenmaal heeft gekregen nooit meer terug.'

'Dat is krankjorum.'

Capitaine Nemo blafte, schijnbaar omdat hij het ermee eens was, maar in werkelijkheid alleen maar om een broodmagere straathond weg te jagen.

Krystian lachte zachtjes. 'Ík heb die verhalen niet bedacht.'

'We leven in de eenentwintigste eeuw. Wie gelooft er nou nog in zulke hocus-pocus?'

'Wedervraag: welke uitgever zou het in ons o zo moderne en rationele tijdperk in zijn hoofd halen geen horoscoop in zijn krant te plaatsen?'

'Touché. Toch is het me nog niet duidelijk waarom we de windharp niet op een wat meer afgelegen plek kunnen opstellen.'

'Heel eenvoudig: omdat je betoudovergrootvader een heel specifieke plek heeft uitgezocht. Zijn audition colorée was net als die van jou meer op de klank dan op de toon gericht.'

'En waar zou die zich dan moeten manifesteren?'

'Denk aan het laatste raadsel: IN HET PURPER GESMEED GEKONKEL ZAL JE OPENBAREN DE CRUX.'

'Crux? Je bedoelt dat hij niet het symbolische kruis van het lijden heeft bedoeld, maar een letterlijk kruis? Zeg nou alsjeblieft niet dat we het dak van de kapel van de Witte Boetelingen op moeten.'

'Hoe weet je...?'

'Nee, dat kun je niet menen...!'

'Het was maar een grapje,' onderbrak hij haar grinnikend. 'De oplossing is veel eenvoudiger dan je denkt. Wacht maar af.'

Intussen hadden ze de Grande Rue Frédéric Mistral bereikt en liepen ze in de richting van de ruïnewijk. Sarah begon een idee te krijgen waar de windharp zou moeten weerklinken, en haar vermoeden zou bewaarheid worden.

Terwijl ze Krystian met een halogeenzaklamp bijlichtte, stuurde hij zijn kar tussen vervallen huizen door, rechtstreeks naar het renaissanceraam, dat – afgezien van een overgebleven stuk muur eromheen – was blijven staan als laatste getuige van een gebouw waarin vermoedelijk ooit hugenoten hadden gewoond. Het architectonische relict was een klein kunstwerk op zich: geflankeerd door zuilen, overspannen met een gebint en in de glasloze ramen een onmiskenbaar vensterkruis.

Sarah steunde. 'Ik heb hier met Oleg Janin voor gestaan en wel honderd keer de zinspreuk gelezen: POST TENEBRAS LUX, POST TENEBRAS LUX... Eigenlijk had ik, als ik dan toch al die moeite had genomen om uit te zoeken wat de betekenis van het Latijnse motto was, ook dat "crux" moeten vertalen. Het "kruis" staat nota bene vlak onder de spreuk.'

Krystian moest zich blijkbaar beheersen om niet hard te gaan lachen. 'De hele wereld siddert altijd van ontzag wanneer de naam Liszt valt, terwijl hij een echte deugniet kon zijn. Samen met Chopin heeft hij eens een pianoavond verzorgd. Hij stond erop in het volslagen donker te spelen. Toen het stuk was afgelopen, applaudisseerde het enthousiaste publiek voor hem. Daarna ging het licht aan, en zat niet hij, maar zijn vriend aan de vleugel; Liszt had heel stilletjes met Chopin van plaats gewisseld.'

'Ik zie het voor me,' mompelde Sarah. Haar hoofd stond niet naar anekdotes. Ze was veel te nerveus.

De eerste hoeder was fijnzinnig genoeg om haar niet langer in spanning te houden. Gezamenlijk tilden ze de windharp van de wagen en plaatsten hem op de vensterbank, waar Krystian hem nog eens extra met een touw vastzette. Vervolgens fluisterde hij: 'Kom, we gaan een stukje opzij, zodat de wind ongehinderd door de harp kan strijken.' Hij pakte haar hand en trok haar weg bij het raam.

Algauw begonnen de snaren te trillen, en het typische zwellende en afnemende zingen van de eolusharp streek door de ruïnes. Sarah sloot haar ogen. Luisterde. En toen zag ze het voor het eerst. Het was een beeld, te vluchtig om het in haar geest vast te houden. Van opwinding kneep ze Krystians vingers bijna fijn.

'Kun je iets zien?' vroeg hij fluisterend.

'Wacht...!' reageerde ze, en ze verdween meteen weer naar het rijk der klinkende kleuren.

Iedere keer als de mistral iets krachtiger door het raam blies, werd de verschijning duidelijker, maar zodra de wind weer afnam, werd hij doorzichtig, om meteen daarna volledig onzichtbaar te worden. Het was alsof het beeld ademde, en het duurde lang voordat de noordenwind met de juiste kracht en voldoende bestendigheid de snaren van de eolusharp bespeelde.

'Ik zie een boom,' fluisterde Sarah. 'Hij is groen, en... ja, daaronder bevindt zich een blauwe winkelhaak... Het zou ook een dak kunnen zijn.'

De wind ging weer liggen en het beeld verdween.

Ze liet het door de mistral nog een paar maal in haar bewustzijn schilderen, hoopte nog op een of ander extra element, maar het bleef bij de boom en de winkelhaak, die met de punt naar boven wees.

'We moesten het bijgeloof van de dorpsbewoners maar niet al te veel op de proef stellen,' hoorde ze Krystian op een gegeven moment met gespannen stem zeggen.

Sarah opende haar ogen open en zuchtte. 'Er valt sowieso niets meer te zien. Het symbool is zo deprimerend simpel. Een boom en een winkelhaak, wat is dat nou voor een aanwijzing? Het is zo... willekeurig.'

Hij schudde ernstig zijn hoofd. 'Niet als je de geschiedenis van Franz Liszt en de Lichte Kleurenhoorders kent.'

Krystian had Sarah gevraagd geduldig te zijn toen ze wilde dat hij het uitlegde. Hij stelde voor eerst naar hun schuilplaats terug te gaan, zodat ze in alle rust over alles konden praten. Op weg daarnaartoe hadden ze dan ook nauwelijks nog een woord gewisseld. Allebei gingen ze gebukt onder het besef dat ze binnenkort afscheid van elkaar moesten nemen. Ergens wenste Sarah dat ze het raadsel van de nieuwe klankboodschap nooit zou oplossen. Dan kon ze hier blijven, bij Krystian...

Het landhuis waar Marya woonde lag voor de ingang van een voormalige mijn, waarvan er in de omgeving van Les Baux de Provence een heleboel waren. Vroeger was in deze streek het naar het dorp genoemde bauxiet gewonnen, de belangrijkste grondstof voor de productie van aluminium. Het mineraal werd allang ergens anders goedkoper gedolven, en de natuur had de verlaten mijnen heroverd. Vele waren als zodanig amper nog te herkennen. En een paar ervan hadden de windharphoeders in bezit.

Marya was nog wakker toen haar broer en Sarah van hun nachtelijke tocht naar de POST TENEBRAS LUX-ruïnes terugkwamen. Krystian zette de minivan in een schuur, en met z'n drieën, begeleid door Capitaine Nemo, brachten ze de windharp naar een mijngang die achter bomen verscholen lag. De mijn was niet meer dan een tussenstation, want de eigenlijke schat, de meest kostbare eigendommen van de Lichte Kleurenhoorders, bevond zich in een andere grot, diep in het hart van de aarde.

Enige tijd later zat het drietal in het landhuis om de nieuwste klankboodschap uitvoerig te bespreken. Hoewel het inmiddels tegen tweeën liep, waren ze allemaal veel te monter om aan slapen te denken. Omdat Marya ook tot de hoeders der windharpen behoorde – haar ordenaam was

Alix –, had Krystian erop gestaan dat ze erbij zou zijn. Zij zat in de rieten stoel, de twee anderen tegenover haar op de bank. Bovendien was de kleine zwerver bij hen komen liggen – Capitaine Nemo wierp zich de laatste tijd graag op als chaperon.

Nadat Sarah nog een keer in detail haar visuele indrukken bij het 'zingen van de noordenwind' had beschreven, leunde ze achterover tegen Krystians borst en zei: 'Nu is het jullie beurt. Met de boom en de winkelhaak kan ik niet zoveel.'

'Maar ik wel,' antwoordde Marya, en ze verraste daarmee zelfs haar broer. 'De boom met de blauwe winkelhaak eronder is het wapen van Saint-Cricq. Het dorp ligt aan de voet van de Pyreneeën, ongeveer driehonderdtachtig kilometer ten westen van hier. Ik heb daar eens een tentoonstelling gehad.'

'Saint-Cricq,' fluisterde Sarah. De klank van die naam had een snaar in haar geraakt, die niet meer wilde ophouden met trillen.

'Wat vind je van wat Marya zei, Kithára?' hoorde ze Krystian achter zich vragen. Hij klonk als een leraar die de kennis van zijn leerlingen wilde testen.

'Ik heb het gevoel dat Liszt ons met een list op de proef wil stellen.'

'Heel goed. Zoiets had ik namelijk ook. En waarom voel je dat zo?'

'Omdat de naam Saint-Cricq met betrekking tot Franz Liszt nog een andere betekenis heeft. Zijn eerste grote liefde heette Caroline de Saint-Cricq. Hij heeft haar... Wanneer was dat ook alweer?'

'Volgens onze gegevens rond 1828.'

'Precies! Toen leerde hij haar in Parijs kennen, als haar pianoleraar. Ze waren allebei pas zeventien, en waren smoorverliefd op elkaar. Carolines vader zag de vrijage van zijn dochter met de burgerlijke musicus absoluut niet zitten. Daarom zorgde hij voor een betere partij voor haar, wat Franz in een diepe depressie stortte.'

'Heel goed, Kithára! Sinds je hier bent heb je veel bijgeleerd. En? Was hun vuur alleen maar kalverliefde?'

Ze schudde haar hoofd. 'Zelfs toen ze allang getrouwd was bezocht hij haar nog.'

'Inderdaad. Volgens onze gegevens reisde hij daarom zelfs een keer naar de Franse Pyreneeën; ze ontmoetten elkaar op 8 oktober 1844 in Pau.'

Sarah veerde van zijn borst omhoog en draaide zich verbaasd naar hem om. 'Weet je zeker dat het niet op 9 november was?'

'Mijn broer kan je vertellen wat Liszt elke dag van zijn leven gegéten heeft,' zei Marya met een geringschattend gebaar.

'Ze overdrijft,' sprak Krystian tegen. 'Als dat zo was, dan wist ik ook waar en wanneer hij de purperpartituur had verborgen. Dat is alleen niet zo. Helaas.'

Sarah liet zich weer tegen zijn borst zakken. Zijn 'helaas' klonk als de verkorte versie van 'Helaas moet ik je daarom laten gaan, zodat jíj de klankleer van Jubal kunt vinden'. Was het mogelijk dat ze in minder dan zeven weken even diepe gevoelens voor deze man had ontwikkeld als Franz Liszt ooit voor Caroline de Saint-Cricq?

'Waar denk je aan?' vroeg hij. Zijn adem kriebelde in haar oor.

'Mijn betoudovergrootvader... Ik bedoel, Liszt heeft zijn leven lang van Caroline gehouden. Voor zover ik me herinner staat haar naam zelfs in zijn testament...' Sarah stokte.

'Ik wed dat je je net zat af te vragen hoe zoiets kan, terwijl de geschiedenisboeken het toch alleen over een kort liefdesavontuur hebben, of niet soms?' raadde Krystian.

'Zeker weten! Je kent toevallig niet de tekst van zijn laatste wil uit je hoofd?'

'Neem je me in de maling?'

'Dat dacht ik al.' Ze gaf hem een klap op zijn dij en kwam uit haar half liggende, half zittende houding overeind om zich naar het ziekenverblijf te haasten.

'Waar ga je nou zo snel naartoe?' riep hij haar na.

'Mijn wandelende bibliotheek halen.' De computer was een van de weinige spullen die ze na de aanslag van de Duisteren nog overhad – ze had hem immers in Krystians auto laten liggen. Haar koffer, die in het hotel was achtergebleven, was door monsieur Cornée in handen van de politie gegeven. Officieel werd de beroemde pianiste Sarah d'Albis als vermist beschouwd. Zelfs de persoonlijke kledingstukken die ze in het heiligdom van de hoeders had aangehad waren door Krystian verbrand nadat hij er peilzenders en afluisterapparaatjes in had ontdekt: elektronische bakens die de Adelaars vermoedelijk tot aan de grot van de Zwanen hadden gevolgd.

Toen Sarah met haar laptop de woonkamer weer binnenkwam, werd ze opeens helemaal duizelig. Ze wankelde alsof ze dronken was, alles draaide om haar heen. Krystian en Marya sprongen onmiddellijk op om haar te ondersteunen. Capitaine Nemo jankte.

'Wat was dat nou?' mompelde Sarah hoofdschuddend terwijl ze zich naar de bank liet leiden.

'Misschien ben je te snel opgestaan en is het bloed naar je benen gezakt,' zei Marya.

'Nee,' sprak Krystian tegen, weer helemaal de arts, 'dan had de duizeligheid eerder moeten komen. Het lijkt me eerder een flauwte.'

'Je hebt gelijk. We hebben er de laatste weken wel voor gezorgd dat ze weer helemaal op de been kwam, maar het ontbreekt haar nog aan uithoudingsvermogen.'

'Nog afgezien van de nooit echt goed in te schatten gevolgen van een zware *commotio cerebri*...'

'Hé, meneer en mevrouw de specialist, ik ben er ook nog!' viel Sarah hem knorrig in de rede. Ze ergerde zich meer aan haar eigen kwetsbaarheid dan aan zijn vakjargon.

'Hij wilde zeggen dat je hersenschudding behoorlijk ernstig was,' zei Marya sussend.

'Ja, ja, het is al goed. Kunnen we nu verder gaan?'

'Het is laat en je hebt dringend rust nodig,' zei Krystian bezorgd.

'Maar eerst moet ik iets uitzoeken.'

'Dat kan wachten, Sarah. Zelfs als je vandaag het raadsel oplost, laat ik je op z'n vroegst pas over twee weken gaan.'

Het liefst was ze hem voor dit medisch oordeel om zijn hals gevallen. Twee weken! Nog eens veertien dagen om volop van hun liefde te genieten...!

Nee, riep ze zichzelf tot de orde, en ze schudde geïrriteerd haar hoofd. Er waren belangrijker zaken dan haar persoonlijk geluk. Daar was later nog tijd genoeg voor. Hopelijk.

Koppig toog ze met de laptop op haar schoot aan de slag. Krystian ging zuchtend rechts van haar zitten, Capitaine Nemo betrok de wacht aan de andere kant en Marya knielde aan hun voeten neer op het tapijt.

Een paar minuten later had Sarah in de correspondentie van Liszt gevonden wat ze zocht. In 1860, tweeëndertig jaar na zijn amourette in Parijs, had de musicus zijn nieuwe levenspartner, prinses Carolyne von Sayn-Wittgenstein, een paar merkwaardige regels geschreven:

Een van mijn sieraden, een vermaakte ring, moet naar madame Caroline d'Artigaux, geboren gravin de Saint-Cricq, worden gestuurd (naar Pau, Frankrijk).

Sarah streek met haar hand over haar borst, niet om haar wild kloppende hart tot bedaren te brengen, maar omdat ze de hanger even moest voelen.

Het FL-signet was daar waar het de laatste tien jaar steeds was geweest. Ze liet Krystian de brief zien. Hij las de passage hardop aan Marya voor.

Voor Sarah was er weer een stukje van de grote puzzel op zijn plaats gevallen. Ze mompelde: 'De hanger heeft aan de achterkant een stuk dat opnieuw is gesoldeerd. Ik had altijd al het vermoeden dat hij uit een ring was samengesteld.'

Krystian wees naar de computer. 'Heb je Liszts laatste wil ook in dat ding opgeslagen?'

Ze knikte.

'Open het document eens voor me. Ik wil je graag iets laten zien.'

Binnen een paar tellen had ze het op het beeldscherm.

Hij pakte de laptop, scrollde kort door de tekst en zette hem weer op haar schoot. 'Helemaal boven in het beeldscherm. Bij de eerste Carolyne gaat het om de prinses Von Sayn-Wittgenstein en wie de tweede is, legt hij op niet mis te verstane wijze uit.'

Ademloos las Sarah de gemarkeerde passage in het testament:

Ten slotte vraag ik nog aan Carolyne in mijn naam een van mijn talismannen, in een ring gevat, aan Caroline d'Artigaux, geboren comtesse de Saint-Cricq (naar Pau in Frankrijk) te sturen...

Ze hapte als een drenkeling naar adem. Ze had zich nog wel kunnen herinneren dat de gravin de Saint-Cricq in Liszts testament werd genoemd, maar welk voorwerp ze zou erven was haar ontgaan. Er begon iets te broeien in Sarahs hoofd, waar ze duizelig van werd. Waarom legt Franz Liszt deze plicht uitgerekend bij de vorstin Carolyne von Sayn-Wittgenstein neer? Tot zijn vijftigste jaar heeft hij met alle machten ter wereld – zelfs met de 'plaatsvervanger van God' – gestreden om met haar te kunnen trouwen. Ondanks menig amoureus avontuur tot op hoge leeftijd is het nooit tot een breuk tussen hen gekomen, zoals met Marie d'Agoult, de moeder van zijn drie kinderen. Had hij geen rekening moeten houden met de jaloezie van zijn levenspartner? Waarom schreef hij haar over het sieraad, vroeg hij haar zelfs of ze er persoonlijk voor wilde zorgen dat zijn jeugdliefde het zou krijgen?

Sarah keek Krystian aan. 'Was Carolyne von Sayn-Wittgenstein een ingewijde? Een Kleurenhoorder?'

'Dat heeft hij tegenover de hoeders nooit openlijk toegegeven. Maar Lina Raman, aan wie hij menige episode uit zijn leven heeft gedicteerd, schreef over de vorstin dat zij de enige ter wereld was die inzake de meester alles wist, elke onzichtbare draad kende en de sleutel tot vele onbegrijpelijke dingen in zijn leven bezat. Beantwoordt dat je vraag?'

'Ik geloof het wel,' fluisterde Sarah. Ze had haar ijskoud geworden handen onder haar dijen gestopt. Voor haar, de rechtmatige erfgenaam van het sieraad, lieten de bestaande feiten zich maar door één verbindend element op een plausibele manier verklaren: 'De liefdesverhouding tussen de zeventienjarige pianoleraar en zijn pupil had gevolgen gehad. Onafzienbare gevolgen. Daarom had Carolines vader hem ook zo snel bij haar uit de buurt gehaald en haar onmiddellijk met iemand van haar eigen stand laten trouwen. Niettemin bleef het paar hun leven lang met elkaar verbonden. Wat kan twee mensen nu sterker samensmeden dan een gezamenlijk kind? En de vorstin Von Sayn-Wittgenstein had ervan geweten.'

'Wauw!' zei Marya.

Capitaine Nemo blafte instemmend.

Krystian klapte bedaard in zijn handen.

'Wist je daarvan?' vroeg Sarah.

Hij schudde zijn hoofd. 'Liszt heeft ons wel verteld dat hij zijn gave om kleuren te horen aan de volgende generatie had doorgegeven, maar heeft geen namen genoemd. Hij bedoelde eigenlijk dat het vermogen bij het kind minder ontwikkeld was dan bij hem. Tegelijkertijd vreesde hij vanwege de Duisteren voor het leven van het kind en hoopte hij dat de gave zich in latere generaties weer sterker zou manifesteren.'

Sarah dacht ineens aan de fax waarmee Janin haar uit Les Baux had willen weglokken. 'Waren de hoeders der windharpen op de hoogte van Ilona Höhnel?'

'Ja. Ze is inderdaad een dochter van Liszt. Maar ze werd op 6 augustus 1882 geboren, dus pas nadat hij de windroos had geschapen en onze toenmalige eerste hoeder Zabbechá over zijn begaafde kind had verteld. Vergeet Ilona Höhnel als je je stamboom tot op de bodem wilt uitzoeken.'

'Stam...?' Sarah keek Krystian met grote ogen aan. 'Bedoel je dat het beeld dat de windharp me heeft laten zien daarop zinspeelt?'

'Dat vermoed ik.'

'Maar het wapen van Saint-Cricq heeft ons als eerste op het juiste spoor gezet,' bracht Marya in het midden.

'Zeker. Je hoeft maar naar Liszts leven te kijken om te beseffen dat hij een meester was in dubbelzinnigheid.'

Sarah beet op haar onderlip. 'Hoe zit het met die blauwe winkelhaak? Zit daar misschien ook een aanwijzing in verborgen?'

Broer en zus wisselden een veelbetekenende blik en knikten toen, alsof hun hoofden door een onzichtbare stang met elkaar verbonden waren.

Sarah steunde. 'Mag ik jullie geheimtaal misschien ook even snappen?'

'Herinner je je nog wat Nével je over de hanger heeft verteld?' hielp Krystian haar op weg. 'FL staat niet alleen voor Franz Liszt, maar is ook een treffende afkorting van het Duitse *Farben-Lauscher*. Je kunt het in Liszts moedertaal ook beschouwen als zinspeling op de *Freimaurer-Loge*, vrijmetselaarsloge.'

'Vrijmetselaars...?' fluisterde Sarah met een strakke blik.

Krystian knikte. 'Ik neem aan dat Oleg Janin je over Liszts lidmaatschap van de vrijmetselaars heeft verteld.'

'Jazeker. En op een behoorlijk denigrerende manier ook.'

'Waarschijnlijk om je voorvader af te schilderen als een vergeestelijkt mysticus of als staatsgevaarlijk lid van een geheim genootschap.'

'Zoiets, ja. Eerlijk gezegd was mijn mening over de vrijmetselarij tot nu toe ook niet zo heel veel beter.'

'Het zijn wijdverbreide vooroordelen,' gaf Krystian met een begrijpende glimlach toe, en hij vertelde dat de vrijmetselaars in de loop van de geschiedenis altijd weer van wereldcomplotten waren beschuldigd, tot in de nieuwe tijd toe, toen de nationaalsocialisten hen op één lijn stelden met het o zo verwerpelijke 'wereldjodendom'. 'Maar in werkelijkheid waren gewelddadige revolutie en demagogisch geïntrigeer in strijd met de maçonnieke principes.'

'Bovendien kun je helemaal niet spreken van dé vrijmetselarij. Daarvoor zijn de afzonderlijke systemen en loges veel te verschillend,' bracht Marya in het midden.

Krystian was het met haar eens, maar zette verder uiteen dat van oudsher vooral de totalitaire regimes de geheimhouding van de ritus in de tempels – de 'loges' of 'werkplaatsen' – verdacht vonden. Daarnaast waren veel maçonnieke symbolen en rituelen terug te voeren op kabbalistische, hermetische en alchemistische tradities – voor de katholieke Kerk aanleiding genoeg om de vrijmetselaars onder één noemer te brengen met duivelsaanbidders, heksen en magiërs.

'Inmiddels weet men,' merkte Krystian op, 'dat een groot deel van de gebruiken van de vrijmetselaars zijn oorsprong vindt in de middeleeuwse domwerkplaats. Vandaar ook de ambachtelijke symboliek, zoals het "werken aan de ruwe steen" als zinnebeeld van de vervolmaking van de mens. Net zomin als de vrijmetselaars iets te maken hadden met wereldcomplotten, waren de Kleurenhoorders vrijmetselaars. Zij – inclusief Liszt – hadden altijd alleen maar gebruikgemaakt van de geheime structuren en goede netwerken van deze genootschappen, zoals daarvoor ook van die van de ridderorden. Zo vloeide het een en ander samen,' besloot hij.

'Achtpuntige kruizen, windrozen...' mompelde Sarah.

Krystian knikte. 'Franz Liszt interesseerde zich vermoedelijk slechts zijdelings voor die dingen. Hem spraken meer de in het maçonnieke leven nagestreefde vrijheid, gelijkheid en broederschap aan, idealen die tenslotte ook menig verlichter voor en na de Franse Revolutie naar de loges hadden getrokken. Het kan ook zijn dat hij zich met de vrijmetselarij verbonden voelde omdat die veel waarde hechtte aan liefdadigheidswerk – zijn talloze benefietconcerten laten wel zien hoe belangrijk hij het vond noodlijdende mensen te helpen. En niet in de laatste plaats waren de logegebouwen in zijn tijd vaak ook culturele centra. Wanneer hij daar dus concerten gaf, was dat niet alleen uit ideëele, maar ook gewoon uit praktische overwegingen.'

'Oleg Janin heeft het heel anders voorgesteld.'

'Dat dacht ik al, en daarom vertel ik je dit ook allemaal. Waarschijnlijk heeft hij Liszt een wolf in schaapskleren genoemd, waarbij zijn streelzachte vacht katholiek en zijn roofdierengebit maçonniek was.'

'Nou ja, hij bracht het wel iets subtieler.'

Krystian zuchtte. 'Ik ben kroniekschrijver, Kithára, en ik kijk er wel voor uit de vrijmetselarij te veroordelen of te verheerlijken. Vrijmetselaars hebben heel wat op het gebied van tolerantie in de maatschappij bijgedragen. Alleen al hun componisten – Liszt, Mozart, Meyerbeer, Lortzing, Hummel, Haydn, Puccini en nog veel meer grote namen –, dat waren geen samenzweerders, maar mensen die anderen met hun muziek blij maakten.'

'Het klinkt bijna alsof het allemaal engelen waren.'

Hij schudde zijn hoofd. 'Elke medaille heeft een keerzijde. Natuurlijk zijn er ook duistere stukken in de maçonnieke geschiedenis, bijvoorbeeld toen het idee van een wereldburgerschap gebaseerd op vrijheid en gelijkheid tijdens de Republiek van Weimar aan nationaalsocialistische idealen werd opgeofferd, of een aantal loges zelfs in het gevlei van de nationaalsocialisten probeerde te komen om verbod en vervolging te ontlopen.'

'Wie zonder zonde is, werpe de eerste steen.'

'Wat je zegt. Ik vind het beangstigend wanneer romanschrijvers, filmmakers en andere zelfverklaarde deskundigen, die elk eventueel verwijt van intolerantie bruusk van de hand wijzen, de vrijmetselaars maar blijven zwartmaken. In het gunstigste geval kun je dat dom noemen, omdat de personen in kwestie de meest schandelijke leugens van een archaïsche onderdrukkingsideologie laten herleven.'

'Bedankt voor de les, meester Yoda.'

'Graag gedaan, jonge Padawan.'

Marya rolde met haar ogen en Capitaine Nemo gaapte.

'Eigenlijk,' hervatte Krystian, 'wilde ik je met mijn korte verhandeling alleen een beter begrip geven van de aanwijzingen die Liszts windharpboodschap, vooral de blauwe winkelhaak, oplevert.'

'De...? Aha! Samen met de passer is die zo ongeveer wel het bekendste symbool van de vrijmetselaars.'

'Wat je zegt. Bij hen wordt de rechte winkelhaak de "winkelhaak van het recht". Er is me wat dat betreft trouwens een kleine eigenaardigheid opgevallen, een afwijking van de norm, zogezegd. Is jullie dat ook opgevallen?' Krystian keek de beide vrouwen vol verwachting aan.

'Ik haat het wanneer hij zo doet!' kreunde Marya.

Sarah knikte meelevend. 'Dat kan ik me voorstellen.'

Krystian trok een pruilmond. 'Terwijl het toch zo eenvoudig is. De winkelhaak in de windharpboodschap staat verkeerd om. In het maçonnieke passer-winkelhaaksymbool wijst de punt naar beneden, hier daarentegen naar boven. Je zei nog dat hij eruitzag als een dak.'

Sarah krauwde nerveus aan Capitaine Nemo's flapoor. 'En dat betekent?'

'Een dak biedt beschutting tegen slecht weer. Het beschermt. Ik zou me toch wel heel erg vergissen als meester Liszt hier niet weer van een van zijn dubbelzinnigheden gebruikmaakt om jou, Kithára, een boodschap te sturen. Vinden jullie het niet eigenaardig dat noch historici, noch biografen melding maken van een kind van Liszt en Caroline de Saint-Cricq?'

'Misschien omdat ze er nooit eentje hebben gehad,' bracht Marya ertegen in.

'Of omdat het kort na de geboorte bij de moeder werd weggehaald,' zei Sarah. Haar hart begon weer sneller te kloppen. Eindelijk had ze een idee waar Krystian op doelde.

Hij knikte. 'Vermoedelijk werd de kleine bastaard aan de zorg van pleegouders toevertrouwd, en haar nieuwe pleegvader zou wel eens een vrijmetselaar kunnen zijn geweest. Zo verandert de winkelhaak in een maçonniek dak, dat beschutting biedt aan een nieuw geslacht van toekomstige Kleurenhoorders.'

Sarah pakte Krystians hand. Opeens was ze weer duizelig geworden, wat meer kwam door het nieuws dat met een klap tot haar was doorgedrongen dan door de nasleep van haar hersenschudding.

'Dat klinkt aannemelijk,' zei Marya. 'Betekent dat dat Kithára, zodra ze hersteld is, de Pyreneeën in trekt om de sporen van Caroline en het kind te volgen?'

'Nee,' sprak Sarah zonder aarzeling tegen. 'Die streek ligt te ver naar het zuiden. Zephyrus waait uit het westen.'

'Wie?'

'Het zesde teken in het acroniem N + BALZAC staat voor de plek waar Franz en Caroline verliefd op elkaar zijn geworden. Waar hun kind werd verwekt. Waar het waarschijnlijk ook is opgegroeid... En waar het hol van de leeuw zich bevindt, of beter gezegd: het Adelaarsnest.' Sarah keek lang in Krystians treurige ogen, waarna ze eraan toevoegde: 'Ik moet zo snel mogelijk naar Parijs.'

31

Gelukkig is hij die met zijn omstandigheden weet te breken voordat ze hem hebben gebroken.

— Franz Liszt

ERGENS BIJ LES BAUX DE PROVENCE, 27 MAART 2005, 10.48 UUR

De christenen vierden de herrijzenis van hun God, terwijl zijn plaats-vervanger met de dood worstelde om nog iets langer te leven. Het was paaszondag. Sarah zat in Marya's landhuis in de rieten stoel voor de kleine televisie, krauwde aan het oor van Capitaine Nemo en volgde gefasci-neerd de live-uitzending uit Rome. Uiterlijk voldeed ze best aardig aan het beeld van een vrome katholiek, maar diep vanbinnen was ze ontzet-tend geschrokken.

Geschrokken van paus Johannes Paulus II, die voor het raam van zijn werkkamer niet meer dan een mooi omlijst, trillend hoopje ellende was en voor het eerst tijdens zijn pontificaat de traditionele zegen *urbi et orbi* – aan de stad Rome en aan de gehele wereld – zwijgend moest geven.

Geschrokken ook van haar eigen schrik, omdat Krystians landgenoot Karol Wojtyla eigenlijk haar bewondering verdiende voor de onverzette-lijke wil waarmee hij al zo lang de ziekte van Parkinson en diverse andere ziekten het hoofd bood.

Maar ze schrok nog het meest toen ze een totaalopname van het Sint-Pietersplein zag, omdat ze niet kon geloven dat de enorme mensenmenigte zich daar uit pure vroomheid had verzameld; hoevelen hadden zich uit sensatiezucht in het gewoel gestort, om zich aan de aftakeling van deze oude stijfkop te verlustigen?

En hoevelen gehoorzaamden aan een kracht van buitenaf?

Ja, Sarah was door de muziek nog het meest verbijsterd. Tijdens de uit-zending werd er vanuit het Vaticaan – de bladen van de windroos volgend – naar de rest van de wereld overgeschakeld, en telkens weer hoorde ze de klanken der macht. *Kom hierheen!* lokte het vanaf het Sint-Pietersplein. *Kom hierheen!* weerklonk het in Amerika. *Kom hierheen!* ook uit Australië, Azië, Afrika...

'Krystian, Marya, kom gauw!' riep Sarah opgewonden.

Ze kwamen allebei uit een ander deel van het landhuis aangelopen om bij haar voor de televisie te gaan zitten.

'Horen jullie dat?' vroeg ze nadat ze een een poosje ingespannen hadden geluisterd.

Van Marya kreeg ze een argwanende blik toegeworpen.

Krystian knikte echter en mompelde: 'Je hebt gelijk. Er is inderdaad iets, maar ik kan het niet thuisbrengen.'

Broer en zus Jurek waren allebei kleurenhoorder. Toch kon de gevoeligheid van hun audition colorée Sarahs vermogens bij lange na niet evenaren. 'In de muziek is een lokroep verwerkt,' legde ze daarom uit. '*Kom hierheen!* Die boodschap wordt over de hele wereld uitgezonden en overal waar de mis wordt opgedragen herhaald.'

'Maar waarom? Morgen is Pasen voorbij,' merkte Marya verbaasd op.

'Het zou hier om inprenting kunnen gaan,' zei Krystian.

'Inprenting?' herhaalde Sarah verward.

'Zo noem je dat als een klankboodschap zich in twee fasen openbaart. Fase één bereidt de ontvanger eerst op een bepaalde actie voor, in dit geval vermoedelijk de reis naar Rome. In fase twee wordt dan het bevel gegeven om het ingeprente gedrag in daden om te zetten.'

Sarah voelde dat alle haartjes op haar lichaam rechtop gingen staan. 'Dat ken ik,' fluisterde ze. 'Toen Tiomkin op het station in Weimar Mario Palme, mijn lijfwacht, met zijn klankbox manipuleerde, kon ik eenzelfde soort boodschap opvangen: *Luister en wacht. Zodra ik je roep, volg je mijn bevel op.* De rillingen lopen me nu nog over de rug als ik eraan denk.'

'Deze klankenreeks is een van de oudste uit het repertoire van de Kleurenhoorders,' bevestigde Krystian. 'Het voordeel ervan is de universele inzetbaarheid: de mensen bij wie inprenting is toegepast zijn ongemerkt al buiten gevecht gesteld en voeren de eigenlijke opdracht, die later in een willekeurige vorm kan volgen, snel uit.'

'In het Tivoli heeft Tiomkin, de paukenist, dezelfde klanken der macht gebruikt, maar Janin was er immuun voor.'

'Hoe machtiger de Kleurenhoorder, des te ongevoeliger hij is voor de manipulatie door de melodie. Ik ben bang dat die zogenaamde muziekprofessor ergens helemaal bovenaan in de hiërarchie van de Adelaars staat.'

Sarah sloeg haar ogen neer en fluisterde: 'Had ik hem maar niet naar jullie toe geleid. Névl zou nog hebben geleefd als ik...'

Krystian pakte haar hand. 'Het is niet jouw schuld, Kithára. Je had geen idee. De springladingen zijn door anderen geplaatst, door Kleurenhoorders die wisten en wilden dat daardoor doden zouden vallen.'

Sarahs verstand was het met hem eens, maar haar hart was niet voor rede vatbaar. Sinds ze de details van Névels tragische einde kende, voelde ze zich schuldig...

'Kithára,' zei Krystian met zachte en toch nadrukkelijke stem.

Ze kneep haar ogen dicht, alsof haar zelfverwijten daarmee verdwenen. Toen ze hem weer aankeek, vroeg ze vermoeid: 'Wat is er?'

'Ik ben bang dat je geen tijd meer hebt om te wachten tot je verwondingen helemaal zijn genezen. De oproep die je hebt ontdekt, kan alleen van de Adelaars komen. Ze zijn iets van plan. Iets groots.' Hij wees naar de televisie. 'Je ziet toch hoeveel mensen zich nu al op het Sint-Pietersplein hebben verzameld? Stel je voor: de paus overlijdt en de Duisteren gaan meteen over tot fase twee van de inprenting, het bevel. Musilizer voorziet de halve wereld van muziek: vliegvelden, stations, fabriekshallen, dokterspraktijken, duizenden liften en supermarkten. Zelfs kerken.'

'Maar wat willen ze daarmee bereiken? Een massale toeloop naar Rome?'

Krystian schudde zijn hoofd. 'Wie zegt dat de lokroep naar Rome die je toevallig hebt opgemerkt de enige is die ze bij de mensen hebben ingeprent? Er zijn misschien allang andere klanken der macht de ether in gestuurd, bevelen met catastrofale...'

'O mijn god!' flapte Sarah eruit. Er was ineens een herinnering bij haar naar boven gekomen.

'Wat is er?' vroegen Krystian en Marya als uit één mond.

Ze keek hen allebei met wijd opengesperde ogen aan. 'In het Russischer Hof heeft Janin gezegd dat er voor het helen van de wereld wel meer nodig is dan alleen maar een paar symfonieën. Hij heeft telkens weer geprobeerd me warm te maken voor de gedachtewereld van de Duistere Kleurenhoorders, en zei dat soms alleen een wereldbrand, een zuivering van apocalyptische omvang de mensheid van de ondergang kon redden. De Duisteren hoefden alleen maar een "kritische massa" mensen te manipuleren, en dat zou een kettingreactie van onvoorstelbare proporties uitlokken.' Ze schudde haar hoofd. 'Ik kan het niet bevatten. Ze willen het echt gaan doen.'

'En die macht hebben ze,' voegde Marya er ernstig aan toe.

'In tegenstelling tot ons, hoeders der windharpen,' zei Krystian.

Sarah knipperde verward met haar ogen. 'Maar heb je Nekrasovs kornuiten er in de grot niet toe gebracht elkaar van kant te maken?'

'Ja. Omdat ze soldaten waren of Kleurenhoorders van een lage graad. Tegen de meester der harpen of zijn adepten zou ik geen schijn van kans hebben gehad. Laten we de feiten onder ogen zien: zelfs als wij hoeders onze codex zouden schenden, dan nog konden we de Duistere Kleurenhoorders niet tegenhouden.'

'Met de purperpartituur zou het mogelijk zijn,' bracht Marya ertegen in.

'Ja. Maar die moet wel eerst worden gevonden.' Krystian ging voor Sarah op zijn knieën en pakte haar handen vast. 'Ik ken maar één iemand die daartoe in staat is en het nieuwe gekonkel een halt kan toeroepen – en dat ben jij, Kithára.'

Sarah slikte. Ze voelde zich heel klein, heel onbeduidend.

Hij kneep zachtjes in haar handen. 'Als de Duisteren daadwerkelijk van het mediaspektakel gebruik willen maken dat de dood van de paus zou teweegbrengen, dan hangt ons een zwaard van Damocles boven het hoofd. De gezondheid van Johannes Paulus is de laatste tijd dramatisch verslechterd. Niemand weet hoe lang hij nog te leven heeft.'

'Hij is taai en de Polen kunnen heel wat hebben.' Haar opmerking was een laatste zwakke poging om zich te verzetten. Ze probeerde te glimlachen, hoewel ze al begon te huilen.

Hij schudde alleen maar met een verdrietige blik zijn hoofd. Streng, zoals dat in ernstige situaties van de eerste hoeder der windharpen wordt verwacht, antwoordde hij: 'Ik heb geen keus. Onze laatste hoop ben jij, Kithára. We mogen geen dag meer verliezen.'

ZEPHYRUS

(HET WESTEN)

PARIJS

✳

Franz Liszt [...] geeft concerten die betoveren op een wijze die grenst aan het fabelachtige [...] Bij Liszt [...] denkt men niet aan overwonnen moeilijkheden, de piano verdwijnt en de muziek openbaart zich [...] Ondanks zijn genialiteit ondervindt Liszt een tegenstand hier in Parijs, die misschien juist door zijn genialiteit wordt opgeroepen. Deze eigenschap is in de ogen van bepaalde mensen een vreselijke misdaad, die men niet genoeg bestraffen kan. 'Talent wordt ten slotte nog vergeven, maar tegenover het genie is men onverbiddelijk!' zo liet wijlen lord Byron zich ooit uit, op wie onze Liszt veel lijkt.

Heinrich Heine, 1841

32

Zeer beslist zou mijn muziekloopbaan geweldig kunnen worden als ik nog eens honderdveertig jaar zou leven.

— Hector Berlioz

Sarah had het gevoel dat ze de hele achtenveertig uur in een *train à grande vitesse* had doorgebracht, een hogesnelheidstrein. Ze had de voorbereidingen voor haar reis al in een exprestempo getroffen. En het was ook een TGV die haar twee dagen na de beangstigende ontdekkingen op paaszondag naar Parijs katapulteerde.

De rit vanaf Marseille had maar iets meer dan drie uur geduurd. Toen de trein het Gare de Lyon binnenreed, merkte ze het niet eens. In gedachten was ze bij Krystian. Wat zou hij nu aan het doen zijn? Wat zou hij voelen? Zou hij ook aan haar denken? Ze miste hem in elk geval nu al, terwijl ze nog maar net afscheid van hem had genomen. Zou ze hem ooit terugzien...?

Geërgerd schoof ze haar twijfels terzijde. Zeker, haar missie was alles-behalve ongevaarlijk. Als de Adelaars erachter kwamen dat ze nog leefde, zouden ze uitzwermen en genadeloos jacht op haar maken. Maar misschien hoefde ze over een paar dagen hoe dan ook haar hoofd niet meer over de toekomst te breken.

De afgelopen nacht was het haar weer te binnen geschoten: het noodlot-tige telefoontje dat ze in Les Baux de Provence van Sergej Nekrasov had gekregen. Uitgerekend een compositie van Franz Liszt moest de Duisteren het motto voor hun samenzwering leveren: *Van de wieg tot aan het graf.* Verwijzend naar de geboorte van Hans Christian Andersen op 2 april 1805 had de harpmeester benadrukt: 'Vergeet die datum niet! Terwijl men over twee maanden de dag viert dat de kleine Hans Christian voor het eerst zijn wieg zag, zal voor iemand anders het graf zich openen. Zijn dood zal de wereld in beroering brengen.'

De herinnering aan het gesprek deed Sarah huiveren. Als het zou gaan zoals Nekrasov had gezegd, dan had paus Johannes Paulus II nog maar vier dagen te leven.

En dan? Waarschijnlijk zouden er honderdduizenden mensen naar Rome trekken, met de oprechte bedoeling de overledene de laatste eer te bewijzen. Maar hoevelen zouden in werkelijkheid aan het *Kom hierheen!* van de Kleurenhoorders gehoorzamen? Wat viel er überhaupt nog tegen de samenzwering van de Duisteren te doen? Het zou zinloos zijn gewoon de telefoon te pakken, het nummer van het Vaticaan te kiezen en de Zwitserse Garde voor een aanslag op de Heilige Vader te waarschuwen. Krystian had gezegd dat ze in de telefooncentrale van de Heilige Stoel dagelijks wel duizenden van dat soort bellers afwimpelden.

Vier dagen! Sarah onderdrukte een rilling. Hoe moest ze in zo'n korte tijd de purperpartituur vinden? Hoe kon ze het gekonkel van de Duistere Kleurenhoorders een halt toeroepen, zonder door hen ontdekt en geëlimineerd te worden? Zeven weken geleden zou alleen de gedachte aan deze herculische opgave haar al hebben verlamd. Inmiddels was ze niet meer zo naïef als toen ze zich door Oleg Janin had laten misleiden. Krystian had haar de laatste drie weken geleerd hoe ze zich onzichtbaar kon maken: betaal nooit met een creditcard. Gebruik diverse namen en geef die niet te snel prijs – computers zijn verraderlijk. Verander vaak van uiterlijk. Spreek in verschillende dialecten en talen. Kies telkens een nieuw onderkomen, liefst dagelijks. Doorzoek je persoonlijke spullen regelmatig op afluisterapparaten en peilzenders. Mocht je iets kopen, verwijder dan de labels met de streepjescode – die spelen elke snuffelaar informatie toe over wie je bent, bijna alsof je een geurspoor zou achterlaten, dat voor Nekrasovs bloedhonden met gemak te volgen is. Mijd telefoons! Wanneer je er beslist eentje nodig hebt, gebruik dan een gsm met steeds een nieuwe prepaidkaart en een nieuw serienummer. Houd altijd je omgeving in de gaten. Altijd! Mocht je iets vreemds opvallen, verdwijn dan meteen. Kijk zo veel mogelijk voor je uit of naar beneden – bewakingscamera's hangen meestal boven je. Vertrouw niemand! Ook Duistere Kleurenhoorders kunnen vriendelijk glimlachen...

Ze kon bijna eindeloos doorgaan met de lijst van gedragsregels. Sarah had het gevoel Jamie Bond te zijn, de vrouwelijke 007. Ze had paspoorten op drie verschillende namen, bundels contant geld, verschillende simkaarten voor haar nieuwe mobiele telefoon en diverse andere 'onzichtbaarmakers'.

Maar op dit moment was ze alleen maar een jonge vrouw, ineengedoken in haar coupé, met kort blond haar, een zonnebril, een spijkerbroek, een oranje sweatshirt, een donkerblauw regenjack en sportschoenen. Met haar grote rugzak had men haar voor een studente kunnen houden die na de paasvakantie naar de Sorbonne terugkeerde. En in zekere zin kwam ze ook inderdaad thuis; ze had in Parijs immers een prachtig oud appartement aan de Quai d'Orléans op het Île de la Cité, het Seine-eiland midden in het hart van de stad.

Sarahs weg voerde als eerste naar de Rue Cadet nummer 16. Hier, in het negende arrondissement, ten noorden van het Louvre, zetelde de Grand Orient de France, de grootloge met het hoogste ledental binnen de Franse vrijmetselarij. In haar laptoptas droeg Sarah een aanbevelingsbrief van ene doctor Krystian Jurek bij zich. Hij was gericht aan de grootmeester, professor Henri Perrot.

Uit veiligheidsoverwegingen maakte ze gebruik van het openbaar vervoer om van het station naar het logegebouw te komen. Het laatste stuk van de drukke Rue du Faubourg Montmartre legde ze te voet af. De Rue Cadet was relatief gezien rustig, een van die leuke straatjes met mooi gerestaureerde huizen uit de belle époque waarvan er in de centraal gelegen wijken van de pulserende stad heel wat waren. Ongeveer halverwege naar de Rue la Fayette vond Sarah nummer 16, een fraai gebouw met kleurige glas-in-loodramen en art-nouveau-elementen, dat Sarah ongeveer honderd jaar oud schatte. Toen ze op de knop van de zware koperen bel drukte, trilde haar hand.

Boven de bel bevond zich een kijkvenster met glanzend gepolijste tralies, dat even later kraakte en waaruit vervolgens een hoge, maar onmiskenbaar mannelijke stem opklonk. 'U wenst?'

'Goedemorgen. Mijn naam is Kithára Vitez. Ik heb een afspraak met professor Perrot.'

Ze hoorde geritsel, toen 'Een ogenblik graag!' en ten slotte weer gekraak.

Zo'n drie minuten later volgde een zoemgeluid. Sarah duwde met kracht tegen de deur, die met weinig weerstand op haar aanval reageerde. Door de vaart die ze had, stommelde ze een trappenhuis binnen met een zwart-witte terrazzovloer en een rode loper, die ze op een lange tong vond lijken. Deze slingerde zich een trap met vijf of zes treden op en verdween in een donkere mond, waaruit een enkele tand recht omhoogstak. In werkelijkheid ging het hier om een bleke man van hoge leeftijd met snor, bril en strenge blik.

'Komt u alstublieft verder!' riep hij omlaag, en het klonk als een bevel waar je maar beter gehoor aan kon geven.

Dankzij Krystian was Sarah zich ervan bewust dat ze nu een mannenwereld binnenstapte. Bij de vrijmetselaars nemen vrouwen in de regel de taak van muurbloempjes op zich – dat wil zeggen, ze leiden een nichebestaan in speciaal voor hen gecreëerde biotopen. Deze reservaten worden door de Londense grootloge, die binnen de vrijmetselarij de taak tot normbepaling waarneemt, nadrukkelijk als 'irregulier' beschouwd. Ook het samengaan van de seksen in een en dezelfde 'werkplaats' wordt – al komt dit af en toe voor – als een schending van de regels gezien. Vrouwen zouden gewoon te graag kletsen om het *arcanum* – het geheim van werk en woord binnen de loge – te kunnen bewaren, en bovendien leidden ze de mannen alleen maar af, zo luidde de traditionele, zeker niet meer eigentijdse opvatting van een geordend logeleven.

Met dit alles in gedachten was Sarah met een weliswaar niet-onderdanige, maar ook geenszins provocerende houding de vijf of zes treden naar het streng kijkende heerschap op gelopen. Om ervoor te zorgen dat haar glimlach niet per abuis als erotisch signaal en dus als afleidend kon worden uitgelegd, bracht ze hem tot een minimum terug, nadat ze had bedacht hoe dat er ongeveer uit moest zien.

'Professor Perrot verwacht u al. Uw kampeeruitrusting kunt u bij de deur laten staan,' reageerde de man zonder naam met een stalen gezicht, en hij wees naar de donkere mond.

Sarah zette haar rugzak in de hal neer, haalde haar laptoptas eruit en volgde de humorloze kerel door een donkere gang naar het hart van het logegebouw. De man klopte aan bij de derde deur, wachtte met vooruitgestoken kin een of ander akoestisch morsesignaal af, dat Sarah meer vermoedde dan hoorde, en leidde haar vervolgens de lichtovergoten werkkamer van de grootmeester binnen.

Ook hier drukten speelse art-nouveauvormen een stempel op het interieur. Lampen, meubels, schilderijlijsten, stucornamenten – alles golfde in weelderige rondingen en kleuren. De lentezon stroomde door drie smalle hoge ramen naar binnen, alsof hij elke indruk van muffigheid in de kiem wilde smoren. Zelfs het zware bureau van mahonie, geelkoper en groen leer waarachter Perrot op zijn gaste zat te wachten, leek met zijn scheef naar buiten staande zijkanten en gewelfde poten op de een of andere manier organisch, bijna alsof het er elk moment vandoor zou kunnen gaan.

Dat deed het alleen niet. Wel kwam de grootmeester achter het meubelstuk vandaan en stak een grote hand naar zijn bezoekster uit, waaraan een zware gouden ring prijkte. Sarah schatte de corpulente vrijmetselaar begin zestig. Maar hij was, alsof hij de uiterlijke schijn wilde logenstraffen, zo beweeglijk als een dertigjarige. Hij droeg een lichtgrijs pak, een wit overhemd en een sjaal in de kleur van een edele bordeaux, die door een donkerblauw paisleypatroon werd opgefleurd. In zijn linkerrevers stak een gouden speld met passer en winkelhaak. Zijn brede gezicht straalde innerlijke rust uit. Alleen de buitengewoon grote bril met zwart montuur, die waarschijnlijk nog uit de jaren zestig stamde, maakte een wat misplaatste indruk.

'Welkom, welkom, madame Vitez,' begroette hij zijn gaste.

Sarah voelde zich alsof ze door zijn hand domweg werd verzwolgen – door zijn hartelijkheid trouwens ook. De man was precies het tegenovergestelde van zijn droogstoppelige logebroeder. De laatste werd ook meteen weggestuurd, nadat hij haar jack had aangenomen en te horen had gekregen wat de bezoekster wilde drinken. Onder veel plichtplegingen liet hij haar in een fauteuil plaatsnemen die akelig veel gelijkenis vertoonde met een vleesetende plant. Hij ging zelf in een 'venusval'-kloon tegenover haar zitten. Tussen hen in stond een tafel met een glazen blad die nog het best als rond was te omschrijven en waarvan de metalen onderdelen nog niet helemaal schenen te zijn uitgehard.

'U hebt een interessant interieur,' zei Sarah, omdat ze het gevoel had zich als ongevaarlijk te moeten voordoen.

Perrot zette zijn bril af, begon hem verwoed met een stoffen zakdoek te poetsen en straalde. 'Vindt u het mooi? Het is allemaal origineel art nouveau.'

'Goh! Het lijkt zo... levendig.'

'Ja, hè? Wat kan ik voor u doen, madame Vitez...? Spreek je dat eigenlijk op z'n Spaans of op z'n Frans uit? Vanwege uw ongebruikelijke voornaam, bedoel ik.'

'Dat laat ik helemaal aan u over, professor Perrot.'

'Ach, zeg maar Henri. Wie een vriend van Krystian is, is er ook een van mij.'

'Maar dan zou ik ook graag Kithára genoemd willen worden. Ken je doctor Jurek goed?'

'Eigenlijk ben ik medicus. Sinds ik in de GODF meer verantwoordelijkheden op me heb genomen... Excuses, ik wilde natuurlijk zeggen: in de grootloge Grand Orient de France... Waar was ik gebleven?'

'Waarschijnlijk wilde je me vertellen hoe je doctor Jurek hebt leren kennen.'

'Ach ja! Inderdaad. Nou goed, we kwamen elkaar voor het eerst tegen op een artsencongres en raakten in gesprek over de vrijmetselarij. Krystian verraste me, ook al is hij dan zelf geen broeder, met zijn enorme maçonnieke kennis, vooral wat de musici onder de vrijmetselaars betreft. Ik heb op dat gebied de laatste jaren veel onderzoek gedaan, en in die periode is hij steeds meer een sprankelende, borrelende bron voor me geworden waaruit ik heel wat waardevolle informatie heb mogen putten.'

'Ja,' bevestigde Sarah, en ze hield haar betoverende glimlach goed binnen de perken, 'Krystian is wat je noemt een wandelende encyclopedie.'

'En wantrouwig ten opzichte van elke verworvenheid van de moderne wereld. Stel je voor, alle e-mails die hij me stuurt zijn gecodeerd, geanonimiseerd en gecertificeerd. De Amerikaanse NSA komt overal achter, heeft hij eens gezegd. Daarom ondertekent hij ook nooit met zijn echte naam, maar alleen met "Aeolus". Gek, hè?'

Sarah knikte opgewekt. 'Tja, dat is onze Krystian ten voeten uit.'

'Hoe hebben jullie elkaar leren kennen?'

'Ik lag onder het puin en hij heeft me gered.'

'Dat klinkt dramatisch.'

'Was het ook. Henri, ik heb hier een aanbevelingsbrief van Krystian voor je. In zekere zin om me te legitimeren.' Ze haalde de envelop uit haar laptoptas tevoorschijn en gaf hem aan de grootmeester.

Perrot wierp slechts een vluchtige blik op de brief, bijna alsof hij het gênant vond om, door die brief goed te lezen, de indruk te wekken dat hij haar niet vertrouwde. Vervolgens zei hij: 'Krystian was zo vriendelijk me al op de hoogte te brengen. Hij zei dat je me met allerlei buitenissige vragen over Franz Liszt wilde bestoken. Daarom heb ik me gisteravond al enigszins op onze ontmoeting voorbereid. Wat wilde je precies weten?'

'Ik zoek dingen over nakomelingen van Liszt uit. Omdat hij lang in Parijs heeft gewoond en bovendien vrijmetselaar was, kom ik naar jou toe. Zijn er in het archief van de grootloge ook eventueel documenten over de geboorte van kinderen die hem door andere vrouwen dan gravin d'Agoult zijn geschonken? Of heeft hij misschien ooit bij een Parijse "werkplaats" een document, een muziekinstrument of een ander voorwerp achtergelaten dat nog in jullie bezit is?'

Perrot zag er ineens uit alsof hij een wandelstok had doorgeslikt: van zijn achterhoofd tot aan zijn stuitbeen vormde zijn ruggengraat een kaarsrechte lijn. Zijn ogen waren strak op Sarah gericht. Hij blies zijn wangen bol, hield zijn adem even in en liet de lucht daarna weer met een plofje ontsnappen. 'Olala,' ontglipte hem vervolgens, 'dat noem ik nog eens een frontale aanval.'

'Mag ik dat antwoord als een ja opvatten?'

'Dat valt niet zo eenvoudig te beantwoorden. Laten we even aannemen dat het zo is. Waarmee kun je me bewijzen dat je recht hebt op die informatie?'

Nu was Sarah verrast. Bewijzen? 'Is die brief van Krystian dan niet genoeg?'

'Helaas niet, Kithára. In dit geval gaat het niet meer om een vriendendienst, maar om een handeling vanuit mijn functie als grootmeester van de Grand Orient de France.'

Indirect had hij met zijn ontwijkende antwoord haar vraag al bevestigd. Maar wat verwachtte hij van haar? Opeens werd Sarah zich ervan bewust dat ze met haar linkerhand werktuiglijk met haar hanger zat te spelen, en vanaf dat moment meende ze de sleutel te hebben gevonden om de schatkist van de Grand Orient te openen. Ze haalde het FL-signet onder haar trui vandaan en stak het zo ver naar monsieur Perrot uit als de lengte van de gouden ketting toeliet.

'Is dít genoeg bewijs?'

Perrot trok wit weg en schudde ongelovig zijn hoofd. 'Ik zou nooit hebben geloofd...!' Plotseling zweeg hij.

'Jaaa?' vroeg Sarah met een stembuiging.

'Helaas is dat nog niet genoeg,' zei hij met verlegen aarzeling. 'Het ambigram is pas het begin.'

Sarah steunde inwendig. 'Het begin? Wat dan nog meer?'

'Ik heb de algemene legitimatie nodig. Het meesterwoord, zogezegd.'

'Geen idee wat je bedoelt.'

'Ach, natuurlijk.' Hij maakte een wuivend gebaar. 'Vergeef me alsjeblieft de maçonnieke terminologie. Het "meesterwoord van Hiram" is voor ons het geheimste van alle woorden. Daarin zijn als het ware alle kennis en alle macht samengevat waarop onze legendarische grootmeester Hiram de traditie van de vrijmetselaars heeft gebaseerd.'

'Hiram?'

'Hij heeft de tempel van koning Salomo gebouwd.'

'Ik begrijp het.'

'En werd later vermoord.'

'Wat tragisch!'

'Niet zo ingrijpend als dat daardoor het meesterwoord verloren is gegaan. In plaats daarvan gebruiken wij vrijmetselaars de door hem en Salomo gebezigde godsnaam Jehova.'

'Verklap je dat aan elke bezoeker?'

Perrot haalde zijn zware schouders op. 'Als die ernaar vraagt. Tegenwoordig is dat allemaal geen geheim meer. Maar laten we even teruggaan naar waar we gebleven waren: met je hanger heb je me, zeg maar, "de plaatsvervanger" van het meesterwoord getoond en daarmee heb je te kennen gegeven dat je medelid bent. Maar nu heb ik het bewijs nodig dat je tot de intimi behoort.'

'Intimi...?' Sarah was behoorlijk van slag door al dat verwarde gepraat over meesterwoorden en plaatsvervangers en... 'Ogenblikje!' stootte ze opeens uit. 'Heb je pen en papier?'

Daarmee kon de grootmeester haar meteen van dienst zijn.

Sarah zette met flinke streken de windharpboodschap op papier – een boom en daaronder een winkelhaak, waarvan de punt naar boven wees – en liet hem aan Perrot zien.

Toen hij het gecombineerde symbool zag, verscheen er een verbaasde uitdrukking op zijn gezicht. Je zou haast denken dat hij zojuist Hirams verdwenen meesterwoord had ontdekt.

'Heb ik de test doorstaan?'

Perrot knikte. 'Test doorstaan. Een ogenblik alsjeblieft.' Hij bevrijdde zich uit de vleesetende plant en liep zijn werkkamer uit.

Even later kwam hij terug met een dienblad, met daarop hun bestelde drankjes, en zei: 'Je moet een beetje geduld hebben. Dat speciale... stuk, dat hij in depot heeft gegeven, bevindt zich bij een notaris buiten het logegebouw. In de bijgevoegde instructies stond een waarschuwing dat iemand zou kunnen proberen het ons met geweld afhandig te maken. Broeder Yannik zal opschieten.'

Intussen nam de grootmeester als gastheer de honneurs waar en schonk zijn bezoekster thee in. Door het hele gebeuren was hij zijn spraakzaamheid even kwijt. Tevergeefs probeerde hij zijn nervositeit voor Sarah te verbergen.

Krystians waarschuwing galmde haar door het hoofd: *Vertrouw niemand! Ook Duistere Kleurenhoorders kunnen vriendelijk glimlachen...* Wat als deze beminnelijke bonvivant een handlanger van Nekrasov was en haar alleen aan het lijntje wilde houden totdat diens kornuiten er waren...? Flauwekul, riep ze zichzelf tot de orde. Waarschijnlijk kon Perrot geen woord meer uitbrengen omdat hij iets meemaakte waar hij van zijn leven niet op had gerekend.

Nadat ze een paar minuten afwachtend tegenover elkaar hadden gezeten terwijl er geen echt gesprek op gang wilde komen, verviel de grootmeester in een vrijblijvend praatje over de onder zijn leiding gestelde filosofisch-filantropisch-progressieve, politiek liberaal geëngageerde vereniging Grand Orient de France, die tot Sarahs verbazing voor de Londense grootloge even irregulier was als de vrouwenloges.

Eindelijk werd er op de deur geklopt. Perrot klopte op zijn beurt in een verwarrend ritme op de glazen plaat van de min of meer ronde tafel.

Sarah klampte zich nerveus vast aan de lippen van de 'venusval'.

Hierop kwam de droogstoppel het vertrek binnen, met in zijn hand een verzegelde dossiermap die hij aan zijn grootmeester overhandigde, waarna hij onmiddellijk weer verdween.

Ze haalde opgelucht adem.

'Vergeef me dit gedoe alsjeblieft,' zei Perrot. 'Zoiets is weliswaar niet volstrekt uniek, maar het komt toch ook niet elke dag voor. Normaal gesproken zijn loges hun broeders niet op deze manier van dienst, maar brengen ze alleen gelijkgezinden met elkaar in contact, die hun privéaangelegenheden dan meteen afhandelen. Toen ik voor het eerst over de merkwaardige voorwaarden hoorde die de deponent aan het vrijgeven van de documenten had verbonden, dacht ik dat ze voorgoed onder onze hoede zouden blijven. Nou ja, hoe dan ook, de doornroosjesslaap is nu voorbij.' Zichtbaar diep ontroerd gaf hij Sarah de map aan.

Ze bekeek hem eerst van alle kanten. Wat zou erin zitten? Misschien de naam van het kind van Liszt en zijn jeugdliefde Caroline? De duidelijk oude, rondom gesloten map was van zwart karton. Eromheen zat een rood koord. Op de plek waar de uiteinden elkaar kruisten en waren vastgeknoopt, prijkte het rode zegel. Sarah huiverde van opwinding toen ze het bekende FL-monogram in de gestolde was ontdekte.

Perrot had intussen een schaar uit zijn bureau gehaald, die hij zijn gaste aanreikte. Nieuwsgierig bleef hij achter Sarah over haar schouder staan loeren. Ze zag zijn gebrek aan discretie maar door de vingers, bereidde zich als een gewichtheffer op het allesbepalende trekken voor, knipte vastbesloten het koord door en klapte de map open.

In eerste instantie wekte de aanblik alleen maar verwondering, en daarna een merkwaardig gevoel van vertrouwdheid...

'Een muziekstuk van Hector Berlioz?' klonk achter haar Perrots verbaasde stem op.

Met haar ogen gefascineerd op de wild op papier gezette noten gericht, schudde ze langzaam haar hoofd. 'Berlioz heeft dit zeer zeker niet geschreven.'

'Maar... dat staat er wel.' Perrot zwaaide wat met zijn hand naast Sarahs oor. '*Le Chant Sacré* van Hector Berlioz.'

In zoverre had hij gelijk. Ogenschijnlijk was *Het heilige lied* inderdaad uit Berlioz' pen op het inmiddels vergeelde notenpapier gevloeid. Volgens de dagtekening stamde het aan een zekere Sophie Sax opgedragen manuscript uit het jaar 1844. Maar door deze lexicale dwaallichten liet Sarah zich niet misleiden.

'Was Berlioz eigenlijk vrijmetselaar?'

'Nee.'

'Dat dacht ik al.'

'Ik ben bang dat ik je niet kan volgen.'

Liszt had zijn kind aan de hoede van vrijmetselaars toevertrouwd; zo luidde althans de theorie die Sarah met Krystian en Marya had opgesteld. Daar vertelde ze Perrot alleen niets over, maar ze streek zachtjes met haar vingers over de noten en vertelde: 'Ik ken dit handschrift. In het Goethe-Schiller-Archiv heb ik talloze van dit soort autografen bestudeerd. Liszt schepte er altijd enorm genoegen in de composities van zijn collega's, van Alabieff tot Zichy, te bewerken. Of het nu om Beethoven of Wagner ging, om Mozart of Verdi – geen naam was onaantastbaar voor hem.'

'Liszt? Je bedoelt dat dit uit zijn pen is gevloeid?'

'Daar ben ik van overtuigd. Vreemd...' Sarah pakte het bovenste blad uit de map om de partituur beter te kunnen bekijken.

'Ja, inderdaad,' bevestigde Perrot, die haar gedachten verkeerd interpreteerde.

Ze duidde op het teken voor de instrumentatie voor de eerste notenlijnen. 'Nee, ik bedoel dát daar. Het stuk is gecomponeerd voor een saxofoon. Liszt heeft voor piano geschreven, koorwerken, voor het orgel, harmonium, kamerorkesten en heel grote bezettingen, maar nooit uitsluitend voor saxofoon.'

'Maar Adolphe Sax was nauw bevriend met Berlioz, en tenslotte staat zijn naam erboven.'

Sarahs draaide haar hoofd met een ruk om. 'Adolphe?'

Perrot knikte. 'De uitvinder van de saxofoon. Belg. Begenadigd bouwer van blaasinstrumenten en de latere directeur van het schouwburgorkest van de Parijse opera. Eigenlijk heette hij Antoine Joseph Sax, maar heel Parijs noemde hem gewoon Adolphe. Hij was lid van de loge Les Vrais Amis de l'Union.'

Sarahs blik werd als door een magneet naar de opdracht boven aan het blad getrokken:

'Sax was dus vrijmetselaar...' mompelde ze.

'Jazeker. We zijn er erg trots op deze broeder in onze reeks van geestelijke voorouders te hebben.'

Sarah luisterde niet meer echt naar de grootmeester. In haar hoofd ontstonden allerlei associaties: Sax' tweede voornaam was Joseph geweest, en de eerste van haar moeder was Joséphine. De roepnaam van Sarahs grootvader luidde Adolphe, en die van haar overgrootvader, Antoine – in alles weerspiegelde zich één persoon: Antoine Joseph Sax, Adolphe genoemd.

'Was madame Sophie Sax zijn echtgenote of... dochter?' Sarah hield haar adem in. ALLEEN ZO VOERT JE MEESTERS INSTRUMENT JE VAN AS TOT N + BALZAC EN TOT HET END. Opeens zag ze de klankboodschap uit Weimar in een geheel nieuw licht. Stonden de initialen A.S. soms voor Adolphe Sax? Had het eigenlijke begin van het spoor van de windroos bij het kind gelegen dat aan hem was toevertrouwd?

Perrot wreef over zijn kin. 'Daar weet ik zo een-twee-drie geen antwoord op.'

Sarah ademde teleurgesteld uit. 'Betekent dat dat je erachter zou kunnen komen?'

'Ik kan niets beloven. In de lidmaatschapslijsten werden vroeger ongetwijfeld vaak de gegevens over de burgerlijke stand van de broeders vastgelegd. Bovendien bewaart een loge protocollen, brieven, overeenkomsten, kasboeken en vele andere documenten. Hoewel het voor ons bedroevend is, is het in jouw geval juist een voordeel dat de voormalige werkplaats van broeder Adolphe niet meer bestaat. In de regel worden, als zo'n werkplaats wordt opgeheven, de schriftelijke stukken namelijk door de grootloge overgenomen. We hoeven het dus alleen maar in het archief op te zoeken.'

'Je zou me daadwerkelijk jullie gegevens laten inkijken?'

Perrot lachte zachtjes in zichzelf. 'Kithára, je maakt je waarschijnlijk een heel verkeerde voorstelling van de vrijmetselaars. We worden altijd als een geheim genootschap afgeschilderd, maar het grootste deel van ons werken is allesbehalve esoterisch. Alleen "de arbeid" – jij zou misschien zeggen: de rituele handelingen tijdens onze besloten bijeenkomsten – is voor buitenstaanders taboe. Dat geldt natuurlijk ook voor de protocollen die daarop betrekking hebben. Maar wat buiten het arcanum plaatsvindt, is vrij toegankelijk voor wetenschappelijk onderzoekers en iedereen die maar geïnteresseerd is. Onze bibliotheek wordt jaarlijks door meer dan drieduizend belangstellenden bezocht. Kom maar mee, dan stel ik je voor aan broeder Philippe Ariot, onze archivaris.'

Het gebouw van de grootloge Grand Orient de France was ingedeeld volgens een oude grondregel die ook uit de archeologie en geologie bekend is: hoe ouder het voorwerp, des te dieper de laag waarin het ligt. Helemaal beneden, in de kelder, bevond zich het archief. De beheerder ervan was een magere man op leeftijd met een gebreid vest en een bril met dikke glazen, die in Sarahs fantasie het beeld van een in het donker gedijende paddenstoel opriep. Hij stond enigszins voorovergebogen, had een kaal hoofd, was bleek en wasemde een kruidig aroma uit van pijptabak, knoflook en andere, minder gemakkelijk thuis te brengen ingrediënten. Van het damesbezoek in zijn onderaards mannendomein was hij helemaal ondersteboven.

'U kunt madame Vitez alles laten zien wat u ook een eerbiedwaardige literatuurprofessor van de Académie Française zou overleggen,' instrueerde Perrot zijn broeder.

Die grijnsde van oor tot oor. 'Ze is veel te aantrekkelijk voor een boekenwurm. Dat een oude mol als ik dat nog mag meemaken!' Ariot schudde gelukzalig zijn hoofd.

Perrot schraapte zijn keel en fluisterde in Sarahs richting: 'Broeder Philippe werkt al behoorlijk lang hier beneden.'

Ze moest gniffelen. 'Vergeef me mijn eerlijkheid, maar ik vind hem aardiger dan die zuurpruim van een broeder Yannick.'

Ariot klapte in zijn handen. 'Ha! Dat heb ik gehoord. En dat vind ik wel leuk. Ik ben het helemaal met u eens, lieftallige dame.'

Perrot steunde zachtjes.

Sarah legde haar hand op zijn onderarm. 'Monsieur Ariot en ik komen er samen wel uit. Voorlopig bedankt, Henri.'

De archivaris trok demonstratief zijn wenkbrauwen op, alsof hij zich afvroeg hoe de bezoekster de grootmeester met zijn voornaam durfde aan te spreken. Opeens ging de telefoon op zijn bureau over.

Zichtbaar verontwaardigd over de storing nam Ariot op en bromde: 'Ja?' Hij luisterde even, hield toen zijn hand voor de hoorn, gaf hem Perrot aan en fluisterde: 'Het is broeder Yannick. Hij klinkt nogal opgewonden.'

Nu sprak de grootmeester met 'de zuurpruim'. In de loop van het gesprek leek zijn gezicht grijs en hard te worden, alsof het in steen veranderde. Ten slotte hing hij op.

'Alles in orde?' vroeg Sarah.

'Ik weet het niet. Vreemd toeval,' mompelde Perrot. 'Mijn assistent heeft net een telefoontje aangenomen van een broeder die vroeger vaak bij ons in het logegebouw kwam. Zijn belangstelling gaat naar hetzelfde gebied uit als die van jou.'

Sarah kreeg op slag een droge mond. 'Je bedoelt... Franz Liszt?'

Perrot knikte. 'Broeder Sergej heeft een aanzienlijk deel van zijn loge-arbeid aan deze componist gewijd. Hij heeft in het verleden tijdens onze bijeenkomsten ettelijke lezingen over Liszt gehouden...'

'Je hebt het toch zeker niet over Sergej Nekrasov, de directeur van Musilizer en lid van diverse geheime genootschappen?' onderbrak Sarah de grootmeester geschrokken.

'Hij is al tientallen jaren lid van een plaatselijke loge. Van andere sociëteiten of broederschappen weet ik niets,' antwoordde Perrot zichtbaar verward.

'Maar ik wel. Kennelijk laat hij geen enkele gelegenheid voorbijgaan om zijn invloed waar dan ook te doen gelden. Wat wilde hij?'

Henri Perrot aarzelde, maar gaf toen toch antwoord: 'Broeder Sergej wilde weten of er in het archief inmiddels alweer iets nieuws over Liszt boven water is gehaald.'

'Dat meen je niet!'

'Vroeger schijnt hij wekelijks te hebben gebeld.'

'Wekelijks?' wierp Ariot tegen. 'Bijna dágelijks! Dat kan ik me nog goed herinneren. Hij is oude zeurpiet.'

'Wat me wel verontrust,' voegde Perrot er peinzend aan toe, 'is wat hij mijn secretaris daarnet probeerde wijs te maken: dat het hem toevallig ter ore was gekomen dat broeder Yannick vandaag een stuk dat bij notaris Valois in depot was gegeven had opgehaald en dat het daarbij om documenten van de werkplaats van Adolphe Sax ging. Nu was de beschermer van deze loge immers Hector Berlioz geweest, die door een hechte vriendschap weer met Franz Liszt was verbonden, had hij gezegd; zijn oude onderzoekersgeest had hem natuurlijk niet meer met rust gelaten en twee vrienden van hem waren dan nu ook op weg naar het logegebouw om de geschriften voor hem door te kijken.'

Sarah voelde het bloed uit haar gezicht wegtrekken. 'Toevallig?'

Van het gezicht van de grootmeester was af te lezen dat die ontwikkeling ook hem zeer verontrustte. 'Ik kan me je scepsis wel voorstellen. Het klinkt allemaal alsof Sergej Nekrasov een spion op het kantoor van de notaris heeft.'

'Ik zou eerder zeggen: dat is duidelijk. Je beseft toch wel dat we nu te maken hebben met precies datgene waar Liszt voor gewaarschuwd heeft? Je moet Nekrasovs handlangers absoluut zien af te schepen.'

'Ik ben bang dat ik me dat niet kan veroorloven, Kithára. Broeder Sergej is heel invloedrijk, om niet te zeggen, machtig. Behalve dat schenkt hij regelmatig grote bedragen voor onze sociale projecten. Zo'n man weiger je niet zomaar iets. Het zou trouwens ook zijn wantrouwen wekken. Bovendien begrijp ik alle opwinding niet. Jij hebt immers de map. Ga gewoon en kom een andere keer weer terug.'

'En wat als Nekrasovs "twee vrienden" precies die documenten uit jullie archief ontvreemden waar ik naar op zoek ben?'

'We zijn geen leenbibliotheek. Zelfs broeder Sergej mag onze archiefstukken niet zomaar meenemen. Dat is streng verboden.'

Sarah lachte bitter. 'Het is nog veel strenger verboden om mensen van kant te maken. Toch is dat precies wat je gewaardeerde "broeder" heeft gedaan. In mijn geval is het hem tot nu toe alleen niet gelukt. Wanneer verwacht je zijn mannen hier?'

De zelfverzekerdheid van de grootmeester was omgeslagen in grote nervositeit. 'Ik weet het niet. Mogelijk al over een halfuur. Misschien zijn ze er ook wel eerder.' Hij kromp ineen toen Sarah haar hand op zijn arm legde.

Met al haar overtuigingskracht zei ze: 'Henri, je moet me helpen. Nekrasov mag dan vrijmetselaar zijn, maar binnen jullie wereldwijde broedergemeenschap is hij een gevaarlijke parasiet. Krystian Jurek kan je bewijzen leveren dat Nekrasov een meervoudig moordenaar is. Hij zou er ook niet voor terugschrikken jou iets aan te doen.'

Perrot slikte. 'En wat moet ik dan nu volgens jou doen?'

'Hou Nekrasovs mannen tegen, zolang het gaat. En vertel hun in geen geval over mij en de muziekbladen die je me hebt gegeven. Kan ik me in geval van nood hier ook ergens verstoppen?'

'Laat dat maar aan mij over,' antwoordde Ariot in plaats van de zichtbaar uit het veld geslagen grootmeester.

Perrot kreeg zichzelf weer onder controle en knikte. 'Ik wens je veel succes, Kithára.' Toen keerde hij zich om en verdween uit de onderwereld.

Ariot maakte haastig een grijze tafel vrij, die helemaal vol lag met boeken en stapels papier, en vroeg: 'Hoe kan ik u van dienst zijn, madame?'

Sarah herhaalde in het kort wat haar wensen waren. Ondertussen schoof de archivaris een piepende stoel op wieltjes aan en maakte duidelijk dat ze daarop kon gaan zitten. Ze besloot met de opmerking: 'In dit verband ben ik ook geïnteresseerd in Adolphe Sax.'

'De hoeveelheid documenten van zijn werkplaats is waarschijnlijk nogal groot. Welk tijdsbestek had u in gedachten?'

Sarah moest aan de affaire van de pianoleraar met de maagdelijke gravin Caroline de Saint-Cricq denken en antwoordde: 'De jaren 1828 en '29 moeten genoeg zijn.'

'Dat betwijfel ik.'

Ze fronste haar wenkbrauwen. 'Hoezo?'

'Omdat onze grote musicus rond die tijd pas veertien, vijftien jaar oud was en waarschijnlijk nog bij zijn ouders in het Belgische Dinant woonde. Hij verhuisde pas in 1842 naar Parijs en staat vanaf dat moment in het ledenregister van zijn toenmalige loge.'

'U verbaast me, monsieur Ariot.'

Hij maakte een achteloos gebaar. 'Welnee! Wie zo lang ondergronds werkt als ik, die delft wel eens een schat op. Broeder Adolphe is beslist een uitzonderlijk fonkelend juweel in deze mijn. Daarom weet ik ook behoorlijk veel van hem en de documenten van zijn loge.'

Sarah tuitte haar lippen. Van Krystian wist ze dat Franz Liszt in 1840 tot de Broederschap der Lichte Kleurenhoorders en het jaar daarop tot de Frankfurter vrijmetselaarsloge Zur Einigkeit was toegetreden. Dat betekende dat als Sophie zijn dochter was en Adolphe Sax haar had geadopteerd, iemand anders haar moest hebben grootgebracht. En die was vermoedelijk geen vrijmetselaar geweest.

Het idee van een moordenaarsduo dat onderweg was naar het logegebouw, maakte het nadenken er voor haar nu niet direct gemakkelijker op. Het liefst was ze opgesprongen en ervandoor gerend. Om zichzelf weer in bedwang te krijgen legde ze haar hand op de zwarte map waarin zich het manuscript van *Le Chant Sacré* bevond, en probeerde zich in Liszts gevoelswereld te verplaatsen. Voor een vader zoals hij bestond er waarschijnlijk weinig 'heiligers' dan de onschuldig vrolijke stemmen van zijn eigen kinderen, waarin hij wilde voortleven. In welk jaar moest ze zoeken? Ze had nog maar een paar minuten over.

Ze haalde diep adem en zei: '1844.'

Ariot keek haar met gefronst voorhoofd aan, glimlachte toen en maakte een buiging: 'Uw nederige dienaar.' Vervolgens verdween hij tussen de stellingen.

Even later kwam hij met twee kartonnen dozen terug, zette die met een hoop lawaai voor Sarah op tafel neer en zei: 'Ga uw gang.'

'Zou u me alstublieft kunnen helpen?' smeekte ze met een oogopslag die de tegenstanders van vrouwen in de loges ongetwijfeld in hun afwijzende houding zou hebben gesterkt. De oude mol grijnsde alleen maar, en nadat ze hem had verteld waarnaar ze zocht, begonnen ze samen het materiaal door te kijken.

Al na een paar minuten was Sarahs optimisme omgeslagen in verwarring, want afgezien van het ledenregister vond ze geen enkele bruikbare aanwijzing over Adolphe Sax. Onverbiddelijk tikte de klok door. Ariot bood aan een ander jaar uit te zoeken, maar Sarahs gevoel verzette zich daartegen.

Ineens herinnerde ze zich een eigenaardigheid die Liszt altijd in zijn correspondentie vertoonde: hij kortte namen af, gebruikte alleen de beginletters.

Nogmaals werkten ze de inhoud van de kartonnen dozen door; ze lieten vergeelde bladen tussen hun vingers ritselen, lazen in een razend tempo diagonaal... en plotseling doken de protagonisten van het drama op uit de anonimiteit.

Inderdaad werden alle sleutelfiguren in de geschriften alleen met hun initialen vermeld: F.L. voor Franz Liszt bijvoorbeeld, of A.S. voor Alphonse Sax en S.S. voor zowel Sophie de Saint-Cricq als Sophie Sax. Slechts in enkele gevallen waren volledige namen te vinden, waarvan de betekenis de lezer – wanneer hij niet naar het grote geheel keek – niet duidelijk werd.

Na zo'n twintig minuten hadden Sarah en de archivaris een reeks fotokopieën op tafel gerangschikt; als het ware scherven die ze haastig uit het puin van de teloorgegane loge bijeen hadden geraapt om daarmee de kostbare vaas in elkaar te zetten waar Sarah bijna een leven lang van gedroomd had. Eindelijk wist ze wie ze werkelijk was: de achterachterachterkleindochter van Sophie Sax, de buitenechtelijke dochter van Franz Liszt en Caroline de Saint-Cricq.

Kennelijk had de loge een bemiddelende rol gespeeld voor de prominente vrijmetselaars Liszt en Sax: de loge had een veertienjarig meisje met de naam Sophie de Saint-Cricq onder zijn hoede genomen en haar slechts een paar uur later als Sophie Sax aan haar nieuwe adoptievader toevertrouwd. Om het meisje voor de Duistere Kleurenhoorders te laten verdwijnen, hadden er heel wat tandraderen in elkaar moeten grijpen. Sarah en Ariot reconstrueerden het volgende verloop van de gebeurtenissen:

Om het plan te laten slagen had een hoge ambtenaar, eveneens een vrijmetselaar, een beslissende bijdrage geleverd. Hij schreef Sophie in als dochter van de kuiper Émile Mallard en zijn vrouw Constance. Dit gezin ging kort daarna aan boord van een schip om in het Frans-Canadese Québec een nieuw leven te beginnen. Dit werd alleen niets. De stoomboot verging op de Atlantische Oceaan. Samen met Sophie.

In werkelijkheid was Liszts dochter nooit aan de Mallards overgedragen, maar waren de vervalste adoptiepapieren geantedateerd: Émile en Constance verdronken kinderloos.

In een brief aan de toenmalige voorzittend meester, de voorzitter van de loge, had Liszt te kennen gegeven wat hij voor Antoine Joseph Sax voelde:

> [...] *De vele waarde broeders zijn ware vrienden voor me geweest. Nooit zal ik mijn schuld kunnen aflossen, die ik vooral tegenover A.S. voel, deze mij o zo dierbare kameraad. Aan hem en u allen heb ik te danken dat het kind van wie het welzijn me meer dan al het andere ter harte gaat, nu die zorg ten deel kan vallen die ik het nooit had kunnen geven.*

FL

Verbazingwekkend, dacht Sarah, iedereen wist van de vriendschap tussen Hector Berlioz en Liszt. Ook de verbondenheid van Sax met de Franse componist en muziekcriticus was alom bekend. Maar niemand vóór haar had er kennelijk aan gedacht de driehoek te sluiten: via Berlioz moest Liszt de toekomstige vader van zijn kind hebben leren kennen.

Nee, dat klopte niet helemaal. Ook de Duisteren was nu de triangel Liszt-Sax-Berlioz opgevallen. Misschien had Sergej Nekrasov al lang in het relatievlechtwerk van de drie musici willen doordringen en had hij daarom zijn spionnen bij de gevestigde notarissen van de stad binnengesmokkeld. Alleen achter het geheim rond Liszts dochter was hij tot nu toe zeker niet gekomen. In geen van de documenten stond helder en duidelijk waar Sophie haar vroege jeugd had doorgebracht...

Sarahs gedachtegang stokte abrupt toen ze opeens gedempte stemmen hoorde. Het klonk alsof er bovenaan bij de trap een heftige discussie werd gevoerd. Vragend keek ze Ariot aan. Het volgende moment ging de telefoon over.

De archivaris nam op, luisterde, bromde iets, hing weer op en zei met een ernstig gezicht: 'Ze zijn er.'

'Nekrasovs kornuiten?'

Hij knikte.

'O, mijn god!' fluisterde Sarah. Ze had op het laatst helemaal de tijd uit het oog verloren. Flarden van herinneringen aan Val d'Enfer flitsten haar door het hoofd: de grot, de explosies, het geschreeuw, de eerste hoedster der windharpen in doodsstrijd...

'Madame!' Ariot trok Sarah aan haar mouw.

Ze keek de archivaris verdwaasd met haar ogen knipperend aan.

'Kom, snel!' stootte Ariot uit.

Snel schoof ze de op tafel gerangschikte fotokopieën tot een stapeltje bijeen, stopte ze in haar laptoptas en liet zich door Ariot in het schemerdonker tussen de stellingen trekken.

En ook geen seconde te vroeg, want terwijl hij haar nog door zijn 'mijn' leidde, ging de deur naar het archief al open.

'Ik zal bij Sergej mijn beklag over u doen. Dit is een overval en geen reglementair aangekondigd bezoek,' galmde de stem van Henri Perrot door het vertrek. In Sarahs oren klonk het als een waarschuwing die voor háár was bedoeld.

Iemand lachte. 'Als u dat zo wilt zien. We willen alleen graag even een blik in de documenten werpen die uw archivaris daarstraks bij de notaris heeft opgehaald.'

'Bent u vrijmetselaar?'

'Ja, natuurlijk.' Weer schalde het gelach door het archief.

'En het herkennningsteken? Waarom laat u me dat niet zien?'

Even was het stil. Ariot trok Sarah naar zich toe en fluisterde haar in het oor: 'Volgt u deze gang. Aan het eind ervan is een deur. Achter het rode boek ligt een sleutel. Via de trap kunt u naar buiten. En nu snel, ga!'

'Bedankt,' antwoordde Sarah, en ze drukte de oude man nog een keer de hand en liep de genoemde kant op.

'Dat dacht ik al, dat u geen broeders bent,' hoorde ze Perrots stem in de verte. 'Misschien zegt het woord "arcanum" u iets? Niets van wat er in de besloten sfeer van ons logeleven wordt besproken of gedaan is voor het grote publiek bestemd. Aangezien we zelf nog niet weten of er in de bewuste documenten dergelijke geheimen staan, kan ik ze u helaas niet laten zien.'

'Dat zijn alleen maar uitvluchten. Waar is uw archivaris eigenlijk? Monsieur Nekrasov vertelde ons...'

Toen Sarah eindelijk bij de deur aankwam die Ariot had beschreven, waren de stemmen uit het voorste stuk van het gewelf niet meer te verstaan. Nerveus zocht ze naar het rode boek. In het halfduister zagen alle boekdelen er grijs uit. Ze trok een paar folianten uit de stelling, maar nergens lag een sleutel achter. Opeens glipte er een boek uit haar handen, dat met een klap op de grond viel. Ze verstijfde.

'Wie was dat?' vroeg Nekrasovs speurhond luidkeels.

'Nou, wie dacht u? Ik natuurlijk. De archivaris.' Ariots stem klonk van ergens tussen de stellingen op. De oude mol had het juiste moment afgewacht om op het toneel te verschijnen.

'Wacht, ik kom naar u toe,' riep de Kleurenhoorder.

'Niet nodig,' antwoordde Ariot.

'U blijft waar u bent!' beval de onbekende nu.

Sarah raakte in paniek. In haar wanhoop rammelde ze aan de klink om de achteruitgang zonder sleutel open te krijgen en – kijk aan: de deur was niet op slot. Met een metalig geknars, dat zich als een oranjerode, uitgerafelde lijn in Sarahs geest aftekende, zwaaide hij open.

Uit het archief klonk een geroezemoes van opgewonden stemmen. Sarah stormde door de deur, drukte op een krakkemige lichtknop en rende een vuile stenen trap op. Ze hoorde voetstappen, die snel dichterbij kwamen. De trap eindigde voor een gesloten deur.

Sarahs blik flitste in het halfdonker wanhopig heen en weer.

'Wacht!' riep de Kleurenhoorder beneden haar. Hij kwam de trap op, aarzelend, alsof hij bang was voor een schietpartij.

Hoewel Sarahs knieën knikten van angst, zocht ze verder. En opeens vond ze in het donker boven de deur een haak waaraan een grote sleutel hing.

33

Franz Liszt was een geboren revolutionair, en als het met het respect
voor zijn grootse persoonlijkheid te verenigen zou zijn, dan zou je
kunnen zeggen dat hij een geboren libertijn, een geboren bohemien
was. Zijn wonderlijke loopbaan en geestelijke vorming hebben met zich
meegebracht dat hij van alle romantische musici de meest onafhankelijke
en ongebondene is geweest.

— Alfred Einstein

Sarah trilde nog altijd. Voorlopig ben je buiten gevaar, zei haar verstand, maar haar gevoelens speelden haar nog steeds parten. Ze had op het nippertje naar de tuin van het logegebouw weten te ontsnappen en had de achterdeur nog net kunnen versperren voordat haar achtervolger haar had bereikt. Hopelijk was Perrot, Ariot en de andere vrijmetselaars niets overkomen. En hopelijk hielden ze voor zich wat ze wisten. Als Nekrasov er ooit achter kwam dat Sarah d'Albis nog leefde, zou hij genadeloos jacht op haar maken.

Nadat ze op de vlucht was geslagen, had ze zich eerst een paar uur in een koffiehuis schuilgehouden voordat ze de straat weer op durfde. Eenmaal buiten was haar angst voor Nekrasovs kornuiten direct teruggekomen. Daarom had ze in de Rue Geoffroy Marie, op maar een paar minuten lopen van de Grand Orient de France, een bescheiden hotel gezocht en lag ze nu in een nog bescheidener kamer – bij gebrek aan geschikte alternatieven – op het bed, met voor zich haar opengeklapte laptop en de documenten die ze uit het archief van de vrijmetselaars had gered.

De bestudering van de gefotokopieerde stukken gaf haar wat afleiding en het vreselijke trillen veranderde geleidelijk aan in blije opwinding. Ze meende te voelen dat ze dicht bij de waarheid over Sophie Sax was.

Waar had Liszts dochter haar vroege jeugd doorgebracht? Kennelijk had de eigenlijke overdracht van het meisje in een soort bliksemactie plaatsgevonden. Sax had de voorzittend meester van zijn loge in een brief verzocht 'het dagboek van de kleine S. in de Rue Saint-Guillaume nummer 29 te laten ophalen'. Bij het lezen van de straatnaam ging haar plotseling een licht op. Ze startte een zoekactie in haar wandelende bibliotheek, en voilà: op het bewuste Parijse adres had niemand minder dan Anna Liszt gewoond, de moeder van de componist.

De schellen vielen Sarah van de ogen. Sophies zes jaar jongere halfzus Blandine had, evenals Cosima Francesca en Daniel Heinrich – allemaal kinderen van Marie d'Agoult, Liszts eerste levenspartner – ook een tijdje bij hun grootmoeder gewoond. Een merkwaardig gevoel van lichtheid maakte zich van Sarah meester. Het kwam haar voor dat ze tot op dit moment het leven van een rups had geleid, die zich in de laatste tien jaar verpopt had en nu eindelijk als een prachtige vlinder uit haar cocon kroop. Maar aan de rand van haar mentale blikveld nam ze een schaduw waar, de duistere onzekerheid over wat haar hierna nog te wachten zou staan.

Tot voor kort zou ze zich op dit punt naar alle waarschijnlijkheid weer op haar carrière hebben gericht, maar de zeepbel van haar vroegere leven was uiteindelijk in de grotten van Val d'Enfer uiteengebarsten. En het voorval in het gebouw van de grootloge was er eveneens het bewijs van: het onbezorgde leventje van Sarah d'Albis was voorbij. Mocht ze het wagen gewoon uit de dood op te staan, dan zouden de Duisteren de fout van hun vorige nederlagen met bloed wreken.

Sarah legde haar hand nog eens op de zwarte dossiermap die ze van Henri Perrot had gekregen. Ze twijfelde er absoluut niet aan dat *Het heilige lied* weer een van Liszts klankboodschappen bevatte. Om het volgende raadsel te kunnen oplossen, moest ze de muziek door een goede saxofonist laten spelen; meteen schoot haar ook de naam van een collega te binnen.

Ze klapte de map open en haar blik gleed over *Le Chant Sacré*. Het stuk kwam haar op de een of andere manier bekend voor. Ze had alleen kunnen zweren dat ze nog nooit een saxofooncompositie van Hector Berlioz had gezien. Vanwaar dan dat vertrouwde gevoel?

Nu ze de noten nauwkeuriger las, kwam de muziek in haar hoofd tot leven. Door de manier waarop ze gewend was te luisteren, klonk de mentale solo meer als een piano dan als een saxofoon. Tegelijkertijd verschenen voor haar geestesoog de vertrouwde kleuren en vormen. En zo kwam Sarah tot een verrassende ontdekking.

Sommige passages leken bijna tot op de noot af op de *Grande Fantaisie Symphonique sur 'Devoirs de la vie' de Louis Henri Christian Hoelty*, de *Fantasie* van Liszt die op 13 januari in Weimar voor het eerst was uitgevoerd. Bij het stuk in kwestie ging het om bewerkingen, blijkbaar vroege voorlopers van de wezenlijk omvangrijkere compositie die men in de Herzogin-Anna-Amalia-Bibliothek had gevonden. Maar onbewust zat ze erover in dat ze iets belangrijks over het hoofd had gezien.

Tot dusver had Liszt bij het doorgeven van zijn boodschappen van een bijzondere voorliefde voor extravagante muziekinstrumenten blijk gegeven. De weg naar *La Révolution*, de beeltenis van het hoofd van zijn dochter Sophie in de tuin van het Hase-huis in Jena, was door een *flûte d'amour* gewezen. Hoe beeldend! In een impuls draaide Sarah het laatste muziekblad om. Haar hart sloeg een tremolo. Daar stond het! In Liszts eigen handschrift:

Om dit stuk volledig tot zijn recht te laten komen, moet men het op de revolutiesaxofoon (alto) in de kerk van de windroos spelen.

Revolutie! Dit woord liep als een rode draad door Sarahs zoektocht naar de purperpartituur, bijna alsof Liszt met het spoor van de windroos eigenlijk zijn innerlijk verzet tegen het gebrek aan vrijheid, gelijkheid en broederschap dat in de verstarde structuren van het ancien régime lag verankerd tot uitdrukking had willen brengen. Ze was ervan overtuigd dat hij met zijn verwijzing naar de 'revolutiesaxofoon' op het jaar 1848 doelde.

Alles paste. Dankzij invloedrijke beschermheren als Hector Berlioz had Adolphe Sax in Parijs op dat moment waarschijnlijk inmiddels vaste voet aan de grond gekregen. In hetzelfde jaar dat Berlioz' origineel van *Le Chant Sacré* ontstaat, 1844 dus, wordt de 'stem van Sax' – de saxofoon – voor het eerst aan het publiek gepresenteerd. Nog eens twee jaar later vraagt Adolphe patent aan op zijn 'bassaxofoon in C'.

Op dit punt raakten de bronnen van haar wandelende bibliotheek uitgeput. Ze moest haar schuilplaats verlaten, al was het dan alleen maar als virtueel wezen in de cyberspace. Via een radioverbinding met het huis naast haar kon ze toegang tot internet krijgen. Ook deze tip had Krystian haar gegeven: de meeste mensen zijn niet kundig genoeg of te lui om hun draadloze netwerk tegen aftappers af te schermen; in dichtbevolkte gebieden vind je bijna op elke hoek van de straat een hotspot waar je op het web kunt inloggen. Hij had gelijk. Voor zwartsurfers was Parijs een paradijs.

Sarah zocht naar instrumenten die in het jaar van de zogenoemde 'Februarirevolutie' waren gebouwd, die op 24 februari 1848 was uitgebroken. Tot haar verrassing stuitte ze binnen een paar seconden op een warm spoor, of liever gezegd: op het enige wat het bewuste jaar opleverde.

Op een website die zich op aerofonen had toegelegd werd een instrument beschreven dat Sax in 1848 had gebouwd. Het betrof een altsaxofoon in Es, precies in de juiste toonhoogte dus. Sarahs pols versnelde van pure opwinding. Van het meesterstuk werd zelfs een sepiafoto getoond. Ademloos las ze de begeleidende tekst door.

Het instrument was ooit in het bezit geweest van een nazaat van de beroemde bankier Mayer Amschel Rotschild, stond er, en was in de Tweede Wereldoorlog spoorloos verdwenen. In het door Duitsland bezette Frankrijk had een Duitser, ene Boetticher, die een bewezen Schubert-expert was, als medewerker van de 'Sonderstab Musik' – een speciale militaire groep voor de inbeslagname van kunst – een toonaangevende rol bij de plundering van joodse instrumentenverzamelingen gespeeld. Zo was hem de bewuste saxofoon ook in handen gevallen. Daar liep het spoor dood.

Ongeveer een uur lang zocht Sarah alle onlinedatabanken op het onderwerp af, op zoek naar misschien toch nog een andere 'revolutiesaxofoon', maar tevergeefs. Ze kon nog maar één oplossing bedenken, iets wat haar alleen als allerlaatste mogelijkheid was aangereikt. Ze plugde haar koptelefoon en de microfoon in haar computer in en riep een telefonieprogramma op dat Krystian voor haar op de laptop had geïnstalleerd.

Wat er nu gebeurde, was, volgens de nieuwe eerste hoeder der windharpen, de nachtmerrie van alle wetshandhavers en een zegen voor stiekemerds. Ze had het maar half begrepen. Haar laptop bracht, om zo te zeggen, een verbinding tot stand met een server, die haar binnenkomende internetidentificatie omvormde en vervolgens met het nieuwe, het 'geanonimiseerde IP-adres', een andere computer op het web opriep, die hetzelfde proces nog eens doorliep. Op een bepaald moment riep dan een van deze computers Krystians pc op, en op de aldus tot stand gekomen verbinding werd spraak getransporteerd die zo verregaand gecodeerd was dat, om hem te ontcijferen, zelfs bij de huidige supercomputers van de NSA de chips miljoenen jaren lang zouden doorbranden.

Sarah kreeg Krystian te pakken in Marya's landhuis, waar hij zich nog steeds schuilhield. Toen hij opnam, klonk zijn bezorgde stem uit de koptelefoon zo helder alsof hij vlak naast haar stond. Daarbij maakten ze gebruik – ook een van zijn veiligheidsmaatregelen – van 'wegwerpnamen', die Sarah telkens na elk gesprek meteen van de lijst schrapte die ze van hem had gekregen.

'Hallo, orgelman, met je muze. Hoe gaat het met je?'

'Ik mis je.'

'Anders ik jou wel! Hoe gaat het met je zus en Capitaine Nemo?'

'Goed. De kleine rakker is net op muizenjacht in de tuin. Begrijp me niet verkeerd, muze, maar wat is er gebeurd dat je al zo snel moet bellen?'

Ze legde het hem uit en besloot met de vraag: 'Kun je me met de saxofoon verder helpen? Je hebt immers eens gezegd dat de... vereniging van orgel-mannen een oogje in het zeil houdt wat bepaalde plaatsen en voorwerpen betreft, zoals een zeker orgel met een engel op het front, die heel veel op een hoofdorgelman lijkt.'

Even viel de verbinding stil. Toen daverde Krystians gelach uit de kop-telefoon.

'Heb ik iets verkeerds gezegd?' vroeg Sarah gepikeerd.

'Nee, nee, laat maar. Je legt het er een beetje dik bovenop, maar ik heb je begrepen. Bel me over een uur maar terug. Tot dan zal deze orgelman braaf aan zijn wiel draaien.'

Zestig minuten later bracht Sarah een nieuwe verbinding tot stand.

'Weer met Polyhymnia. Ben je iets te weten gekomen, Apollo?' Ze schrapte weer twee namen van haar lijst.

'Ja,' antwoordde Krystian. 'Vader Zeus heeft ons destijds inderdaad ge-vraagd over het instrument te waken waar je het over had. Desondanks zijn we het uit het oog verloren toen de nazi's het van zijn eigenaar hebben gestolen...'

'O nee! Is het dan voorgoed verloren?'

'Je hebt me niet laten uitpraten... Polyhymnia. We hebben de alto terug-gevonden. Heb je iets om mee te schrijven?'

'Ja, Apollo.'

'Je moet het uit je hoofd leren, het briefje verbranden en de as...'

'Jaaa!' steunde Sarah. Ze was een goedleerse spion.

'Oké,' zei Krystian, 'de huidige eigenaar is ene François Galpin...'

Even na zessen veranderde Sarah met een computerprogramma de IMEI – International Mobile Equipment Identification – van haar gsm, verving de simkaart in en koos het telefoonnummer dat ze van Krystian had ge-kregen.

'Met Galpin,' zei de vrouw die met een hese en vermoeide stem opnam. Sarah schatte haar ouder dan vijftig.

'U spreekt met Kithára Vitez. Zou ik misschien monsieur François Galpin mogen spreken?'

'Waarover?'

'Het gaat om een muziekinstrument, een maaksel van Adolphe Sax.'

'Ah, de saxofoon. Wat is daarmee?'

'Dat wilde ik monsieur Galpin eigenlijk vragen.'

'Dan zult u toch met mij genoegen moeten nemen. Mijn naam is Leslie Mason. Ik ben zijn dochter. Mijn vader is vorige maand overleden, en het instrument is te vinden in de actuele catalogus van Christie's. Het wordt op 13 april aan de Avenue Mâtignon geveild.'

Sarah liet zich achterover op het bed vallen en sloeg met haar hand tegen haar voorhoofd. Ze had het gevoel tegen een sloperskogel op te zijn gelopen. Moest ze nu soms twee weken wachten en met miljoenen smijten om andere bieders te overtroeven? Ondenkbaar! Er bleef met de minuut minder tijd over tot 2 april...

'Hallo? Bent u er nog?' vroeg madame Mason.

'Ja. Ik ben een beetje... teleurgesteld.'

'Ik weet niet of het u al is opgevallen, jongedame, maar u hebt me nog steeds niet verteld wat nu eigenlijk de bedoeling van uw telefoontje is.' De vrouw aan de andere kant van de lijn klonk ineens heel energiek.

Sarah deed maar alsof ze niet hoorde dat ze vanwege haar nog jeugdig klinkende stem als een jong, ongetrouwd ding werd ingeschat en antwoordde afstandelijk: 'We zijn met een onderzoek bezig dat met synesthesie te maken heeft. Zegt dat u iets?'

'Met spritisme wil ik liever niets te maken hebben.'

Sarah haalde diep adem en hing toen een verhaal op dat sterk de indruk wekte dat het hier om een psychoneurologisch experiment ging dat de wereld van de wetenschap een enorme stap vooruit zou helpen, als maar zou worden toegestaan dat dit bijzondere instrument, de bewuste alto van Adolphe Sax, voor één of twee uur in uiterst vakkundige handen werd overgegeven.

Madame Mason reageerde hierop met het verrassende antwoord: 'Tja, ik zou het onderzoek natuurlijk niet graag in de weg willen staan. Gezien de omstandigheden wil ik eventueel wel een uitzondering maken.'

'Wat zegt u?' vroeg Sarah verbaasd.

'Ik ken u niet goed genoeg om de saxofoon gewoon aan u mee te geven, maar mijn man zaliger was altijd erg in wetenschappelijke vooruitgang geinteresseerd. Als dus verder alles in orde is, wil ik me niet tegen uw wens verzetten. Vooropgesteld dat ik als toeschouwer bij de proefnemingen aanwezig mag zijn.'

Sarah stond perplex. 'Maar u zei toch dat het instrument al bij Christie's was?'

Madame Mason lachte. 'Ach, die jonge mensen van tegenwoordig luisteren ook nooit goed. Ik zei dat de saxofoon in de catalogus stond. Maar nu heb ik nog niets uit ú losgekregen. Vertel me eens wat meer over uw onderzoek. Dan zullen we wel zien. Waar zou dit – hoe noemde u het? – "experimentele concert" moeten plaatsvinden?'

'Dat weet ik zelf nog niet.'

'Met zulke antwoorden komt u bij mij echt niet ver,' antwoordde madame Mason.

Sarah beet op haar onderlip. Waar? Daar had ze helemaal nog niet over nagedacht. 'Ik ben niet als enige bij de proefnemingen betrokken,' improviseerde ze. 'Het muzikale deel zal door een saxofonist van het Frans Nationaal Orkest worden verzorgd.' Dat hoopte ze althans.

'Dat klinkt tenminste serieus. En waar?'

Sarah steunde inwendig. 'Er is me meegedeeld dat de plek "kerk van de windroos" heet. Zegt dat u toevallig iets?'

'Natuurlijk,' antwoordde madame Mason direct. 'Ik woon al dertig jaar in Parijs, en al even lang bezoek ik de kerkdiensten van de Saint-Eustache.'

'De Saint-Eustache?' bauwde Sarah haar na. Ineens zag ze de samenhang. Natuurlijk kende ze de kerk, die had ze zelfs al bezocht. Hij lag in de Hallenwijk, niet eens zo ver van het hotel waar ze nu zat. Tijdens haar speurwerk was ze de naam herhaaldelijk tegengekomen. Bovendien had Florence le Mouel, alias Névèl, eerste hoedster der windharpen, over een aantal vreemde voorvallen tijdens de oeruitvoering van de *Graner Messe* in dit godshuis verteld...

Madame Mason trok haar eigen conclusies uit Sarahs verbijstering en zei met een afkeurende ondertoon: 'U bent vast van buiten de stad, als u die belangrijke kerk niet kent.'

'Jawel, ik ken hem wel,' probeerde Sarah te redden wat er nog te redden viel, 'maar de naam "kerk van de windroos" had ik nog nooit gehoord.'

'Ik neem aan dat u ook een van die jongeren bent wier leven zich uitsluitend in de cyberspace afspeelt? Natuurlijk noemt niemand de Saint-Eustache zo, maar ik wil wedden dat u er op internet zo achter bent waarom ik u onmiddellijk kon vertellen welke kerk u bedoelde.'

'Ik zal het nakijken,' beloofde Sarah berouwvol.

De stem aan de andere kant van de lijn klonk ineens milder. 'Als u uw experiment in een tempel van de Heer met een musicus van de Nationale Opera wilt uitvoeren, dan is dat zeker meer dan respectabel. U krijgt het instrument. Voor een uur. Het beste is dat ik het meteen meebreng, dan kunnen we daar afspreken.'

Hoewel de tijd behoorlijk begon te dringen, had Sarah nog dertig minuten met madame Mason aan de lijn gehangen, omdat die het nodig vond de jongedame haar levensverhaal te vertellen. Dat had in elk geval wel wat meer licht op het lot van de verdwenen saxofoon geworpen.

Zij, had madame Leslie L. Mason verteld, was als Babette Laurène Galpin geboren en was tijdens haar studie in de Verenigde Staten verliefd geworden op Henry L. Mason en was kort daarna met hem getrouwd. Later was ze met haar man teruggegaan naar Parijs, waar hij de leiding van de Banque Rothschild overnam. Niet zomaar, want daarvoor had haar vader tenslotte aan het hoofd van dit eerbiedwaardige instituut gestaan. Jaren later brak Henry's hart toen het nieuws van de nationalisering van de gerenommeerde bank hem overviel. Sindsdien leefde ze als weduwe. Nu was ook haar lieve vader op hoge leeftijd overleden en was zij de enige erfgenaam van zijn niet onaanzienlijke vermogen. Maar omdat Henry – God hebbe zijn ziel – haar had geleerd economisch te denken, wilde ze de extravagante stadswoning van haar vader – moge de Heer zich over zijn arme ziel ontfermen –, evenals zijn enorme muziekinstrumentenverzameling, liquideren en de opbrengst beleggen in obligaties.

In zekere zin was de 'revolutiesaxofoon', nadat de verliezers van de oorlog hem hadden moeten afstaan, dus weer aan de Rothschilds teruggeven. Omdat de oorspronkelijke eigenaar niet meer leefde, had de in de bankiersfamilie getrouwde François Galpin – madame Masons vader – hem aanvaard. Begrijpelijk, dacht Sarah, dat de hoeders der windharpen even het overzicht waren kwijtgeraakt.

Madame Mason voelde zich vast iets minder eenzaam nadat de jonge belster afscheid van haar had genomen, maar Sarahs handen trilden van opwinding. Het gesprek was nog niet afgelopen of ze zat al op internet. De homepage van de Saint-Eustache was snel gevonden, en er prijkte een logo op dat Sarah regelrecht in het verleden terugslingerde:

Het had hetzelfde lijnenpatroon dat Oleg Janin in het Weimarse restaurant Anno 1900 voor haar ogen had laten ontstaan om een johannieterkruis of Maltezer kruis in een achtpuntige ster te veranderen. Nu twijfelde Sarah er ook niet meer aan dat ze de 'kerk van de windroos' had gevonden.

Inmiddels was het even na zevenen. Het zonlicht straalde warm de hotelkamer binnen. Op de website van de gemeente had Sarah gelezen dat er om zes uur nog een mis was gehouden en de poorten van de kerk nog maar net voor het publiek waren gesloten. Ze pakte weer haar mobiele telefoon en koos het nummer van de Saint-Eustache.

Een vicaris, ene Yves Tabaries, nam op. Sarah vertelde hem over het ongebruikelijke experiment om de kerk als klankkast voor een saxofoonsolo te gebruiken. De priester was blijkbaar wat betreft het niet-sacraal gebruik van het godshuis wel het een en ander gewend. Hij zei in principe positief tegenover het plan te staan en vroeg vervolgens: 'Wanneer wilt u komen?'

'Zo gauw mogelijk.'

'We gaan door de week om negen uur open. De middagmis is om halfeen. Ik neem aan dat u voor uw experiment stilte nodig hebt?'

'Ja, inderdaad.'

'Komt u dan maar om acht uur.'

Er was enige overredingskracht voor nodig geweest om madame Mason twee uur van haar schoonheidsslaapje te laten opofferen – ze leidde een zeer gestructureerd leven. Aanzienlijk meer problemen verwachtte Sarah daarentegen bij Noël Pétain, de saxofonist op wie ze voor haar 'experiment' haar keus had laten vallen. Noëls uiterlijk zou weliswaar ook na heel wat jaren goed slapen bij lange na nog niet in de categorie 'mooi' vallen – hij was een ebbenhoutzwarte, mollige eind-dertiger, met een half kaal hoofd en een van zijn geboorte overgehouden permanente grijns, evenals een opvallende oogafwijking die hem ertoe dwong een enorm vergrotende bril te dragen –, maar hij leed aan de beroepsziekte van musici die dikwijls tot diep in de nacht doorwerkten: hij was een notoire langslaper.

Sarah had dus enige reden tot ongerustheid dat ze woensdagochtend tevergeefs voor de Saint-Eustache op haar collega zou moeten wachten. De kans was groot dat hij zich versliep. Over andere zaken maakte ze zich echter nog meer zorgen.

Ze moest zondigen tegen Krystians geheimhoudingsregels. Natuurlijk had ze een willekeurige saxofonist uit een jazzcafé in de arm kunnen nemen voor een vroeg concert in de Saint-Eustache, maar dat leek haar een nog groter risico dan Noël in vertrouwen te nemen. Ze kon hem zich gewoon niet als Duistere Kleurenhoorder voorstellen. Hij mócht geen Adelaar zijn.

De twee musici kenden elkaar al zes jaar. Het predicaat 'vriend' kende ze zelden aan iemand toe, maar Noël was een sympathieke vent die van haar audition colorée wist en bij wie ze zich altijd vrij en op haar gemak voelde. Een paar keer was hij met Helène en haar op stap geweest, wat over het algemeen heel praktisch bleek te zijn omdat hij casanova's trouw op afstand hield, zonder er ook maar even zelf een te worden – Noël was homo.

Ze keek op haar horloge en moest onwillekeurig grinniken. Over een minuut begon het spookuur. Dat was de tijd dat je de saxofonist door de week het best kon bereiken. Ze koos zijn nummer. Een man met een diepe stem nam op, die allesbehalve nichterig klonk.

'Pétain.'

'Met Sarah,' antwoordde ze.

Toen hoorde ze iets rinkelen. Er volgde een vloek. Een 'Au!', nog een vloek en daarna – afgezien van ritselende, krakende en andersoortige geluiden – een hele tijd niets. Uiteindelijk toen weer Noëls bas.

'Ik geloof niet in telefoontjes uit het hiernamaals.'

'Kraam geen onzin uit, Noël, ik ben springlevend.'

'In de kranten staat wel wat anders te lezen.'

'Dat zijn allemaal verzinsels.'

'Ik heb van schrik mijn voet opengehaald.'

'Dat had je nou niet hoeven doen, schat.'

'Ik heb in de keuken mijn glas cognac uit mijn handen laten vallen. Waarom denkt iedereen dat je dood bent, Sarah?'

Ze vertelde hem een verhaal dat dicht bij de waarheid lag, maar dat door het selectief achterhouden van bepaalde feiten als een maar al te bekend bedreigingsscenario klonk.

'Die stomme stalker ook,' foeterde Noël. 'En ik dacht nog wel dat je eindelijk rust had, kleintje.'

'Om dát voor elkaar te krijgen, wil ik voorlopig graag even van het toneel blijven. Beloof me dat je niemand iets over mijn "herrijzenis" vertelt.'

Nadat hij dat plechtig had beloofd, deed Sarah iets waar ze zichzelf om haatte: ze maakte van de goedgelovige Noël een proefkonijn.

Daarvoor had ze dezelfde klanken der macht nodig die ze op paaszondag voor het eerst op de televisie had opgemerkt. Het was haar verrassend gemakkelijk afgegaan het subliminale bevel uit de stukken die ze had gehoord te filteren en in een loop-generator in te voeren, een muziekprogramma waarmee ze voor een synthetisch orkest met een zelf te kiezen bezetting vrij kon componeren en door haarzelf opgenomen klankfragmenten kon invoegen. Over het subliminale *Kom hierheen!* had ze een sample van *Le Chant Sacré* gelegd. Het resultaat speelde ze nu na een korte verklaring Noël op de computer voor, waarna ze schijnheilig vroeg: 'Denk je dit in de Saint-Eustache voor me te kunnen spelen? Ik verwacht je dan morgenvroeg voor de kerk.'

'Hoe laat?' klonk het haastige antwoord uit de gsm.

'Om acht uur. Ik weet dat dat behoorlijk vroeg voor je is...'

'Geen probleem,' onderbrak hij haar.

34

Het falende, wanklijke,
Hier wordt het Zijn;
Het onaanschouwlijke,
Hier werd het feit.

— Johann Wolfgang von Goethe, *Faust II*, vijfde akte

De duistere stilte onder de kerkkoepel van Santa Maria del Rosario was bedrieglijk. Geen bezoeker verstoorde hem. Geen nonnenkoor uit het nabije klooster verlichtte hem. En toch was het niet de vredige rust die je je van zo'n plek nog zou mogen voorstellen, maar meer een soort geluidloos afwachten, zoals dat van sommige dieren die ongezien op een prooi loeren. De onheilszwangere sfeer leek beslist niet op het typisch onheilspellende gevoel dat sommige vervallen gebouwen in Rome je konden bezorgen, maar bestond alleen maar in het bewustzijn van die ene man die hier voor het altaar op zijn knieën zat te bidden. Het godshuis, dat verder verlaten was, was enkel de klankkast waarin de passie van de kardinaal geluidloos weergalmde.

Clemens Benedictus Sibelius verkeerde in een ware geloofscrisis. Hij keek naar het Kruis omhoog en had zijn twijfels of deze zo gekweld kijkende God hoe dan ook wel naar hem luisterde. Betreurde Hij niet ook wat zich hier onder zijn ogen afspeelde, deze zogenaamd groeiende religiositeit uit Zijn naam, die in werkelijkheid steeds meer ontaardde in een collectief zwelgen in religieuze evenementen, in een happeningsgeloof, dat in het dagelijks leven Gods water over Gods akker liet lopen? Had de Heer begrip voor het verlangen van Zijn dienaar de Heilige Moederkerk te hervormen? Keurde die zijn methoden goed?

Sibelius had zich in de achtenzestig jaar van zijn leven voor het grootste deel als een naar zijn mening voorbeeldig dienaar Gods gedragen. Geboren in het Hessische Fulda, door zijn vrome ouders met de namen van twee pausen onderscheiden en grootgebracht op de kloosterschool, was hij voorbestemd voor een loopbaan in de curie. Hij had de moed, het elan en de wil om de nodige veranderingen in gang te zetten. En hij zou de macht ervoor hebben. Dankzij de Duistere Kleurenhoorders.

In principe was kardinaal Sibelius het helemaal met Oleg Janin eens: er moest een nieuwe wereldorde komen, want de chaos van het liberalisme heerste al lang; alles was geoorloofd, alles werd geduld. In feite regeerde niet de vrijheid, maar geldzucht, immoraliteit en allerlei vormen van goddeloosheid. Als hij, kardinaal Clemens Benedictus Sibelius, maar eenmaal de titel pontifex maximus zou dragen, dan zou de Heilige Moederkerk weer de boom worden waaronder de mensheid zich tot een vreedzame, God welgevallige eenheid verzamelde.

De dagen van Johannes Paulus II waren geteld. Deze goede herder zou binnenkort aftreden – over een week, een maand, zeker niet pas over een jaar. De pelgrim Gods had – onbewust – het pad voor een nieuw begin geëffend, de katholieke Kerk tot een *must-have* van de mediawereld gemaakt: wanneer de paus kuchte, spitste de wereld zijn oren. Zijn laatste ademtocht werd straks waarschijnlijk op cd gezet.

En daarna het conclaaf; de leden van het college van kardinalen die in de beslotenheid van de Sixtijnse Kapel hun nieuwe leider kozen. Ongestoord door de wereld. Alleen aan God en hun eigen geweten verplicht. Niemand zal de klanken der macht opmerken, had Oleg Janin beloofd. En toch zal iedereen het subliminale bevel begrijpen dat je hun geeft, Clemens Benedictus Sibelius: *Maak me jullie koning!*

Sibelius meende ineens de grootsheid van de plek te voelen. Hier, over de Monte Mario, hadden in vroeger tijden zegevierende bevelhebbers gereden, om zich tijdens hun triomftocht door de bevolking van Rome te laten toejuichen. Menigeen van hen werd later keizer of hoogste priester van het imperium: pontifex maximus!

Het plan stond vast, alle voorbereidingen waren getroffen. Wat dat aanging begreep kardinaal Sibelius niet helemaal waarom Janin hem voor een gesprek naar deze kerk had ontboden; hij lag ruim anderhalve kilometer ten noorden van het Vaticaan. Vermoedelijk wilde hij alleen maar weten of de zoektocht in het aangrenzende klooster naar de vermaledijde 'purperpartituur' van Franz Liszt nog iets nieuws had opgeleverd. Alsof hij, Clemens, de nonnen daar al niet genoeg mee had lastiggevallen! Elke keer zonder resultaat, afgezien van de scheldkanonnades van de moeder-overste...

Sibelius kromp ineen toen hij vanuit zijn ooghoek naast zich een donkere gestalte waarnam. Hij draaide zijn hoofd met een ruk om.

'Janin!' riep hij geschrokken uit. 'Ik heb u helemaal niet horen aankomen.'

Oleg Janin droeg de soutane van een eenvoudige priester, een vermomming waar Sibelius altijd iets op tegen had gehad. Alleen het schijnsel van een paar offerkaarsen verlichtte het gebaarde gezicht van de Rus. De melodie die hij floot klonk onharmonisch. De kardinaal huiverde, omdat hij daarnet noch het lied, noch de Kleurenhoorder had opgemerkt.

'Even een kleine afleidingsmanoeuvre, om u eraan te herinneren hoe effectief onze methoden zijn,' zei Janin glimlachend. Zijn Duits klonk alsof er een vracht brandhout als een kaartenhuis ineenstortte.

'Dat was niet nodig geweest. U hebt me laten schrikken. Waarom deze ongeplande ontmoeting?'

'Is het klooster nog een keer doorzocht?'

'Ja. En alles blijft bij het oude. Hij is onvindbaar.'

'Dan ben ik bang dat het er niet goed voor u uitziet, eminentie.'

Sibelius voelde het bloed uit zijn gezicht wegtrekken. 'Waarom voor míj? Beseft u alstublieft goed dat Santa Maria del Rosario geen oratorianenklooster meer is. Toen dit een vrouwenklooster werd, is de hele boel ondersteboven gekeerd. Mocht die purperpartituur ooit...'

'Rustig maar,' viel Janin de opgewonden kardinaal op zijn zo bedrieglijk grootvaderlijke toon in de rede. 'Mijn opmerking sloeg op ons plan. De raad van Adelaars heeft besloten nu tot actie over te gaan. Het wachten is voorbij. Als de leider van de katholieke Kerk sterft, zullen alle ogen op Rome zijn gericht. Het zou doodzonde zijn als we van het daarmee gepaard gaande mediaspektakel geen gebruik zouden maken. We kunnen binnen een paar uur de kritische massa mensen bereiken die nodig is om de ontketening der volkeren in gang te zetten.'

'De ontketening?' Sibelius kreeg er koude rillingen van. 'Was het niet de bedoeling dat ik in het conclaaf...'

'Daar verandert niets aan. De planning is gewoon uitgebreid: we zullen het land gaan ploegen waarop u later uw zaad kunt uitstrooien. Wanneer ze Wojtyla ten grave dragen, zal daarbij onze muziek spelen, en de hele wereld luistert.'

De kardinaal schudde zijn hoofd. 'Zo werkt dat niet. De rouwplechtigheid is tot in de kleinste details vastgelegd.'

'Maar u bent in het Vaticaan toch minister zonder portefeuille, of hoe u dat in uw opgeblazen klerikale taal ook maar noemt? Daarom hebben we u uitgekozen: omdat u de éminence grise bent.' Hij glimlachte; hij vond de dubbelzinnigheid van zijn woorden wel vermakelijk.

Sibelius' hoofd stond niet naar dat soort humoristische spitsvondigheden. Hij voelde zich in zijn zelftwijfel bevestigd. Had hij soms op het verkeerde paard gewed? Krachtig stelde hij zich teweer. 'De rouwplechtigheid behoort tot de traditie van de Heilige Moederkerk. Je kunt niet zomaar een detail veranderen zonder dat dat bij de curie een kreet van verontwaardiging teweegbrengt.'

Janin grijnsde. 'Wie zegt dan dat u een detail moet veranderen? U gooit gewoon de hele plechtigheid overboord en voert een nieuwe in.'

'Onmogelijk,' riep Sibelius uit.

'"Onmogelijk" komt in het woordenboek van de Adelaars niet voor. Als het de uitdrukkelijke wens van de overledene is, dan zal de curie zich daarin schikken.'

Het duizelde de kardinaal. 'De wil van de Heilige Vader?' fluisterde hij.

Janins grootvaderlijkheid was verdwenen en zijn onverdraagzame kant kwam nu tevoorschijn. 'Is dat nu zo moeilijk te begrijpen? U staat de paus heel na, klit aan hem als een teek in zijn knieholte. Stelt u uit zijn naam een nieuwe "uiterste wil" op en ruil hem om met het oude testament. Schrijft u maar dat Johannes Paulus II geen kouwe drukte wil, maar een eenvoudig requiem voor zijn rouwdienst.'

'Maar hij is een paus van de media! Hij heeft zich altijd weten te profileren. Zoveel plotselinge bescheidenheid zou argwaan kunnen wekken.'

In Janins donkere ogen brandde een gevaarlijk vuur, dat Sibelius deed huiveren. 'Staat u nog steeds aan de kant van de Duisteren, eminentie, of moet ik u een paar feiten in herinnering brengen? Toen u zich bij onze Broederschap aansloot, accepteerde u een erfenis die al bestaat sinds de tijd van Richelieu. Dat verbond zeg je niet zomaar op.'

Sibelius besefte in wat voor precaire situatie hij zich bevond. Sussend antwoordde hij: 'Ik kan u verzekeren dat ik nog steeds van de noodzakelijkheid van een nieuwe wereldorde ben overtuigd. We streven hetzelfde doel na. Wat mij alleen een onbehaaglijk gevoel geeft, is dat alles zich ineens zo toespitst, en de keuze van de middelen.'

'Dacht u dat ík daar gelukkig mee was? Onbehagen valt nog wel mee als je zoiets groots wilt verwezenlijken. Daar moeten we allebei mee leven. De zachtzinnige manier heeft uiteindelijk niet veel opgeleverd – tenzij u me toch nog verrast en me de purperpartituur brengt.'

'Ik ben uw kamerdienaar niet, meneer Janin,' bromde de kardinaal. 'Als u in uw eigen gelederen al niet voor orde kunt zorgen, hoe wilt u dan voor de wereld een nieuw huis bouwen? Hebt u eigenlijk die persoon al gevonden van wie u zoveel verwachtte?'

'Ze is dood. Of in elk geval onvindbaar.'

'Tja, maar dat is dan niet mijn probleem.' Sibelius dacht de rollen te hebben omgedraaid en het heikele onderwerp van tafel te hebben geveegd, maar Janin hield aan.

'Hoe zit het, eminentie? Beken nu eindelijk eens kleur. Gaat u doen waar ik u nu nog één keer in alle vriendschap om vraag?'

De onverbiddelijkheid van de Rus deed de Duitser opnieuw huiveren. Niettemin schudde hij zijn hoofd. 'Ik wil mijn Kerk niet verraden, maar genezen. Wat u van me verlangt, is niet voor discussie vatbaar.'

Drie of vier seconden lang woedde er tussen de twee mannen een stille krachtmeting door middel van hun blikken. Opeens begon Janin een melodie te neuriën, die even vreemd en onbekend klonk als zijn gefluit van daarvoor.

De kardinaal fronste zijn voorhoofd. Wat had dát nu te betekenen? Wilde die vervloekte Rus hem belachelijk maken? Of droop de hond nu soms af, met de staart tussen zijn benen? Waarschijnlijk probeerde Janin zich weer onzichtbaar te maken en weer net zo te verdwijnen als hij was gekomen. Sibelius voelde zijn polsslag versnellen. Hij was in het voordeel. Nu alleen niet in het stille gevecht van blikken toegeven...

De gedachten van de kardinaal stokten abrupt toen Oleg Janin voor zijn ogen begon te veranderen. Terwijl hij onverstoorbaar verder neuriede, werd zijn huid pikzwart. Zijn haren groeiden met een bijna ongelooflijke snelheid en voerden daarbij een heksendans op, ze kronkelden alsof ze een eigen leven leidden. Ja, zijn hele gestalte dijde naar alle kanten uit, alsof een enorm insect zich met het lichaam van de Rus had gevoed en nu uit zijn te strakke pantser barstte. Sibelius zag een gekrioel van klauwen, ledematen, kwijl – en rood gloeiende ogen...

Hij schreeuwde zoals hij nog nooit van zijn leven had geschreeuwd. Hij brulde alsof de duivel aan hem verschenen was.

'Hoe zit het?' weerklonk een dreunende stem in zijn oor, die alleen nog door het harde accent als die van Oleg Janin te herkennen was. 'Kunnen we nog steeds op je rekenen?'

'Ja,' jammerde de kardinaal, zijn ineengeslagen handen voor zich uitgestrekt. 'Ja, ja, ja, ja. Maar alstublieft, laat me met rust, Vorst der Duisternis!'

Er schalde gelach door de kerk. 'Te veel eer, broeder. We zijn allebei slechts dienaren van een groter plan. Luister nu goed naar me. Er staat je veel te doen, en je hebt nog maar weinig tijd...'

35

Musici zijn niet ijdel – ze bestaan uit ijdelheid.

— Kurt Tucholsky

PARIJS, 30 MAART 2005, 07.51 UUR

Zoals verwacht was de ordelievende madame Mason er het eerst. Ze kwam via de Rue Rambuteau, uit de richting van het metrostation Les Halles, natuurlijk niet te voet, maar, zoals het iemand van haar stand betaamde, in een zwart voertuig, om precies te zijn een grote Amerikaanse limousine. Omdat het niet mogelijk was helemaal tot aan de afgesproken plek voor de kathedraal te rijden zonder met de wet in conflict te raken, bleef de wagen bij het begin van de Rue de Turbigo staan. Sarah bekeek het schouwspel vanaf de Place René Cassin. Ze stond vlak voor een van de vier portalen van de Saint-Eustache, dat door een eigenzinnig beeldhouwwerk werd bewaakt: een enorm kaal hoofd van steen, naar opzij gewend, dat op een hand leunde.

Een chauffeur in een donker uniform opende het achterste portier van de chique slee en hielp de bankiersweduwe bij het uitstappen. Daarna liep hij om de wagen heen, pakte van de stoel ernaast een zwarte koffer en nam die in zijn armen. Geen twijfel mogelijk: daar moest het kostbare blaasinstrument uit de werkplaats van Adolphe Sax in zitten. Madame Mason was inmiddels al op weg naar de ingang van de kerk.

Ze bewoog zich met een behoedzaamheid die je bij mensen van haar leeftijd zou verwachten. Als steun gebruikte ze een glimmend gepoetste stok van rood hout, vermoedelijk ceder. Op dit accessoire leek ze evenwel niet echt te zijn aangewezen. Waarschijnlijk moest het haar alleen meer waardigheid verlenen.

En daar had madame Mason een heleboel van, niet alleen vanwege haar eenenzeventig levensjaren, maar ook omdat haar hele verschijning grootmoedigheid en elegantie uitstraalde. Sarah had zich de oude dame, die aan de telefoon nu eens hard en dan weer kwetsbaar was overgekomen, als een

• 352 •

vrouwelijke dragonder voorgesteld: statiger, ontzagwekkender en in haar hele optreden strenger. In plaats daarvan was ze tamelijk klein en vertoonde ze een verbluffende gelijkenis met de Engelse koningin.

Het begon al met haar kleding – ze droeg een mintgroen mantelpak; haar hoed en rechthoekige beugeltas waren daar qua kleur op afgestemd; ook de van de Queen maar al te bekende handschoenen ontbraken niet. De mimicry strekte zich uit tot haar kapsel en haar gezicht, en zelfs haar beleefde glimlach had van iemand uit het Huis van Windsor kunnen zijn.

Sarah liep de oude dame tegemoet en begroette haar met een vriendelijk: 'Goedemorgen. U bent vast en zeker madame Mason.' Uwe Majesteit, voegde ze er in gedachten aan toe.

'En u mademoiselle Vitez. U ook een heel goedemorgen,' antwoordde de weduwe.

Sarah nam de chauffeur de saxofoon uit handen, waarop deze zich terugtrok om het voertuig volgens de regels te parkeren en op de terugkomst van madame te wachten. Een paar minuten lang werden er beleefdheden uitgewisseld, een kunst die Sarah erg goed verstond.

Om klokslag acht uur verscheen Yves Tabaries ten tonele, de vicaris met wie Sarah de vorige avond had gebeld. Hij droeg een zwarte soutane en was begin dertig, blond en iets te zwaar; hij had een alledaags gezicht, een zachte stem en in het algemeen een opvallend zachte aard. Een regelrechte herder. Toch kon Sarah het *père* – vader – niet over haar lippen verkrijgen; ze had de katholieke Kerk al lang geleden vaarwel gezegd.

'Kan het zijn dat ik u al eens ergens heb gezien?' vroeg Tabaries.

Ze verstijfde inwendig, maar reageerde nonchalant: 'Wie weet. Misschien ben ik u al eens in een droom tegengekomen.'

Tabaries waagde het niet verder op het onderwerp in te gaan.

Madame Mason keek op haar met diamanten bezette horloge. 'Het is één minuut over acht. Waar blijft de musicus? Is hij bij zijn ochtendtoilet soms verliefd geworden op zijn spiegelbeeld?'

Sarah moest een grijns onderdrukken, omdat zoiets bij Noël Pétain nooit uitgesloten was, al zag je het hem niet aan. 'Zo ijdel als Narcissus is hij niet,' verdedigde ze haar collega.

De oude dame schudde haar hoofd. 'U kunt me nog meer vertellen, mademoiselle Vitez. Musici zíjn niet ijdel, ze bestáán uit ijdelheid.'

'Wacht maar totdat u monsieur Pétain hebt leren kennen. Hij had trouwens gisteravond een concert in het Champs-Elysées, dat tamelijk laat is afgelopen.'

'Maar om negen uur is het basta,' bracht madame haar in herinnering.

'Daar ben ik me van bewust,' antwoordde Sarah. Opeens had ze het onprettige gevoel dat ze weer in Boedapest was. In de Onze-Lieve-Vrouwekerk had ze ook zo onder tijdsdruk gestaan. Waar bleef Noël toch? Had de melodie der macht soms geen invloed op hem gehad? Dat betekende dan...

Volkomen onverwachts kwam er een diep gebulder over het plein aanrollen. Alle hoofden draaiden naar het oosten. Sarahs hart maakte een sprongetje van opluchting. Ze kende deze unieke sound, deze dikke druppels in diepe kleuren, die alleen een Harley Davidson in haar geest kon oproepen. Snel deed ze een paar stappen in de richting van de stenen plastiek, en inderdaad: Noël kwam aanrijden door de Rue de Turbigo, wijdbeens, ver achterovergeleund in het zadel, in een zwarte uitmonstering. Hij nam niet de moeite zich al te nauw aan de verkeersregels te houden, maar reed tot vlak voor de voeten van madame Mason.

Sarah sloeg de oude dame, die zoveel waarde aan ernst hechtte, vanuit haar ooghoek gade. Madame Mason was duidelijk verbouwereerd. Een lid van het Orchestre National de France had ze zich blijkbaar anders voorgesteld. Niet zo leerachtig. Niet met zoveel klinknagels op zijn lijf. Vermoedelijk ook niet zo zwart. En niet zo galant.

Noël Pétain had namelijk nog maar nauwelijks zijn helm en donkere bril afgezet, of hij gaf meteen een aangescherpte versie van zijn permanente glimlach ten beste: hij liet zijn gezandstraalde tanden net zo schitteren als zijn charme, waar vrouwen altijd zo van onder de indruk waren.

Hij liep regelrecht op de weduwe af, pakte haar hand met zwier vast, blies er een kus boven en zei: 'De zon is net opgegaan. U bent vast en zeker madame Mason. Die gratie, souplesse en elegantie – u schittert echt als geen ander.'

Sarah kon een gniffel nu niet langer onderdrukken.

De bankiersweduwe was haar irritatie over het feit dat de eigenzinnige kunstenaar te laat was gekomen op slag vergeten. Ze lachte als een jong meisje, koketteerde een heel klein beetje met haar leeftijd, merkte terloops iets op over het verjongende effect van regelmatig sporten en een gezonde voeding, en liet niet onvermeld dat de Parijse couturiers de kleine probleemzones van een vrouw op welhaast magische wijze uitstekend wisten te camoufleren. De vicaris had de kerkdeur inmiddels geopend.

Na de iets minder uitbundige begroeting van de andere aanwezigen leidde père Tabaries zijn bezoekers het godshuis binnen, dat aan de martelaar Eustachius was gewijd.

Sarah haalde ondertussen de muziekbladen van de door Liszt vervaardigde versie van *Het heilige lied* uit haar laptoptas en gaf ze aan haar collega.

'Wees er alsjeblieft voorzichtig mee, Noël. Het zijn originelen.'

'Maak je geen zorgen. Ik zal er niet op kwijlen, hoor. Waar moet ik me opstellen? In het koor?'

Sarah liet haar blik door de kathedraal gaan, na de Notre Dame altijd nog de op een na grootste van Parijs. De Saint-Eustache stond niet alleen bekend om zijn enorme orgel, maar ook om zijn geweldige akoestiek. Zoals ook al in Liszts tijd vonden er nog steeds regelmatig concerten plaats. Waar moest Noël de 'revolutiesaxofoon' dus laten weerklinken? Het koor lag natuurlijk voor de hand. Weer moest ze aan de Matthiaskerk in Boedapest denken.

'Laten we het orgel eens bekijken.'

Omdat ze de kathedraal schuin achter het altaar langs waren binnengegaan, liepen ze vervolgens in westelijke richting de kooromgang door, om via de zuidelijkste van de beide zijbeuken in het schip te komen. Voor de kleurige ramen en andere mooie dingen in de basiliek had Sarah slechts oog in zoverre ze naar opvallende aanwijzingen zocht: Adelaars, Zwanen, een windroos of een lier... Maar er was niets van dat alles te vinden. Totdat ze bij de westelijke ingang van het koor stond, daar waar de zijbeuken en het schip elkaar onder een rechte hoek kruisten.

Sarahs blik was eerst naar het imposante orgelfront omhooggedwaald, waarboven – alweer – een engel troonde. Deze vertoonde echter geen enkele gelijkenis met Franz Liszt.

Wel hield hij een harp vast.

'De meester der harpen heeft hier gespeeld,' mompelde Sarah. Haar blik dwaalde naar de orgelspeeltafel, die – zeer ongebruikelijk – niet op een oksaal was ingebouwd, maar op de grond stond, zodat de organist op dezelfde hoogte als de andere musici kon spelen.

'Sorry, ik kon je niet verstaan,' zei Noël.

Ze wees naar de speeltafel. 'Ga maar daarnaast staan. Ik denk dat dit precies de juiste plek is.'

Madame Mason trok een tevreden gezicht. De hele situatie maakte ongetwijfeld een bijzonder experimentele indruk op haar. Ze richtte zich tot de vicaris. 'Is hier misschien ergens een stoel voor me, père Tabaries?'

De geestelijke keek enigszins geïrriteerd naar de stoelenrijen, waar er wel meer dan honderd stonden.

'Kunt u er dan voor mij ook meteen twee meenemen?' vroeg Sarah.

Terwijl Tabaries voor zitplaatsen zorgde, regelde Noël een muziekstandaard en bereidde zichzelf en het instrument voor op het concert. Monsieur Galpin had zijn verzamelaarsstuk goed onderhouden. Het was van geelkoper, maar blonk als puur goud. Sarah zette haar computer aan en plugde haar microfoon in, ze straalde professionaliteit uit.

Toen Noël de saxofoon voor het eerst aanblies, trok er een aangename huivering door haar heen. Haar voorstelling van het instrument was gebaseerd op een sepiafoto en een verzameling kille cijfers, die ze van internet had gehaald – 'kleppen: 13, luchtkolom: 105 cm...' –, maar om het te hóren was een heel ander verhaal. In lage registers knorde het in een geelgetint rood als een kleine tevreden draak, in de hoge daarentegen gilde het felgroen, alsof de staart van het arme schubdier was afgekneld.

Nadat Noël een paar snelle loopjes had gespeeld, knikte hij. 'Ik ben zover.'

'Ach, wat is dit toch spannend!' zei madame Mason geestdriftig, en ze greep de naast haar zittende, enigszins verbaasde père Tabaries bij de hand.

Bij gebrek aan een rode lamp of een 'Attentie... opname'-teken legde Sarah haar wijsvinger tegen haar lippen. De weduwe trok haar hoofd tussen haar schouders, grijnsde ondeugend en zweeg. Toen begon Noël te spelen.

Sarah sloot haar ogen. De melodie had ze bij het lezen van de noten al in gedachten gehoord. Ze wist dus al dat sommige passages gelijkenis vertoonden met de in Weimar voor het eerst uitgevoerde *Fantasie* van Franz Liszt. Desondanks was ze verbluft nu de 'revolutiesaxofoon' haar de klankboodschap liet zien.

Die bestond slechts uit twee met elkaar versmolten letters: een F en een L.

Het was hetzelfde zwierig gevormde signet dat ze in het Deutsches Nationaltheater van Weimar had gezien. Vol en helder, in een spectrum tussen grasgroen en zonsondergangoranje, aan de randen licht gegolfd, werd het door de saxofoon op het glazen scherm in haar geest getekend. Er was niets anders, geen geflakker, niet het kleinste zweempje van een verborgen mededeling die misschien nog door een verandering van de klank aan *Le Chant Sacré* zou kunnen worden ontlokt. Sarah stond perplex.

'Alles oké, kleintje?' Noël was degene die haar weer naar de Saint-Eustache terughaalde. Ze had hem de vorige avond over de speciale synesthetische ervaring verteld, die ze van zijn spel verwachtte.

Sarah knipperde met haar ogen. 'Nou... Ik heb iets gezien.'

Père Tabaris sloeg een kruis.

Madame Mason stampte met haar stok op de grond en riep: 'Geweldig! Leve de wetenschap!'

'En wat dan wel?' wilde Noël weten.

Sarah aarzelde tussen praten en zwijgen. Ze kon zich weliswaar niet voorstellen dat madame Mason of de zachtaardige vicaris Tabaries een Duistere Kleurenhoorder zou zijn, maar ze had zelf ondervonden met welke methoden de Broederschap mensen wist te manipuleren. Daarom gaf ze eerst maar een vaag antwoord.

'Een beeld.'

'Was het rond of hoekig?' vroeg madame Mason in een duidelijk streven ook een bijdrage aan de wetenschappelijke vooruitgang te leveren.

'Allebei,' antwoordde Sarah. De tijd werkte gewoon te veel in haar nadeel; ze moest het risico nemen. 'Ik zou in dit verband graag willen weten of iemand van u misschien iets met de afkorting FL kan.'

In het koor werden verwarde blikken gewisseld.

'Hoort dat bij het experiment?' wilde de weduwe weten.

'Jazeker. De synesthesie is een nog weinig onderzocht fenomeen en uw antwoord is bepalend voor het resultaat.'

Noël fronste zijn ebbenhouten voorhoofd.

'De afkorting FL heeft vele betekenissen,' zei père Tabaries opeens. Hij klonk bedachtzaam. Waarschijnlijk was hij al over de eerste schrik heen, omdat er een natuurlijke verklaring voor Sarahs visioen was.

'Florijn,' opperde de bankiersweduwe, en aan haar toon was te horen hoezeer ze ervan genoot haar financiële kennis te demonstreren. 'Ook bekend als gulden. Vroeger een alom gebruikt betaalmiddel. In Nederland is de gulden net door de euro vervangen.'

'Nederland...' herhaalde Sarah peinzend, en ze dacht aan het volgende station op het spoor van de windroos. De windstreek zou kloppen.

'Maar het kan ook op de *Flandrenses* slaan, de Vlamingen, in de oude Latijnse benaming,' merkte Noël op, enkel en alleen om niet als pure vakidioot over te komen.

'Misschien staat de afkorting ook wel voor *Flandria* – Latijn voor Vlaanderen –, het door de Vlamingen bewoonde gebied tussen de Schelde en de Noordzee,' riposteerde de oude dame.

'U bent een wonder van geleerdheid, madame Mason,' antwoordde Noël, en Sarah wist dat hij nu ingebonden had. Zijn intellectuele horizon was zeer beperkt.

'Er is nog een andere betekenis,' zei père Tabaries met een stelligheid alsof hij het heilige geheim van de Drievuldigheid wilde openbaren. Ogenblikkelijk had hij de onverdeelde aandacht van alle aanwezigen. 'In het Latijn bestaat het woord *flamen*, dat "aanblazer" betekent. Zo werden priesters genoemd die aan hun goden offerden.'

Noël slaakte met overslaande stem een kreet van verrukking. Als saxofonist stond díé verklaring hem natuurlijk het meest aan.

Inmiddels wist Sarah bijna zeker dat het volgende station in Nederland lag. Maar wat zei dat eigenlijk? Misschien moest ze de verwijzing van de geestelijke naar de Latijnse betekenis van het woord *flamen* nagaan. Mogelijk stond de volgende plaats op het 'spoor van de windroos' ook in een godsdiensthistorische context. De verering van de oude Romeinse goden was tenslotte voor een deel in de gebruiken, de ritus en zelfs de leerstellingen van de Rooms-Katholieke Kerk bewaard gebleven.

'Kunt u me vertellen,' richtte ze zich tot de vicaris, 'of er in de Saint-Eustache eigenlijk nog oude gegevens uit het jaar 1844 zijn?'

Hij stond op van zijn plaats naast madame Mason, liep op Sarah af en keek haar doordringend aan. 'Ik zou toch zweren dat ik u al eens eerder ergens heb gezien.'

Ze voelde zich als een ree in het vizier van de jager. Ze moest de vicaris op de een of andere manier bezig zien te houden. 'Alstublieft, monsieur Tabaries, die vraag is belangrijk!'

'Ik begrijp niet wat onze kerkmatrikels met uw experiment te maken hebben.'

'Matrikels?'

'Registers met betrekking tot doopplechtigheden, huwelijken, sterfgevallen... U weet wel, al die dingen die in gemeenten worden opgetekend.'

'Mag ik eens in het boek voor 1844 kijken?'

'We hebben verschillende matrikels: huwelijksregisters, doopboeken, vormselregisters...'

'Dan gewoon in alle registers van dat jaar.'

'Waarvoor?'

'Mijn verzoek hangt samen met de ontstaansgeschiedenis van het muziekstuk dat monsieur Pétain net heeft gespeeld. Het is, in de taal van de musici uitgedrukt, een triangel, waarvan Berlioz, Sax en Liszt de drie hoeken vormden. Ik heb het vermoeden dat dat zo rond 1844 was.' En op 8 oktober van hetzelfde jaar, voegde ze er in gedachten aan toe, is Franz Liszt vervolgens naar de Pyreneeën gereisd, naar Pau, om Caroline de Saint-Cricq te bezoeken. Misschien was *Le Chant Sacré* oorspronkelijk niet als mijlpaal van de windroos gecomponeerd, maar als muzikale tegenhanger van de FL-ring. Liszt had de 'talisman' bij testament aan Caroline de Saint-Cricq vermaakt, vermoedelijk om zijn kind buiten schootsafstand van de Duistere Kleurenhoorders te houden. Maar de compositie kon hij onder de naam van zijn vriend Hector Berlioz maskeren en zonder gevaar aan Sophie wijden, de vermeende dochter van Adolphe Sax.

Père Tabaries voelde zich nogal bezwaard. 'Ik zou u de kerkboeken graag laten zien, maar ik kan het niet.'

Sarah overwoog of het zin had de vicaris iets over het mondiale gevaar te vertellen dat dreigde wanneer zijn leider zou sterven. Inmiddels zou ze er zelfs niet voor zijn teruggeschrokken in de kerk in te breken als dat haar dichter bij de purperpartituur had gebracht... Haar gedachtegang stokte. Had ze niet nog maar pasgeleden precies deze mentaliteit van 'het-doel-heiligt-de-middelen' bij Oleg Janin fel veroordeeld?

Ze zuchtte en zei met een veelbetekenende oogopslag: 'Kunt u voor mij niet een uitzondering maken, père Tabaries?'

De vicaris kuchte verlegen. 'Het gaat er niet om wat ik zou wíllen, madame Vitez. De kerkmatrikels worden al lang niet meer in de kerken, maar in het archief van het aartsbisdom bewaard. Maar ik kan het ook wel zonder overleg met père Forestier verantwoorden om ernaartoe te bellen, zodat u er misschien vandaag nog terechtkunt.'

'U bent mijn redding! Bedankt, père Tabaries!' barstte Sarah enthousiast uit; het was inderdaad een pak van haar hart.

De vicaris liep rood aan en zuchtte: 'Was dat maar waar.'

Meteen daarop bedankte ze madame Mason voor haar spontane hulp. Ze verzekerde haar dat ze de mensheid een dienst voor de toekomst had bewezen en vertrouwde haar toe aan de galante saxofonist.

Noël had intussen het historische instrument schoongemaakt en weer in de koffer opgeborgen. Toen hij Sarah omhelsde om haar te kussen, fluisterde ze hem in het oor: 'Kan ik vannacht bij jou slapen?'

Hij keek haar verbaasd aan. 'Is het zo erg met die stalker?'

'Vreselijk gewoon.'

Noël glimlachte. 'Geen probleem, kleintje. Als ik niet thuis ben, bel je maar aan bij de conciërge. Ik breng madame Triberis wel op de hoogte, zodat ze je binnenlaat. Tot straks.' Hij kuste haar op beide wangen. Vervolgens pakte hij de koffer op, bood de bankierswduwe zijn in het zwart leer ge-stoken arm aan en zei, terwijl ze in beweging kwamen: 'Zo, en dan is het nu eindelijk tijd voor ons, mijn roos van Parijs. U hebt me vandaag een groot plezier gedaan door me op uw instrument te laten spelen. Uw saxofoon is een absolute godin. Mag ik u uitnodigen voor een ontbijt?'

De oude dame grinnikte. 'U bent een charmeur, monsieur Pétain. Als ik maar niet op uw helse machine hoef te stappen, zou ik niets op een kop warme chocola tegen hebben.'

'Geweldig! Ik weet een leuk café in de Rue...'

Het tweetal was al buiten gehoorsafstand en verdween snel daarna verder de basiliek in. Sarah pakte haastig haar apparatuur bij elkaar. Vervolgens nam père Tabaries haar mee naar een kantoor, van waaruit hij met de instantie die boven hem stond, de *archidiocesis pariciensis*, belde, oftewel het aartsdiocees van Parijs.

Zijn gesprekspartner aan de andere kant van de lijn was kennelijk een vriend of een bekende, anders was de zachtaardige vicaris vast nooit zo krachtdadig opgetreden en had hij de ander vast niet bij zijn voornaam genoemd. Ondertussen werd zijn stem zelfs ongewoon dwingend toen hij een zekere Lambert duidelijk maakte dat de 'onderzoekster, madame Vitez' niet eindeloos kon wachten. De tijd drong voor haar. Lambert scheen evenwel zijn eigen ideeën over het begrip urgentie te hebben, en het eind van de discussie was nog lang niet in zicht.

Sarah ging zuchtend aan het bureau tegenover hem op een stoel zitten en begon te bladeren in de krant die daar lag, de editie van *Le Monde* van die dag...

De pater luisterde intussen aan de telefoon, stuurde een paar ja's de andere kant op en bedankte.

... en toen verstijfde ze, want vanuit het belangrijkste blad van Frankrijk staarde haar eigen gezicht haar recht aan. Het was een paginagrote advertentie van Musilizer. Sarahs portret nam het grootste deel ervan in beslag. Daarboven prijkte in grote letters de vraag:

WIE HEEFT DEZE VROUW GEZIEN?

Onder de afbeelding – een persfoto van haar pr-agentschap – stond een korte tekst:

De bekende en geliefde pianiste Sarah d'Albis werd op 27 januari 2005 in de omgeving van Les Baux de Provence voor het laatst gezien. Ze geldt sindsdien als vermist. De uitkomst van het politieonderzoek tot dusver geeft echter reden tot hoop dat ze nog leeft. Daarom looft de Musilizer SARL *een beloning van*

1.000.000 euro

uit aan diegene die bruikbare aanwijzingen omtrent haar verblijfplaats kan geven. Dit bedrag wordt ook uitbetaald als het overtuigend bewijs van haar dood wordt geleverd, waarvoor God ons moge bewaren.

De advertentie was een regelrecht opsporingsbericht. Of een uitnodiging tot een parforcejacht, waarbij degene die het snelst was voor het wild – Sarah d'Albis, dood of levend – een miljoen werd beloofd. Pas toen de hoorn luidruchtig op de haak werd gelegd, schrok ze op uit haar stille verbijstering. Ze trok snel een deel van de krant over het opsporingsbericht en wierp père Tabaries een schuldbewuste grijns toe. Je hebt een ander kapsel, een andere haarkleur, hield ze zichzelf voor, opdat ze niet zou opspringen en de kamer uit zou rennen.

'Alles in orde?' vroeg hij haar.

'Ja,' antwoordde ze met toonloze stem. Nerveus vouwde ze de krant samen, streek hem glad, maakte er vervolgens een handzaam pakketje van en gooide dat in de prullenmand. 'Het gaat prima. Is het gelukt?'

De blik van de vicaris bleef even op de prullenmand rusten. Toen keek hij op zijn horloge. 'Ik red het nog net om u naar de Rue Saint-Vincent te brengen. Of wilt u liever lopen?'

'Nee!' zei Sarah, naar adem snakkend. Meteen beheerste ze zich weer en voegde er iets kalmer aan toe: 'Nee, ik zou heel graag met u meerijden.'

Een kwartier later zat Sarah in een leeszaal in het aartsbisdom van Parijs. Père Tabaries had zich de kans niet laten ontnemen om haar persoonlijk aan een bevriende medebroeder, Lambert Taine genaamd, voor te stellen, die in het archief van het diocees werkte. Nog een laatste keer vroeg hij aan Sarah of ze elkaar niet toch al eens eerder hadden ontmoet. Ze ontkende dit ten stelligste, ze namen afscheid van elkaar, en hij verdween met wapperend gewaad.

Een paar minuten lang werkte ze ongestoord in het door grote ramen verlichte vertrek. De andere zeven leesplekken waren nog vrij. Pater Taine had een aantal grote folianten voor haar uitgezocht, die elk aan de registratie van een bepaald soort gebeurtenis in het leven van de gemeenteleden van de Saint-Eustache waren gewijd. Ze waren chronologisch geordend, waarbij ieder boek vijf of meer jaren omvatte. Van de wieg tot het graf vond je daar heel wat biografische informatie: gegevens omtrent beroep, vermogen, titels en bijzondere eerbewijzen. Kennelijk hadden de toenmalige priesters een grote vrijheid gehad bij dat wat ze aan hun kerkboeken toevoegden.

Vervelend genoeg waren alle gegevens in het Latijn opgesteld. Daarom concentreerde Sarah zich voorlopig op namen: Sax, Liszt, Berlioz. Als ze op voornamen zoals 'Sophie' of 'Adolphe' stuitte, probeerde ze de aantekeningen met haar redelijke kennis van het Italiaans te ontcijferen. Maar niets was veelbelovend genoeg om de archivaris om hulp bij het vertalen te vragen.

Misschien zijn de kerkboeken toch niet zo'n goed idee, bedacht ze. Moest ze nog een keer naar de Saint-Eustache teruggaan, waar Liszt zulke glansrijke triomfen had gevierd en zulke smadelijke nederlagen had geleden...?

'De *Missa solemnis*!' fluisterde ze. Opeens was haar weer te binnen geschoten wat Nével in de grot van de windharphoeders had gezegd en wat later bij haar naspeuringen op internet was bevestigd. Toen de *Graner Messe* op 15 maart 1866 voor het eerst in Parijs werd uitgevoerd, hadden zich merkwaardige dingen afgespeeld.

Vierduizend bezoekers waren voor het benefietconcert naar de Saint-Eustache gestroomd. Tijdens de uitvoering werd er gepraat, zoals in het theater, en de begunstigers van de kerk en hun vrouwen gingen met rammelende collectebussen rond. Een afdeling soldaten had delen van de kerk in een paradeplaats veranderd, exerceerde midden onder het concert en doorzeefde de heilige klanken met tromgeroffel. Liszt zou voor het begin van het concert persoonlijk Felix Mendelssohn Bartoldy's *Hochzeitsmarsch* voor Shakespeares *A Midsummer Night's Dream* op het orgel hebben gespeeld, schreef een biograaf. Het was in de Saint-Eustache toegegaan als in een gekkenhuis. En achteraf gaf de pers het werk de schuld. Franz Liszts *Missa Solemnis* werd genadeloos afgekraakt. Op 20 maart 1886 – bijna op de dag af twintig jaar later – werd het stuk op dezelfde plek opnieuw uitgevoerd en werd het een daverend succes...

'Al iets gevonden?' sneed een enigszins nasale stem Sarahs draad met het verleden door. Het was monsieur Taine, de archivaris. Hij zette een blad naast haar neer. 'Uw thee, madame Vitez.'

'Dank u, dat is heel vriendelijk van u. Eh... zou ik misschien het jaar 1866 even mogen inkijken?'

'Maar dat is een sprong in de tijd van meer dan twintig jaar.'

'Ik weet het.' Ze glimlachte.

Hij pakte de matrikels op en zuchtte. 'Ik ben zo weer terug.'

Ondertussen waren alle plekken in de leeszaal bezet. Sarah moest telkens weer aan het opsporingsbericht in *Le Monde* denken. Ze had het gevoel dat er een trommelende opwindaap op haar hoofd stond; iedereen zou haar wel zitten aanstaren. Voorzichtig gluurde ze naar de tafels om zich heen. Niemand keek.

Op dat moment kwam de archivaris met de gevraagde boeken terug, en de zoektocht begon van voren af aan. Sarah worstelde alle registers door. Het overlijdensregister bestond uit twee delen. Het nieuwere was net als de andere matrikels een in bruin leer gebonden foliant. Deel één daarentegen was alleen als facsimile beschikbaar. De laatste aantekening erin was van 12 januari 1866, wat ongebruikelijk was, aangezien de registrator in de andere boeken steeds zijn best had gedaan ze precies op de laatste dag van het jaar te laten eindigen. Ook had het register minder bladzijden dan de andere. Deel twee begon op 19 maart met de vermelding van ene Vincent Blanc, van beroep hoedenmaker, die op de leeftijd van vierenveertig jaar het tijdelijke met het eeuwige had verwisseld.

Heel even speelde ze met de op zich lachwekkende gedachte dat in de twee maanden tussen het eind van het eerste en het begin van het tweede matrikel de gemeente misschien van sterfgevallen verschoond was gebleven. Maar toen ontdekte ze op het schutblad van het originele boekdeel een notitie die haar eerst niet was opgevallen:

Parijs, 18 maart 1866

Vandaag, drie dagen na een ongelooflijk rumoerig concert, ontdekte ik dat het sterfmatrikel voor de overlijdensgevallen vanaf 1 januari 1866 ontbrak. Het wemelde in de Saint-Eustache van de mensen uit allerlei lagen van de bevolking, en er heerste een overspannen stemming zoals ik die nog nooit eerder bij een mis heb meegemaakt. Het is te vrezen dat een of andere schurk het gebouw is binnengeslopen en ons bestolen heeft. En de politie interesseert het niets. Een ongehoord schandaal! Deze foliant zet de aantekeningen na deze heiligschennis voort. Voor informatie over de ontbrekende periode moeten andere bronnen worden geraadpleegd.

Curé père Auguste Lacroix

Sarah klapte de foliant dicht, liep naar de telefoon, belde monsieur Taine en legde hem haar probleem uit. Hij vroeg haar een minuutje geduld te hebben.

Dat werden er bijna vijftien. Toen deed de archivaris de deur naar de leeszaal open, wenkte Sarah en vroeg haar mee naar zijn kantoor te gaan.

'Neemt u me niet kwalijk dat u moest wachten, maar kennelijk bent u hier op een gecompliceerd geval gestuit. Ik moest eerst de akten raadplegen en een broeder in ruste bellen.'

'Dat klinkt dramatisch.'

Taine glimlachte verlegen. 'Nou ja, het valt nog wel mee. Het gestolen sterfmatrikel is kort na de Tweede Wereldoorlog weer opgedoken en werd in Londen door een Frans staatsburger op een veiling aangekocht. Het bisdom Parijs heeft zijn best gedaan het terug te krijgen. Helaas tevergeefs. Maar het kon in elk geval op rechterlijk bevel de facsimile afdwingen, die u hebt ingekeken.'

'Waarin minstens één blad ontbreekt.'

'Net zoals in het origineel, beweert de koper. Volgens onze gegevens heeft het aartsbisdom Parijs hem in de laatste vijftig jaar vier keer om een kopie van het ontbrekende folio gevraagd, en elke keer werd ons meegedeeld dat het zoek was.'

'Toch zou ik me daar graag persoonlijk van willen overtuigen. Hoe kan ik de eigenaar benaderen?'

'Wendt u zich tot zijn bedrijf. De man is een fenomeen. Hij moet intussen stokoud zijn. Waarschijnlijk wilde hij de wereld niet verlaten zonder eerst zijn financiële zaken op orde te hebben gebracht; in elk geval heeft hij het sterfmatrikel op naam van het bedrijf gezet dat hij al een eeuwigheid leidt. Zijn naam is Sergej Nekrasov. De firma heet Musilizer.'

36

Die kracht om een publiek aan zich te onderwerpen, het op te tillen, te
dragen en te laten vallen, is waarschijnlijk bij geen enkele kunstenaar,
Paganini daargelaten, in zo'n grote mate aanwezig [...] Het is geen
pianospel meer van het ene of het andere soort, maar vooral een uiting
van een moedig karakter om het te overheersen, te overwinnen, om
dit vermogen niet als gevaarlijk instrument maar ten behoeve van de
harmonie in de kunst te gebruiken.

— Robert Schumann over Franz Liszt

PARIJS, 31 MAART 2005, 16.21 UUR

Franz Liszt had na de verdwijning van het kerkboek nog twintig jaar geleefd. Als het een aanwijzing betreffende het spoor van de windroos bevatte, waarom had hij er dan niet voor gezorgd dat die alsnog werd opgenomen? Had de meester der harpen soms een fout gemaakt? Of hadden de Duistere Kleurenhoorders de diefstal van het matrikel geheimgehouden? De politie had het niets geïnteresseerd, had de priester Auguste Lacroix kwaad opgeschreven. Waren de wetshandhavers soms met de klanken der macht gemanipuleerd?

Sarah voelde zich heen en weer geslingerd. Jaagde ze een hersenschim na? Aan de andere kant: waarom liet iemand een kerkelijk document verdwijnen als het geen waarde voor hem had en op geen enkele manier belastend voor hem was? Misschien hadden de Adelaars het vermoeden gehad dat er een aanwijzing in stond over waar de purperpartituur was verstopt, of hadden ze hem zelfs gevonden, maar wisten ze niet hoe ze hem moesten duiden. Ja, dat moest het zijn.

Bleef alleen nog de vraag of het folio daadwerkelijk zoek was. Misschien lag het wel in een kluis van Musilizer. Ze hoefde de firma alleen maar een bezoekje te brengen en het te controleren.

Sarah had het allemaal goed uitgedacht. Ze had echt gewoon geen andere mogelijkheid dan het te proberen. Het zou een onzinnige en vermoedelijk ook uitzichtloze onderneming zijn om simpelweg naar Nederland te reizen en op goed geluk naar een spoor van de purperpartituur te gaan zoeken. Na haar bezoek aan het aartsbisdom Parijs had ze met Krystian gesproken, nog eens twee wegwerpnamen van haar lijst geschrapt en moeten aanhoren dat ze gek was. Hij zei dat hij zich zorgen over haar maakte. Begrijpelijk. Maar een beter idee had ook hij niet gehad.

De rest van de afgelopen dagen had ze aan de voorbereidingen van haar wilde actie besteed.

Als eerste was ze naar de Lafayette gegaan en had ze een iPod, een kleine melkwitte mp3-speler, gekocht met daarbij een nog kleinere opzetspeaker. Een handzame digitale camera ging eveneens in haar winkelwagen. Toen ze bij de kassa van het warenhuis een stapeltje contant geld neerlegde, keek de verkoopster haar aan alsof Sarah haar monopoliegeld wilde aansmeren.

Op de cosmetica-afdeling kocht ze vervolgens voor een godsvermogen een pruik met zwart lang haar, en bij de dameskleding een grijze jas, alsook een muts, die op een slappe ballon leek. Nog een aantal andere accessoires maakte de uitrusting compleet.

De middag bracht Sarah ermee door in de banken- en zakenwijk La Défense het bestuursgebouw van Musilizer in de gaten te houden. Ze wilde een idee van het werkritme van het personeel krijgen: wanneer werd je in de foyer het minst gestoord? Wanneer stroomden de meeste werknemers het gebouw uit? Wanneer begon de nachtdienst van het bewakingspersoneel?

Pas toen het donker was geworden ging ze naar Noëls huis, een moderne loft in het zestiende arrondissement. De saxofonist was nog niet thuis, dus kon ze ongestoord aan een nieuw muziekstuk werken, dat ze in haar loopgenerator op de computer maakte en vervolgens als mp3-bestand naar haar iPod kopieerde. Later op de avond probeerde ze een stuk of wat vermommingen uit. Het ging haar erom een outfit uit te zoeken die zo onopvallend en braaf mogelijk was, want als ze dan al het hol van de leeuw binnendrong, dan het liefst als grijze muis.

Toen Noël vlak voor middernacht thuiskwam en ze hem in complete vermomming vanuit de badkamer tegemoet liep, dacht hij even dat ze een inbreekster was en wilde hij haar al met zijn instrumentkoffer te lijf gaan. Gelukkig kon ze hem daar bijtijds van weerhouden. Het had iets langer geduurd om hem de reden voor haar vreemde kledij uit te leggen; weer moest de Russische stalker als zondebok fungeren.

Nu, ongeveer zestien uur later, liep Sarah in haar lange, veel te warme 'muizenvel' de Avenue Pablo Picasso door. Noël had haar op zijn Harley naar La Défense gebracht en op een veilige afstand van het hoofdkantoor van Musilizer afgezet. Ze wilde hem in elk geval tegen de waakzame ogen van de Adelaars beschermen.

Met neergeslagen blik liep ze onder bomen door, die hun eerste voorjaarsgroen vertoonden, regelrecht op de drievleugelige kantoorflat af. Haar hoofd had ze voor het grootste deel gemaskeerd: bovenop met de muts en de pruik, waarvan het haar was gevlochten, haar gezicht met een zwarte zonnebril, en de rest met bleke make-up. Het tijdstip waarop ze tot actie zou overgaan, was weloverwogen gekozen. Al snel zouden alle kantoren leeglopen, wat het risico om te worden ontdekt verkleinde. Suizend ging er een glazen deur voor haar open. En toen was ze in het gebouw.

Terwijl Sarah met afgemeten passen de hal door liep, haalde ze zich Krystians lessen weer voor de geest. Ze hield haar hoofd omlaag, zodat haar gezicht wanneer men de bewakingsvideo's later beter bekeek niet kon worden herkend. Vanuit haar ooghoeken hield ze haar omgeving in de gaten.

De foyer van Musilizer was een spiegelend vlak van bruin graniet, dat bij Sarah onwillekeurig het beeld van een moeras opriep, waar in het troebele water hier en daar planten woekerden. Op de achtergrond waren zes liften te zien. Daarvoor rees een rond eiland op. Een van de twee mannelijke bewoners glimlachte de bezoekster die kwam aandrijven toe. Toen Sarah op de kust van het eiland was gestrand, heette hij haar uit naam van Musilizer welkom en vroeg: 'Wat kan ik voor u doen, madame?'

Sarah deed haar mond open en wees met haar wijsvinger naar binnen, streek toen met de rug van haar hand langs haar keel en wees vervolgens naar haar melkwitte mp3-speler. Ze hoopte dat ze op deze manier had laten blijken dat ze niet kon praten. Vervolgens drukte ze met haar duim op het click-wheel, om de voorbereide 'mededeling' af te spelen.

Het geluid van een herdersfluit drong uit de minispeaker, betoverend als het spel van een slangenbezweerder.

Ademloos sloeg Sarah door het donkere brillenglas de reactie van de mannen van de bewakingsdienst gade. Als ook maar één van beiden een redelijk begaafd Kleurenhoorder was, zou hij haar schijnmanoeuvre doorzien en was alles mislukt.

In eerste instantie riep ze bij de mannen waarschijnlijk alleen maar verwarring op. Ze wierpen elkaar beduusde blikken toe, maar bleven naar het gejengel luisteren. Sarah had erop gehoopt dat het receptie- en bewakingspersoneel, dat op beleefdheid getraind was, meer geduld tegenover iemand met een handicap aan de dag zou leggen dan tegenover een gezond mens, en dat leek ook precies te kloppen.

Luister en wacht. Zodra ik je roep, volg je mijn bevel op.

Het was dezelfde onderbewuste boodschap die Valéri Tiomkin in Weimar en Kopenhagen aan zijn zwarte geluidsboxje had ontlokt. Maar zou het muzikale *mixtum compositum* ook hetzelfde effect hebben? Sarahs hand met de mp3-speler erin trilde. Op dit moment kon er heel makkelijk iemand ten tonele verschijnen die argwaan kreeg of de klanken der macht opmerkte. Ze keek nerveus naar de liften: zes muilen, die binnen enkele minuten honderden mensen zouden uitbraken. Waarom gebeurde er niets bij de bewakingsmensen?

Opeens besefte ze dat zíj iets moest doen. De inprenting door het eerste onderbewuste bevel moest door middel van een instructie, 'in willekeurig welke vorm', in daden worden omgezet – zo had Krystian het haar uitgelegd. Waren de ogen van de bewakers, die allebei met een versteend gezicht zaten te luisteren, niet al een stuk glaziger dan eerst?

'Horen jullie me?' vroeg Sarah, en ze had het gevoel dat ze een hypnotiseur in het variété was.

'Ja, we horen u,' antwoordden de bewakers in koor.

Ongelooflijk! Ze had het daadwerkelijk klaargespeeld de klanken der macht uit haar hoofd te reconstrueren, ook al was deze subliminale boodschap heel wat ingewikkelder dan het simpele *Kom hierheen!* waarmee ze de arme Noël in een vroege vogel had veranderd.

'Ik zoek een boek of historisch document dat van grote waarde is, en streng geheim. Monsieur Nekrasov heeft het een halve eeuw geleden voor Musilizer gekocht. Jij' – Sarah wees gebiedend naar de man die aan de balie recht tegenover haar stond – 'gaat me direct vertellen waar hij zulke schatten bewaart en wie ze me kan laten zien. En wanneer ik het beveel, dan zul je me naar die persoon toe brengen. Na je terugkomst zul je kotsmisselijk worden. En jij' – haar wijsvinger ging naar de tweede bewaker – 'blijft zolang hier. Mocht iemand je naar je collega vragen, dan zeg je dat hij last van zijn maag heeft en zo terugkomt. Als ik later het gebouw uit ga, zullen jullie je mij geen van beiden niet meer herinneren. En nu: Wakker worden!'

De mannen knipperden met hun ogen en keken eerst elkaar en toen Sarah verwonderd aan.

Ze glimlachte honingzoet. 'Goedendag, messieurs. Mijn naam is Sirené. Ik zoek een boek of historisch document dat van grote waarde is, en streng geheim, en dat uw baas, monsieur Nekrasov, een halve eeuw geleden voor Musilizer heeft gekocht. Wie kan me dit document laten zien?'

'Voor zulke zaken hebben we een speciale kluis op de tweede kelderverdieping, madame Sirené. Onze archivaris, monsieur Clément Beauharnais, zal u graag behulpzaam zijn.'

'Brengt u me dan maar naar hem toe.'

'Graag. Volgt u me maar, madame Sirené.'

De bewaker opende een poortje in de ringvormige balie om haar voor te gaan. Hij bracht de bezoekster naar de liften en drukte op de knop voor naar beneden.

Sarah stond doodsangsten uit. Wat had ze zich eigenlijk in het hoofd gehaald om zomaar Nekrasovs hoofdkwartier binnen te wandelen en...?

Vlak voor haar neus gingen de deuren van een lift open en ze keek in het vervelde gezicht van een man. Bijna had ze een gil geslaakt van schrik. Ze kende hem, had zelfs wel eens een concert met hem gegeven. Hij was violist, een ensemblelid van het Orchestre National de France. Een collega van Noël Pétain.

'Neemt u me niet kwalijk,' zei de musicus zonder haar echt aan te kijken, en hij drong langs haar heen.

Hij had helemaal niet op de grijze muis gelet. Verbijsterd keek ze hem na terwijl hij naar de ontvangstbalie liep, het tijdstip van zijn vertrek op een lijst noteerde en...

'Na u, madame,' zei de bewaker, en hij hield zijn arm naar de wachtende lift uitgestrekt.

Sarah kreeg zichzelf weer in bedwang en stapte snel in.

Haar begeleider stak een van zijn vele sleutels in het schakelpaneel, drukte op de knop met 2 erop en de lift suisde naar beneden.

Twee etages lager stapten ze een kaal voorvertrek binnen met twee stalen deuren. De ene gaf, volgens het opschrift, toegang tot de garage, de tweede tot het archief. Daar bracht de veiligheidsman de gaste naartoe, om haar aan de afdelingschef over te dragen. Diens sobere kantoor lag aan het begin van een lange, slijmgeel geverfde gang, vlak naast een prikklok en het bord met de bijbehorende kaarten. Sarah en haar begeleider liepen de chef-archivaris, die net zijn kamer wilde verlaten, recht in de armen.

Hij was lang en mager, met krullend grijs gemêleerd haar, een opvallend smal gezicht, een vlijmscherpe neus en een slordig, ruimvallend, molkleurig pak. Op zijn linkerrevers stak een zilverkleurig naambordje met het opschrift

C. BEAUHARNAIS. Toen de man de vreemdelinge in zijn rijk opmerkte, stond zijn gezicht op onweer.

'Wat is dit voor onzin, Armand? Je weet toch dat mensen van buiten de firma hier beneden niets te zoeken hebben?'

De bewaker duidde op de vrouw naast hem en zei: 'Dit is madame Sirené. Ze zoekt een boek of historisch document van grote waarde, dat streng geheim is en dat onze baas, monsieur Nekrasov, een halve eeuw geleden voor Musilizer heeft gekocht. U zult haar dit document laten zien.'

De archivaris liep rood aan en krijste: 'Ben je gek geworden?'

Sarah drukte op de weergaveknop van haar mp3-speler en het apparaatje herhaalde de subliminale bezweringsformule.

Beauharnais draaide zijn hoofd met een ruk om. 'Wat doet u daar? Zet u onmiddellijk dat ding uit.'

'Ik wil graag dat u luistert,' antwoordde Sarah vriendelijk, en ze liet de fluitmuziek verder spelen.

'Ze kan namelijk niet praten,' voegde bewaker Armand er gedienstig aan toe.

Beauharnais keek hem doordringend aan. 'Zelfs als dit bezoek door iemand van boven is goedgekeurd, had je me moeten bellen, zodat ik madame Sirené bij de receptie had kunnen ophalen. Dit krijgt nog een staartje, Armand. Je hoort boven te zitten, achter je bewakingsmonitoren.'

'Daar ga ik nu ook weer naar terug. En dan ga ik kotsen.'

De archivaris woelde met zijn vingers door zijn staalwolachtige haar, schudde ongelovig zijn hoofd en snoof: 'Je bent niet goed snik, jullie zijn allebei niet goed snik...'

Opeens hield hij zijn mond en staarde alleen nog wezenloos voor zich uit.

Sarah had het ondertussen behoorlijk benauwd gekregen. Een man in Beauharnais' positie had gemakkelijk Kleurenhoorder kunnen zijn, of op de een andere manier immuun voor de onderbewuste beïnvloeding kunnen zijn.

'Hoort u me, Clément Beauharnais?' vroeg ze voor de zekerheid.

'Ja, ik hoor u,' bevestigde hij.

Ze richtte zich tot de bewaker. 'Ik heb u niet meer nodig.'

Armand maakte rechtsomkeert en liep weer via de gang terug om in de foyer te gaan overgeven.

Sarah gaf nu de archivaris haar bevelen. In wezen herhaalde ze de instructies die ze ook al aan de veiligheidsmensen had gegeven; ze voegde er een wat meer algemeen geformuleerd loyaliteitsgebod aan toe, maar omschreef wel heel precies wat ze wilde hebben – 'het sterfmatrikel van de kerkgemeente Saint-Eustache of enkele bladzijden hieruit met de aantekeningen van begin 1866' – en liet Beauharnais daarna wakker worden.

Hij kwam bij en wreef zich in de ogen.

Ze keek hem stralend aan. 'Hoe gaat het met u, monsieur Beauharnais?'

Hij glimlachte terug. 'Uitstekend, madame Sirené. Waarmee kan ik u van dienst zijn?'

Ze dreunde het hele verhaal nog een keer op en vroeg: 'Kent u het kerkboek?'

'Ja. Ik mocht erbij zijn toen monsieur Nekrasov het in de nieuwe kluis legde.'

'Nieuwe... kluis?' Sarah vreesde het ergste. 'Maakt u de brandkast alstublieft voor me open en laat me het boek zien.'

'Het spijt me heel erg u te moeten teleurstellen, madame Sirené, maar alleen monsieur Janin en monsieur Nekrasov kennen de combinatie.'

Sarah dacht dat ze onderuit zou gaan. Haar knieën werden zo slap als kaarsen in een oven. Terwijl ze houvast zocht, veegde ze een stuk of zes prikklokkaarten van het wandbord.

'Hebt u hulp nodig?' vroeg Beauharnais haar.

Ze schudde haar hoofd, maar antwoordde: 'Ja. Met het kerkboek. Laat me de brandkast maar zien.'

'Graag. Komt u maar mee.'

Beauharnais leidde haar de gang door. Hier en daar drong een stem of een lach uit een van de kamers die erop uitkwamen. Sommige deuren stonden op een kier. Sarah zweette in haar muizenvel. Als er nu iemand de gang op kwam, kon die haar niet over het hoofd zien en zou hij zich afvragen waarom de chef tegen alle regels zondigde en een wildvreemde hier in dit vertrouwelijke domein toeliet. Ze klemde haar hand om de mp3-speler.

De archivaris liep een stille dwarsgang in en bleef ten slotte voor de laatste deur staan. Die was met een cijferslot beveiligd. Om hem te openen, haalde hij eerst een magneetkaart door een sleuf en tikte vervolgens een cijfercombinatie in.

Even later stond Sarah in een sober vertrek van ongeveer drie bij vier meter, waarin metalen stellingen vol ordners, een paar kisten en vier brandkasten stonden. De archivaris wees naar het exemplaar helemaal links tegen de muur, een zwarte kast die glom als een gelakte piano, maar zonder zichtbare technische snufjes. Blijkbaar gaf de oude grootmeester de voorkeur aan klassiek design.

'Wanneer heeft monsieur Nekrasov het kerkboek hier in de brandkast gelegd?'

'Ongeveer een jaar geleden.'

Rond de tijd dus dat Oleg Janin was begonnen haar te stalken. 'Ik zie geen sleutelgat. Heb je alleen het mechanische codeslot nodig om de kast te openen of zijn er nog andere veiligheidsmechanismen?'

'Nee, alleen de zevencijferige combinatie.'

'Zei u zéven cijfers?'

'Ja, klopt, madame Sirené. De kluis zit alleen moderner in elkaar dan de buitenkant doet vermoeden. Er zit een elektronisch cijfercombinatieslot op, dat eruitziet als een simpel mechanisme. Maar met elke foute combinatie die je invoert, wordt de wachttijd langer om het opnieuw te kunnen proberen. Na drie mislukte pogingen moet je een uur wachten, bij de vierde een hele dag.'

Sarah zag al haar hoop in rook opgaan. Ze moest er niet aan denken hoeveel miljarden en nog eens miljarden combinaties je met zeven cijfers kon vormen...

De Lier is het meest geheime en oudste herkenningsteken van de Kleurenhoorders.

De woorden van Nével, de eerste hoedster der windharpen, waren zo plotseling bij Sarah opgekomen dat ze ervan schrok. En meteen kreeg ze de associatie: *Zo boven, zo beneden* – door dit alchemistische beginsel van Hermes Trismegistos hadden generaties van mystici zich bijna dwangmatig laten leiden. Kennelijk ook Kleurenhoorders zoals Oleg Janin, anders zou hij niet uitgerekend een gsm-nummer hebben uitgezocht waarvan de klanken een synesthetische pendant van het sterrenbeeld Lier vormden.

Sarah was opeens helemaal opgewonden. 'Hoe bedien je het slot, monsieur Beauharnais?'

'Zet u de cijferschijf op nul, draai hem voor het eerste cijfer in de richting van de scharnieren, dan naar links, voor het volgende weer rechtsom en dan steeds zo verder tot en met het zevende. Ten slotte duwt u de slothendel naar rechts en kunt u de deur opentrekken.'

Sarah draaide de schijf naar de beginpositie en koos vervolgens de laatste zeven cijfers van Janins mobiele telefoonnummer. Toen ging ze met de hendel aan de slag, die zich evenwel halsstarrig tegen haar getrek en geduw verzette.

'Hij klemt,' zei ze hijgend van inspanning.

'Nee. De combinatie is fout,' maakte Beauharnais haar duidelijk.

Ze liet het weerbarstige ding los. De streepjes op de cijferschijf stonden net zo dicht op elkaar als op een meetlint. Misschien had ze niet goed gedraaid. Ze probeerde het nog eens, en weer lukte het niet.

'Stik!' siste ze. 'Dat zou ook te gemakkelijk zijn geweest.'

'Wat zei u, madame Sirené?'

Ze keek de chef-archivaris met fonkelende ogen aan, hoewel het toch echt niet zijn schuld was dat het haar niet lukte. Plotseling kreeg ze een idee.

'Is er hier beneden toegang tot internet?'

'Ja. In mijn kantoor...'

'Komt u even mee,' viel Sarah hem in de rede, en ze haastte zich al naar de deur.

Een paar tellen later zat ze in een troosteloze werkkamer, waarin het enige stukje kleur een foto van monsieur Beauharnais' bolwangige vrouw en zijn twee al even bolwangige kinderen was.

Behendig als een hacker ging ze het web op en startte een zoekactie naar het sterrenbeeld Lier, ook wel Lyra of Lyrae genoemd. Daarin had je drie stellaire objecten, waarvan ze de klassieke namen – Vega, Sheliak en Sulafat – nog goed kende en eveneens intikte. Daarmee hield haar kennis van Orpheus' instrument wel op, maar meer was er ook niet nodig. Al op de eerste pagina op het beeldscherm vond ze wat ze had gezocht: de astronomische aanduidingen van de sterren.

Zoals gebruikelijk worden de hemellichamen volgens het Griekse alfabet geordend; de eerste ster – hier Vega, de 'Adelaar' – staat dus op de alfapositie, aan de tweede wordt de bèta toegewezen, aan de derde de gamma enzovoort.

De prozaïsche namen kunnen met andere afkortingen worden aangevuld. Bij Lyra hadden de astronomen de sterren van alfa tot èta nummers gegeven: 3 α Lyr (Vega), 10 β Lyr (Sheliak), 14 γ Lyr (Sulafat), tot en met het zevende object 20 η Lyr (Aladfar).

Tevreden bekeek Sarah de getallenreeks, die ze op een briefje had genoteerd.

3 – 10 – 14 – 12 – 45 – 67 – 20

'Ziet dat eruit als een cijfercombinatie van een kluis?' vroeg ze aan Beauharnais, die haar gedoe met een onverschillig gezicht had gevolgd.

'Absoluut,' bevestigde hij.

Sarah maakte in de webbrowser de cache leeg, een soort tijdelijk geheugen waarin de gegevens van de laatst bezochte websites worden opgeslagen, en wiste bovendien het geschiedenisbestand met daarin de bijbehorende internetadressen. Plotseling hoorde ze stemmen voor het kantoor.

'Komt er iemand aan?' vroeg ze.

'Mijn medewerksters gaan naar huis,' zei Beauharnais werktuiglijk.

Ze liep naar de deur en luisterde totdat het weer stil was. Daarna joeg ze de archivaris weer naar de kluisruimte terug.

Opnieuw ging ze met het cijferslot bezig, zette het op nul en liet het vervolgens heen en weer draaien. Nadat ze de hele getallenreeks had afgewerkt, duwde ze de slothendel naar rechts. Deze keer gaf hij zonder problemen mee.

'Gefeliciteerd,' zei Beauharnais met een uitdrukkingsloos gezicht.

Ze opende de deur. De kluis was in diverse vakken onderverdeeld, waarin vergeelde dossiermappen, ordners, een aantal geldkistjes en een stapel duidelijk zichtbaar oude boeken lagen. Wat zou Sarah de hele inhoud graag gewoon hebben meegenomen, maar haar waanzinnige onderneming was sowieso al een va banque-spel. Met elke seconde nam het gevaar te worden ontdekt toe. Niemand mocht er ooit achter komen dat een grijze muis, ene Sarah d'Albis, in het nest van de Adelaars was geweest en iets gestolen had... Doelbewust pakte ze een bruinleren foliant, die ze meteen herkende aan zijn grootte en uiterlijk.

'Schot in de roos!' fluisterde ze. Het was inderdaad het sterfmatrikel dat in 1866 uit de Saint-Eustache was ontvreemd. Opgewonden bladerde ze naar het eind van de aantekeningen en stootte een triomfantelijk 'Ja!' uit. De sterfgevallen van na 12 januari van het bewuste jaar ontbraken niét, zoals Nekrasov had beweerd. Het kerkboek was ongeschonden.

Snel nam Sarah het – allemaal onder de ogen van de onverschillige archivaris – mee naar een goed verlichte tafel. In plaats van gauw de voor- en achterkant van het blad te fotograferen en te maken dat ze wegkwam, nam ze vluchtig de met zorg uitgevoerde inschrijvingen door. Opeens stopte haar zoekende vinger.

'Anna Maria Liszt, geboren Lager?' fluisterde ze verbluft.

Waarom had ze dat niet eerder gecontroleerd?! Franz Liszts moeder was op 6 februari 1866 gestorven. Twee dagen later al, precies vijf weken voor het bizarre concert in de Saint-Eustache, vond op het Cimetière du Montparnasse haar bijzetting plaats. Daar stond het duidelijk geschreven, in bruinzwarte inkt op het vergeelde papier. Anna was thuis overleden, in de Rue Saint-Guillaume nummer 29. Deze lag, net als de laatste rustplaats van de gestorvene, ten zuiden van de Seine; de gemeente van Saint-Eustache daarentegen lag ten noorden van de rivier. Zo ongebruikelijk als Sarah de inschrijving van Anna's overlijden in een vreemde parochie toeleek, zo misplaatst vond ze ook de toevoeging in het matrikel:

En psalm 68:10 (VUL) liet alle klokken luiden.

Monsieur Beauharnais schraapte zijn keel. 'Kan ik u misschien nog ergens anders mee van dienst zijn, madame Sirené?'

Ze moest eerst even bijkomen voordat ze kon antwoorden: 'Een ogenblik nog, ik ben zo klaar.'

Haastig haalde ze haar digitale camera uit haar tas en nam van beide zijden van het blad diverse foto's, sommige met, andere zonder flits. Van de aantekening over Anna Liszt maakte ze voor alle zekerheid nog een opname van dichtbij. Toen klapte ze het kerkboek dicht, legde het in de kluis terug precies zoals ze het had aangetroffen, en richtte zich weer tot de archivaris.

'Sluit u de kluis alstublieft af, zoals het hoort, monsieur Beauharnais.'

Hij deed de deur dicht, schoof de hendel weer in zijn oorspronkelijke stand, draaide de cijferschijf linksom, totdat hij vier keer helemaal rond was gegaan, en zei: 'De combinatie is nu niet meer te achterhalen.'

'Uitstekend,' zei ze goedkeurend. 'En nu zullen we ons keurig volgens de regels gedragen: u brengt me naar de receptie in de foyer terug. En niet vergeten: ik ben hier niet, ben hier niet geweest en zal hier ook nooit zijn. U bent de hele middag alleen met uzelf en de foto van uw gezin geweest.'

'Ja, madame Sirené.'

Beauharnais liep met haar de gang naar de liften door. Iemand had in het voorvertrek drie grote aluminium kisten op elkaar gestapeld. De bovenste was opengeklapt; vermoedelijk waren ze hem net aan het laden. Op de bodem lagen een paar rollen kabel. Bovendien stond nu de deur naar de ondergrondse parkeergarage open. Sarah loerde erdoor en merkte een boom van een kerel in livrei op. De reus duwde een rolstoel, waarin een ineengeschrompelde man met sneeuwwit haar zat. Ze stevenden op een zilverkleurige Rolls-Royce af.

Sarah drukte zich in de nis bij de liftdeur en fluisterde: 'Wie is die oude man?'

'Monsieur Nekrasov,' zei Beauharnais goed hoorbaar.

Ze begon te trillen.

'Wie is daar?' klonk het uit de parkeergarage. De krachtige stem was ongetwijfeld die van de nog behoorlijk jonge chauffeur en/of lijfwacht van de directeur.

Sarah maakte zich zo klein als ze maar kon: ze drukte zich zo strak tegen de liftdeur dat ze ermee leek te versmelten.

Dit in tegenstelling tot Beauharnais. Die deed zelfs een stap naar voren om de chauffeur toe te roepen: 'Ik ben het, Clément.'

'Ah!' antwoordde de ander. 'Maak je overuren?'

'Ik ben de hele middag alleen met mezelf en de foto van mijn gezin geweest.'

Sarah was het liefst door de grond gezakt.

Uit de garage kwam in eerste instantie geen antwoord. Toen hoorde ze een haar maar al te bekende ritselende stem.

'Hij klinkt vreemd. Je zou bijna denken... Rijd me snel naar die pilaar, André, en kijk dan of alles wel in orde is.'

Voor Sarah leek de hel zich onder haar voeten te openen. Wat kon ze doen? De lijfwacht van de grootmeester was beslist niet gevoelig voor haar klanken der macht.

'Wacht even, Clément,' riep de reus.

'Natuurlijk,' antwoordde Beauharnais.

Sarah sloot haar ogen. Een stem in haar hoofd zei: Leuk geprobeerd. Maar het zou wel een beetje te eenvoudig zijn geweest. Naarstig keek ze om zich heen. Als ze echt die grijze muis was waarvoor ze zich uitgaf, had ze in een of ander hol kunnen wegkruipen! Opeens bleef haar rondflitsende blik hangen. Ja! Dat zou kunnen lukken.

Ze duwde de archivaris haar muts in zijn handen en fluisterde hem in het oor: 'Vertel die kerel dat u net afscheid hebt genomen van een bezoekster die op dit moment op weg is naar het kantoor van Sergej Nekrasov. En dat u haar nu achternagaat, omdat ze dit ding in uw kantoor is vergeten. En ik ben van nu af aan onzichtbaar voor u.'

Beauharnais keek haar uitdrukkingsloos aan. 'Waar bent u opeens? Ik kan u niet meer zien.'

Sarah wist niet of hij nu een uiterst bizar gevoel voor humor had of dat hij door de klanken der macht inderdaad door selectieve blindheid was getroffen.

Voetstappen kwamen dichterbij.

Behendig sloop ze naar de aluminium kisten, sprong in de bovenste container, ging ineengedoken op de kabels liggen en deed zachtjes het deksel dicht. Dat was geen seconde te vroeg, want gedempt hoorde ze de stem van de lijfwacht al.

'Alles in orde, Clément? Je lijkt me een beetje verward.'

'Met mij gaat het prima, André.'

Er viel een stilte. Sarah kon zich levendig voorstellen hoe Nekrasovs chauffeur op dit moment de archivaris opnam. Ze weerstond de verleiding het deksel van de laadkist een beetje op te tillen en naar buiten te gluren.

'Wat heb je daar in je hand?' vroeg de lijfwacht.

'Dat is een muts. Madame Sirené heeft hem bij me laten liggen. Op dit moment is ze op weg naar het kantoor van Sergej Nekrasov. Ik ga haar nu achterna.'

'Zei je niet dat je de hele middag alleen met jezelf en de foto van je gezin was geweest?'

'Dat klopt helemaal, André.'

'Wacht eens! Heette die vrouw Sirène?'

'Ze sprak de naam anders uit, maar ik heb waarschijnlijk hetzelfde als jij, André: ik moest ook meteen aan de zeemeermin denken.'

'Eerder aan zingende vogelwezens met meisjeshoofden die zeelui de dood in lokken. Had de bezoekster een afspraak?'

'Nee. Ze is hier ook niet geweest en zal hier nooit zijn.'

Sarah vertrok in haar donkere schuilplaats haar gezicht. Ze had de klanken der macht en hun verraderlijkheid behoorlijk onderschat. Alsof het geluk dat haar ontglipt was haar nog een laatste valse groet wilde brengen, weerklonk nu ook nog eens de bel van de lift. De deuren gleden open. Was de lift maar een paar seconden eerder gekomen...!

'Dan is die madame Sirené nu dus op weg naar de bestuursverdieping?' vroeg de lijfwacht nog eens voor de zekerheid. De schrik had hij van zich af geschud, maar de argwaan was nog onmiskenbaar in zijn stem te horen.

'Ja.' Beauharnais' antwoord werd begeleid door het gerommel van de sluitende liftdeur.

'Heeft ze je bevolen dat te zeggen?' vroeg André.

'Hoe dan? Ze is hier immers niet geweest en zal hier ook nooit zijn.'

'Verdomme!' riep de bodyguard uit.

Er viel een beklemmende stilte. Sarah meende te voelen hoe de argwanende blik van de reus in livrei door het voorvertrek dwaalde. Toen hoorde ze voetstappen. Ze kneep haar ogen dicht. Nu is het hem opgevallen dat iemand de kist heeft dichtgedaan, schoot het haar door het hoofd. Zo meteen gaat het deksel omhoog en...

Het ging daadwerkelijk omhoog.

Sarah sperde haar mond open. Ze wilde een kreet slaken, maar kon van angst geen woord meer uitbrengen. In de lichte spleet boven zich zag ze al een duim, toen een hand, een hele arm...

'André?' kraakte plotseling Nekrasovs ongeduldige stem.

'Ik ben hier,' antwoordde de lijfwacht. Het deksel viel dicht en het werd donker in de kist. Weer hoorde Sarah de zware voetstappen, maar deze keer verwijderden ze zich.

'Kunnen we gaan rijden of is er een probleem?' wilde de grootmeester weten. Hij moest zijn rolstoel zelf in de richting van het voorvertrek hebben gestuurd.

'Het laatste eerder, monsieur Nekrasov. Het ziet ernaar uit dat we een spionne in het gebouw hebben die op weg is naar uw kantoor. Ze heeft Clément gemanipuleerd.' Naar de galm van zijn stem te oordelen stond de lijfwacht nu in de deur naar de parkeergarage.

De grootmeester antwoordde meteen. 'Dan gauw naar boven, André! Die vrouw mag ons in geen geval ontkomen.'

'Ik ben al onderweg.' Beauharnais kreeg van de reus het bevel: 'Jij blijft waar je bent.'

Sarah hoorde hem met de lift verdwijnen.

Ze wachtte nog even en tilde toen heel voorzichtig het deksel op en keek door de smalle spleet. De archivaris was alleen. Apathisch staarde hij in het niets. Zo stilletjes mogelijk glipte ze de kist uit. Beauharnais draaide zich naar haar toe. Zijn ogen waren glazig, als bij een blinde.

Plotseling galmde Nekrasovs verdorde stem uit de garage. 'Clément, kom eens even hier, jongen. Ik wil je graag iets vragen.'

De blik van de archivaris rustte nog op Sarah. Ze huiverde. Was dit haar einde? Welke macht was sterker: haar in elkaar geflanste klanken der macht of het woord van een meester der harpen?

Opeens draaide Beauharnais zich van haar weg en ging zonder een woord te zeggen het voorvertrek uit.

Ze haalde opgelucht adem, schoot naar de liften en drukte op de knop voor naar boven. Hoewel ze Nekrasov en Beauharnais door de open deur naar de parkeergarage niet kon zien, klonken hun stemmen heel dichtbij.

'Luister goed naar me,' zei de harpmeester, en hij begon een wilde melodie te fluiten.

Sarah schrok. Nekrasov gebruikte klanken der macht om het zegel te verbreken waarmee ze de geest van de archivaris had gesloten. Opnieuw perste ze zich in een van de deurnissen. Inwendig meende ze in brand te staan. 'Kom nou toch!' smeekte ze zachtjes. 'Ga nou open!'

Plotseling stokte het lied van de harpmeester en met zijn perkamenten stem vroeg hij: 'Hoor je me, Clément?'

'Ja, ik hoor u,' antwoordde de archivaris.

'Heeft de spionne net als ik daarnet een lied voor je gefloten of je iets voorgezongen?'

'Nee, monsieur Nekrasov.'

Sarahs knieën knikten.

'Of speelde ze je iets voor op een muziekinstrument?'

'Nee.'

'Gebruikte ze misschien...'

Opeens weerklonk de bel van de lift en de deuren schoven uiteen. Sarah had zich er zo strak tegenaan geperst dat ze bijna languit in de liftcabine viel.

'Is daar nog iemand bij de liften?' vroeg Nekrasov op een scherpe toon.

'Ze is hier niet, is hier niet geweest en zal hier ook nooit zijn.'

'Snel, breng me naar de lift!'

'Natuurlijk, monsieur Nekrasov.'

Sarah had intussen op de knop voor de begane grond gedrukt en sloeg nu op een andere om haar reddingscapsule te verzegelen. Bibberend drukte ze zich strak tegen de wand van de lift en gluurde naar de parkeergarage. In de deuropening verscheen Nekrasovs rolstoel. Van de meester der harpen zag ze alleen zijn benen, tot aan zijn knieën, en twee verschrompelde handen op de armleuningen, bezaaid met ouderdomsvlekken, en zijn rechterhand, waaraan een zware gouden zegelring prijkte. Toen schoven de deuren dicht en verdween de lift uit de onderwereld.

Sarah sloot haar ogen en haalde diep adem.

De volgende schok kreeg ze toen op de parterre de deuren weer opengingen. Een vaag geroezemoes golfde haar tegemoet. Tientallen mensen stroomden de liften uit. Een paar razende hartslagen lang bleef ze zonder adem te halen stokstijf staan. Nu is alles afgelopen, dacht ze.

Maar niemand sloeg acht op de vrouw in de saaie regenjas, want er was een andere persoon die alle aandacht als een magneet naar zich toe trok: tegen het ontvangsteiland leunde Armand, de bewaker, krijtwit, zwaar ademend, ondersteund door zijn collega. Ze stonden in een plas groengeel braaksel.

De werknemers van Musilizer, die elkaar verdrongen om naar huis te gaan, hielden een gruweldefilé: vol afschuw drongen ze langs de stinkende plas, maar tegelijkertijd wilden ze geen rochelende ademhaling van hun lijdende collega missen.

Plotseling ging het alarm af.

Sarah kromp ineen. Waarschijnlijk had de lijfwacht op de bestuursverdieping alarm geslagen. Het geroezemoes in de foyer werd luider. Verder reageerden de kijklustigen eerder traag op de escalatie. Sarah schoof achter de faustische menigte langs naar de uitgang. Niemand lette op de grijze muis. Niemand, behalve de bewakingscamera's.

37

De fout die ik heb gemaakt was dat ik een uitvoering onder zulke
betreurenswaardige omstandigheden niet heb verboden.

— Franz Liszt

Pas toen Sarah de deur van Noël Pétains loft achter zich dichttrok, voelde
ze zich min of meer veilig. Op weg naar haar toevluchtsoord was ze duizend doden gestorven. Moest ze hier eigenlijk nog wel een nacht blijven
en daarmee haar weldoener in gevaar brengen? Bij gebrek aan voldoende
veilige alternatieven besloot ze het erop te wagen.

Nadat ze de grijze jas had uitgedaan en de zwarte pruik van haar hoofd had
getrokken, liet ze zich op een grote leren bank vallen en bleef daar minuten-
lang voor dood liggen. Het had niet veel gescheeld of ze was de moordenaars
van Florence le Mouel en vele anderen in handen gevallen. Tiomkin had
graag met 'pijnlijke dingen' gedreigd. Het kostte Sarah enige zelfoverwinning
om zich die níet voor te stellen. Ze had zich in de aluminium kist gevoeld
alsof ze in een doodskist lag. Achteraf kwam het haar voor als een waanzinnig
avontuur. Het idiote gestamel van de archivaris – zijn hersenen waren door
al het gemanipuleer als het ware door elkaar gehusseld... En wanneer zou
Nekrasov erachter komen wie hem deze brutale streek had geleverd?

Toen ze eindelijk wat tot rust was gekomen, kopieerde ze de digitale
foto's naar haar laptop. De meeste waren van uitstekende kwaliteit. Nauwkeurig nam ze de beide zijden van het folio nog eens door, maar ze stuitte
verder niet op andere opvallende feiten dan de al ontdekte notitie over het
overlijden en de bijzetting van Anna Liszt. Het gevoel bekroop Sarah dat
ze een wegwijzer had ontdekt die ze niet kon lezen.

Ze liet de aantekening vergroot op het beeldscherm verschijnen. Plotseling voelde ze iets kriebelen in haar nek. Was de verwijzing naar de Bijbeltekst soms pas achteraf toegevoegd? Opgewonden raadpleegde ze haar

andere bronnen om de in het matrikel zo summier beschreven gebeurtenissen nog eens in de context te recapituleren:

Begin februari 1866 bereikt Franz Liszt in Rome een bericht van zijn schoonzoon Émile Ollivier (diens vrouw, Liszts dochter Blandine, was al in 1862 overleden). De jonge weduwnaar laat weten dat Anna een ernstige longontsteking heeft opgelopen. Half januari had hij nog geschreven dat ze 'in prima gezondheid' verkeerde. Liszt wil onmiddellijk naar Parijs afreizen, maar voordat het zover komt, ontvangt hij een telegram. Zijn moeder is overleden, staat erin, de bijzetting zal op 8 februari plaatsvinden. Omdat hij niet op tijd in de Franse hoofdstad kan zijn, besluit hij, met pijn in het hart, pas voor de geplande première van zijn *Missa solemnis* naar Parijs te vertrekken. Slechts een kleine schare rouwenden woont de mis bij die voor de overledene in de Saint-Thomas-d'Aquinkerk wordt gelezen, en nog kleiner is het aantal mensen dat samen met Émile Ollivier op het Cimétiere du Montparnasse van Anna Liszt afscheid neemt.

Hadden de Duisteren haar om het leven gebracht? Sarah schudde haar hoofd. Honderdveertig jaar geleden overleed je waarschijnlijk eerder aan een longontsteking dan tegenwoordig. Maar ook zo snel?

Ze schoof de verlammende gedachte opzij en dwong zichzelf eerst de volgende aanwijzing na te gaan: 'En psalm 68:10 (VUL) liet alle klokken luiden.' Vreemde formulering, dacht ze. Psalmen waren liederen met muziekbegeleiding tot Gods lof. Had de priester niet moeten schrijven dat de klokken voor de psalm hadden geluid, in plaats van andersom?

Sarah liep naar Noëls boekenkast. Tussen diverse romans, fotoboeken, partituren en boeken over jazzmusici vond ze een exemplaar van de Louis Segond-vertaling van de Bijbel. Ze sloeg psalm 68 op. Maar wat er in vers 10 stond, verwarde haar:

Tu fis tomber une pluie bienfaisante, ô Dieu! Tu fortifias ton héritage épuisé.

'"U liet een milde regen neerdalen, God en schonk Uw uitgeput land nieuwe kracht",' mompelde Sarah niet-begrijpend. Ze richtte zich weer op de foto van het kerkboek.

Fronsend keek ze naar de vreemde toevoeging achter de Bijbelverwijzing. 'VUL?' Wat betekenden die letters? Na enig vruchteloos gewroet in haar wandelende bibliotheek besloot ze een risico te nemen, dat Krystian haar vermoedelijk zou hebben afgeraden. Ze plaatste een nieuwe simkaart in haar gsm, veranderde nogmaals het serienummer en belde Yves Tabaries, de vicaris van de Saint-Eustache. Net als twee dagen geleden had ze geluk. Weer nam hij met zijn zachte stem op.

'U spreekt met Kithára Vitez.'

'Wat een verrassing! Goedenavond, madame d'Albis,' antwoordde Tabaries met een spottende ondertoon.

Sarah was nog nooit zo geschrokken bij het horen van haar eigen naam. Ze voelde zich alsof ze ieder moment in een zoutpilaar kon veranderen. 'Eh... het spijt me,' was het enige wat ze stamelend kon uitbrengen.

'Wat? Dat u me hebt belogen of dat er een miljoen euro aan mijn neus voorbij zal gaan?'

'Hebt u me nog niet verraden?' Sarah kreeg weer hoop.

'Nee. Musilizer verdient er zijn geld mee om mensen te manipuleren. Dat vind ik maar niets. Ik kon me niet voorstellen dat die lui u uit pure menslievendheid zouden proberen op te sporen. Die hele advertentiecampagne is me een raadsel.'

'Campagne?'

'Ik heb uw foto in nog twee andere kranten gezien. Geen wonder dat u me zo bekend voorkwam.'

Sarah besloot de vicaris klare wijn te schenken, ook al was het dan maar een heel klein beetje. 'Ze hebben geprobeerd me om het leven te brengen, monsieur Tabaries, en daar waren mensen van Musilizer bij betrokken. Daarom ben ik ondergedoken.'

'Is dat soms weer een leugen?'

'Nee. Daarvoor is de kwestie veel te ernstig.'

Een paar seconden lang was alleen Tabaries' ademhaling te horen. Toen zei hij: 'Waarom belt u mij, madame... Vitez?'

Sarah haalde opgelucht adem; ze zei dat de vicaris een schat was en legde hem haar probleem uit.

Daar was ze nog maar nauwelijks mee klaar, of Tabaries gaf al meteen antwoord: 'VUL is de gangbare afkorting voor de Latijnse Vulgaatvertaling. In de meeste Bijbels van tegenwoordig vindt u het aangegeven vers in psalm 69, niet in 68.' Uit de gsm klonk een geritsel op, alsof de priester met zijn telefoon ergens naar op weg was.

'Heeft iemand er dan gewoon een psalm bij gefantaseerd?' vroeg Sarah verbaasd.

'Nee.' Tabaries steunde alsof hij zich van een zware last wilde bevrijden. 'We hebben de Vulgaat aan kerkvader Hiëronymus te danken. Hij heeft zich bij de nummering van de psalmen op de Griekse *Septuaginta*-vertaling gebaseerd. In tegenstelling tot de meeste bijbels van tegenwoordig zijn daarin de psalmen 9 en 10 alsook 114 en 115 elk tot één lied samengevoegd, en zijn 116 en 147 in tweeën gedeeld. Zo blijft het totale aantal van honderdvijftig psalmen weliswaar gelijk, maar in de Vulgaat zijn de psalmnummers tussen 10 en 147 steeds eentje lager. U zou in uw Louis Segond-Bijbel dus psalm 69:10 moeten opslaan. Wacht even... Hier heb ik het. In de Vulgaat luidt de tekst: *"Quoniam zelus domus tuae comedit me..."'*

'Wacht, wacht, wacht,' onderbrak Sarah de geestelijke. 'De Latijnse tekst zegt me niets. Kunt u het vers voor me vertalen?'

'Geen probleem, maar daarvoor is één blik in uw Louis Segond-exemplaar genoeg. Voor een in memoriam voor een overledene zou vermoedelijk sowieso alleen het eerste deel van het vers in aanmerking komen: "De hartstocht om uw huis heeft mij verteerd..."'

'"*Car le zèle de ta maison me dévore...*" las ze zachtjes het hele vers. '"Want de hartstocht voor uw huis heeft mij verteerd, en de smaad van wie u smaadt, is op mij neergekomen".'

Had Liszt met deze aanwijzing misschien op de Duistere Kleurenhoorders gedoeld? Dat was waarschijnlijk niet meer te achterhalen; misschien moest ze zich maar op de opmerking van de vicaris concentreren. '*Zèle, zelus...*' zei ze peinzend.

'Het Franse woord voor "ijver" of "hartstocht" is afgeleid van het Latijnse *zelus*,' merkte Tabaries op. 'U hebt vast wel eens van de zeloten gehoord, de fanatieke "ijveraars", die in het Palestina van de eerste eeuw het establishment – de Romeinen alsook landgenoten wie ze anti-joods gedrag verweten – het vuur na aan de schenen hebben gelegd. De zeloten zagen zichzelf als de enige ware handhavers van het goddelijk recht.'

'IJveraars die tegen de gevestigde orde in opstand komen...' zei Sarah op peinzende toon.

'Kunt u me niet gewoon vertellen waar u naar zoekt? Dan kan ik u misschien helpen,' stelde Tabaries voor.

Vertrouw niemand! klonk Krystians stem in haar hoofd. En een andere, kennelijk haar eigen stem, zei: *Argwaan kan je ook verstikken.*

Ze zuchtte diep. 'Ik zoek een verband tussen deze Bijbelspreuk en de muziek.'

'Muziek?' herhaalde de vicaris nadenkend, en hij voegde er opgewonden aan toe: 'Moment, er schiet me iets te binnen! U weet denk ik wel dat we regelmatig concerten in de Saint-Eustache hebben?'

Sarah stond op en luisterde. 'Ja. En?'

'Kortgeleden heb ik met een musicus gesproken die me zijn gekopieerde partituur heeft laten zien. Een stuk van Mozart. Op de muziekbladen was een stempel afgebeeld, dat een lier toonde...'

'Een lier?' viel Sarah hem abrupt in de rede.

'Ja. Wat is daar zo bijzonder aan?'

'Niets. Vertelt u verder.'

'Nou, in elk geval stond rondom het instrument een Latijnse tekst te lezen. Die luidde: ZELUS PRO DOMO DEI.'

'Gokje – dat betekent "IJver voor het huis Gods".'

'Helemaal juist. Vermoedelijk een zinspeling op de door u gevonden Bijbeltekst. Het schijnt om de naam van een katholiek muziekcollege te gaan.'

'En waar vind ik die onderwijsinstelling?'

'Moment... Ja, ik weet het al weer. Het was in Amsterdam.'

APARCTIAS

(HET NOORDWESTEN)

AMSTERDAM

✺

'De katholieke Kerk, die enkel bezig is haar dode letters te murmelen en in haar gebrekkigheid in overvloed te leven, die alleen ban en vloek kent waar ze zou moeten zegenen en steunen, gespeend van elk medegevoel voor het diepe verlangen dat de jonge generaties verteert, noch de kunst noch de wetenschap begrijpt, ter stilling van deze kwellende dorst, deze honger naar gerechtigheid, naar vrijheid, naar liefde, niets vermag, niets bezit – de katholieke Kerk [...] heeft zich van de achting en liefde voor het heden volledig vervreemd.'

Franz Liszt, *Zur Stellung der Künstler*, 1835

38

Zoals u weet, draag ik een diep zeer in mijn hart,
dat er zo nu en dan in klinkende noten uit barst.

— Franz Liszt

De lijst van overtreden regels werd almaar langer. Voor het examen voor rijksgediplomeerd spionne was ze vermoedelijk gezakt als een baksteen. Sarah hield zich nog altijd schuil in de woning van Noël Pétain. De saxofonist was op een, zoals hij niet vaak genoeg kon benadrukken, 'onchristelijk uur' de deur uit gegaan om naar Straatsburg te reizen. Een gastoptreden, had hij gezegd, en hij dacht pas overmorgen weer terug te zijn. Sarah kon zo lang blijven als ze wilde.

Maar ze had al te veel gebruikgemaakt van zijn goedheid. *Kies steeds een nieuw onderkomen, liefst dagelijks.* Ze hoorde Krystians woorden wel in haar hoofd, maar had gewoon de moed niet zich naar buiten te wagen, waar de jagende Adelaars rondcirkelden. Daarom zat ze hier nog steeds. En staarde ze naar haar gsm.

Ze verwachtte een telefoontje van Hannah Landnal, de broodmagere columniste; in het Deutsches Nationaltheater in Weimar had Sarah het twijfelachtige genoegen gehad naast haar te zitten. Landnal zat op het ogenblik in Amsterdam.

Inmiddels was Sarah er rotsvast van overtuigd dat Liszts spoor van de windroos daarnaartoe leidde. Uit haar telefoontje met père Tabaries was wel gebleken dat dit het volgende station was. Maar waar precies lag de nieuwe aanwijzing verborgen? En hoe kon ze hem voor haar audition colorée zichtbaar maken? Dat was in eerste instantie allesbehalve duidelijk geweest.

Weer hielp haar wandelende bibliotheek haar verder. In de correspondentie van Franz Liszt ontdekte ze een brief van 11 november 1863, waarin de componist zich erover beklaagde dat hij door vele instellingen nog steeds als virtuoos pianist, maar niet als componist werd gezien. Toen bond hij echter in:

[...] *Slechts één muziekvereniging kan zich er sinds mijn vertrek uit Duitsland op beroemen hier een lofwaardige uitzondering op te vormen, namelijk de vereniging Zelus pro domo Dei in Amsterdam, die mij naar aanleiding van de erkenning en uitvoering van mijn* Graner Messe *afgelopen week een oorkonde van het erelidmaatschap heeft overhandigd, evenals een zeer vriendelijke begeleidende brief in gepaste toon. Boven de oorkonde staat: 'Roomsch Catholiek Kerkmusiek Collegie', en de vereniging werd in 1691 opgericht.*

Liszt had zijn brief ongeveer tweeënhalf jaar voor het rampzalige concert in de Saint-Eustache geschreven, in een tijd dat het spoor van de windroos volgens Sarahs naspeuringen in wording was. En alweer dook de naam *Missa solemnis*, de *Graner Messe*, op. Toeval? Of had Liszt na de Hongaarse kroningsmis nog eens een van zijn geestelijke werken in een sleutel veranderd, een van de acht die de windroospelgrim naar de purperpartituur moesten leiden?

Sarah sloeg haar speurwerk op internet op. Vervelend genoeg bestond het muziekcollege Zelus pro domo Dei niet meer. Toch zocht ze verder, en zo stuitte ze op de Amsterdamse Stichting Toonkunst-Bibliotheek, die de collecties van het college had overgenomen. Op het web waren zelfs muziekbladen afgebeeld waarop in blauwe inkt daadwerkelijk het door Tabaries genoemde stempel prijkte. Het was ovaal, en de afgebeelde lier rustte op een onderstel, net als de windharp die Krystian aan het wapen van Saint-Cricq had herinnerd. Meer aanknopingspunten had Sarah niet nodig gehad.

En Zelus pro domo Dei liet alle klokken luiden – zo luidde de deels ontraadselde notitie in het sterfmatrikel van de Saint-Eustache. Nu sloeg de vreemde zinsstructuur wel ergens op. De muziekvereniging had de *Graner Messe* waarschijnlijk op een klokkenspel laten uitvoeren, vermoedelijk op een beiaard, waarvan de klokken gewoonlijk in een toren hingen en – tenminste in Liszts tijd – via kabels tot klinken werden gebracht. Van deze instrumenten waren er in Nederland, zoals Sarah wist, helaas zeer vele. Het zou een levenstaak zijn om die allemaal uit te proberen.

Toen ze had zitten peinzen over een manier om tijd te besparen, had ze ineens aan Hannah Landnal moeten denken. Elke soliste die in de muziekwereld wilde overleven, deed er verstandig aan op goede voet met de invloedrijke muziekcritica te staan en haar contactgegevens altijd bij de hand te hebben.

Sarah veranderde nogmaals de identiteit van haar gsm, opdat Nekrasovs informanten geen link tussen Tabaries en de Duitse recensente konden leggen. Toen koos ze Landnals mobiele-telefoonnummer. Deze keer had het geen zin zich als iemand anders voor te doen. Haar naam was haar troef, ook wanneer ze daardoor weer een van Krystians regels overtrad.

Na het 'Hallo?' van de critica zei ze in het Duits: 'U spreekt met Sarah d'Albis. Hebt u even tijd voor me, madame Landnal?'

'Wat is dit voor domme grap?' reageerde de journaliste kwaad.

'Ik ben het echt. In Weimar vroeg u mij op 13 januari of we elkaar dit jaar ook weer op het *Amsterdams Voorjaarsontwaken* zouden ontmoeten. Daarom bel ik u.'

'Nou breekt mijn klomp, u bent het echt! De hele wereld zoekt naar u. Musilizer heeft advertenties in alle grote Europese kranten laten plaatsen om u op te sporen, en u belt míj? Waarom?'

'U wilde toch een interview met me hebben? Ik beloof u iets beters: een exclusieve story. Ik vertel u alle details over de moordaanslag op mij en bovendien lever ik u een ongelooflijk samenzweringsverhaal.'

'Moordaanslag? Samenzweringsverhaal? Is dit soms een verkapte tegen mij gerichte wraakactie? Wilt u me iets op de mouw spelden, zodat ik me bij iedereen belachelijk maak?'

'Nee. Ik zou me beslist niet schuilhouden als er geen goede redenen voor waren.'

Landnal lachte op haar onnavolgbaar droge manier. 'Ach, madame d'Albis, als u eens wist wat uw collega's allemaal niet uithalen om aandacht te krijgen! Anna Netrebko laat zich naakt in haar badkuip filmen en noemt dat een reclamespot; Vanessa Mae neemt de gedaante aan van een engeltje en poseert behalve met vleugels in een zilverkleurig slipje en een beha, die slechts uit haar handen bestaat; en...'

'Ik ben niet zoals zij, en dat weet u,' kapte Sarah de lijst van onsmakelijkheden af.

'Dat is waar.' Landnal zweeg even. Toen vroeg ze: 'Wat wilt u voor die exclusieve story hebben?'

'Een kleine gunst en een paar dagen volledig stilzwijgen over ons gesprek.'

'Kan het misschien iets preciezer? U verlangt toch niet iets crimineels van me, hè?' Landnals toon klonk eerder vol verwachting dan bang.

'Houdt u zich twee weken stil. En wat dat andere betreft: ik zou graag willen dat u voor me naar Prinsengracht 587 gaat en in de Toonkunst-Bibliotheek een partituur van de *Graner Messe* van Liszt opzoekt. Vermoedelijk gaat het om een gedrukte uitgave met handgeschreven correcties of aanvullingen. De muziekbladen komen vermoedelijk uit de collectie van het katholieke college Zelus pro domo Dei.

'Dat is toch een peulenschil? En daarvoor wilt u me de Pullitzerprijs bezorgen?'

Ergens vond ze de droge humor van de magere Hannah wel amusant, zolang zíj maar niet het doelwit was. 'Er is nog een kleinigheid. Ik heb een geluidskopie van de mis nodig, in stereo en opgenomen met de beste microfoons die u maar hebt. Liefst gisteren.'

'Aha! Uit welke kerk?'

'Dat durf ik niet te zeggen. Zelus pro domo Dei werd in de zeventiende eeuw door een zekere pater Aegidius Glabbais, de zevende pastoor van de Mozes-en-Aäronkerk, opgericht. U gaat toch al sinds jaar en dag naar Amsterdam? Weet u misschien of ze daar een klokkenspel hebben?'

'Hartelijk dank dat u me er even aan herinnert dat ik al zo oud ben als Methusalem. Wat heeft een klokkenspel met de mis te maken?'

'Dat vervangt het orkest voor de *Missa solemnis.*'

'Geef het maar toe: u bent de lokvogel in *Candid camera,* en ik ben het slachtoffer.'

'Ik meen het serieus. U zult het allemaal begrijpen als u mijn verhaal hoort.'

'De Mozes-en-Aäronkerk heb ik al herhaalde malen bezocht. Het is een katholieke kerk midden in de oude joodse wijk; vandaar waarschijnlijk ook de naam. Ze hebben daar veel interreligieuze evenementen. Maar er zijn geen klokken waarop je een redelijke melodie zou kunnen spelen.'

'Daar was ik al bang voor.'

'Wat vindt u van de beiaard van de Zuidertoren?'

'Die zegt me niets,' antwoordde Sarah, maar ze liet Landnal de naam spellen en startte daarmee een zoekactie op haar laptop.

'De beiaard moet ongeveer driehonderdvijftig jaar oud zijn en wordt wekelijks op donderdag bespeeld. Ooit heb ik eens een artikel over de stadsbeiaardier geschreven. Ik vraag hem wel of hij ons een plezier wil doen.'

'Ik kan u wel zoenen, madame Landnal.' Sarah had ondertussen een website gevonden die er heel veelbelovend uitzag. De beiaard van de Zuidertoren dateerde van 1656, en had oorspronkelijk tweeëndertig klokken.

Later was hij zelfs uitgebreid tot drie octaven. In 1995 werd hij aan de hand van oude bouwplannen gerestaureerd. Hij zou dus nog de 'oude klank' uit de tijd van Liszt kunnen hebben, dacht Sarah.

'Me zoenen?' vroeg Landnal geamuseerd. 'Wat een vreemde woorden uit uw mond! Is dit misschien het begin van een mooie vriendschap?'

'Laten we nu niet overdrijven. Hoe bizar mijn verzoek u ook in de oren mag klinken, het gaat om leven en dood.'

Hannah Landnal had daarop, gelet op haar gebruikelijke spraakzaamheid, lang gezwegen. Toen beloofde ze haar best te zullen doen. Ze zei dat ze de volgende dag zou terugbellen.

Ongeveer twaalf uur later liet ze voor het eerst van zich horen. Ze had daadwerkelijk een druk van de *Missa solemnis* met een verwarrend groot aantal handgeschreven correcties gevonden. Sarah vroeg haar nieuwe bondgenote een digitale foto van de partituur in gecomprimeerde en gecodeerde vorm naar haar geheime e-mailadres te sturen. Enkele minuten later zat de elektronische kopie in het POSTVAK IN op haar computer.

Koortsachtig begon Sarah de muziekbladen te lezen. Het werd haar al snel duidelijk welke strategie Liszt bij zijn 'correcties' had gevolgd. In de eerste vier delen van de mis waren zijn ingrepen slechts van cosmetische aard geweest – pure camouflage, bezigheidstherapie voor muziekwetenschappers. Maar daarna, in het Benedictus, had hij de gevoelige zangstemmen op fascinerend subtiele wijze opnieuw vormgegeven. Zijn bewerking zag eruit als een 'tweede worp', een verbetering die qua klank dicht bij het origineel lag, maar voor de 'ziener' – voor Sarah – ging het hier om een volledig nieuw klankbeeld.

Met behulp van een muzieknotatieprogramma extraheerde ze deze partijen uit de partituur, zodat de stadsbeiaardier van Amsterdam ze probleemloos zou kunnen spelen, en ze stuurde het resultaat meteen naar Landnal terug. Ook bracht ze de journaliste per telefoon op de hoogte.

'Ik laat van me horen,' sprak de magere Hannah.

Daar zat Sarah nog steeds op te wachten.

Inmiddels was het halftwaalf. Terwijl ze strak naar de gsm op tafel keek, kwam die opeens tot leven. Tegelijkertijd door het trilalarm en een sireneachtige beltoon trok het toestel de aandacht. Sarahs hand schoot ernaartoe.

'Ja?'

'Zou u graag een ingeblikte geluidsopname van de klokkentoren van de Zuiderkerk willen hebben?' Landnal was al snel aan de samenzweerderige toon gewend geraakt.

'Stuur hem maar naar me toe,' zei Sarah opgewonden.

'Al gebeurd. Daarmee is mijn deel van de afspraak afgehandeld, toch?'

'Als er zich verder geen complicaties voordoen, ja.'

'Hoofdzaak is dat ik Quasimodo niet nog een keer hoef over te halen zijn klokken voor me te luiden. Het heeft hem heel wat zelfoverwinning gekost, en mij zes kistjes van zijn lievelingswijn.'

'Ik ben u eeuwig dankbaar.'

'Dat mag ik hopen. Goed, tot gauw dan.'

Sarah had alles al voor de weergave van de geluidsopname klaargemaakt. Ze moest alleen nog haar koptelefoon opzetten, de e-mail uit Amsterdam openen en het toegevoegde muziekbestand afspelen. Vol verwachting leunde ze achterover in haar stoel, sloot haar ogen en luisterde.

In het begin van de opname zou een normaal begaafd mens waarschijnlijk niets bijzonders hebben opgemerkt. Maar Sarahs waarneming was allesbehalve normaal. Haar onvoorstelbaar gevoelige gehoor was niet alleen in staat de kleinste klanknuances waar te nemen, maar op grond daarvan ook een imaginair beeld van de ruimte te creëren. Vandaar dat ze, nog voordat de klokken klonken, het gevoel had dat ze in de toren van de Zuiderkerk was. De hoogwaardige microfoons hadden de sfeer verbazingwekkend natuurlijk weten te vangen: het geruis van de wind in de toren, het zachte zingen van de trillende kabels tussen manuaal en klokken, het gekoer van de duiven...

Maar toen begon de muziek. Sarah zag als het ware hoe de speler met zijn vuisten op het toetsenbord hamerde om de nodige kracht naar de klokken over te brengen. Iedere aanslag wierp op haar glazen scherm een dikke klodder, die bij het wegsterven van de toon langzaam uitliep. Bij het samenspel ontstond een spijkerschriftachtig patroon, veel grover dan de fijne contouren die een orkest als de Staatskapelle Weimar of het grandioze orgel van de Matthiaskerk in Boedapest had kunnen tekenen, maar desalniettemin duidelijk leesbaar. Ja, weer had Franz Liszt van klanken een onzichtbaar gedicht gemaakt:

ZELFS ALS DE ADELAARS PURPER DRAGEN
OM ME OM JUBALS LIED TE BELAGEN

EN DE TIARA WERPEN NEER
ZODAT ZE MACHT KRIJGEN WEER

WIL HEN TROTSEREN IK VOL MOED
TOTDAT DE ZWAAN KOMT VAN MIJN BLOED

BEVLEUGELD KAN DE DOOD IN SLUIPEN
NOOIT MEER HOEF IK VOOR HET KRUIS TE KRUIPEN

Een minuut of vijf nadat het Benedictus was begonnen, was Sarah helemaal bezweet, zozeer had de ontcijfering van de boodschap haar uitgeput. Ze kreunde. Waarom kon haar betoudovergrootvader niet eens één keertje gewoon schrijven: 'Reis van A naar B, daar vind je een bord met de volgende aanwijzing'? In plaats daarvan stuurde hij haar alweer alleen maar raadselachtige toespelingen.

Haar aanvankelijke verzet tegen de nieuwe krachttoer die van haar gevergd werd, werd gevolgd door een fase van bedachtzaamheid. 'Wat hebben we hier?' mompelde Sarah.

Het was opnieuw een mis. Een werk waarvoor een katholiek college hem een oorkonde had toegekend. En uitgerekend in die mis had hij zijn innerlijke weerstand tegen de geïnstitutionaliseerde vroomheid van de Kerk geuit, heette het immers in het laatste vers: hij hoefde nooit meer voor het kruis te kruipen. Zulke kritische geluiden waren, zoals Sarah zich herinnerde, voor Franz Liszt geen uitzondering, ook al was hij in zijn latere jaren als abbé terughoudender geweest.

ZELFS ALS DE ADELAARS PURPER DRAGEN… EN DE TIARA WERPEN NEER… Die woorden bevatten de nauwelijks verholen aanwijzing dat de invloed van de Duistere Kleurenhoorders zelfs tot in het Vaticaan reikte, want de driekroon van de pausen, de tiara, had tot en met Paulus VI symbool gestaan voor het primaat van het kerkelijke boven het wereldlijke gezag; op het wapenschild van de Heilige Stoel stond hij nog steeds. De uitdrukking 'de tiara ontvangen' omschreef gewoonlijk de installatie van een nieuwe paus.

Waren er al in Liszts tijd pogingen door de Adelaars ondernomen om 'de tiara neer te werpen'? Het was mogelijk, dacht Sarah, Liszt had immers het einde van de Kerkelijke Staat in 1870 meegemaakt. Dat de wereldlijke macht van de pausen op zo'n radicale wijze werd beknot, had daadwerkelijk aan een omwenteling gelijkgestaan, misschien zelfs wel aan een herordening van de wereld.

Ze zuchtte. Het leek haar steeds hopelozer om het wijdvertakte netwerk van de Duistere Kleurenhoorders te overzien, steeds roekelozer om hun het hoofd te bieden. Toch had Liszt, zoals de andere verzen van de klankboodschap toonden, zich moedig tegen zijn machtige tegenspelers verzet: 'Jubals lied' mocht alleen een 'Zwaan van zijn bloed' toevallen.

Daarmee word ik zeker bedoeld, dacht Sarah, en doordrongen van de spirituele sfeer van de tekst fluisterde ze: '*Quo vadis?* – Waarheen gaat gij?'

Om het laatste blad van de windroos af te plukken had ze nog één briljant idee nodig. Er was nog maar één wind over: Corus, die uit het noordoosten blies. Sarah haalde zich de vele verslagen van Liszts reizen voor de geest. En waar hij niet allemaal geweest was! Welke van zijn talrijke pleisterplaatsen lag ten noordoosten van Weimar? Berlijn? Misschien voerde de zoektocht naar de schat uiteindelijk wel naar Duitsland terug. Maar Liszt was, met al zijn vaderlandslievend enthousiasme voor Hongarije, een kosmopoliet geweest. Kon ze niet beter wat meer in het groot denken?

'Sint-Petersburg?' mompelde ze. In Liszts tijd had het hof van de tsaar in deze stad een magnetische aantrekkingskracht uitgeoefend op de beste musici en kunstliefhebbers. Ook hij, de geadoreerde virtuoos en visionair componist, was er telkens weer te gast geweest.

Ze schudde haar hoofd. Speculaties zouden haar niet verder brengen. Ze had iets concreets nodig om haar theorie te ondersteunen. Ze verdiepte zich nogmaals in de klankboodschap van het klokkenspel. Misschien moest ze Liszts ironie over zijn vroomheid als een hint opvatten. Ze herinnerde zich in het kelderarchief van de Herzogin-Anna-Amalia-Bibliotheek in Weimar een boek uit Liszts persoonlijk bezit te hebben gezien – *De l'Imitation de Jésus-Christ* van Thomas à Kempis –, waarin een persoonlijke opdracht van paus Pius IX stond.

De conte Giovanni Maria Mastai-Ferretti – de wereldlijke titel en naam van de toenmalige leider van alle katholieken – was een groot bewonderaar van Franz Liszt geweest. Hij had het huwelijk van Carolyne von Sayn-Wittgenstein nietig verklaard om voor de meester de weg naar het altaar vrij te maken, en het heette dat de bohemien Liszt later alleen dankzij persoonlijke interventie van de Heilige Vader de lagere priesterwijdingen had ontvangen. Het muziekgenie liet op zijn eigen manier zijn dankbaarheid blijken door een hymne aan de kerkvorst op te dragen en de lofzang bovendien 'Pio IX' te noemen. De oeuvrecatalogi gaven geen duidelijk uitsluitsel over het moment waarop het stuk gecomponeerd was, maar vermoed werd dat het was ontstaan in het jaar 1863, dat precies in de fase viel waarin Liszt zijn spoor van de windroos uitzette.

Hier besloot Sarah te beginnen, en de fijne neus die ze inmiddels ontwikkeld had voor hoe haar voorvader te werk ging, bracht haar algauw op een veelbelovend spoor. Op internet liep ze tegen een fascinerend artikel over kunstroof aan. Daarin ging het met name om cultuurgoederen die tijdens of na de Tweede Wereldoorlog door Duitsland naar de Sovjet-unie waren gebracht:

> *Onder het roofgoed bevindt zich ook een klein kabinet van pijnboomhout en brons met fraai intarsia. Daarin werd een partituur van de paushymne 'Pio IX' van Franz Liszt gevonden. De componist had de muziekbladen in Sint-Petersburg persoonlijk aan Anton Rubinstein gegeven toen hij daar het in 1862 opgerichte keizerlijke conservatorium bezocht. Later werd het kabinet door een Berlijnse muziekhandelaar opgekocht. Door het Rode Leger kwam het in de USSR terug en het is tegenwoordig ondergebracht in de Hermitage in Sint-Petersburg...*

'Rubinstein?' mompelde Sarah. Anton Rubinstein was net als Liszt pianist en componist geweest. Behoorde hij ook tot de Lichte Kleurenhoorders? Haar wandelende bibliotheek bracht op dit punt een aantal opmerkelijke feiten aan het licht.

Al op de leeftijd van negen jaar – in 1839 – ontmoet de Rus voor het eerst de bejubelde virtuoos Liszt; later wordt hij zijn leerling. De oudere man ontvangt de jongere in de Weimarse Altenburg. In zijn correspondentie noemt Liszt het aankomende talent liefdevol 'Van II', een bijnaam, de verkorting van 'Ludwig van Beethoven II'. Op 9 januari 1872 bedankt Liszt in een brief voor een blikje kaviaar dat madame Rubinstein hem had toegestuurd. En als Rubinstein allang zelf een gewaardeerd pianoleraar is geworden, stuurt hij Vera Timanoff, een van zijn leerlingen, naar Liszt in Weimar.

Zou ze hem alleen maar broederlijke groeten hebben overgebracht, vroeg Sarah zich af. Ze twijfelde er nauwelijks nog aan dat Rubinstein tot de kleine kring van Liszts vertrouwelingen behoorde.

'Ik moet aan de paushymne in de Hermitage zien te komen,' zei ze peinzend. Maar hoe? Ze had eens ergens gelezen dat de collectie van het museum van Sint-Petersburg ongeveer drie miljoen stukken omvatte en dat het grootste deel daarvan in kelders en archieven lag weg te rotten omdat er voortdurend gebrek aan geld was. Het leek haar ondenkbaar om de wilde actie die ze in het hoofdkantoor van Musilizer had ondernomen nog eens in het kunstpaleis van de tsaar over te doen. De Hermitage was te onoverzichtelijk, en bovendien sprak ze geen Russisch. Ze dacht erover na hoe ze de officiële weg kon bewandelen zonder in de postcommunistische bureaucratie verstrikt te raken.

'Dan kan ik me nog beter met de kwadratuur van de cirkel bezighouden, dat is gemakkelijker,' steunde ze, en ze pakte haar gsm.

'Hallo?' zei Hannah Landnal even later toen ze opnam.

'Nog een keer met mij, Quasimodo's grootste fan.'

'Wat? Zeg het maar, de geluidskwaliteit was zeker niet naar verwachting.'

'O jawel, ja, dat was allemaal prima. Nog heel erg bedankt. Maar ik heb nog een vraagje: hoe zijn uw contacten met Sint-Petersburg, en dan vooral met de Hermitage?'

'Het zwaartepunt van mijn werk ligt elders, maar ik heb ooit een reportage gemaakt over de sterke vrouw van het museum, de directrice Elena Bella Loginova.'

'Over wie hebt u eigenlijk nog níét geschreven?'

'In de cultuursfeer? Er schiet me zo gauw niemand te binnen.'

'Ik heb namelijk nog een klein verzoek, en wel om zo snel mogelijk een eind aan die toestand te maken waar ik u over heb verteld. Het gaat weer om hetzelfde: ik heb de kopie van een partituur nodig. Deze keer is het de hymne 'Pio IX' van Liszt. De muziekbladen bevinden zich in de Hermitage in Sint-Petersburg, mogelijk in een minikabinet van pijnboomhout en brons met inlegwerk. Het gaat daarbij kennelijk om kunstroof.'

'Dan kun je je nog beter met de kwadratuur van de cirkel bezighouden.'

Sarah schrok.

'Bent u er nog?' vroeg Landnal.

'Ja. Eh... Wat is er zo moeilijk aan, om een kopie van een muziekstuk op te vragen?'

'In principe niets. Maar kunstroof is een heikel onderwerp in Rusland. Als u op dat vlak ook maar iets wilt bereiken, moet u zich tot de directrice wenden. Ik heb zo'n gevoel dat ze mij wel te vriend wil houden. Zal ik proberen een afspraak voor u in de Hermitage te maken?'

'Dat zou heel fijn zijn!'

'Komt voor elkaar. En wanneer?'

'Blijft u even aan de lijn...' Sarah legde haar gsm neer en riep op internet een website op om een vlucht te boeken. Als plaats van vertrek gaf ze 'Parijs' op en als bestemming 'Sint-Petersburg'. Slechts een paar seconden later zei ze in de telefoon: 'Morgen vind ik prima. Hoe eerder, hoe beter.'

CORUS

(HET NOORDOOSTEN)

———

SINT-PETERSBURG

✳

In het jaar 1842 kwam Liszt naar Sint-Petersburg. Vol verlangen stormde ik zijn eerste concert binnen (in de zaal van het adellijk gezelschap) [...] Op het podium stonden twee vleugels, twee stoelen en verder niets, geen teken van een orkest of muziekbladen [...] Vanaf de eerste klanken begrepen we dat hier de ware betekenis en bestemming van de piano werden geopenbaard! [...] dat de macht van de poëzie het materiële instrument van de klank volledig aan zich ondergeschikt maakte. Het gebrek aan kleur en karakter van de piano was – onder de handen van zo'n virtuoos – zijn hoogste goed geworden: een wit vel papier, een leeg scherm, waarop hij naar believen met zijn kleuren speelt, naar het wezen van de kunst, in overeenstemming met de poëtische aard van de muziek [...] De magische kracht van de illusie zo groot dat de klank van de piano volledig verdwijnt [...] De macrokosmos van het rossinische orkest volledig vervangen door de microkosmos van het lisztiaanse pianospel! Het grote geheim van de kunst, waarin het instrument niets en de geest alles betekent!

Alexander N. Serov, 1842, over Franz Liszt

39

[...] wat er aan technische wonderen te beleven viel, scheen waarachtig de
menselijke mogelijkheden te overstijgen.

— Wendelin Weißheimer, 1886, over Franz Liszt

SINT-PETERSBURG, 2 APRIL 2005, 09.50 UUR

Telkens wanneer Sarah naar Sint-Petersburg kwam, bekroop haar het gevoel
dat ze als figurante door een toneeldecor liep waarin een meer dan honderd
jaar oud stuk werd opgevoerd. De staatspaleizen, andere grootse gebouwen
en luisterrijke woonhuizen waren getuigen uit een tijdperk waarin adel
inderdaad verplichtte. Maar de tand des tijds had zijn sporen wel op het
betoverende decor nagelaten. Al deed men overal zijn best het toneel weer
in zijn oude glorie te laten schitteren, nog steeds hoefde je op veel plekken je
hoofd maar om te draaien, of je zag de afbladderende gevels, de beschadigde
portieken en bouwvallige muren. Alleen voor wie de verbeeldingskracht
bezat om de laag vuil van vele jaren op de gebouwen weg te denken, was de
oude pracht nog steeds te bespeuren: in de glasschilderkunst van de trap-
penhuizen, de ornamenten, de reliëfs, de eigenzinnige torentjes, het hele
gezwel van een ten onder gegane bureaucratische staat, waarvoor de schijn
alles en het wezen niet zo heel veel had betekend.

Nu, terwijl Sarah de Admiraltesjski Prospekt afliep, werden al deze indrukken weer opgefrist. Hoewel het 2 april was, de tweehonderdste ge-
boortedag van Hans Christian Andersen en daarmee ook de door Nekrasov
voorspelde onheilsdatum, was ze op een melancholieke manier ook blij hier
eindelijk weer te zijn. Bijna voelde ze zich in dit toneeldecor als een Petersburgse, als een literair personage uit de negentiende eeuw, zoals Lisaveta
Ivanovna uit Poesjkins *Pique Dame*.

Tijdens haar concertreizen over de hele wereld had ze meestal geen tijd
om een bezoek aan galerieën en andere bezienswaardigheden te brengen.
Daarom was ze ook nog nooit in de Hermitage geweest, hoewel ze het

Winterpaleis al vaak van buitenaf had bewonderd. Dat zou nu veranderen.

Ze was te voet van het Angleterre naar het museum gegaan, een wandeling van maar een paar minuten. Hoewel ze vroeger al eens in het chique hotel had overnacht, was gisteravond bij het inchecken blijkbaar niemand de gelijkenis van de roodharige Frans-Canadese Kitty Gérard met de beroemde pianiste Sarah d'Albis opgevallen. Ze had uit nood voor dit vijfsterrenhotel gekozen, omdat ze pas even voor tienen op de Petersburgse luchthaven Poelkovo was geland – te laat om nog uitgebreid naar een klein, onopvallend onderkomen te gaan zoeken –, en omdat haar zenuwen trilden als de tong van een orgelpijp.

De formaliteiten bij aankomst hadden haar acteertalent ernstig op de proef gesteld. Daaraan veranderde ook het visum dat haar nog op het laatste moment door de Russische ambassade in Parijs was verleend niets. Het was haar paspoort dat haar op de rand van een zenuwinzinking had gebracht. Hoewel volgens Krystian alleen haar identiteiten vals waren, maar de legitimatiepapieren – dankzij de goede contacten van de windharphoeders – echt, had dat haar volstrekt niet gerustgesteld toen ze in de lange rij voor de paspoortcontrole stond te wachten en ze zich daarna tegenover een voor haar gevoel uitermate kritisch kijkende douanier moest verantwoorden.

'Wat is het doel van uw bezoek aan ons land?' had de geüniformeerde man gevraagd met een glimlach die gewoon niet echt kón zijn.

Een wereldcomplot verijdelen. Een eind aan de overheersing van de Duistere Kleurenhoorders maken. Ik wil het laatste raadsel op het spoor van de windroos met mijn synesthetische waarneming oplossen en de purperpartituur vinden. Ze had in gedachten alle mogelijke verklaringen en de daarbij behorende reacties de revue laten passeren, maar besloot toen tot het antwoord: 'Ik wil een aantal bezienswaardigheden in de stad bekijken.'

Daarmee had ze de douanier zover gekregen een stempel in haar paspoort te zetten.

Het Winterpaleis lag aan de Neva. Om daar te komen, moest Sarah de Nevski Prospekt oversteken. Een bom had op deze avenue op 13 maart 1881 (volgens de gregoriaanse kalender) tsaar Alexander II Nikolajevitsj naar de andere wereld geholpen. Franz Liszt was van tevoren op de hoogte van de aanslag geweest, maar zijn als klankboodschap gecodeerde waarschuwing had zijn bestemming blijkbaar nooit bereikt. Daar moest Sarah aan denken nu ze het asfalt van de boulevard onder haar voetzolen voelde.

Even later liep ze het Dvortsovaja Ploschad op, het grote Paleisplein, waar zich in het midden de Alexanderzuil verhief, die aan de oom van de geatomiseerde tsaar was opgedragen. Aan de andere kant van het rozekleurige, vijftig meter hoge granieten monument lag het Winterpaleis, met zijn stralend witte zuilen en zachtgroene façaden. Het maakte deel uit van een groot paleizencomplex, waarvan het prachtstuk, de Kleine Hermitage, in de tweede helft van de achttiende eeuw voor tsarina Catharina de Grote was gebouwd.

Hoewel het museum pas om halfelf openging, stond er al een lange rij bezoekers te wachten om te worden binnengelaten. Hier en daar hoorde Sarah een stem van verontwaardiging opgaan toen ze gewoon langs de mensen heen liep. Na wat problemen met de controleurs bij de ingang kwam ze uiteindelijk toch nog net op tijd bij het kantoor van de directrice aan.

Elena Bella Loginova deed hoogstpersoonlijk de deur voor haar gaste open. Ze was ongeveer een meter zestig lang en een meter breed. Deze maten, die menige vrouw maar weinig flatteus vond, weerhielden haar er niet van een duifgrijs mantelpak met een nauwsluitend jasje en een strakke rok te dragen. Daarbij had ze schoenen uitgekozen die ook prima geschikt zouden zijn geweest voor een middelzware bergwandeling. Haar zwarte, strak achterovergekamde, in een knoet gedragen haar was vermoedelijk geverfd; Sarah schatte de streng kijkende vrouw op midden vijftig.

Als bezoekster in een vreemd land wilde ze niets verkeerd doen en ze stak glimlachend haar hand naar Loginova uit. Daarmee had ze kennelijk haar eerste fout gemaakt, want de hoedster van drie miljoen kunstschatten pakte hem niet eens aan, maar gebaarde Sarah haar werkkamer binnen te komen.

Het parket kraakte onder Sarahs schoenen toen ze door de deur liep. Ze kreeg even het gevoel dat ze weer in Det Kongelige Teater van Kopenhagen was, zo groot kwam de kamer haar voor. En zo barok: gouden stucornamenten en kristallen luchters aan het plafond en een inrichting van met krullen versierde antiquiteiten en versleten Perzische tapijten op de vloer, evenals beslist authentieke, reusachtige olieverfschilderijen aan de muren, getuigden niet zozeer van een voortreffelijke smaak als wel van – vermoedelijk – gebrek aan ruimte in het museum om zijn enorme overvloed aan cultuurgoederen te kunnen opslaan.

Hoewel de uitgestrekte, schuin de zaal in wijzende arm van de directrice de verwachting wekte dat er een begroeting zou komen als 'Dit is mijn rijk', zei ze alleen maar in vlekkeloos Frans: 'Gaat u maar naar binnen, madame d'Albis. Of staat u erop dat ik u Gérard noem?'

Sarah verstijfde.

Loginova glimlachte enigszins neerbuigend. 'Dacht u nou echt dat ik zo dom was?'

'Ik begrijp niet...'

'Uw foto heeft twee dagen in de *Smena* gestaan en gisteren zelfs in de *St. Petersburg Times*.'

'Dat...' Sarah schudde haar hoofd alsof ze een vuistslag moest incasseren. Toen besloot ze er maar het beste van te maken. 'En ik dacht nog wel dat ik eens even los kon komen van al dat gedoe door me een ander uiterlijk aan te meten en als doodgewone toeriste Sint-Petersburg te bewonderen.'

'Uw vermomming was ook zeer geslaagd. Maar ik had al op uw komst gerekend. Ik had alleen niet verwacht dat de bezoekster die madame Landnal bij me had aangekondigd de grote pianiste zou zijn.'

Sarah kon horen dat de directrice niet veel op had met prominente persoonlijkheden. Wat haar evenwel nog erger toescheen dan welk vooroordeel ook, was dat Loginova klaarblijkelijk niet verrast was. 'Wat bedoelt u daarmee... Dat u al op mijn komst had geré̈kend?'

Loginova keek op haar horloge. 'Ik hoop dat ik me die uitleg kan besparen. Laten we het eerst maar eens over uw verzoek hebben.'

Het liefst had Sarah meteen rechtsomkeert gemaakt en de benen genomen, maar een vaag gevoel weerhield haar. 'Hebt u de paushymne?'

'Hij ligt daar.' Ze wees naar een buitensporig breed meubelstuk, dat door Napoleon tijdens zijn veldtocht naar Rusland als kaartentafel gebruikt had kunnen zijn. Vervolgens bood ze Sarah eindelijk een stoel aan, die er in vergelijking daarmee maar iel uitzag. Hij stond vlak voor de werktafel.

Nadat ze elk aan een kant van het bureau waren gaan zitten, keek Sarah reikhalzend naar het in lichtbruin leer gebonden boek. 'Mag ik het zien, madame Loginova?'

De directrice ging verzitten op haar stoel achter het bureau, legde haar hand op het begeerde voorwerp en zei: 'Eerst zou ik graag willen weten wat de reden van uw verzoek is. Hebt u Duitse opdrachtgevers? Wil de Bondsrepubliek zijn recht weer eens doen gelden?'

Sarah knipperde verward met haar ogen. 'Pardon...?'

'Doet u nou maar niet zo onschuldig. Het is altijd weer hetzelfde akelige liedje. "Kunstroof" – zo noemen de Duitsers het toch, of niet soms?'

'Ik ben Frans staatburger.'

'Die achter de muziekbladen van een Duitser aan zit.'

'Franz Liszt was Hongaar.'

'Verandert u nu niet van onderwerp.'

'Bovendien ben ik een afstammeling van hem in de zesde generatie. Ik kom om persoonlijke redenen, omdat ik geloof dat er op uw exemplaar van de paushymne 'Pio IX' handgeschreven correcties van de componist staan waarin ik geïnteresseerd ben.'

Voor het eerst kwamen er barsten in het granieten masker op Loginova's strenge gezicht. Ze was verbaasd. 'Hoe weet u dat? We zijn op het ogenblik onze collecties wel aan het digitaliseren en zetten ze op internet, maar in al die tijd dat de partituur al in ons bezit is, is er nog nooit een foto van gepubliceerd.'

'Is daar een speciale reden voor?'

'Diverse. Ten eerste zouden we een muziekstuk als dit helemaal niet in onze collectie mogen hebben; daar zijn andere musea voor. We beschouwen het echter samen met het kabinet waar het in lag als één geheel.'

'En ten tweede?'

'Het boek bevat een persoonlijke opdracht van Franz Liszt aan onze grote componist Anton Grigorjevitsj Rubinstein. Liszt had zijn kunstgenoot verzocht de partituur in geval van overlijden aan de Hermitage te vermaken.'

'Bestond het museum toen al? Ik dacht dat de tsaren hier hadden gewoond?' vroeg Sarah verbaasd.

'Dat hebben ze ook. Nadat Nicolaas I Pavlovitsj de Nieuwe Hermitage in 1852 had geopend, hebben de keizerlijke residentie en het museum lange tijd naast elkaar bestaan.'

'Was Pavlovitsj niet de vader van tsaar Alexander II, die op de Nevski Prospekt werd vermoord?'

'Helemaal juist. Alexander Nikolajevitsj woonde hier ook, daarginds in de bescheiden vertrekken recht tegenover de Admiraliteit. Zijn zoon, Alexander III Alexandrovitsj, verbleef toen in het Anitsjkov-paleis.'

'Ach! Dit is echt buitengewoon verhelderend.'

Loginova keek haar gesprekspartner onderzoekend aan, alsof die net iets heel raars had gezegd. In de annalen van Sint-Petersburg was vast wel iets opwindenders te vinden dan een telg die op zijn vijfendertigste eindelijk de deur uit ging om op zichzelf te gaan wonen.

Voor Sarah daarentegen was dit triviale geschiedkundige feit uiterst opmerkelijk. Een complot van de Duistere Kleurenhoorders had – daar kon ze nu wel van uitgaan – tsaar Alexander II, die door Liszt was uitverkoren om voor de laatste windroosboodschap te zorgen, uitgeschakeld en daarmee de weg vrijgemaakt voor een opvolger die waarschijnlijk niet zo veel belangstelling voor de verzamelingen van de Hermitage aan de dag had gelegd. Die hun misschien zelfs toestond het muziekboek uit Sint-Petersburg weg te kapen? In Parijs hadden de Adelaars hun tegenspeler Liszt al doorgehad en zijn plannen bijna verijdeld. Want wie had nu ook kunnen verwachten dat de paushymne door de turbulentie van de geschiedenis weer naar de Neva terug zou wervelen?

'Ik begrijp niet waar u zo enthousiast over bent,' merkte de directrice op.

'Nou ja, met Alexander III heeft tenslotte een man de Russische troon bestegen die met zijn autocratische heerschappij de woede van het volk heeft aangewakkerd. En zijn goedleerse zoon Nicolaas heeft er toen een wereldbrand van gemaakt.'

'U doelt op de Oktoberrevolutie?'

'Eerder op wat daarna kwam: een nieuwe communistische wereldorde, waarin miljoenen onschuldige mensen werden afgeslacht.'

'Heb ik me door madame Landnal laten ompraten mijn vrije middag op te geven om met een kapitaliste over het communistisch manifest te discussiëren?'

'Nee. Ik spreek alleen mijn gedachten altijd hardop uit. Neemt u me niet kwalijk. Zou ik dan nu misschien een blik in de partituur mogen werpen?'

Loginova aarzelde. Toen blies ze haar toch al omvangrijke bovenlichaam met een diepe ademhaling nog verder op en zei: 'Nou ja, voor mijn part. Werpt u er maar een blik op. Meer dan dat zit er niet in.'

'Wat...?'

'U hebt me wel begrepen. Het kabinet, inclusief de inhoud ervan, behoort tot de cultuurschatten van het Russische volk. Zolang de Bondsrepubliek er aanspraak op maakt, houd ik het achter slot en grendel. Dat land heeft ons miljoenen mensenlevens gekost, en vermogens- en cultuurgoederen van onschatbare waarde. We hebben recht op schadeloosstelling.'

Sarah zuchtte. 'Het enige wat ik vraag is vijf minuten. Laat u me alstublieft gewoon ongestoord de partituur lezen.'

'Dat is wel een lange blik.'

'Wilt u míj, een afstammeling van de schepper van deze muziek, niet eens dát toestaan?'

Loginova snoof. 'Nou, vooruit dan maar.' Ze schoof het boek over het bureau. De kleine vrouw moest ervoor opstaan en ver naar voren buigen om het helemaal over het reusachtige meubelstuk heen binnen Sarahs bereik te krijgen. 'Maar ik blijf hier zitten. Voor het geval u zich iets in het hoofd haalt en er een foto van maakt als aandenken.'

'Dank u,' zei Sarah, en ze pakte het platte boek.

Loginova haalde een krant uit haar aktetas tevoorschijn en deed alsof ze erin ging zitten lezen.

Er zaten maar een paar bladen in de leren band. Blijkbaar had Liszt het muziekboek extra laten inbinden voor zijn vriend Rubinstein. De partituur was een gedrukt exemplaar zonder datumvermelding. De componist had maar een klein aantal handgeschreven wijzigingen aangebracht. Opmerkelijk! Als hier een boodschap in verborgen lag, dan moesten belangrijke delen daarvan ook al in het origineel hebben gezeten. Op een leeg vel achter het schutblad stond in Liszts stormachtige handschrift de volgende, in het Frans gestelde opdracht:

Voor Van II,
Mijn broeder in de geest
en een zeer gewaardeerde vriend

Naar aanleiding van de feestelijke opening van het conservatorium van Sint-Petersburg draag ik deze unieke bewerking van mijn 'Pio IX – paushymne' aan jou op. Laten vele van je leerlingen ooit de door jou in het leven geroepen titel van 'vrij kunstenaar' met trots en waardigheid dragen. Daarmee werp je onze speer ver in de toekomst. Onder jouw leiding zullen begaafde instrumentalisten, zangers en componisten zich niet alleen tot gerespecteerde leden van de samenleving ontwikkelen, ze zullen door de universele taal der mensheid, de muziek, ook tot meer begrip in de wereld bijdragen. Behoed mijn geschenk tot je laatste ademtocht. Daarna moge het in de verzameling van de Hermitage worden opgenomen, om ook latere generaties tot licht te zijn.

Je F. Liszt
Sint-Petersburg, 8 september 1862

Sarah haalde bibberig adem, zo opgewonden was ze. Nu stond dus vast dat de hymne al een jaar vóór het door muziekhistorici veronderstelde tijdstip was ontstaan. *Behoed mijn geschenk tot je laatste ademtocht.* Kon je nog duidelijker uitdrukken dat de muziekbladen iets bijzonder kostbaars bevatten? De opdracht was voor Sarah onmiskenbaar een aanwijzing dat de twee componisten elkaar als broeders in de Orde der Lichte Kleurenhoorders hadden beschouwd. Met bonkend hart begon ze de partituur te bestuderen.

De 'Pio IX'-paushymne was eigenlijk een orgelstuk, geen ensemblestuk dus. De speelduur van moderne concertopnamen bedroeg minder dan vijf minuten. Het was dus te overzien – voor Sarah een kleinigheid, die ze zich met haar verbazingwekkende muziekgeheugen in één klap eigen maakte.

Terwijl ze de noten las, probeerde ze zich de klank van het orgel van de Matthiaskerk in Boedapest voor de geest te halen. Haar audition colorée reageerde immers ook op herinnerde klanken. Zelfs muziek die ze in haar dromen had gehoord, zag ze in kleuren en vormen met verschillende soorten oppervlakken. Maar hier kon ze alleen maar flarden mist zien, slechts een zweem van iets dat zich meer liet vermoeden dan aanschouwen. Waarschijnlijk had Liszt weer een bijzonder instrument voor de visualisatie van zijn klankboodschap uitgezocht. Maar welk?

Omdat vijf minuten nogal krap was, concentreerde Sarah zich er eerst maar op de partituur uit haar hoofd te leren. Toen ze zeker wist dat ze zich elke noot had ingeprent, sloot ze haar ogen en spoelde ze het stuk in gedachten nog eens snel terug. Voordat ze daar helemaal mee klaar was, hoorde ze een demonstratief geritsel van Loginova's krant. Sarah deed haar ogen open.

'De tijd is om,' liet de museumdirectrice weten.

Sarah dacht koortsachtig na. Misschien ontvouwde de klankboodschap zich wel op een speelklok of een ander muziekapparaat, dat eveneens in de Hermitage op zijn grote ogenblik wachtte. Of kon ze zich maar beter richten op exotische instrumenten, zoals het speciaal voor Liszt gebouwde combinatie-instrument van harmonium en piano? Het op luchtdruk werkende, met orgelmanualen, -pedalen en -registers te bespelen gedeelte van dit gedrocht was door de Parijse werkplaatsen van Alexandre père et fils en de pianobouwgroep van Pierre Erard vervaardigd; Hector Berlioz had Liszt deze instrumentenbouwer aanbevolen...

Opeens snapte Sarah het! Wat stond er ook alweer meteen in de eerste zin van de laatste klankboodschap? BEVLEUGELD KAN DE DOOD IN SLUIPEN. 'Het is een woordspel,' zei ze grinnikend.

'Nee! Uw tijd is echt om,' hield Loginova vol.

Al vaak had Sarah er bij het lezen van Liszts brieven om moeten lachen hoe hij over de Berlijnse pianofortefabrikant Carl Bechstein sprak. Hij noemde hem zijn 'bevleugelaar'. Wat namen zoals Michael Schuhmacher of Steffi Graf voor de sportartikelenproducenten van tegenwoordig zijn, dat was Franz Liszt voor de pianobouwers uit de negentiende eeuw. Ze stuurden hem hun instrumenten en gebruikten zijn naam. Carl Bechstein was evenwel meer voor hem geweest. Hij was in diverse betekenissen van het woord zijn 'bevleugelaar'. Weer zo'n verbale caleidoscoop van de meester van de meerduidigheid, dacht Sarah.

Voordat in 1853 de pianofortefabriek C. Bechstein werd gebouwd, had menig concertorganisator heel wat met Franz Liszt te stellen gehad. Clara Schumann noemde hem niet voor niets de 'pianosloper'. Het kwam niet zelden voor dat hij met zijn stormachtige spel het instrument tijdens een uitvoering regelrecht aan stukken sloeg: hij mishandelde het mechaniek, liet de snaren springen, soms brak zelfs het houten raamwerk omdat het de vereiste spanning niet aankon. Elke organisator pakte het daarom slim aan door minstens twee vleugels voor hem op het toneel te zetten. Bechstein geloofde van het begin af aan in het gietijzeren raam, waarmee de levensverwachting van concertvleugels zeer sterk toenam. Maar het ging hem niet alleen om een grotere stabiliteit, maar ook om een verbetering van klank en bespeelbaarheid.

Als voorvechter van een nieuwe muziek wilde Liszt een instrument hebben dat een heel orkest kon vervangen. Zeven volle octaven op het toetsenbord waren voor hem geen technisch speeltje, hij maakte er in zijn composities volop gebruik van. En tot in de moderne tijd spraken sommige pianovirtuozen van het 'Liszt-pedaal' wanneer ze het over het sostenutopedaal, het middelste van de drie pedalen hadden. Franz Liszts klankideeën waren utopisch en Bechstein had ze – binnen de toenmalige mogelijkheden – verwerkelijkt. Eens per jaar stuurde de *Kommerzienrat* de musicus een nieuw instrument toe in Weimar...

Sarahs handen omklemden de stoelleuning; het liefst zou ze hebben gehijgd als een bloedhond die ergens lucht van had gekregen. Ze moest op zoek naar een oude Bechstein-vleugel...

De telefoon op Loginova's bureau ging over. Het doordringende geluid deed Sarah uit haar gedachten opschrikken en ze kromp ineen. Opeens schoot haar weer te binnen wat de directrice bij hun begroeting had gezegd: Ik had al op uw komst gerekend... De hoogste tijd om ervandoor te gaan.

'*Da*', hoorde ze Loginova zeggen; verscheidene malen herhaalde ze het Russische woord voor 'ja'. Daarna volgde een volkomen onbegrijpelijke woordenvloed, en ze hing op. Vervolgens schakelde ze weer over naar het Frans. 'Er staat een bezoeker voor de deur, madame d'Albis.'

Sarah stond op. 'Goed. Nogmaals bedankt dat u uw kostbare tijd voor me wilde opofferen, madame Loginova. Ik heb alleen nog één vraag: staat er in de Hermitage ook een oude Bechstein-vleugel?'

'Hoe komt u daar zo op?'

'Het grootste deel van de Russische pianisten en componisten heeft een halve eeuw op Bechsteins gespeeld, gestudeerd en gecomponeerd. In Sint-Petersburg zouden er eigenlijk nog ettelijke van die instrumenten moeten zijn.'

'Goh! Maar daar heb ik geen verstand van. U zou eens bij Nikolaj Andrejevitsj Rimski-Korsakov thuis langs kunnen gaan. Ik geloof dat hij nog een oude vleugel heeft staan.'

'Waar kan ik hem vinden?'

'Op de Sagorodni Prospekt. Het huisnummer zou u bij de toeristen-informatie moeten opvragen.'

Sarah knikte. 'Dank u. Dan zal ik uw bezoeker niet langer laten wachten.'

Loginova glimlachte zelfingenomen. 'Dan hebt u het waarschijnlijk verkeerd begrepen. Professor Janin is hier niet voor mij. Hij wil ú spreken.'

Het voelde voor Sarah alsof ze knock-out werd geslagen om Janins naam te horen – nu, hier, zo volslagen onverwacht. Ze zakte weer op haar stoel neer en zei met moeite: 'Ik heb geen afspraak met die man en wil hem ook niet zien.'

Loginova liep al naar de andere kant van het werkvertrek en antwoordde luchtig: 'Daar is nu niets meer aan te doen. Hij staat al voor de deur.'

Sarah sprong op van haar stoel en keek nerveus om zich heen. 'Is er geen achteruitgang?'

'Nee.' De directrice was nog maar een paar meter bij de deur vandaan, en alsof ze ogen in haar rug had, voegde ze eraan toe: 'De ramen zijn met een alarmsysteem beveiligd.'

Angstig drukte Sarah zich tegen het bureau en riep: 'Nee, niet doen, alstublieft!'

Maar het was al te laat. Elena Loginova had de deur al opengedaan. Ze glimlachte – wat ze naar Sarah d'Albis geen enkele keer had gedaan –, zoals je een goede vriend begroette. En alsof ze de verbijstering van de gegijzelde nog erger wilde maken, sprak ze de bezoeker in het Engels aan.

'Hallo, goedemorgen. Fijn je te zien. Kom erin.'

Sarah hoorde de vloerplanken kraken, zoals ze dat ook hadden gedaan toen zij binnenkwam. Toen zag ze hem. En snoof: 'U?!'

'Ik ben blij dat ik u uiteindelijk toch nog te pakken heb gekregen,' zei de man in de deuropening, eveneens in het Engels. Zijn accent was zwaarder dan dat van Loginova.

Hoofdschuddend duidde Sarah op de jonge man en zei tegen de directrice: 'Dat is Oleg Janin niet. Ik had het twijfelachtige genoegen hem in Duitsland te leren kennen. Deze man is een bedrieger.'

De man en de directrice begonnen vrolijk te lachen. Loginova legde uit: 'Ik weet niet hoe u op het idee komt dat de voornaam van de professor Oleg zou zijn, maar deze hoogbegaafde wetenschapper hier ken ik al vanaf het moment dat hij als kunststudent stage bij me liep. Hoelang is dat nu geleden, Ossip?'

'Meer dan tien jaar, Elena Bella Loginova.'

Sarah schudde nog steeds met haar hoofd. De man die hier voor haar stond, was ongeveer midden dertig en had haar toen in het Nationaltheater van Weimar aangesproken. De zwartharige, blauwogige, goed uitziende Rus had haar een hardnekkige handtekeningenjager toegeschenen. Totdat ze op de achterkant van de foto die hij haar had teruggegeven een waarschuwing had zien staan: *U verkeert in groot gevaar! Maar misschien kan ik u helpen.*

Intussen was hij het werkvertrek door gelopen en stak zijn hand naar Sarah uit.

'Mijn naam is Ossip Janin. Let wel: Ossip – niet Oleg.'

'Ossip?' herhaalde Sarah als verdoofd.

'Dat betekent: "Jahweh voege toe". In uw geboorteland zouden ze me Joseph noemen.'

'Bent u familie van Oleg Janin?' vroeg Sarah argwanend.

Hij knikte ernstig, maar antwoordde: 'Nee. Geen familie, eigenlijk.' En na een lange, afwezige blik voegde hij eraan toe: 'Hoewel hij ooit mijn vader was.'

40

Desalniettemin acht ik het zeer nuttig, zijn fouten mogelijk te verbeteren [...]
— Franz Liszt

Sarah had het gevoel dat ze een gevangene was. Terwijl Ossip Janin haar absoluut niet bedreigd of gedwongen had. Toch was ze als verdoofd achter hem de Hermitage uit gegaan, was met hem het Paleisplein over gelopen en had zich door hem mee laten slepen naar een café op de Nevski Prospekt. Dat ze van verzet of zelfs een vluchtpoging afzag, kwam alleen doordat ze ervan overtuigd was dat ze bij het eerste teken van weerstand meteen de lucht in zou worden gejaagd – of wat Russen dan ook deden met ongewenste figuren.

Daar zaten ze nu; de nerveuze spanning tussen hen was overduidelijk. Het literair café was ingericht met oude meubels en gravures. Het was een geliefde ontmoetingsplaats voor kunstenaars, had Ossip Janin gezegd, alsof dát voor een gekidnapte pianiste een troost was: op deze plek had Tsjaikovski's lot zich voltrokken en had Poesjkin zijn laatste kop thee gedronken voordat hij in een duel de dood vond.

'Wat wilt u van mij?' vroeg Sarah. Eindelijk durfde ze in opstand te komen. Ze probeerde niet eens de agressieve toon in haar stem te verhullen.

'U vertrouwt me niet, hè?'

Ze schudde verbijsterd haar hoofd. 'Uw vader heeft een hele berg op me neer laten komen. Hij wilde me van kant maken. Hoe zou ik u nu kunnen vertrouwen?'

'Was dat in Les Baux de Provence?'

'Ha! Daar weet u dus van?'

'Ik heb de opsporingsadvertentie van Musilizer in de *Smena* gelezen.'

Dat had Sarah helemaal verdrongen. Even trok haar woede weg. De man tegenover maakte daar handig gebruik van.

'Wat heeft Oleg Janin u over zichzelf verteld?'

'Dat hij een Moskouse muziekhistoricus was en onderzoek deed naar een geheime Broederschap.'

De Rus knikte. 'Dat is niet de eerste keer dat hij dat heeft gedaan.'

'Wat?'

'Mijn identiteit aannemen. Ík ben de professor voor wie hij zich heeft uitgegeven.'

'En hoe komt het dan dat u mij in Sint-Petersburg opwacht?'

'Heel simpel. Mamoesjka – mijn moeder – is ziek. Normaal gesproken zorgt een buurvrouw voor haar, maar in dit geval had ze haar zoon nodig. Ik ben in Sint-Petersburg geboren.'

'En u werkt in Moskou?'

Hij haalde zijn schouders op. 'De Russische staatsleider, Vladimir Vladimirovitsj Poetin, komt ook hier vandaan en werkt in Moskou.'

Sarah vuurde een salvo boze blikken op hem af. 'Mocht dat een poging zijn geweest om me op te vrolijken, dan is die mislukt. Laten we eens doen alsof ik u geloof: wat is uw connectie met Oleg Janin?'

'Hij is mijn stiefvader. Mijn verwekker had zich al uit de voeten gemaakt voordat ik ter wereld kwam. Daarom ben ik geboren als Ossip Baronov...'

'Dat meent u niet – de beroemde Russische violiste Ludmilla Baranova is uw moeder!' flapte Sarah eruit.

Hij knikte. 'Ze was ver over de Russische grenzen een ster, onder vrienden van de klassieke muziek bijna net zo bekend als het Bolsjoi Ballet. De kranten schreven dat ze door een "welhaast mystieke aura" werd omgeven, vermoedelijk omdat ze klanken kon zien.'

'Was ze synesthete?'

'Ja. Net zoals ik. En zoals u, madame d'Albis. En toen liep mijn moeder Oleg Janin tegen het lijf.'

'Precies zoals ik.'

'Nee. Anders. Hij was een gevierd dirigent. De Karajan van het Oosten. Ze trouwden met elkaar. Hij adopteerde mij; zo kreeg ik mijn huidige naam. We verhuisden naar Parijs. Mijn stiefvader was voortdurend op tournee. Maar wanneer hij naar huis kwam, nam hij ook echt de tijd voor me. Tegenwoordig denk ik trouwens dat hij meer geïnteresseerd was in mijn vermogen om kleuren te horen dan in mij als mens. Hij probeerde mijn synesthesie door vermoeiende oefeningen steeds meer te verfijnen en speelde me vaak vreemde melodieën voor, vooral fluitklanken. Met mamoesjka deed hij hetzelfde. We moesten hem dan vertellen wat we bij zijn muziek zagen en voelden. Ik had het idee dat mijn indrukken hem eerder teleurstelden dan aanstonden. En toen liet hij ons opeens links liggen. Hij kwam steeds minder vaak thuis. Uiteindelijk heeft hij mijn moeder in de steek gelaten voor een andere vrouw. Ze moet operazangeres zijn geweest.'

'Het schijnt een karakterzwakte van hem te zijn om andere mensen te misbruiken. Bent u daarna weer naar Sint-Petersburg teruggegaan?'

'Ja,' bromde Ossip Janin.

Sarah beet op haar onderlip. 'Hoe oud bent u?'

'Negenendertig.'

'Ik had u jonger geschat.'

'Dank u.'

'En wanneer verhuisde u weer naar Rusland?'

'In 1976. Ik was net tien geworden.'

'Dus lang voor de politieke lente in Rusland. Uw moeder heeft de aangename kanten van het Westen leren kennen en verlaat met haar kind een vrij land, om achter het IJzeren Gordijn terug te keren? Verwacht u nu echt dat ik dat geloof?'

'Heb niet een al te grote dunk van uw vrijheid,' antwoordde de Rus vaag.

'Als u wilt dat ik uw verhaal geloof, zult u me moeten overtuigen.'

'Dat is me duidelijk.' Ossip Janin liet zijn stem dalen. 'We hebben Parijs niet voor niets verlaten: kort nadat mijn stiefvader me als een baksteen had laten vallen, vond ik onder de vloerplanken in onze Parijse woning een geheim vak. In de schuilplaats lagen verscheidene geschriften. Ik nam ze mee naar mijn slaapkamer en las ze met een zaklamp onder de dekens. In de documenten stond veel over Franz Liszt, zijn audition colorée en over een Orde der Kleurenhoorders, die in tweeën was gesplitst; de duistere fractie hield de lichte op verschillende locaties in de gaten. Er was ook een blad met de namen van vermoedelijke afstammelingen van Franz Liszt, waaronder die van mijn moeder. Ik was pas negen, een opgewekte jongen, zoals mamoesjka altijd beweerde, maar toch te klein om goed te begrijpen wat die Broederschap en de andere zaken nu echt te betekenen hadden. Mij fascineerde gewoon alles wat verboden en geheimzinnig was.'

Sarah schudde woedend haar hoofd. 'Dit is niet te geloven! Janin heeft niet alleen uw identiteit gestolen, maar ook uw verhaal. Hij vertelde mij dat híj de documenten had gevonden van zíjn vader, en zo van het geheime genootschap had gehoord.'

'Dat verbaast me absoluut niet. Die man schrikt nergens voor terug. Toen ik hem indertijd, naïef als ik was, naar de Kleurenhoorders vroeg, waarschuwde hij me dat ik die naam moest vergeten, als mijn leven me lief was. Mijn moeder ving het gesprek toevallig op en riep hem ter verantwoording. Daarna heeft hij ook haar bedreigd: als ze tegen andere mensen ook maar de naam van de Broederschap zou noemen, zou het slecht met ons aflopen. Kort daarna viel ze uit het raam.'

'Wát? Wilt u daarmee zeggen dat Janin haar...?'

'Ja. Maar hij heeft zijn eigen handen er niet aan vuilgemaakt, hij heeft zijn louche mannetjes gestuurd. Misschien had het ook alleen een waarschuwing moeten zijn. In ieder geval heeft mamoesjka sindsdien een dwarslaesie. En met haar carrière was het ook afgelopen.'

Sarah keek naar het bedroefde gezicht van de Rus. Konden deze gevoelens gespeeld zijn? 'Wat wilde u in Weimar nou precies van me?'

'U voor Oleg Janin waarschuwen. Ik dacht dat ik u dat geschreven had. Sinds de verboden leesstof onder de dekens ben ik nooit opgehouden te proberen de Kleurenhoorders op het spoor te komen. Daardoor werd me duidelijk dat mijn stiefvader tot een crimineel geheim genootschap behoort, waarbinnen hij tamelijk hoog in de hiërarchie moet staan. Toen las ik over u. Sarah d'Albis is een nakomelinge van Liszt, stond in de kranten. Ze was een synnie, werd gemeld. Het was me duidelijk dat u precies hetzelfde zou kunnen overkomen als mijn moeder en mij.'

'Waarom hebt u me niet geschreven? Als Ossip Janin, bedoel ik.'

'Dat heb ik toch ook? Diverse malen! Maar waarschijnlijk had u uw agenten geïnstrueerd alle Janin-correspondentie te negeren.'

Ze knikte. 'Klopt. Zo was het inderdaad.'

'En daarom ben ik toen naar Weimar gereisd. Ik wil niet opscheppen, maar in vakkringen geniet ik een goede naam. Het was dus geen probleem om aan kaarten voor de première te komen. Mijn poging u te waarschuwen mislukte alleen jammerlijk, afgezien dan van de kaart met uw handtekening erop; u hebt me behandeld als een lastige fan.'

Sarah knarsetandde. 'Ik was die avond behoorlijk van slag. U had vasthoudender moeten zijn.'

Hij lachte, zonder dat het vrolijk klonk. 'Wat denkt u dat ik heb gedaan? Het lukte me erachter te komen dat u uw intrek in het Russischer Hof had genomen, maar daar hield het dan ook mee op. U werd afgeschermd als een koningin. Berichten die ik bij de receptie achterliet, bleven onbeantwoord. Alle pogingen u te bellen, mislukten eveneens.'

'Was ú dat? En ik dacht nog wel dat uw stiefvader zo opdringerig was. Geen wonder dat hij me altijd zo vreemd aankeek als ik hem erop aansprak.'

'Hij heeft zich vast en zeker afgevraagd wie er, behalve hijzelf, nog meer in uw buurt probeerde te komen.'

Sarah voelde zich heen en weer geslingerd. Bij de oude Janin had ze keer op keer een gevoel van wantrouwen gehad; het verhaal van de jonge daarentegen raakte haar in het hart. Ze besloot een risico te nemen. 'Mister Janin...'

'Zeg alstublieft Ossip tegen me. Gezien wat mijn stiefvader u heeft aangedaan, is het immers onmogelijk me te vertrouwen als u me Janin noemt.'

'Mag ik ook Joseph zeggen?' Ze sprak de naam op z'n Frans uit.

'Natuurlijk. En mag ik gewoon Sarah zeggen?'

Innerlijk was ze nog niet zover, maar om niet al te afwijzend over te komen, antwoordde ze: 'Mij best. Maar maak je geen illusies.'

Hij knikte begrijpend. 'Geloof mij maar, ik haat Oleg Janin minstens zo erg als jij. Maar in tegenstelling tot jou ken ik hem. Laat me raden: je bent iets op het spoor waarmee je de boel behoorlijk voor hem kunt bederven, klopt dat?'

Sarah aarzelde. 'Hoe kom je daarop?'

'Herinner je je niet dat je me uit Weimar een e-mail hebt gestuurd?' Ossip keek naar het plafond, kennelijk om zich de tekst ervan voor de geest te halen. 'Bij mijn onderzoek naar de Kleurenhoorders en Franz Liszt, stond in het bericht, kon je me helaas niet verder helpen. Je wilde in de toekomst liever alleen het spoor van je voorvader volgen.'

'Klopt! Omdat ik Janins visitekaartje was kwijtgeraakt, heb ik je e-mailadres op de website van de universiteit opgezocht.'

'Wat voor ons allebei een geluk was. Na je mededeling heb ik contact opgenomen met een aantal mensen en hun gevraagd het me te laten weten wanneer er ongebruikelijke aanvragen over Liszt binnenkwamen.'

'Onder anderen met Elena Bella Loginova?'

Hij knikte. 'In de documenten van mijn vader werd de Hermitage als een van de locaties genoemd waar de Duistere Kleurenhoorders een "zoekende der Lichten" hoopten te onderscheppen.'

Sarahs hart sloeg een keer over. 'Houdt dat in dat Janin zijn spionnen hierheen gestuurd kan hebben om me op te wachten?'

'Ga daar maar van uit.'

'Ik geloof dat ik misselijk word.'

'Mijn aanbod uit Weimar staat nog steeds. Wil je dat ik je help?'

Sarah keek Ossip doordringend aan. Toen zuchtte ze. Eén stap kon ze hem zeker tegemoet komen. 'Heb je een idee waar in Sint-Petersburg een concertvleugel van de pianofortefabriek C. Bechstein uit de negentiende eeuw te vinden is?'

'Bij mijn weten in het Rimski-Korsakov-conservatorium.'

Ze spitste haar oren. 'In de grote concertzaal van de academie heb ik al eens een gastoptreden gegeven. Die heette toch vroeger anders, of niet?'

'Inderdaad. Het is opgericht onder de naam Sint-Petersburg Conservatorium. Het was het eerste staatsinstituut van dit soort in Rusland.'

Sarahs hart begon van pure opwinding sneller te kloppen. 'Is het conservatorium hier niet vlakbij?'

Hij knikte. 'Niet meer dan een halfuurtje lopen hiervandaan. Het ligt aan het Theaterplein, recht tegenover het Marientheater.'

'Zouden ze me op de Bechstein-vleugel laten spelen?'

'Je bedoelt nú?' Hij schudde zijn hoofd. 'Beslist niet.'

Ze stak haar hand in haar jaszak en voelde de mp3-speler, die haar in het hoofdkantoor van Musilizer zulke goede diensten had bewezen. Er gleed een grimmig lachje over haar gezicht. 'Ga je er toch met me mee naartoe?'

Het staatsconservatorium N.A. Rimski-Korsakov was te groot om ooit rustig te zijn. Hoewel er in het weekend geen les werd gegeven, waren er in de muziekacademie altijd wel diverse evenementen of werkgroepen, of onvermoeibare studenten die in de talloze oefenruimtes hun instrumenten en stemmen tiranniseerden. Ossip Janin kon erover meepraten; op Theatralnaja Ploschad nummer 3 had hij als gastdocent tenslotte al menige lezing gehouden.

Sarah en hij waren nog maar net in het gebouw toen ze een stoppelige huismeester met een angstaanjagend grote tang tegen het lijf liepen. Hij beweerde alle veertienhonderdvijftig studenten en natuurlijk ook de negenenzestig professoren te kennen, maar de gezichten van de beide indringers kende hij niet.

Ossip liet hem zijn pasje van de Moskouse universiteit zien, maar ook daarmee liet de tamelijk stevig gebouwde eind-vijftiger zich niet tevredenstellen. Hij legde zijn tang op zijn schouder en klaagde erover dat er de laatste tijd voortdurend toeristen in zijn school belandden en in de vertrekken rondsnuffelden. Dat liet hij niet langer toe.

Nadat Sarah hem vervolgens haar mp3-speler had gedemonstreerd, werd de brommerige waakhond van het instituut zo mak als een lammetje. Hij gaf hun zelfs de sleutel van de kleine concertzaal op de eerste verdieping, waar de Bechstein-vleugel stond.

'Wat was dat voor muziek?' vroeg Ossip verbouwereerd toen ze, weer met z'n tweeën, de brede trap naar de bovenverdieping op liepen.

'Je stiefvader noemde het "klanken der macht". Hij zei dat de Kleurenhoorders op deze manier vanaf het begin der tijden andere mensen manipuleerden, uiteraard voor hun eigen bestwil.'

'Zou de huismeester daar ook zo over denken?'

'Je hoeft me geen schuldgevoel aan te praten hoor, ik voel me zo ook wel beroerd genoeg. Maar als ik de Duistere Kleurenhoorders niet met hun eigen wapens bestrij, zal ik nooit winnen.' Ze kneep haar ogen tot spleetjes. 'Naar het heet zijn de volgelingen van Jubal min of meer immuun voor de klanken der macht.'

Hij zuchtte. 'Je wantrouwen werkt behoorlijk deprimerend, weet je dat? Ik heb beslist iets gevoeld. Er was iets lokkends, dat me het bevel gaf naar je te luisteren.'

'Maar je kon de dwang nog net weerstaan.'

'Tuurlijk. Ik ben toch geen cobra die naar de fluit van de slangenbezweerder danst?'

Terwijl ze samen een gang in liepen die qua afmetingen meer op een boulevard leek, nam Sarah de jonge professor van opzij op. Was hij misschien toch een Adelaar? Zijn argeloosheid leek in ieder geval echt. 'Misschien beschermt je synesthesie je. Dat zou inderdaad de reden kunnen zijn waarom Oleg Janin zo geïnteresseerd in je was.'

'Mamoesjka en ik zijn voor hem alleen maar een middel geweest om zijn doel te bereiken, iets dat je gebruikt en dan weggooit. Daar zal hij op een dag voor boeten.'

'Je wilt je wreken voor wat hij je moeder en jou heeft aangedaan?'

Ossip schudde zijn hoofd. 'Ik wil alleen gerechtigheid.' Hij gebaarde naar een dubbele deur. 'Dat daar zou de concertzaal moeten zijn die de huismeester bedoelde.'

De brede gangen weergalmden van de overmoedige loopjes van de klarinetten en violen, hobo's en celli, van dreunende piano's en jonge zangers en zangeressen die hun stemmen tot in diepe dalen en naar duizelingwekkende hoogten brachten. Dit alles was vermengd met de geur van goedkope boenwas. Terwijl Sarah zwijgend naast Ossip voortliep, dronk ze letterlijk de haar zo vertrouwde sfeer in. Met weemoed dacht ze terug aan haar eigen tijd als leerling aan het Parijse Conservatoire National de Musique. Toen had de muziek haar ziel van het gif van de zelfvernietiging gezuiverd.

Terwijl Ossip de sleutel in de deur naar de concertzaal omdraaide, werd haar duidelijk wat Franz Liszt met zijn opdracht aan Rubinstein had bedoeld: *Ze zullen door de universele taal der mensheid, de muziek, ook tot meer begrip in de wereld bijdragen.* Al had ze het nooit onder woorden gebracht, dat was ook precies altijd háár innigste wens geweest. Ze wilde niet alleen vermaken, maar met haar kunst de dikke korst van haat, tweedracht en afgunst wegvagen en het meest pure gevoel van mensen blootleggen: liefde. De liefde had geen behoefte aan religieuze of politieke onderdrukking, of dreigementen, maar ook niet aan onderbewuste manipulaties. Daarom had Franz Liszt de weg van het licht gevolgd. De weg van de liefde. En nog voordat Sarah de zaal binnenging, wist ze dat die ook haar toekomstige weg zou zijn.

'Daar staat de vleugel,' zei Ossip, en hij wees het vertrek in.

Sarah was zo vervuld van dit visionaire moment dat ze een hele tijd gewoon bleef staan zonder te reageren. Pas geleidelijk aan nam het instrument voor haar vorm aan. Toen ze het ten slotte eindelijk bewust waarnam, overweldigde de aanblik ervan haar des te meer.

Ze stapte de deur door om de vleugel beter te bekijken. De concertzaal kon aan zo'n tachtig of honderd mensen plaats bieden. Hij schitterde door eenvoud: de muren en het hoge plafond waren gewit, de vloer was bedekt met licht eikenhouten parket in visgraatpatroon. De piano vormde daarmee een fel contrast. Het was een prachtig licht instrument met krulversieringen, ongeveer drie meter lang, met gewelfde poten en talloze ornamenten. Sarah streek met haar hand over de gladde lak terwijl ze om de reusachtige vleugel heen liep en elk detail in zich opnam.

'Waarom moet het eigenlijk per se een Bechstein zijn?' vroeg Ossip, nadat hij haar een tijdje alleen maar had gadegeslagen.

'Vanwege het timbre. Ik heb een melodie in mijn hoofd die vermoedelijk alleen op een Bechstein zijn geheim aan me prijsgeeft.'

'Zou dat op een Steinway niet net zo goed kunnen?'

Ze schudde haar hoofd. 'Wat voor Liszt in zijn virtuozentijd de vleugels van Pierre Erard waren, dat betekenden in zijn latere jaren als componist de instrumenten van Carl Bechstein voor hem. Ik ben ervan overtuigd dat hij een paar van zijn werken echt speciaal voor die piano's heeft geschreven. In het museum van de universiteit van Kansas staat een Bechstein waarop hij in het jaar van zijn overlijden in Londen heeft gespeeld. Als je dat instrument met een moderne Steinway zou vergelijken, zou je verbaasd ontdekken dat het merkbaar transparanter klinkt.'

Ossip ging op een stoel zitten en duidde met beide handen uitnodigend op de piano. 'Je hebt me wel nieuwsgierig gemaakt. Laat maar eens horen.'

Sarah zette haar laptoptas naast de vleugel op het parket neer, klapte het beschermdeel van het toetsenbord op en tilde de grote klep omhoog, zodat het geluid vrij over de snaren kon vloeien. Vervolgens ging ze op het pianobankje zitten, stelde dat iets lager in en legde haar vingers behoedzaam op de toetsen. Ze sloot haar ogen om zich de partituur voor de geest te halen die ze in de Hermitage had bestudeerd, en om haar audition colorée een leeg glazen scherm te bieden. Toen begon ze te spelen.

Weer lukte het Liszt om Sarah te verrassen. Door zijn bewerking was een relatief somber orgelwerk in een luchtig melancholisch pianostuk veranderd. Ze voelde de prachtige harmonieën letterlijk door haar hele lichaam trekken en ze er via haar handen weer uit stromen. Zelfs toen de achtste klankboodschap van de windroos voor haar ogen verscheen, stokte ze niet, maar legde ze juist nog meer gevoel en uitdrukkingskracht in haar spel:

DE KLEURENHOORDERS ZIJN GESPLETEN
SINDS PURPERDRAGERS ERIN OPTREDEN

NAAR RUSLAND TROK DE ADELAAR OOSTWAARTS
BIJ DE TSAAR VOND HIJ EEN VEILIGE SCHUILPLAATS

AAN ZIJN BORST KOESTERDE HIJ EEN ADDER
DIE ZINT OP MOORD IN HET WERELDTHEATER

DES ZWANENS KINDEREN BRENGT HIJ OM
HIJ VLUCHT IN HET PATRIMONIUM

DAAR WIL ZE HEM ZIJN GAVE ONTSTELEN
STUURT JANINA OM HEM TE KELEN

IK BEN BANG MAAR ZAL TRIOMFEREN
DE KLANK DER MUNT LAAT HAAR CAPITULEREN

Na het laatste akkoord liet Sarah haar hoofd zakken, en ze kwam in een soort trance terecht. Later had ze nooit kunnen verklaren of deze toestand door de klanken der macht was veroorzaakt of dat ze gewoon overweldigd was door de openbaring van het geheim. Hoewel de klankboodschap er net als alle voorgaande als raadsel uit kwam, kon Sarah hem toch lezen als een open boek.

Franz Liszt, die zich nu openlijk een Zwaan noemde, was voor zijn vijanden naar het 'patrimonium' gevlucht. Daarmee moest wel het *Patrimonium Petri* bedoeld zijn. Afgezien van enkele uitzonderingen werd dit 'bezit van Petrus' tijdens Liszts verblijf in Rome tot de grenzen van het Vaticaan teruggebracht.

Het Vaticaan! Daar eindigde het spoor van de windroos...

Sarah haalde bibberend diep adem. Anders dan in zijn vorige klankboodschappen sprak de meester der harpen nu veel dingen openlijk uit. Kennelijk had de fractie van de Adelaars, die hij met een slang vergeleek, na het schisma een toevlucht gevonden bij de tsaar – de vorst had geen idee dat hij een adder aan zijn borst koesterde. Meer nog dan door deze openbaring werd Sarah getroffen door de naam die Liszt in zijn laatste boodschap had verwerkt.

Janina! Ze had hem zijn gave willen ontstelen, meldde hij, en hem, de Zwaan Liszt, zelfs willen 'kelen'. De schellen vielen Sarah van de ogen. Ze had wel over de jonge Russin gelezen, maar tot nu toe was haar nooit de gelijkenis van haar naam met die van de verrader Oleg Janin opgevallen. Uit wat ze zich herinnerde en begreep vormde zich nu opeens een ongelooflijk scenario.

Olga Janina – de 'kozakkengravin' – had datgene voor elkaar gekregen waar andere vrouwen in Liszts dagen alleen maar van hadden kunnen dromen: ze was naar Rome gereisd en had de gerijpte, maar nog steeds door vrouwen omringde 'pianogod' verleid. Haar verhaal leek wel zo uit een roman van Boris Pasternak te komen:

Hoewel ze nog maar net negentien is, kan Janina al op enige ervaring met mannen bogen. Op haar vijftiende was ze uitgehuwelijkt, maar ze had haar echtgenoot al meteen op de ochtend na de huwelijksnacht verlaten. Voor de Duisteren is ze het ideale wapen, aangezien haar tegenspeler Franz Liszt twee grote zwakheden heeft: vrouwen en luxe.

Het had nooit echt zijn belangstelling gehad materieel bezit na te streven. Toch laat hij zich de genoegens die zeer vermogende tijdgenoten hem te bieden hebben maar al te graag welgevallen: hij is vaak bij hen te gast. Ook het sobere onderkomen in het klooster ruilt hij al snel in voor de meer mondaine vertrekken die zijn begunstiger, kardinaal Lohenhohe, hem in de Villa d'Este ter beschikking stelt. Af en toe verblijft Franz Liszt zelfs in het Castell Gandolfo, de zomerresidentie van de paus.

Met dit voor ogen huurt Janina een chique woning en laat zich door de Parijse couturier Worth opnieuw in de kleren steken. Haar charmes missen hun uitwerking op Liszt ten slotte niet, en hoewel hij misschien zijn kans geroken had, zei hij toch, nadat hij haar had leren kennen, tegen haar: 'Begin bij mij nooit over liefde. Ik mag niet liefhebben.' Let wel: hij heeft een relatie met de vorstin Von Sayn-Wittgenstein, met wie hij van plan is te trouwen, en hij is immers in Rome om de lagere wijdingen van een wereldgeestelijke te ontvangen (als abbé was hij niet gehouden aan het celibaat).

Maar de temperamentvolle Russin is slim en geduldig. Ze maakt handig misbruik van Liszts zwakheden. Verwend als hij is met huldigingen door het grote publiek, begint de eenzaamheid van het oratorianerklooster Madonna del Rosario aan hem te knagen. Er is hem een langere periode van contemplatie aangeraden op de Monte Mario, indertijd een afgezonderde plek buiten de Eeuwige Stad. Olga weet dat zijn dorst naar aandacht de meester zal uitdrogen, hem zwakker zal maken. En precies zo gebeurt het ook.

Op het juiste moment staat ze, verkleed als hulptuinierster, met een mandje bloemen bij hem voor de deur. Door vreugde overmand laat hij haar binnen. Een korte en heftige affaire volgt.

De roes van hartstocht wordt al snel gevolgd door een kater van berouw. Er zijn beslist diverse overwegingen die Liszt naar het Patrimonium Petri hebben gevoerd, niet alleen de vlucht voor de Adelaars, maar ook de overdenking van zijn rol in Gods grote plan, zijn hartenwens om met Carolyne von Sayn-Wittgenstein te trouwen en de hervorming van de kerkmuziek; hij heeft goede vooruitzichten de titel 'eerste dirigent van de kerkmuziek' te ontvangen. Zo zou hij nieuwe wegen voor de mensen naar het humanisme, naar het begrip van het ware, het schone en het zuivere kunnen openen, en tegelijkertijd zouden de Lichte Kleurenhoorders invloed op een groot deel van het muziekleven krijgen wanneer hun klanken der macht eenmaal alle katholieke kerken ter wereld vulden. Maar het zou anders lopen.

Liszt geeft Olga Janina te kennen dat hij haar nooit weer wil zien. Dan dreigt ze zich van kant te maken, en hem ook. Voor zijn ogen grijpt ze naar de giffles. De vloeistof is, zoals al snel blijkt, alleen maar een sterk slaapmiddel. Een weeklang houdt hij stand tegen haar gekwetste liefdesgeweld, dan ligt hij weer aan haar voeten.

Maar niet voor lang. Olga heeft in bed kennelijk veel meer talent dan op de piano. Als ze voor het publiek haar 'kunst' ten beste geeft en vals speelt, wijst Liszt haar in het bijzijn van iedereen streng terecht. Het meisje is helemaal overstuur. Ze vlucht het vertrek uit en dreigt zichzelf en hem dood te schieten. Zover komt het weliswaar niet, maar ze heeft zich alleen maar schijnbaar teruggetrokken. Algauw spuwt de adder een nieuw gif.

De Russin schrijft twee smaadschriften, die door de indiscreties die erin staan een schandaal in Rome veroorzaken. Liszt is desondanks van plan op zijn vijftigste verjaardag met Carolyne von Sayn-Wittgenstein te trouwen. Alles is voorbereid voor het huwelijk. Zeven uur daarvoor duikt echter uit Rusland een koerier in het Vaticaan op met 'belastend materiaal' over Carolynes familieomstandigheden. De bruiloft gaat niet door. En ook de plannen van de 'eerste dirigent van de kerkmuziek' in spe vallen in het water.

De over verschillende Liszt-biografieën verspreide puzzelstukken voegden zich op dit moment, terwijl Sarah met gesloten ogen achter de vleugel zat, tot één groot geheel samen. En de laatste klankboodschap was de lijm waarmee alles tot een uitgekiende intrige van de Adelaars werd verbonden.

De vurige Russin had zich door de Duisteren laten rekruteren om Liszt ten val te brengen. Niet alleen zijn huwelijks- en hervormingsplannen gingen als gevolg van haar geraffineerde spel de mist in. Janina heeft, zo beweert hij immers, hem zijn 'gave' willen ontstelen. In eerste instantie had Sarah hierbij aan de purperpartituur gedacht, maar in dat geval zou hij zich beslist anders hebben uitgedrukt, zoals de eerste – de Weimarse – klankboodschap immers liet zien. De woorden konden maar één ding betekenen.

Olga Janina wilde een kind van hem krijgen, dat het vermogen zou hebben de purperpartituur te vinden, te begrijpen en te gebruiken. En nadat ze zwanger van hem was geworden, probeerde ze hem te vermoorden...

Sarahs hart had nauwelijks drie of vier keer geslagen in de tijd dat dit allemaal tot haar doordrong. Versuft constateerde ze dat ze niet meer alleen met Ossip in de concertzaal was. Vanuit de aangrenzende oefenruimtes was een kleine groep studenten komen aanlopen, die enthousiast applaudisseerde.

'Da capo, madame d'Albis,' juichte een jonge man met een Beethovengezicht. 'Da capo, da capo!' En anderen gingen meeroepen.

Plotseling voelde ze alleen nog maar ijskoude angst. Uitgerekend hier, in Sint-Petersburg, waar de Duistere Kleurenhoorders haar verwachtten, riep men luidkeels haar naam uit. Ze sprong van de bank op, greep haar tas en vluchtte het gebouw uit.

Ossip haalde haar pas op het Theaterplein in; hij had de verbaasde studenten nog vlug een paar onsamenhangende verklaringen gegeven voordat hij haar achterna was gelopen.

'Gaat het wel goed met je, Sarah?'

Ze stapte in onverminderd tempo door over het plein en snoof: 'Sinds ik uit Les Baux weg ben, probeer ik niet op te vallen, en hier krijg ik staande ovaties en brullen ze mijn naam. Ik ben zo goed als dood.'

'Kalm nou maar. Ik woon in deze stad. Ik bedenk wel iets om dat te voorkomen. Waar logeer je?'

'In het Angleterre.'

'Welja! Het heeft status, maar is niet erg geschikt, als je het mij vraagt. Waarom ben je niet meteen in het Astoria of in het Nevski Palace gaan overnachten?'

Ze bleef abrupt staan en keek hem met fonkelende ogen woedend aan. 'Die waren al volgeboekt.'

Een man met een volle baard liep tussen hen door. Hij droeg op sentimentele toon iets voor en zwaaide daarbij theatraal met zijn armen door de lucht. Sarah keek hem geïrriteerd na.

'Dat is normaal hier. Hoewel het de laatste tijd wat minder is geworden,' zei Ossip met een misprijzend gebaar.

Ze keek hem niet-begrijpend aan. 'Wat?'

'Nou, dat mensen gedichten lopen te declameren.'

Weer moest ze de jonge man nakijken. Ze schudde haar hoofd.

'Daarom ga ik ook altijd weer zo graag naar Sint-Petersburg,' vertelde Ossip met een dromerige glimlach. 'Dostojevski vond het "een stad vol halve gekken". Hier is alles een beetje... anders. Wie een of andere afwijking of een lichamelijk defect heeft, wordt als normaal gezien. Maar beroemd zijn geldt als onfatsoenlijk.'

'Ah, dus daarom maakte mijn ware identiteit geen enkele indruk op madame Loginova.'

Hij knikte. 'Ja, ze is een typische Petersburgse: ontwikkeld, afstandelijk en griezelig goed onderlegd in de meest onzinnige dingen.'

'Pardon?'

Ossip wees vagelijk naar de voordrachtskunstenaar. 'Het kralenspel is hier traditie: elke niet-functionele kennis wordt de moeite waard gevonden. Bijvoorbeeld de oude Koptische taal, details uit de biografie van de schrijver Konstantin Vaginov, de geschiedenis van het kleine rode kerkhof of de namen van de katten van Tolstoj.'

'Ik wist niet eens dat hij katten had.'

'Ik ook niet. Heb je nog bagage in het hotel?'

Sarah rukte zich eindelijk van de aanblik van de recitator los. 'Ja. De hoogste tijd om mijn spullen uit de kamer te halen, en...' Sarah beet op haar onderlip.

'En?'

'Ach, niets.'

'Ben je door de paushymne nog iets over de Kleurenhoorders te weten gekomen?'

'Dat kan ik je niet zeggen.'

'Je bedoelt, je wilt het niet. Omdat je me nog steeds niet vertrouwt.'

'In elk geval moet ik zo snel mogelijk Sint-Petersburg uit. Het beste kan ik meteen maar naar de luchthaven gaan.'

Ossip wees naar rechts. 'Voor het Angleterre moeten we trouwens die kant op.'

Ze vuurde een fonkelende blik op hem af en sloeg fier een andere richting in.

'Ik breng je naar Pulkovo en wacht totdat je bent opgestegen.'

Sarah bleef nogmaals staan en keek haar begeleider doordringend aan. Ossip leek serieus bezorgd om haar te zijn. Ze zuchtte. 'Wees alsjeblieft niet boos op me, maar...'

'Dat ben ik niet. Ik ga met je mee het hotel in.'

In een wat rustiger tempo liepen ze verder. Na een tijdje vroeg Sarah: 'Staat in de huwelijksakte van je moeder eigenlijk ook Olegs familienaam?'

'Ja. Officieel heet ze nog altijd Ludmilla Janina.'

Sarah huiverde. 'In Rusland wordt achter de naam van de vrouw altijd een a geplakt, hè?'

'In principe wel. Hoezo?'

'De naam van een van Liszts vele liefjes leek op die van je stiefvader. Vermoedelijk heeft de maestro haar zelfs zwanger gemaakt. Ze spookt als "kozakkengravin" door de literatuur, maar haar echte naam was Olga Janina.'

'Dat lijkt niet alleen op Oleg, Olga is ook de vrouwelijke vorm daarvan. De naam betekent "heilige". In andere landen zouden ze Helge of Helga zeggen.'

Ze wierp haar hoofd in haar nek. 'O, mijn god!'

'Kun je niet gewoon zeggen wat er aan de hand is?'

'Dan zou jouw stiefvader wel eens familie van mij kunnen zijn...'

'Ik dacht dat je dat al wist.'

Weer bleef Sarah staan, en ze gilde: 'Wat?! Waarom heb je dat voor me verzwegen?'

'Ik dacht eigenlijk dat jíj degene was die hier zweeg en elk verstandig gesprek uit de weg ging.'

'Dan gaan we nu praten, Joseph. Wat weet je over de stamboom van je stiefvader?'

'Olga Janina had maar één kind, om precies te zijn een zoon. Als de vader Franz Liszt was, dan is Oleg Janin een directe nakomeling van hem.'

'Ben je daar met je zaklamp onder de dekens achter gekomen?'

'Nee. Door heel gewoon stamboomonderzoek. Alleen was me tot nu toe niet duidelijk wie Olga zwanger had gemaakt.'

'Heb je nog meer van die verrassingen voor me?'

'Ik sta zelf ook nogal versteld. Wat wil je weten?'

'Als je vader zo'n bekende dirigent was, dan vind ik het maar vreemd dat ik hem niet ken. Had hij een artiestennaam?'

'Jazeker. Sorry, maar voor mij was hij altijd gewoon Oleg Janin, daarom ben ik helemaal vergeten die te noemen. De kunstwereld kende hem als Anatoli Akulin.'

Sarah schrok zo hevig dat ze struikelde, en waarschijnlijk was ze op straat gevallen als Ossip niet zo alert was geweest om haar bij haar arm te pakken. Haar knieeën knikten. Snel pakte hij haar ook met zijn andere hand vast.

'Wat is er toch, Sarah? Je bent lijkbleek.'

'D-die naam,' stamelde ze. 'Anatoli Akulin. In... In de nalatenschap van mijn moeder heb ik een heleboel krantenknipsels gevonden. Telkens weer dook daarin de naam Anatoli Akulin op. Daarom heb ik altijd aangenomen dat... hij mijn vader was.'

De rest van de weg naar het hotel legden ze min of meer zwijgend af. Sarah zag niets, en evenmin hoorde ze het lawaai van het verkeer. Ze was als verdoofd.

Als Oleg Janin en Anatoli Akulin een en dezelfde persoon waren... Telkens weer schudde ze haar hoofd. Ze weigerde de bittere consequenties van die gedachte te aanvaarden. Maar had dat ellendige liegbeest, die nepmuziekhistoricus, haar niet telkens weer 'mijn kind' genoemd? Waren die woorden hem af en toe gewoon ontglipt omdat ze recht uit zijn hart kwamen? Omdat ze voortvloeiden uit zijn vaderlijke gevoelens voor haar? En als dat zo was, waarom had hij dan geprobeerd haar om het leven te brengen?

Ook Ossip maakte een aangeslagen indruk, hoewel het nieuws voor hem eerder positief was. Op een gegeven moment zei hij dan ook: 'Toen ik vanmorgen vroeg opstond, had ik nooit kunnen dromen dat ik zo'n beroemde stiefzus zou krijgen.'

'Ik heb geen enkel bewijs dat Janin mijn vader is,' krabbelde Sarah meteen terug.

'Maar vreemden zijn we nu ook bepaald niet meer voor elkaar, toch?'

Op dat moment kon dit Sarah bar weinig schelen. Maar ze wilde Ossip niet kwetsen en mompelde: 'Nee, dat is waar.'

Weer viel er een lange stilte. Pas toen het vier verdiepingen tellende hotelgebouw tegenover de Isaac-kathedraal in zicht kwam, kreeg Ossip zijn spraakvermogen terug.

Hij wees naar de hoofdingang. 'Zie je die twee politiewagens daar?'

Ze knikte. 'Denk je dat dat iets met mij te maken heeft?'

'Laten we de zijingang maar gebruiken.'

Even later stapten ze via een onopvallende deur het Angleterre binnen. Voor hen strekte zich een lange, minstens twee verdiepingen hoge galerij uit met buksbomen in potten, gipsbeelden, kleine tafels en stoelen.

'Maar haast je niet!' fluisterde Ossip naast Sarah.

In wandelpas liepen ze de gang door, die uitkwam in de ontvangsthal, een grote vierkante ruimte, waarvan de kristallen kroonluchters zich weerspiegelden in het zwart- witte graniet van de vloer. De liften bevonden zich aan de andere kant van de foyer. En in het midden ervan stond wijdbeens een politieagent met een grote pet op, zijn gezicht naar de hoofdingang gericht en zijn handen over elkaar op zijn rug gekruist.

Sarah verstijfde van schrik. Werd ze soms al gezocht door de politie van Sint-Petersburg? Ze hoorde naast zich haar begeleider fluisteren: 'Geef me een arm.'

'Wat denkt u wel!' siste ze verontwaardigd; ze was van opwinding even helemaal vergeten dat ze elkaar al als broer en zus tutoyeerden.

'Als ze naar jou zoeken, zullen ze niet op een stel letten. Nou, kom op!' drong Ossip aan.

Met tegenzin stak ze haar hand door zijn arm.

Zo stapten ze de foyer binnen. Terwijl ze naar de liften slenterden, zorgde Ossip ervoor dat hij steeds tussen haar en de politieagent bleef. Hij was een stuk groter dan zij, waardoor ze bijna achter hem verdween. Op vrolijke conversatietoon vertelde hij haar iets in het Russisch, en als hij lachte, deed ze mee. Alweer theater, dacht Sarah, maar toen ze eenmaal in de lift stonden, haalde ze opgelucht adem.

'Eerste etage,' fluisterde ze.

Hij drukte op de knop. De deuren schoven dicht, de lift vertrok naar boven en toen hij weer openging, verstijfde Sarah nogmaals.

Voor haar kamer stonden drie politieagenten druk met elkaar te praten. Eentje draaide zich om naar de lift.

Ossip reageerde meteen. Hij ging voor Sarah staan, drukte op een knop voor een hogere etage en vervolgens op een andere om de deuren weer te sluiten.

Twee, drie kwellende seconden lang gebeurde er niets. Sarah bestierf het. Hadden de agenten haar herkend? Eindelijk kwam de lift weer in beweging.

'Waarom zijn ze hier, Joseph? Wat heeft dat te betekenen?' fluisterde ze verschrikt.

'In ieder geval niets goeds. Ofwel er heeft iemand ingebroken in je kamer, ofwel je staat op de opsporingslijst van de politie. We kunnen het best duidelijkheid zien te krijgen.'

Toen de lift op de tweede etage stopte, hield Sarah haar adem in. De deuren gingen open. Er waren geen agenten te bekennen.

Ossip trok haar een gang in. 'Heb je een gsm?'

'Ja.'

'Oké. Een hoteltelefoon is te gevaarlijk. Ze zouden er binnen een mum van tijd achter zijn dat je in het gebouw bent. Gebruik liever je eigen toestel. Bel het Angleterre op en zeg tegen de receptie dat je naar een privéonderkomen bent verhuisd en dat je je bagage graag door een taxi wilt laten ophalen. Mocht tegen de verwachting in toch alles in orde zijn, dan zullen ze je verzoek beleefd afwijzen en je vertellen dat op die manier immers iedereen die een portefeuille vindt wel een hotelkamer zou kunnen plunderen. Gaat het om een "normale" inbraak, dan wordt dat je voorzichtig meegedeeld. Maar mocht de politie met de Duisteren onder één hoedje spelen, dan zullen ze doen alsof er helemaal niets aan de hand is om je in de val te lokken.'

Sarah kokhalsde. 'Ik geloof dat ik zo moet overgeven.'

'Wacht daar liever even mee totdat we buiten zijn.' Ossip leidde haar naar een trap, daarlangs terug naar de benedenverdieping en voerde haar door een andere zijuitgang de straat op. In de frisse lucht voelde Sarah zich algauw weer beter. Haar gsm haalde ze echter pas tevoorschijn toen ze een huizenblok verder richting de Nevski Prospekt waren gelopen.

Ze koos het nummer dat op haar kamerpasje stond, meldde zich met de naam Kitty Gerárd en vroeg naar de receptie. Het duurde ongewoon lang voordat er een vrouwelijke stem aan de telefoon kwam. Sarah stak het met Ossip afgesproken verhaal af. Weer lieten ze haar wachten.

Toen bromde een mannelijke basstem: 'Mistress Gerárd?'

'Daar spreekt u mee.'

'U wilt uitchecken zonder nog eens naar het hotel te komen?'

'Ja, inderdaad. Mijn rugzak wordt door een taxi afgehaald.'

'Als uw nieuwe adres in Sint-Petersburg is, leveren wij uw bagage daar met alle plezier gratis af.'

'Dank u, maar dat is niet nodig. De chauffeur zal ook meteen mijn rekening betalen.'

'Zoals u wenst. Geeft u de chauffeur dan alstublieft een ondertekende volmacht mee. We wensen u nog een prettig verblijf in Sint-Petersburg.'

Sarah slikte. 'Ja. Dank u, en tot ziens.' Ze drukte op de rode toets van haar gsm, keek Ossip bedrukt aan en zei: 'Ze doen inderdaad alsof er niets aan de hand is. De Duisteren weten dat ik hier ben.'

41

De levenden hebben recht op ons respect;
de doden hebben recht op de waarheid.

— Voltaire, *Oeuvres*

Sarah had een naar gevoel toen Ossip haar uitgerekend meenam naar de Nabarezhnaja Robespjera, een naar Maximilien Robespierre vernoemde straat langs de oever van de Neva. Tijdens de Franse Revolutie was Robespierre de wegbereider van de Terreur geweest, van een uiterst bloedig 'schrikbewind'. Onder zijn bewind draaiden de guillotines op volle toeren. Ook koning Lodewijk XVI liet hij onthoofden. Waarom kon Ludmilla Baranova niet in de Moeder Teresastraat wonen?

Dat zou, afgaande op Ossips beschrijvingen, ook veel beter bij haar aard hebben gepast. Nadat ze toentertijd uit het raam was gevallen, was haar altijd al aanwezige hang naar godsdienst ontaard in een soort psychose. De ooit in alle belangrijke concertgebouwen gevierde violiste werd opeens wereldvreemd en leefde in haar gigantische oude woning als in kloosterachtige afzondering. Wanneer haar zoon haar opzocht, logeerde hij bij haar. Plaats was er tenslotte genoeg.

En nu zou ook Sarah de komende nacht hier doorbrengen. Ossip had zo snel geen andere oplossing geweten. Hij had haar dringend afgeraden naar de luchthaven te gaan. De Duisteren hadden misschien niet voldoende invloed om het hele staatsapparaat van Rusland te beheersen, maar bij een knooppunt als Pulkovo Airport stonden er vast en zeker een paar grenswachters op hun loonlijst. Ambtenaren omkopen was in Rusland net zo gewoon als wodka drinken.

Om elke achtervolging door de Kleurenhoorders uit te sluiten, had hij urenlang met Sarah door de omgeving gezworven en haar naar een aantal nogal trendy nachtclubs meegenomen, die hij zonder uitzondering via de achteruitgang weer verliet. Nu brandden haar voeten, en ze was doodop. De dag was bijna ten einde, maar ze waren nog steeds onderweg. In gedachten verzonken keek Sarah naar de dansende lichtjes van de stad op de rivier.

'Daar is het,' zei Ossip ineens tegen haar. Hij wees naar een mooi gerestaureerd pand uit de jaren zeventig van de negentiende eeuw. De Hermitage lag ongeveer drie kilometer naar het westen.

Ze staken de straat over en stapten even later het mondaine huis binnen. Ludmilla Baranova woonde op de bel-etage links. Nadat Ossip de deur had opengedaan, riep hij iets in het Russisch. Sarah keek hem vragend aan.

'Alleen een waarschuwing vooraf, dat ik iemand meebreng. Ik heb op het ogenblik geen relatie. De aanblik van een vrouw aan mijn zij zou haar wel eens kunnen choqueren,' legde hij uit.

Dat kan nog gezellig worden, dacht Sarah, en ze merkte op: 'Ze is vast trots op haar zoon.'

Hij glimlachte schamper. 'Het zit eigenlijk zo. In deze stad is een goede ontwikkeling niets ongewoons. Je behoort tot de intelligentsia – de klasse der intellectuelen –, maar je loopt er niet mee te koop. Tot de "upper ten" behoren is in de ogen van een Petersburgse snob absoluut niet *comme il faut*, niet...'

'... zoals het hoort. Ik ben Française, weet je nog?'

'Sorry. Als je de hele tijd Engels praat...'

'Geeft niet. Maar nu zou ik graag met je mamoesjka willen kennismaken.'

'Natuurlijk. Sorry. Zal ik eerst je jas even aanpakken?'

Ossips onmiskenbare hoffelijkheid beviel Sarah wel. Ze zette haar tas neer en trok haar jas uit, die hij op een hangertje hing. Daarna liep hij met haar door een gang waarop verscheidene kamers uitkwamen. Uit een daarvan drongen luide stemmen en kerkmuziek, alsof er een radio of tv aanstond. Het klonk alsof er een mis werd uitgezonden. En in de sacrale klanken zat weer dat onderbewuste bevel verwerkt: *Kom hierheen! Kom hierheen...!*

Sarah huiverde. De Kleurenhoorders riepen dus nog steeds.

Bij de derde deur aan de linkerkant bleef Ossip staan en herhaalde zijn Russische waarschuwingskreet. Een zachte, hoge en tamelijk verkouden klinkende stem antwoordde hem. Daarop glimlachte hij Sarah bemoedigend toe.

'Ga maar. Mamoesjka is benieuwd naar je.'

Al heel lang had Sarah zich niet meer zo nerveus gevoeld als op dit moment. Verlegen als een klein meisje zette ze haar voet op de drempel en bleef weer staan. Haar blik flitste schuchter door een groot vertrek, dat er waarschijnlijk niet voor niets uitzag als het rijk van een naar Parijs geëmigreerde Russische edelvrouw en waarvoor 'woonkamer' een beledigende omschrijving was. Kennelijk had Ludmilla Baranova hier voor zichzelf een kleine kopie gecreëerd van het paradijs waaruit ze was verdreven, een Disneyland van de belle époque.

Het was een hoge salon met een plafond met stucornamenten, kostbare tapijten, een met damast beklede chaise longue en bijpassende stoelen, diverse lampen, waaronder een kristallen luchter en een staande lamp met goudkleurige kwasten, alsook een opmerkelijke verzameling iconen aan de muren. Zo ongeveer alle glimmend gepoetste plankjes en tafeltjes waarop iets kon worden neergezet waren volgepropt met heiligenbeeldjes, de meeste van porselein, maar er zaten er ook bij van hout, metaal en kristal. Aan de rechtervoorkant van het vertrek flakkerde een enorme televisie. En zo'n tweeënhalve meter ervoor zat in haar rolstoel Ludmilla Baranova.

Sarah kende de voormalige violiste alleen van foto's, die haar portretteerden als jonge, beeldschone vrouw. De kleine vrouw in de rolstoel was daarentegen oud. Ossip had gezegd dat ze zevenenzestig was.

'Kom maar, mijn kind,' riep Ossips moeder in bijna accentloos Frans, en ze wenkte haar met een benige hand vol ouderdomsvlekken. Ze droeg een wijnrode, zijdeachtig glanzende kamerjas en om haar hals een dikke sjaal.

'Ik heb gezegd dat je uit Frankrijk komt,' fluisterde Ossip, en hij pakte Sarah bij haar elleboog en leidde haar de salon in.

Beleefd groette ze de grande dame van de viool. Het kostte haar moeite niet steeds naar de televisie te kijken, waarop net een enorme mensenmenigte op het Sint-Pietersplein te zien was.

'Mijn zoon heeft al lange tijd geen meisje meer mee naar huis genomen. Ik geloof dat de laatste Claire heette en dat ze met hem is gaan sleeën.' Ze knikte vol weemoed.

Ossip rolde met zijn ogen. 'Dat was nog in Parijs, mamoesjka, en het is minstens dertig jaar geleden.'

'De herinnering aan gelukkiger dagen kan zelfs in het meest duistere tranendal een beetje licht brengen.' Ze zuchtte en maakte een ongecontroleerde handbeweging in de richting van het tv-toestel. 'Vooral in zulke trieste tijden als deze.'

Ossip fronste zijn voorhoofd. 'Hoezo? Is de paus weer ziek?'

Haar gezicht werd verdrietig. Hoofdschuddend antwoordde ze: 'Bleef het daar maar bij. Nee, deze dappere man heeft zijn laatste reis aanvaard.

Ach, kon ik maar met al die mensen op het Sint-Pietersplein staan en voor zijn zielenrust bidden!'

Er liep een ijskoude rilling over Sarahs rug. 'Betekent dat...?'

Ludmilla Baranova knikte bedroefd. 'Ja. De paus is overleden.'

Vele duizenden gelovigen en kijklustigen hadden zich op het Sint-Pietersplein verzameld, hadden voor Johannes Paulus II kaarsen aangestoken, gezongen en gewaakt alsof ze zijn levensdraad daardoor konden verlengen, en toch was deze om 21.37 uur afgesneden. Volgens de traditie hadden kort daarop de doodsklokken van de Eeuwige Stad geluid. Door het tijdsverschil van twee uur had dit bericht pas even voor middernacht Sint-Petersburg bereikt. Terwijl de mensen op het Sint-Pietersplein met hun *Santo subito*-geroep de onmiddellijke heiligverklaring van hun geliefde kerkvader eisten, probeerde Sarah de warboel in haar hoofd te ordenen.

Was de paus een natuurlijke dood gestorven? Daar wilde ze graag in geloven. Maar de woorden van Sergej Nekrasov kreeg ze ook maar niet uit haar hoofd: *Terwijl men over twee maanden de dag viert dat de kleine Hans Christian voor het eerst zijn wieg zag, zal voor iemand anders het graf zich openen. Zijn dood zal de wereld in beroering brengen.*

En de wereld wás in beroering gebracht. Zelfs Ludmilla Baranova, die eigenlijk tot de Russisch-orthodoxe Kerk behoorde, zat te snikken alsof haar eigen zoon was overleden.

Of was Nekrasovs duistere voorspelling veel grootschaliger bedoeld geweest? Had hij daarbij aan het onderbewuste *Kom hierheen!* gedacht dat enorme mensenmassa's op de been zou brengen om van hun opperherder afscheid te nemen? Misschien had hij zelfs wel op de ingrijpende veranderingen gezinspeeld, die volgens de wens van de Duisteren na de bijzetting zouden volgen.

'Hoe kan ik Rusland uit komen zonder in handen van de Adelaars te vallen?' vroeg Sarah. Ze had het zich op de chaise longue gemakkelijk gemaakt nadat het Ossip eindelijk was gelukt zijn moeder naar bed te brengen. Hij zat, met zijn rechterbeen op een bank geleund, in een tamelijk sierlijke stoel.

'Het beste over land. Ik heb die weg nog nooit met de auto gereden, maar tot de Finse grens is nog geen honderdvijftig kilometer, en van daaruit naar Helsinki misschien honderdtwintig. Als je 's nachts bij de controlepost aankomt, is er weinig aan de hand, en die paar grenswachters kun je naar je pijpen laten dansen.'

'Dat is een mogelijkheid. Hoe kom ik aan een auto?'

'Daar zorg ik wel voor. Ik heb vrienden in de stad.'

'Dank je, Joseph. Je zult er geen spijt van krijgen.'

'Wil je me niet toch vertellen waar je naartoe gaat?'

Sarah liet haar blik over zijn bezorgde gezicht dwalen. Hij leek zich oprecht zorgen over haar te maken. Toch kon ze de kracht niet opbrengen haar vertrouwen nog eens zo onbesuisd aan iemand te schenken. Dus gaapte ze demonstratief en zei: 'Het is laat. Ik zou nu graag willen gaan slapen.'

Natuurlijk kon Sarah geen rust vinden. De laatste ontwikkelingen hadden haar veel te erg aangegrepen. Was ze de dochter van Oleg Janin, een aan grootheidswaanzin lijdend lid van een geheim genootschap, die de pretentie had samen met zijn Kleurenhoorderbroeders een nieuwe wereldorde te vestigen? Hadden de Duisteren de paus vermoord om hun plannen te verwezenlijken? Als dat werkelijk zo was, dan had ze gefaald. Ze had de acht windroosraadsels sneller moeten oplossen. Hoeveel tijd had ze eigenlijk nog om een grotere ramp te voorkomen?

De vele vragen sloegen in haar hoofd rond als stenen in een wastrommel, en het was onmogelijk om met zulk kabaal te slapen. Ze kreunde, wurmde zich onder de donsberg van haar dekbed vandaan en knipte haar nachtlampje aan. Een paar tellen lang bekeek ze met een somber gezicht haar spiegelbeeld in een kastdeur tegenover het bed. Ze droeg een naar mottenballen ruikend nachthemd, stijf als een plank, model 'mamoesjka': het reikte tot op de enkels, sloot hoog en was spookwit, en was boven de borst met bloemetjes geborduurd. Ossip had het in de linnenkast van zijn moeder gevonden en haar met een onbeschaamde grijns meegedeeld dat die het wel kon missen.

Daar was Sarah van overtuigd.

Ze nam de laptop bij zich in bed, ging internet op en bezocht een paar websites die gespecialiseerd waren in nieuws. De tickers spuugden elke minuut nieuwe berichten over het overlijden van de paus uit. Algauw kwam ze erachter dat aan de zogeheten *Exequien* – het uitvaartritueel van de katholieke Kerk – een rouwperiode van minstens negen dagen vooraf zou gaan. 'Een tamelijk kort uitstel van executie,' mompelde ze. Opeens hoorde ze een geluid.

Eigenlijk ging het om een hele symfonie van klanken, die haar stuk voor stuk kippenvel bezorgden. Het preludium bestond uit geknars, dat vermoedelijk bij de huisdeur vandaan kwam. Daarop volgde het rauwe geluid van versplinterend hout. Vervolgens rinkelde de veiligheidsketting – heel zachtjes werd hij doorgeknipt –, en toen hoorde Sarah het gekraak van de oude vloerplanken. Met haar buitengewoon ontwikkelde gehoor meende ze in de gang zelfs twee personen te kunnen onderscheiden, en een afschuwelijke gedachte flitste haar door het hoofd: de Duisteren zijn er weer en willen afmaken wat hun in het Helledal niet gelukt is!

Snel knipte ze het nachtlampje uit en klapte haar computer dicht. De gastenvertrekken lagen in het achterste gedeelte van het pand, waar de gang zich in een grote T splitste; het zou heel goed kunnen dat de indringers het licht in haar kamer niet hadden opgemerkt. Ze schoot haar schoenen aan en sloop in haar nachthemd naar de deur.

Terwijl ze nog stond na te denken hoe ze de piepende deurknop kon draaien zonder zich te verraden, weerklonk er gedreun bij de ingang van het huis. Kennelijk hadden de inbrekers inmiddels door dat ze zich in de oude woning niet geruisloos konden bewegen en gingen ze nu snel en met grof geweld te werk.

In een oogwenk was Sarah in de gang. Bij de splitsing naar de hoofdgang flitsten smalle rode lichtbundels over het tapijt. Ossip en zijn moeder moesten gewaarschuwd...

Plotseling werd er vanuit het niets een hand op Sarahs mond gelegd. Ze schrok zich bijna dood.

'Ik ben het, Joseph,' fluisterde Ossip haar in het oor, en hij sloeg van achteren zijn arm om haar middel, omdat ze van schrik door haar knieën dreigde te zakken. 'Zo is het toen ook in Parijs begonnen. Je moet meteen vluchten! Neem de dienstingang. Ik wek mamoesjka en...' Verder kwam hij niet, want opeens weerklonk de hoge stem van Ludmilla Baranova.

'Ik ben niet meer bang voor jullie. Kom maar hier, engelen der duisternis!' Alsof ze precies wist wie er in haar toevluchtsoord had ingebroken, riep ze het in het Frans.

De indringers reageerden meteen. Hun snelle en nietsontziende optreden was waarschijnlijk in het hele huis te horen: het gekraak van de vloerplanken...

Sarah en Ossip zagen alleen trillende laserpunten op de muur, want de slaapkamer van de gehandicapte vrouw lag het dichtst bij de salon, nog voor de vroegere personeelsvleugel.

... de stommelende voetstappen...

Ludmilla herhaalde haar uitdagende woorden in het Engels.

... het breken van hout.

Ze stapte op het Russisch over.

Kort achter elkaar klonken er een paar *poef*-geluiden, die Sarah maar al te bekend voorkwamen: er schoot iemand met een geluiddemper.

Ludmilla slaakte een kreet.

Ossip wilde toeschieten om zijn moeder te helpen, maar Sarah hield hem uit alle macht tegen, ging op haar tenen staan en siste in zijn oor: 'Blijf hier, Joseph! Ze heeft geroepen om de aandacht naar zich toe te trekken, om haar zoon te redden. Moet haar offer dan voor niets zijn geweest?' Ze voelde zijn weerstand afnemen en voegde eraan toe: 'Zorg dat we hier wegkomen!'

Hij stootte een verstikt geluid uit, draaide zich om en trok haar mee. De stem uit Ludmilla's slaapkamer was stilgevallen.

Vlug liepen ze naar de dienstingang. Behoedzaam schoof hij de grendel terug en opende de deur. En ook geen seconde te vroeg, want de indringers hadden hun vergissing intussen bemerkt en waren begonnen de rest van de vertrekken te doorzoeken. Ossip duwde Sarah een trappenhuis in dat minder groots was dan dat bij de hoofdingang. Door een raam viel licht vanaf de straat naar binnen. Sarah zag een flitsend lemmet in Ossips hand.

Voorzichtig sloot hij de deur van het huis en fluisterde: 'Naar beneden.'

Op hun tenen slopen ze de korte trap af. Toch had Sarah het gevoel alsof iedere tree het onder hun gewicht uitschreeuwde. 'Heb je een auto?' vroeg ze zachtjes.

'Nee. We lenen er eentje van de buren.'

Eindelijk waren ze beneden aangekomen. Ossip opende de buitendeur op een kier en fluisterde: 'Daar was ik al bang voor.'

'Waarvoor?'

'Er staat een auto met een man erin. Waarschijnlijk om ervoor te zorgen dat er niemand ontsnapt. Wacht hier. Ik ben zo terug.' Voordat Sarah iets kon zeggen, was Ossip al verdwenen.

Ze keek hem door de deurkier na. Ineengedoken sloop hij naar de auto van de moordenaars voor de hoofdingang en bewerkte met zijn jachtmes de banden. Nadat hij drie ervan had lekgestoken, glipte hij naar een prehistorisch aandoende Lada die vlak voor de achteruitgang geparkeerd stond. Razendsnel brak hij de roestbak open en kroop erin.

Sarah hoorde dat er achter haar aan de deur van de dienstingang werd gemorreld. Elk moment kon ze worden ontdekt. Ze had geen andere keus dan nu te vluchten. Met ingetrokken hoofd liep ze de straat op, om de Lada heen en klopte op het raampje aan de passagierskant. Binnenin keek

Ossip op van zijn 'werk', stokte een fractie van een seconde en deed toen het portier voor haar open.

'Ze kunnen er elk moment aan komen,' fluisterde Sarah.

Hij zat alweer onder het dashboard te prutsen. 'Ik ben bijna klaar.'

'En als hij niet start?'

'Dimitri Vasilev onderhoudt zijn auto goed.'

'Daar ziet die rammelkar anders niet naar...'

Blauwe vonken spatten rond en de Lada startte. Het was op het nippertje, want Ossip had nog maar net geschakeld en het gaspedaal ingetrapt, toen de moordenaars al het huis uit kwamen. Met gierende banden schoot de roestbak ervandoor.

'Hoofd omlaag!' brulde Ossip.

Rode lichtpunten hupten door de wagen. Vlak daarna sloegen er diverse projectielen in het blik in. Toen knalde de achterruit aan stukken.

'Dat gaat Gospodin Vasilev helemaal niet leuk vinden,' zei Ossip met zijn kaken op elkaar geklemd en hij trok het stuur scherp naar links. De achterwielen van de Lada begonnen te spinnen en de auto draaide om zijn as.

'Wat doe je nou?' krijste Sarah.

'Ik sla de Tsjernysjevskogo in.'

De motor begon te loeien en de oude bak stoof verder.

Na een paar angstige seconden zei Ossip: 'Je kunt je hoofd wel weer omhoog doen.'

Sarah ging rechtop zitten en keek achterom naar de kapotgeschoten ruit. De auto van hun achtervolgers kwam net om de hoek stuiven. 'Kunnen we ze afschudden?'

'Daar hoeven we ons niet druk over te maken. Ze rijden zo meteen met drie van hun banden op de velgen.' Bij een metrostation met een ellendig lange naam in cyrillisch schrift sloeg Ossip nog eens links af.

Ze keek hem met gefronst voorhoofd aan. 'Je doet dit niet voor het eerst, hè?'

'Nee. Als puber heb ik een behoorlijk turbulente fase doorgemaakt.'

'Turbulent?' herhaalde ze.

'Ik geloof dat het een soort protest was tegen wat mijn stiefvader ons had aangedaan...' Ossips stem viel stil.

Sarah had wel een vermoeden van wat er nu in hem omging. Zijn moeder was dood of lag op sterven. 'Ik vind het ontzettend erg voor je, Joseph...' Ze zweeg. De Lada was net voor de derde keer links afgeslagen. 'Zeg, je wilt toch niet weer terugrijden naar het huis?'

'Nee. We laten de auto in het park van het Taurische paleis staan en gaan er lopend heen.'

'Mag ik je eraan herinneren dat je een pyjama aan hebt en ik een nacht-hemd?'

'Ik heb het niet koud.'

'Daar gaat het helemaal niet om, Joseph. Ze zouden ons kunnen arres-teren wegens aanstootgevend gedrag in het openbaar.'

'Niet in Sint-Petersburg. Was je dat soms al vergeten? Dit is de stad van de halve gekken.'

'En als Nekrasovs trawanten terugkomen?'

'Niet echt aannemelijk. Ze hebben genoeg kabaal gemaakt om het hele huis wakker te maken. Het zou me niets verbazen als een van de buren al-lang de politie heeft gebeld.'

'Die voor Nekrasov werkt.'

'Je hoeft niet mee te komen, Sarah. Maar ik laat mijn mamoesjka niet in de steek!'

Ze slikte. Ossip had geen idee hoezeer zijn woorden haar raakten. Ja-renlang had ze zichzelf verwijten gemaakt, had ze zich schuldig gevoeld over de dood van haar moeder. Ze schudde haar hoofd. 'Ik ben al te vaak weggelopen, Joseph. Geef gas! Misschien leeft je mamoesjka nog.'

Terwijl de wereld treurde om Johannes Paulus II, waren er maar weinig mensen die aandacht besteedden aan het tragische einde van de eens zo gevierde violiste Ludmilla Baranova. Ze was bijna op de minuut af vier uur na het overlijden van de paus aan haar verwondingen bezweken. Haar borstkas was met minstens zes kogels doorzeefd.

In het bijzijn van een kleine groep buren liet haar zoon zijn tranen de vrije loop. Hij zat naast het bloeddoordrenkte bed van de dode vrouw geknield, hield haar levenloze hand vast, beklaagde zich over het onrecht in de wereld en zwoer nogmaals wraak op Oleg Janin te zullen nemen.

Hoewel Sarah met hem meevoelde, was ze nog helder genoeg om zich aan te kleden en haar computer in te pakken. Nekrasovs kornuiten hadden hem onder het dekbed niet opgemerkt of ze hadden er geen belangstelling voor gehad. Vervolgens bracht ze Ossip wat kleren. Ze durfde hem nauwelijks in de ogen te kijken. 'Ik wilde je alleen maar zeggen: als je me nu haat, dan kan ik dat begrijpen,' zei ze zacht.

Vermoedelijk begreep maar een enkeling van de buren wat ze zei, maar alle blikken dwaalden nieuwsgierig naar Ossip.

Hij nam het bundeltje van haar aan en veegde met een mouw zijn tranen weg. 'Zou ik jóú moeten haten? Hoe kom je erbij?'

De buren, die bij de dode waakten, mompelden instemmend of vragend.

Sarah hief haar handen omhoog. 'Dat weet je heel goed, Joseph. Die beesten zijn gekomen om míj te doden. Als ik niet met je was meegegaan, zou jouw mamoesjka nu nog leven.'

Een paar ah's en o's galmden door het vertrek.

'Weet je dat wel zeker? Mijn stiefvader dreigde me dat ik me niet met zijn zaken moest bemoeien als mijn leven en dat van mijn moeder me lief waren. Toch heb ik er alles aan gedaan om je te ontmoeten en je te helpen.'

Sarah zweeg. Wat zou ze daar ook op moeten antwoorden?

Een vrouw in een geruit nachthemd en een gebreid vest zei iets in het Russisch.

'Ze vraagt zich af waarom de politie niet komt,' vertaalde Ossip.

'Dat vraag ik me ook af,' zei Sarah.

Hij zuchtte. 'Als de politie van tevoren weet dat hun geldgevers ergens een smerig karweitje opknappen, dan duurt het gewoonlijk lang voordat er een politieauto komt.'

Een paar mensen in het vertrek knikten.

Ossip kwam overeind en gaf zijn moeder een kus op haar voorhoofd. Ludmilla Baranova's gezicht was door de kogels ontzien. Het zag eruit alsof ze gewoon sliep en van haar zoon droomde, die ze met moed en slimheid had gered. Deze draaide zich nu kalm om en zei: 'Mamoesjka zal niet voor de zege van een leugen zijn gestorven, maar voor de triomf van de waarheid. Ik ga met je mee, Sarah.'

Een uur geleden zou ze nog nee hebben gezegd tegen de adoptiefzoon van Oleg Janin. Maar al haar wantrouwen was nu als bij toverslag verdwenen. Wat een hoge prijs voor een beetje vertrouwen, dacht ze, en ze knikte.

Hij bracht zijn mond dicht bij haar oor en fluisterde: 'Kan ik dan nu te horen krijgen waar onze reis naartoe gaat?'

Ze ging op haar tenen staan en fluisterde in het zijne een enkel woord: 'Rome.'

REPRISE

———————

ROME

✻

[...] de muziek [...] moet de mensen adelen, troosten, louteren en de godheid zegenen en prijzen. Om dit te bereiken, is een vernieuwing van de muziek absoluut noodzakelijk. Deze muziek, die we bij gebrek aan een betere omschrijving graag musique humanitaire willen noemen, is plechtig, krachtig en effectief.

Franz Liszt, Over toekomstige kerkmuziek, 1834

42

Alle heilige wetten en grenzen zijn vervaagd, er is een toestand van overprikkeling ontstaan waarin niets meer genoeg is, waarin alles verzadigd is, en waardoor alleen maar aan de meest extreme middelen wordt gedacht om de ontvankelijkheid nieuwe impulsen te geven.

— Ludwig Rellstab, 1842

ROME, 6 APRIL 2005, 17.38 UUR

De Eeuwige Stad stroomde over van de mensen. En dat terwijl de bijzetting van de paus op 8 april was vastgesteld, pas over twee dagen dus. Nee, ál over twee dagen, verbeterde Sarah zichzelf toen ze naast Ossip in een propvolle bus, lijn 44, door Rome tufte. Waarom zo'n haast? Dat was niet het enige wat Sarah niet kon rijmen. Hoe meer details er over de uitvaartprocedure bekend werden, des te vaker ze zich afvroeg of de Duistere Kleurenhoorders hier niet heimelijk aan de touwtjes trokken.

Het begon al met hoe er met het stoffelijk overschot van de overledene werd omgegaan. De ambtsvoorgangers van Johannes Paulus II waren volgens oud gebruik gebalsemd. Dat zou ook bij de recentelijk overleden kerkvader worden gedaan, zo werd aanvankelijk beweerd. Vervolgens zag men daar ineens van af. Het lichaam zou alleen voor de opbaring worden 'voorbereid', klonk het nu uit het Vaticaan. Misschien opdat de snelle ontbinding verraderlijke sporen zo snel mogelijk uitwiste? In Karol Wojtyla's akte van overlijden stond als doodsoorzaak 'sepsis' in combinatie met een 'onherstelbaar falen van het hart- en vaatstelsel'. De door artsen met de beste zorg omgeven man ter wereld was dus gestorven aan een acute bloedvergiftiging.

Ook bij de Exequien waren er bepaalde 'vereenvoudigingen', die bij Sarah de verdenking opriepen dat men zich niet snel genoeg van de overledene kon ontdoen. Vooral de verandering van het muzikale programma had haar wantrouwen gewekt.

• 440 •

Ter nagedachtenis van de dode paus was nu enkel nog een sober requiem gepland. Ze hoefde de klanken der macht die daarin verborgen lagen niet eens te horen om te snappen wat de Duistere Kleurenhoorders in de zin hadden.

Wanneer er driehonderdduizend rouwenden op het Sint-Pietersplein waren verzameld, wanneer over de hele wereld honderden miljoenen mensen voor hun televisiescherm zaten en wanneer ten slotte het koor het 'Requiem aeternam dona eis Domine' inzette – Geef hun de eeuwige rust, Heer –, dan zou het gebeuren. Ze wist weliswaar nog niet of de subliminale boodschap meteen in de melodie was verwerkt, of dat die alleen als onderbewust waarneembare klankenreeks in het elektroakoestische signaal zou worden ingevoegd, maar het resultaat zou in beide gevallen hetzelfde zijn. Oleg Janin had het over een kritische massa gehad, die geïnfecteerd moest worden om een wereldomvattende aardverschuiving te veroorzaken, een kettingreactie van onvoorstelbare omvang. Een wereldbrand. De lont was allang aangestoken. En op 8 april 2005 zou de oude wereldorde met een gigantische knal worden weggevaagd.

Om dat verhinderen was Sarah naar Rome gekomen. Ze had Ossip na de moord op zijn moeder in alles ingewijd; voor haar was hij nu een Lichte Kleurenhoorder. Daarna was voor hen beiden een odyssee door Europa begonnen: van een oude jeugdvriend uit Ossips 'turbulente fase' hadden ze een auto gekregen, waarmee ze de eerste etappe tot de Russisch-Finse grens hadden afgelegd. Daar had Sarah nog eens gebruik van haar mp3-speler gemaakt, om complicaties bij het verlaten van het land te vermijden. Tot Helsinki reden ze vervolgens in een vrachtwagen.

Voor Sarahs gevoel lag de Finse hoofdstad nog steeds te dicht bij Sint-Petersburg. Daarom veranderde ze nogmaals van paspoort en haarkleur – weer koos ze zwart – en stapte met Ossip op een vrachtboot naar Stockholm. Vanuit Zweden waren ze toen naar het Italiaanse Milaan gevlogen en hadden het laatste stuk naar Rome met de trein afgelegd. Samen met zo'n miljoen medereizigers; zo had het Sarah tenminste toegeleken. Algauw zou ze erachter komen dat ze ernaast zat. In feite stroomden er meer dan vier miljoen begrafenisgangers naar de Eeuwige Stad.

Kom hierheen! Kom hierheen!

'Ik hoop dat die kennis van je in de tussentijd iets heeft kunnen regelen,' zei Ossip. Hij had het over Andrea Filippo Sarto, multimiljonair, organisator van mega-events en een groot bewonderaar van la d'Albis. Sarah hoefde maar met haar vingers te knippen, of de tweeënvijftigjarige weduwnaar zou haar zo naar het altaar hebben geleid. Met andere woorden: Sarto lag aan haar voeten.

Bovendien had hij uitstekende contacten met het Vaticaan. Het mediaspektakel bij het zilveren pontificaatsjubileum op 16 oktober 2003 was door hem opgezet. Ze had hem vanuit Helsinki gebeld en hem om hulp gevraagd.

'Je moet een afspraak voor me maken met de vicepaus, Andrea.'

Hij had gelachen. 'Met wie?'

'Je weet dat mijn Italiaans niet perfect is. Ik bedoel de waarnemend ambtsdrager, die tussen twee pausen de zaken regelt, die Johannes Paulus begraaft en het conclaaf voorbereidt.'

'Ah, je hebt het over de *camerlengo*! Ik denk anders niet dat die op het ogenblik tijd voor je heeft. En zijn assistenten hebben het dezer dagen waarschijnlijk net zo druk.'

'Het is van levensbelang, Andrea! Ik heb over een aanslag gehoord.'

'Maar de Heilige Vader is immers al dood.'

'Nee! Ik heb het over de rouwplechtigheid.'

'Een bomaanslag soms?'

'Zegt de term "subliminals" je iets?'

'Ja, onderbewuste beïnvloeding via onbewust waargenomen zintuigprikkels. Geloof je soms in die hocus-pocus?'

'Ik kan je zelfs bewijzen dat het werkt. Ze zullen de muziek tijdens de bijzetting van de paus manipuleren. Als je me niet helpt, zal het op een ramp uitlopen.'

'Je neemt me toch niet in de maling, schoonheid?'

'Ik ben nog nooit zo serieus geweest, Andrea. Ik kan je over de telefoon niet meer vertellen. Maar over twee, drie dagen kom ik met een vriend...'

'Wil je soms met hem trouwen?'

'Op het ogenblik heb ik echt wel iets anders aan mijn hoofd, Andrea. Help je me?'

'Ik zal mijn best doen. Zolang jullie allebei in de stad zijn, logeren jullie natuurlijk bij mij. In Rome zijn sowieso alle bedden dubbel geboekt, en ik zou het helemaal niet fijn vinden als je het jouwe met deze knaap deelt.'

Sarah keek uit het raam van de bus. Rome was in staat van beleg. Ze zag een groep chocoladebruine nonnen en een andere, bestaande uit jonge mensen die slaapzakken en andere bagage meesleepten. Iedereen bereidde zich op zijn eigen manier op het grote gebeuren voor. Ook zij had dat gedaan. Maar was dat genoeg? Binnen enkele minuten zouden ze te weten komen of Andrea iets bij de Heilige Stoel had kunnen regelen. Ze richtte zich weer tot Ossip.

'Andrea Sarto is een duizendkunstenaar. Hij krijgt ons hoe dan ook wel het Vaticaan binnen.'

De bus stak via de Ponte Palatino de Tiber over. Nu waren ze in de wijk Trastevere.

Ossip keek op de stadsplattegrond die ze op het station hadden gekocht. Hij wees naar voren. 'De Monte Gianicolo ligt recht voor ons. We moeten zo meteen uitstappen.' Hij had het over een van de zeven heuvels waarop volgens de legende de stad Rome zou zijn gesticht. Volgens de katholieke traditie was de apostel Petrus bovendien op de Janiculum aan het kruis gestorven.

Op de zuidwestelijke helling van de groene heuvel, die met zijn twee-entachtig meter iets hoger dan een gemiddelde heuvel was, maar niet direct enorm, lag de villa van Andrea Filippo Sarto. De concertorganisator had zijn aanbedene een Rolls-Royce-afhaalservice vanaf het Termini – het centraal station – aangeboden, maar Sarah was, om haar missie niet in gevaar te brengen, liever de pelgrimsdrukte in gedoken. Deze nieuwe bescheidenheid hield ze tot het eind toe vol: ze belde bij de leveranciersingang aan en glimlachte in het cameraoog voor haar gezicht.

Ze werd te woord gestaan door – wat ongebruikelijk was – Sarto's bediende. Hij heette Mario en had zijn butlerdiploma in Londen gehaald. Sarah had niet eens haar naam hoeven te noemen, toen onder een beschaafd gezoem de deur al openging. Uit een luidspreker klonk in bedrieglijk echt Oxford-Engels de hautaine stem van de bediende.

'Komt u maar, madame d'Albis. Moeten we u met de wagen ophalen?'

'Dat is niet nodig, Mario. We hebben maar weinig bagage.'

'Zoals u wenst, madame. Ik verheug me erop u zo meteen bij het huis te mogen ontvangen.' Het groene lampje van de intercom ging uit.

Ossip trok zijn wenkbrauwen op. 'Wagen?'

'Andrea vindt het enig om met van die elektrisch aangedreven golfwagentjes in zijn park rond te scheuren. Hij laat ze in Modena speciaal in Ferrari-rood overspuiten.'

'Maar verder is hij wel normaal?'

'Wie? Andrea Filippo Sarto? Nooit ofte nimmer! Kom, ik stel je aan hem voor.'

Onderweg liepen ze eerst door een park dat het hoofdgebouw volledig omsloot. Algauw kwam de Villa Sarto in zicht. Eigenlijk kon je beter spreken van een representatief, in renaissancestijl opgetrokken paleis, vierkant van vorm en imposant qua omvang.

'Zo, daar valt prima te leven,' zei Ossip vol verbazing.

'Jammer genoeg gaan we via de zijkant naar binnen. Als je de villa voor het eerst van de voorkant nadert en de porticus met zijn witte zuilen van carraramarmer ziet, denk je op z'n minst dat Jupiter in hoogsteigen persoon hier woont.'

'Dat wil ik best geloven.'

Even later werden ze door Mario bij de zijingang ontvangen. De gedrongen bediende van de meester des huizes droeg een jacquet en was vanaf zijn kin naar beneden dus een typisch Engelse butler, maar zijn hoofd zag er uitgesproken Italiaans uit: zwart krullend, gepommadeerd haar, een opgedraaide snor en vurige donkere ogen.

'Hartelijk welkom in Villa Sarto, madame d'Albis,' begroette hij Sarah, en hij gaf een lakei met een handgebaar te verstaan dat hij de bagage van de gasten moest aanpakken. Om een eventueel misverstand te voorkomen, stelde ze haar metgezel meteen met zijn volledige titel voor.

'Dit is professor Ossip Janin van de Lomonossov-universiteit in Moskou. Wat betreft de geheimhouding van ons bezoek, gelden voor hem dezelfde regels als waarover signore Sarto u vast al met betrekking tot mijn persoon heeft ingelicht.'

Mario liet alleen door zijn rechterwenkbrauw op te trekken merken dat hij van de lakeienversnelling naar de landheer-overdrive had doorgeschakeld. Met een elegant gebaar wees hij het huis in en zei: 'Aangezien we de leveranciersingang gebruiken, mag ik me permitteren voor te gaan. Signore Sarto verwacht u al.'

De butler leidde hen door een vrij bescheiden gang naar een hoge entreehal, waar hij om een minuutje geduld vroeg. Langer duurde het ook niet voordat de heer des huizes verscheen. Met strakke schouders zweefde hij op Sarah af, zijn gemanicuurde handen in een groet naar haar uitgestoken.

Andrea Filippo Sarto zag eruit als Marcello Mastroianni in zijn beste jaren: hij had een weelderige donkere haardos, met een scheiding links, een brede mond met volle lippen en, ook al lachte hij, een melancholische blik. Omdat hij, zoals Sarah wist, zijn lichaam iedere ochtend aan een strenge fitnesstraining onderwierp, had hij geen grammetje vet te veel op zijn botten. Zijn op maat gemaakte combinatie van zwarte broek en cognackleurig colbert zat perfect. Daarbij droeg hij een, eveneens zwart, casual poloshirt en qua kleur bijpassende slippers van krokodillenleer.

'Sarah, schoonheid. Jouw aanblik laat de zon opgaan in mijn huis,' sprak hij met een vleiende hese stem die aan een fagot deed denken. Hij pakte haar handen en blies op elk ervan een kus. Toen pas sloeg hij zijn armen om haar heen.

Ze moest lachen. 'Doe geen moeite, Andrea. Ik weet dat ik er vreselijk uitzie.'

'Vrouwen overdrijven altijd zo. Als je wilt, bestel ik meteen een coiffeur, om je haar in orde te brengen.'

'Dank je, maar dat is niet nodig. Mijn haar blijft voorlopig zoals het is.' Sarah duidde op haar metgezel, stelde hem aan de heer des huizes voor en verzocht hem, met het oog op Ossip, het gesprek in het Engels voort te zetten.

Voor een concertorganisator die dagelijks met wereldsterren te maken had was dat geen enkel probleem, antwoordde Sarto, en ze merkte dat hij de Rus nogal opvallend stond op te nemen, alsof hij wilde zien wat voor effect zijn woorden hadden. Sarah zag ervan af hem te kennen te geven dat succes in Sint-Petersburg met slechte smaak, conformisme en onnozelheid werd geassocieerd. Ossip toonde zich ook totaal niet onder de indruk. Ontspon zich daar tussen de twee mannen soms rivaliteit?

Nadat het eerste aftasten onbeslist was geëindigd, zei Sarto verzoenend: 'Jullie hebben een lange en waarschijnlijk vermoeiende reis achter de rug. Wat kan ik doen om het jullie naar de zin te maken? Zal ik Mario een bad laten vollopen? Of de sauna aanzetten? Uiteraard staat ook mijn masseur tot jullie beschikking.'

'Later misschien. Eerst zou ik graag willen weten wat je in onze "aangelegenheid" hebt kunnen regelen. Je weet wel...'

Hij knikte begrijpend en leidde zijn gasten naar een salon vergeleken waarbij de woonkamer van Ludmilla Baranova een bezemkast was. Door een reeks smalle, dubbele glazen deuren kon je het terras en daarachter het park zien. Het warme licht van de avondzon glinsterde in de waterstralen van een fontein. Sarah en Ossip gingen in sneeuwwitte fauteuils van prachtig leer zitten en lieten zich alcoholvrije drankjes serveren.

Toen eindelijk alle gedienstige zielen de salon hadden verlaten, bracht Sarah de 'aangelegenheid' opnieuw ter sprake.

'Je hebt me een harde noot te kraken gegeven,' zei Sarto. 'Eerst maar het slechte nieuws: kardinaal Somalo en zijn drie assistenten willen míj niet eens in hun buurt laten.'

'Wie?'

'Eduardo Martinez Somalo, de camerlengo.'

'Ah! Heb je hun over de bedreiging verteld?'

'Hun niet, maar meteen de kardinaal-staatssecretaris. Hij is tijdens het leven van de Heilige Vader een soort... hoe noemde je dat laatst ook alweer? Een vicepaus. Het telefoongesprek was kort en niet bepaald vriendelijk. "We worden dagelijks door gekken en zonderlingen bedreigd, door moslimfanaten en door alle mogelijke andere fundamentalistische groeperingen," werd me meegedeeld. De Zwitserse Garde en de politie zouden alles onder controle hebben.'

Sarah nam een grote slok ijsthee. 'En wat is het goede nieuws?'

'Bij het woord "muziek" werd ik naar een kardinaal-prefect doorverwezen met wie ik al bij meerdere kerkconcerten uitermate goed heb samengewerkt. Onder hem valt het Pauselijk Instituut voor Sacrale Muziek, en bovendien is hij plaatsvervangend leider van de pauselijke muziekkapel Sistina. Maar wat belangrijker is, is dat dat hij heel dicht bij de Heilige Vader schijnt te hebben gestaan en in de curie een niet geringe invloed schijnt te hebben.'

Sarah en Ossip wisselden een blik.

'Dat klinkt veelbelovend. Waar zit 'm dan het probleem?' vroeg de Rus.

Sarto haalde zijn schouders op. 'Er is me geen probleem opgevallen. Ik heb een afspraak met de purperdrager gemaakt. Hij verwacht jullie allebei morgenvroeg om halfnegen in de prefectuur van het Pauselijk Huis in het Apostolisch Paleis.'

43

De instrumentale muziek is van alle kunsten de kunst die gevoelens
tot uitdrukking brengt zonder er direct iets mee te doen [...] Ze laat de
hartstochten in hun diepste wezen glanzen en schitteren [...]

— Franz Liszt

ROME, 7 APRIL 2005, 08.10 UUR

Het was een prachtige, zonnige lenteochtend, veel te stralend om zich met duistere praktijken bezig te houden. Bij de volkomen normale waanzin van het Romeinse beroepsverkeer kwam ook nog de massa pelgrims die onafgebroken de Eeuwige Stad binnenstroomde. Maar het Vaticaan lag tenslotte aan de andere kant van de Gianicolo. Sarto's chauffeur had er dan ook geen moeite mee de onopvallende limousine op tijd over de Via delle Fornaci naar de zuidkant van het Sint-Pietersplein te rijden. De rit eindigde, dankzij een vrijgeleide met de juiste stempels en handtekeningen, bij het Palazzo del Sant'Uffizio, het vroegere verblijf van de inquisitie, een vanbuiten vrij onooglijk paleis, waarin een zekere kardinaal-prefect die Joseph Ratzinger heette de zuiverheid van de geloofsleer bewaakte.

De rest van de weg legden Sarah en Ossip te voet af. Ze liepen door de zuilenrij van Bernini en kwamen zo op het Sint-Pietersplein uit. Op het gigantische ovaal met de grote obelisk in het midden heerste een drukte van belang. In voorbereiding op de rouwplechtigheid werd er van alles aangevoerd en opgesteld: afzettingen, stoelen, aanwijzingsborden, politieagenten...

'U kunt hier niet langs,' zei – voor de zoveelste barrière, een houten horde – een Zwitserse Gardist.

Sarah toonde de wachtpost haar fax met het briefhoofd van de Prefetto della Casa Pontificia, van de prefect van het Pauselijk Huis. Terwijl de jonge Zwitser de inhoud van de vrijbrief bekeek, moest ze een fijn lachje onderdrukken. Met zijn lengtestrepen in het vrolijke blauw-rood-geel van de

Medici, de pofbroek, de brede manchetten en de hellebaarden zagen de pauselijke Gardisten eruit alsof ze zo uit een schilderij van Rafaël waren gestapt. De kleurige bewakingseenheid had voor Sarah eerder iets folkloristisch dan iets afschrikwekkends.

'In orde. Gaat u maar naar de bronzen poort en laat daar de hellebaardier uw uitnodiging zien,' zei de man, en hij wees naar een plek aan het eind van de zuilenrij rechts van de Sint-Pieterskerk. Toen liet hij Sarah en Ossip door.

Even later waren ze bij de genoemde Portone di Bronze en toonden nogmaals hun legitimatie. De Zwitserse Gardist ging zijn blauwe wachthokje in om te bellen. Daarna deelde hij de bezoekers mee dat ze zo meteen door de secretaris van de kardinaal zouden worden opgehaald.

Hij zou gelijk krijgen. Na ongeveer vijf minuten verscheen er een tengere, bleke jonge geestelijke. Hij droeg een zwarte toga en om zijn nek een houten kruis, dat bijna zo groot was als hijzelf. Nadat hij zich had voorgesteld als pater Giuseppe Pinzani, verzocht hij de gasten hem te volgen.

Sarahs hartslag versnelde. Ze had al eens de Sint-Pietersdom en zelfs de Vaticaan-musea bezocht, maar nog nooit de residentie van de paus. Ook Ossip leek onder de indruk. Als twee verwonderde kinderen liepen ze met grote ogen achter de geestelijke aan.

Het kwam Sarah bijna voor als een déjà vu toen pater Pinzani terloops vermeldde dat ze op dit moment de trap van Pius IX op liepen; die was dus vernoemd naar Franz Liszts begunstiger, die uiteindelijk de grote dromen van de musicus als zeepbellen uiteen had laten spatten. Via de trap bereikten ze het Cortile di San Damaso. Op het tweede terras lagen de ambtsvertrekken van de Prefetto della Casa Pontificia.

Daar liepen ze verder door een brede gang, waarin allerlei schilderijen de blikken van de bezoekers vingen en sculpturen hun de weg versperden. Door de kleine ramen viel maar weinig licht, wat in warme zomers ongetwijfeld voor draaglijke temperaturen zorgde, maar nu, terwijl het buiten volop lente was, eerder deprimerend werkte.

'We zijn er. Een moment alstublieft,' zei pater Pinzani, nadat hij voor een heel hoge deur in de verste hoek van de gang was blijven staan. Toen deed hij hem open en verdween in het vertrek dat erachter lag.

Sarah en Ossip keken elkaar gespannen aan. 'Het is zover,' fluisterde ze.

En de deur werd alweer opengedaan.

'Zijne Eminentie verwacht u,' zei de secretaris, en hij gebaarde het stel glimlachend binnen te komen.

Nadat ze door een kantoor met een verrassend moderne inrichting waren gelopen, kwamen ze in de werkkamer van de purperdrager uit. Het was een groot vertrek met ramen aan twee kanten, propvolle boekenkasten tegen de twee andere wanden, zware eiken meubelen, licht parket en een protserig roodbruin leren ameublement. Kerkvorsten keken ernstig of vergeestelijkt vanuit gouden lijsten op de bezoekers neer. Hun gastheer daarentegen maakte een zeer vriendelijke indruk.

Hij duwde zich af van het bureau, rolde met zijn zware leren bureaustoel een stukje achteruit en hees zijn logge lijf uit de stoel omhoog om zijn gasten tegemoet te lopen. Het indrukwekkende lichaam van de kardinaal was gehuld in een duidelijk op maat gesneden zwarte soutane. Het hem toekomende purper was alleen aan enkele details te zien: aan het van moiré gemaakte beleg, de zomen en knopen, evenals het garneersel van de knoops-gaten. Bovendien lag op het bureau een rood kalotje, alsof hij zich zojuist de grijze haren uit het hoofd had getrokken en ze eraf had geveegd. Ondanks zijn glimlach meende Sarah een strenge trek in het vlezige gezicht van de kardinaal te bespeuren. Geen wonder in deze tijden, dacht ze.

'Goedemorgen. Dank u voor uw stiptheid, madame d'Albis,' begroette de kardinaal eerst de vrouwelijke helft van de delegatie. 'Uw glansrijke reputatie snelt u vooruit. Ik heb altijd al eens kennis met u willen maken.'

Sarah glimlachte eveneens. 'Dat is heel vriendelijk van u, eminentie...' Geschrokken sperde ze haar ogen open. 'Neemt u me alsublieft niet kwalijk. Nu is uw naam me weer ontschoten.'

Hij maakte een minzaam gebaar. 'Maar dat geeft toch niets! Ik heet Clemens Benedictus Sibelius. Denkt u maar gewoon aan de pausen naar wie ik ben vernoemd.'

Ze knikte. 'Ik zal het onthouden.' Op Ossip duidend voegde ze eraan toe: 'En deze meneer hier is Ossip Janin, hoogleraar muziekgeschiedenis aan de Moskouse Lomonossov-universiteit. Hij spreekt helaas geen Italiaans. Zouden we ons gesprek in het Engels kunnen voortzetten?'

'No problem,' antwoordde Sibelius, en hij schudde Ossip de hand. Daarbij keek hij hem doordringend aan. Het leek bijna alsof hij zijn Russische gast niet meer wilde loslaten.

Ook Sarah schakelde nu over op een andere taal. 'Sorry voor de domme vraag, maar wat doet de prefectuur van het Pauselijk Huis eigenlijk pre-cies?'

De kardinaal rukte zich eindelijk van Ossip los. Charmant antwoordde hij: 'Er bestaan geen domme vragen, madame, alleen domme antwoorden.

Het valt onder de veranwoordelijkheid van de Prefetto della Casa Pontificia om alles soepel te laten verlopen in de Pauselijke Huishouding alsook de taken te vervullen van de vroegere ceremoniecongregatie: zaken met betrekking tot de etiquette, het organiseren van de audiënties en de voorbereiding van ceremoniën zoals heiligverklaringen, priester- of bisschopwijdingen, plechtige pausmissen enzovoort, enzovoort.'

'Is de perfect ook verantwoordelijk voor het muzikale deel van dergelijke plechtigheden?'

'Niet in artistieke zin en zeker niet wanneer het om strikt liturgische ceremoniën gaat. Maar ik zie dat hier sprake is van een misverstand. Ik ben hier alleen maar onderhuurder omdat mijn verschillende werkterreinen die van de prefect van het Pauselijk Huis overlappen. De dicasterie wordt echter in principe door een bisschop geleid, en ik mag het me tot een eer rekenen tot het college van kardinalen te behoren.'

'O, neemt u me niet kwalijk. Ik wilde u niet... beledigen.'

Hij lachte. 'Trek het u niet aan, madame d'Albis. Het is een hele klus om alle organen die met de Heilige Stoel te maken hebben te overzien, zelfs voor de meeste leden van de curie is dat te veel. Maar gaat u eerst eens even zitten, zodat we het kunnen hebben over die verontrustende kwestie waarover signor Sarto me heeft verteld. Wilt u misschien iets drinken?'

Sarah en Ossip namen plaats in de zware fauteuils en bestelden thee, waarop pater Pinzani zich terugtrok.

Kardinaal Sibelius ging tegenover hen zitten. Zijn gezicht stond nu ernstig, peinzend. Een moment lang voelde Sarah zich ongemakkelijk onder zijn doordringende blik. Toen verscheen er weer een glimlach op zijn gerimpelde gelaat, en hij zei: 'Goed, wat brengt u hier precies?'

Sarah wist dat ze met vage verhalen niets zou bereiken, dus deed ze hem uitvoerig verslag van de samenzweringsplannen van de Duistere Kleurenhoorders. Hoe langer ze aan het woord was, des te onthutster de kardinaal leek.

'En dat hebt u allemaal in uw eentje ontdekt?' vroeg hij ten slotte.

'In feite wel.'

Hij nipte met een vertrokken gezicht van zijn koffie en staarde toen in het kopje alsof het een duister orakel was. Toen dit evenwel niets anders afgaf dan een beetje damp, vroeg hij: 'En wat verwacht u nu precies van mij?'

'Twee dingen. Ten eerste moet ik de purperpartituur zien te vinden. Die is ergens in het Vaticaan verstopt...'

'"Ergens" is nu niet bepaald een exacte plaatsaanduiding.'

'Klopt. Ik vermoed dat de klankleer van Jubal zich ergens in het geheime archief van het Vaticaan bevindt.'

Hij knikte ernstig. 'Dat begint al goed. Hebt u enig idee hoe groot dat is?'

'Als u ons een archivaris ter beschikking stelt, schiet het vast meer op.'

'Eerst zou ik graag willen horen wat het tweede punt op uw wensenlijst is.'

'Verandert u het muziekprogramma van de rouwplechtigheid van morgen. U kunt het best helemaal van het koor en orkest afzien.'

'Ha!' riep Sibelius uit. 'Wat u me daar vraagt is onmogelijk. Bovendien is het muzikale deel van de Exequien net vereenvoudigd: het is sowieso al beperkt tot een sober requiem.'

'Daarom neem ik ook aan dat daarin de onderbewuste boodschap verborgen ligt waarmee de kettingreactie moet worden ontketend. Snoert u het koor de mond.'

Hij schudde verontrust zijn hoofd. 'Ik geloof dat u zich echt niet kunt voorstellen wat u nu van me vraagt, mijn dochter. U kunt net zo goed van een supertanker verwachten dat hij in volle vaart een draai van honderdtachtig graden maakt.'

'Ik weet maar één ding: als het schip het niet hoe dan ook probeert, zal het zinken.'

'Dat zegt ú, madame d'Albis. Neem me niet kwalijk, ik heb bewondering voor uw virtuositeit, maar er wordt ook van musici gezegd dat ze excentriek zijn en behoorlijk gekke dingen kunnen bedenken om een beetje publiciteit te krijgen. Signor Sarto vertelde me dat u uw beweringen kunt bewijzen?'

'Wanneer u maar wilt.'

'Dat komt goed uit, want ik heb voorafgaand aan ons gesprek al een broeder om hulp gevraagd, die het verschil tussen charlatanerie en wonderen beter kent dan ik. Hij kan hier elk moment zijn. Mocht u zich nog willen terugtrekken, dan is dit daar het juiste moment voor. Zo niet...'

'Hoe kritischer de rechter, des te onaantastbaarder zijn oordeel,' onderbrak Sarah de kardinaal. Zijn pogingen om haar missie te bagatelliseren begonnen haar zo langzamerhand op de zenuwen te werken. 'Hebt u toevallig een vleugel of een piano in dit gebouw?'

Weer moest hij lachen. 'Het Apostolisch Paleis is vijfenvijftigduizend vierkante meter groot en omvat veertienhonderd vertrekken. Ik denk dat we daarin ergens wel een piano kunnen vinden.'

Ongeveer tien minuten later stapten Sarah en Ossip onder begeleiding van de kardinaal en zijn secretaris een muzieksalon binnen die zich vlak bij de Borgia-toren bevond. De aangekondigde kritische waarnemer was te laat en had telefonisch gevraagd of hij meteen naar de plek mocht komen waar het bewijs zou worden geleverd. Sarah gebruikte de wachttijd om zich met de vleugel vertrouwd te maken.

Na enkele minuten kwam de charlatanerie-expert eindelijk opdagen. Terwijl hij zich er bij de purperdrager voor verontschuldigde dat hij zo laat was, nam Sarah hem vol argwaan op. Hij droeg de zwarte kledij van een prelaat. Onwillekeurig schoten haar enkele woorden uit de laatste klankboodschap te binnen: DE KLEURENHOORDERS ZIJN GESPLETEN SINDS PURPERDRAGERS ERIN OPTREDEN.

De man was weliswaar geen kardinaal, maar daardoor viel hij voor Sarah nog lang niet buiten het beeld, temeer omdat zijn uiterlijke verschijning nu niet direct aan het cliché van de zachte herder beantwoordde die het liefst al zijn schaapjes tegelijk in zijn armen zou willen sluiten. Met zijn grimmige gelaatsuitdrukking en zijn stierennek leek hij eerder een bulterriër. Hij had gemillimeterd roodblond haar, was ongeveer een meter tachtig lang en zwaar gebouwd, en bewoog zich als een worstelaar vlak voordat die zich op zijn tegenstander stort. Zijn klauwachtige handen zagen eruit alsof hij er regelmatig charlatans en ketters mee wurgde. De man werkte vast en zeker voor de inquisitie.

'Mag ik u monsignore McAteer voorstellen?' zei de kardinaal in het Engels, terwijl hij de zwaargewicht naar Sarah en de vleugel bracht. 'Monsignore McAteer treedt in de congregatie voor de zalig- en heiligverklaringen op als *promotor fidei*.'

Sarah kwam van de bank overeind en stak haar hand naar de potige prelaat uit. 'Sarah d'Albis. Wat, als ik vragen mag, is een promotor fidei?'

'Iemand die voor bedriegers de boel bederft,' antwoordde McAteer met een stem die inderdaad klonk als het gegrom van een bulterriër. Zijn kleine, waterblauwe ogen leken al bezig de oplichtster te ontmaskeren, zo strak keek hij Sarah aan. En haar hand liet hij ook niet los.

Misschien denkt hij dat hij een wandelende leugendetector is, dacht ze, en ze vroeg: 'Bent u een Schot?'

'Ier.'

'Ik ben dol op het groene eiland.'

'Nee toch!'

De man leek niet erg spraakzaam te zijn. Sarah wendde zich met een hulpzoekende blik tot de kardinaal.

Sibelius glimlachte verzoenend en kwam nog een keer op het takenpakket van zijn deskundige terug. 'Sommige mensen noemen de medewerkers van de afdeling van monsignore McAteer "wondermakers", maar natuurlijk máken ze geen wonderen; ze geven ze alleen een echtheidsstempel. De titel promotor fidei staat trouwens voor "bevorderaar van het geloof". In het proces van de heiligverklaring van een kandidaat neemt hij de rol van advocatus diaboli op zich. Dat betekent...'

'Advocaat van de duivel. Toevallig is de uitdrukking me bekend,' zei Sarah. Het was haar net gelukt haar hand los te krijgen.

McAteer vond de uitleg van de prefect kennelijk te theoretisch, want hij voegde er brommend aan toe: 'Mijn specialisatie is de ontmaskering van nepwonderen.'

'Komt zoiets vaak voor?'

'Wilt u mijn eerlijke mening horen?'

'Ja, graag.'

'Er bestaan helemaal geen wonderen.'

'Ach!'

Hij knikte met een glashard gezicht. 'De vraag is alleen of je de bedriegers kunt ontmaskeren. Zo niet, dan gaan ze door voor heiligen. Mijn succespercentage ligt in elk geval tamelijk hoog.'

Hij wil je alleen maar intimideren, zei ze bij zichzelf, en ze wierp Ossip een blik toe. Van de aanwezige manspersonen was hij blijkbaar de enige die aan haar kant stond.

Sibelius zei met een zekere strengheid: 'Ik wil er graag nog even op wijzen dat monsignore McAteer zojuist zijn eigen mening ten beste heeft gegeven – wat wel te begrijpen valt bij een man die in zijn leven meer charlatans aan de kaak heeft gesteld dan enig andere promotor fidei voor hem. Officieel neemt de congregatie, die verantwoordelijk is voor heiligverklaringen, het standpunt in dat de advocatus diaboli het kaf van het koren dient te scheiden.'

McAteer bromde: 'Kunnen we beginnen, eminentie? Ik moet vandaag nog een stigmaticus vastnagelen.'

'Ja, laten we maar beginnen. Hebt u nog iets nodig, madame d'Albis?'

Sarah schudde haar hoofd. 'Nee. Gaat u maar gewoon zitten en ontspant u zich. Ik zal u nu een melodie voorspelen. De Kleurenhoorders noemen zoiets de "klanken der macht". Het zal niet lang duren, of u voelt een onbedwingbare behoefte om dit vertrek uit te gaan.'

'Ha!' lachte monsignore McAteer, en hij nam wijdbeens plaats op een stoel naast de vleugel. De kardinaal ging op een wat beheerstere manier zitten, als iemand die een punaise in het kussen van zijn stoel verwacht. Zijn secretaris daarentegen maakte een verveelde indruk.

Sarah improviseerde een dromerige fantasie in de stijl van Debussy en wiegde haar toehoorders als het ware met de ontspannende harmonieën half in slaap. Na enkele maten voegde ze hier met haar linkerhand een variatie van de bezwerende klanken aan toe die ze op het centraal station in Weimar had gehoord.

Terwijl ze speelde, werd ze zich er eens te meer van bewust dat ze zich niet alleen elke afzonderlijke toon van het onderbewuste bevel eigen had gemaakt, maar ook het wezen van de machtige melodie volledig bevatte. Daardoor kon ze de kracht van de verlokking niet alleen op de piano over-brengen, maar hem zelfs versterken. *Je bent in gevaar – vlucht!* Het sublimi-nale bevel klonk telkens weer tussen de dromerige akkoorden en loopjes door. En het effect ervan werd merkbaar.

Eerst werd de pater bleek. Vervolgens betrok McAteers toch al norse gezicht. Even later namen ze allebei een gespannen houding aan. Sibelius scheen deze veranderingen in eerste instantie sceptisch aan te zien, maar algauw verscheen ook op zijn gezicht de angst. Alleen Ossip bleef relatief gezien rustig. Hij keek weliswaar bezorgd naar de groep sceptici, maar zag er niet uit alsof hij ieder moment in paniek zou kunnen raken.

Bij de drie geestelijken gebeurde echter precies dat: ze sprongen opeens op en drongen naar de uitgang. McAteer en Sibelius waren een tel eer-der in actie gekomen dan de pater. Daardoor versperden ze hem met hun forse lichamen de weg. De twee mannen waren ongeveer even zwaar, maar waarschijnlijk had de Ier in zijn voorklerikale tijd rugby gespeeld. In ieder geval schakelde hij de kardinaal met een uitermate effectief uitgedeelde bodycheck uit. Sibelius struikelde en gleed over het parket.

Daardoor was er in de levende muur een bres geslagen, waar de tengere pater nu doorheen schoot. Met zijn hand uitgestoken naar de deurklink, spurtte hij als een kieviet naar voren. Nog maar een paar stappen, en dan had hij het doel als eerste bereikt.

Maar McAteer zou geen bulterriër zijn geweest als hij niet had geweten hoe hij zich in een tegenstander moest vastbijten. Met een dierlijk gegrom zwaaide hij zijn arm als een zeis naar voren en kreeg nog net een slip van de hem al bijna ontsnapte soutane te pakken. De rest was kinderspel. Als een vogelverschrikker veegde hij Pinzani aan de kant en liep als overwinnaar door de deur. Strompelend en hijgend, de hiërarchie van de curie vergetend, volgden de pater en de kardinaal.

Ossip draaide langzaam zijn hoofd, waardoor zijn blik van de finish terugging naar de pianiste. 'Wat was dát?'

Sarah glimlachte grimmig en antwoordde: 'Het bewijs voor de macht der klanken.'

44

Krankzinnig – ja, driemaal krankzinnig en beperkt is die grove, rauwe
massa die nooit naar innerlijk begrip van de dingen verlangt, maar alleen
naar slapen en vetmesten streeft, die niet voelt, niet ziet hoe alles zich
alleen maar voorwaarts dringt [...] Moed! Hoop! Een nieuwe generatie
zal opstaan en oprukken.

— Franz Liszt

'U krijgt uw archivaris,' had kardinaal Sibelius zijn gasten beloofd, nadat hij en monsignore McAteer, zichtbaar van hun stuk, in de muzieksalon waren teruggekeerd. Pater Pinzani had zich verontschuldigd; hij moest meteen te biecht. De persoon die Sibelius hun toen ter beschikking stelde was voor Sarah en Ossip echter enigszins een verrassing geweest.

'McAteer?' had ze verwonderd de naam herhaald. 'Ik dacht dat die zich vandaag nog met de nepstigmata van de gekruisigde moest bezighouden.'

Het antwoord van de kardinaal was snel en onverbiddelijk geweest. 'Dat kan wachten. Tenslotte is een heiligverklaring voor eeuwig. Monsignore McAteer kent het geheime archief van het Vaticaan beter dan menig archivaris die daar werkt.'

De Ier knikte. 'Je moet namelijk dood zijn om heilig te worden verklaard. De meeste kandidaten zijn allang tot stof vergaan voordat hun proces begint. Als ik de wonderen die ze verricht zouden hebben onder de loep moet nemen, heb ik iets op schrift nodig.'

Om zo'n document ging het ook in het gesprek dat Sarah en Ossip op weg naar het geheime archief van het Vaticaan met de potige 'bevorderaar van het geloof' voerden. Ze liepen net een binnenplein over, toen McAteer tot de hamvraag overging.

'Dat purperlied...'

'Purperpartituur. Die wordt ook wel de klankleer van Jubal genoemd,' viel Ossip hem in de rede.

'Ook goed. Hebt u enig idee waar we die kunnen vinden?'

Sarah kreeg een droge keel. Zonder het zich bewust te zijn, tastte ze naar haar hanger onder haar trui. 'Niet direct.'

McAteer bleef abrupt staan. 'Wát?'

'Ik weet immers niet eens hoe de signaturen in het geheime archief zijn opgebouwd,' verdedigde ze zich.

De Ier vouwde zijn handen samen, maakte even oogcontact met zijn baas daar boven en steunde: 'Beste mevrouwtje, het archief beschikt over naar schatting vijfenveertig kilometer akten. Alleen de catalogus omvat al vijfendertigdúízend boeken, en die is nog niet eens compleet. Bovendien is er niet één signatuursysteem, maar een hele vrolijke schare. En u vertelt me dat u "niet direct" weet hoe we die purpersymfonie van u in die papierberg zouden moeten vinden?'

'Purperpartituur,' merkte Ossip op.

McAteer legde hem met een wegwerpgebaar het zwijgen op.

Sarah haalde diep adem. Zo dicht bij het einddoel wilde ze zich niet door een paar duizend meter akten laten ontmoedigen. 'Is er misschien een chronologische indeling? We zouden ons tot het leven van Liszt kunnen beperken; de jaren 1840 tot 1886 zouden waarschijnlijk genoeg zijn.'

De monsignore bromde. 'Zeker is die er, maar daarmee brengen we de vijfenveertig kilometer misschien terug tot vier of vijf. Bovendien hebben zelfs gevolmachtigde onderzoekers maar toegang tot en met het jaar 1922, het einde van het pontificaat van Benedictus xv.'

'Om dat soort hordes te nemen wilde ik juist zo'n competente en bevoegde man als u erbij hebben.'

De toch al kleine ogen van de monsignore werden nu spleetjes. 'Wilt u me soms stroop om de mond smeren?'

'Ik zou niet durven.'

'Dat is u geraden ook. Hester McAteer is niet om te kopen. Niet met mooie woorden en niet met mooie ogen.'

'Dank u voor het compliment.'

De Ier liep rood aan en schraapte zijn keel. 'Laten we duidelijke taal spreken, madame d'Albis. Hoe bent u eigenlijk op het idee gekomen dat die purper...' Hij keek hulpzoekend naar Ossip.

'Partituur,' schoot deze te hulp.

'Ja, de purperpartituur. Waarom denkt u dat die rode ballade uitgerekend hier te vinden is?'

'Omdat ik hier door aanwijzingen naartoe ben geleid.'

'En stond er in een van die aanwijzingen niet ergens iets over de vindplaats? Een nummer of een naam?'

'N + BALZAC,' antwoordde Sarah spontaan.

'N plus Balzac?' herhaalde hij, alsof hij de letters in zijn mond wilde laten rondgaan. Toen zuchtte hij. 'Laten we het maar eens proberen.'

Het vertrek was naar schatting acht bij zes meter groot en lag voor ongeveer driekwart onder de grond. Alleen door een paar smalle ramen die vlak onder het plafond zaten drong een beetje daglicht naar binnen. Het was een van de vele kamers waarin duizenden meters stellingkasten stonden opgesteld, en Sarah maakte zich er geen enkele illusie over deze tot papierschat geworden kerkgeschiedenis ooit in zijn ware omvang te kunnen zien, laat staan grondig te kunnen doorzoeken. Wat had Liszt ooit over de purperpartituur tegen de eerste hoeder der windharpen gezegd? *Hij moet blijven waar hij is, een boom in een bos.* Ja, het geheime archief van het Vaticaan was de ideale plek om een document, dat vermoedelijk maar uit een paar bladen bestond, te verstoppen.

Ossip zat over een van de vijfendertigduizend catalogi gebogen en schudde zijn hoofd. 'Zo komen we niet verder. Of N + BALZAC is een doodlopend spoor, of we moeten het op een ander gebied dan de muziek zoeken.'

McAteer maakte een snorkend geluid. 'Dan kunt u net zo goed aan de hemel naar een ster gaan zoeken waarvan u de juiste naam niet eens kent.'

Sarah zuchtte. 'Hij heeft gelijk, Joseph. We hebben de winden nu van voren naar achteren uitgeprobeerd, als cijfers en als letters, maar het heeft helemaal niets opgeleverd.'

'Misschien moeten we de letters door elkaar husselen om de juiste signatuur te krijgen.'

Ze fronste haar voorhoofd.

Hij duidde op het briefje waarop Sarah het sleutelwoord had genoteerd. 'Ik doel op permutatie, op de methode van de kabbalisten. Ze hebben woorden uit de Thora genomen, om door verwisseling van de letters een verborgen betekenis te ontdekken...'

'Wacht eens even!' onderbrak ze hem. 'Er schiet me opeens te binnen dat Oleg Janin het feit dat Franz Liszt lid van de vrijmetselarij was, telkens weer aanvoerde als indicatie van zijn bedrieglijke karakter. En een... goede vriend heeft me laatst verteld dat de symbolen en riten van de vrijmetselaars terug te voeren zijn op kabbalistische tradities. Je zou met je vermoeden dus wel eens gelijk kunnen hebben.'

'Ik wil geen spelbreker zijn, hoor,' mopperde McAteer, 'maar hebt u er al eens over nagedacht hoeveel combinaties er in de acht tekens van N + BALZAC zitten? Ik ben dan wel geen wiskundige, maar vermoedelijk bereiken we ons doel nog sneller als we de vijfenveertig kilometer bladzij voor bladzij doorlezen.'

'Daar zit wat in,' zei Ossip.

Sarah sloot haar ogen om beter te kunnen nadenken. Het wilde er bij haar niet in dat Liszt haar uiteindelijk zo in het duister zou laten tasten. Er moest een aanwijzing zijn. Die was er. Ze zag hem alleen niet.

In gedachten liet ze nog een keer de acht klankboodschappen de revue passeren. Logisch gezien hoorde een aanwijzing voor de plaats waar de purperpartituur was verstopt thuis aan het *éind* van het windroosspoor.

'IK BEN BANG MAAR ZAL TRIOMFEREN... DE KLANK VAN DE MUNT LAAT HAAR CAPITULEREN,' mompelde ze de slotwoorden van de laatste klankboodschap.

'Kunt u misschien iets harder praten?' vroeg McAteer.

Ze opende haar ogen. 'Als ik het me goed herinner, heeft het Vaticaan ook een muntenverzameling, toch?'

De Ier knikte. 'Het Dipartimento del Gabinetto Numismatico. Dat is bij de Vaticaanse Apostolische Bibliotheek ondergebracht. Wilt u nu soms alle opschriften van de munten op de acht tekens van het codewoord gaan afzoeken?'

Ze schudde haar hoofd. Het was om wanhopig van te worden. Ze voelde dat ze er dichtbij zat, maar ze had nog dat ene idee nodig. 'Met de klankboodschappen alleen kom ik niet verder,' zei ze peinzend. Met haar vinger streek ze over de acht afkortingen van de windstreken.

'En hoe zit het met de andere schriftstukken waarop je tijdens je zoektocht bent gestuit?' vroeg Ossip.

Sarah keek op van het briefje. Ze deed haar mond open, maar er kwam niets anders uit dan hete adem. Haar hart begon opeens te bonzen. Ze sperde haar ogen open. 'Balzante!'

'Huppelend?' vertaalde McAteer het woord.

'Dat is een dynamisch teken,' legde ze verhit uit. 'Het stond aan het begin van de partituur van Franz Liszt, die voor het eerst op 13 januari in Weimar werd opgevoerd: balzante. Huppelend, springend – toen ik het zag, was ik verbaasd. Liszt staat weliswaar bekend om zijn emotieve speelaanwijzingen, maar dát woord heb ik bij geen enkele componist ooit gezien.'

'Ja, en?'

'Het is tevens een acroniem van de oude benamingen van de winden.'

'Ik wil niet zeuren,' begon Ossip, 'maar dat is maar gedeeltelijk waar. Het plusteken...'

'Nee, het klopt zelfs helemaal,' viel Sarah hem in de rede. 'De Grieken hadden voor sommige winden verschillende benamingen, zoals Caecias en Thracias voor het noordoosten en Eurus voor het oosten, die meestal door het kruis werd afgekort. Laten we eens een poging wagen met balzante.'

Nogmaals keken ze de catalogi door. Ze probeerden het nieuwe code-woord van voren naar achteren en andersom, in alfabetische en in numerieke vorm. Maar geen enkel resultaat was veelbelovend genoeg om de akte zelfs maar op te zoeken.

'De klankleer is vast niet onder de naam "purperpartituur" gearchiveerd,' merkte Ossip op.

'Daar kunnen we van uitgaan,' viel McAteer hem bij. 'Waar stelt u voor met zoeken te beginnen? Wat vindt u van het werk *De implicaties van de "Bullae maiores" van de elfde tot en met de veertiende eeuw voor de gregoriaanse gezangen*?'

'Dat helpt nu niet echt,' bromde Sarah.

De Ier spreidde zijn handen uit. 'Ik bedoelde maar.'

'Zijn er signaturen die een of twee tekens langer zijn?'

'Ongetwijfeld. Hoezo?'

'Ik kan het slotvers van de laatste klankboodschap maar niet vergeten: DE KLANK VAN DE MUNT LAAT HAAR CAPITULEREN. Misschien betekent dat dat ik een of andere munt moet laten klinken.'

'Je bedoelt door hem in de lucht te knippen? Het zou kunnen dat je audition colorée je daar iets bij laat zien. De vraag is alleen welke munt we moeten nemen. Ze hebben er hier vast en zeker duizenden.'

McAteer snoof. 'Daar durf ik m'n k-... kurkentrekker om te verwedden.'

Sarah keek peinzend naar het briefje waarop nu ook het woord balzante stond. Afwezig beet ze op haar onderlip, en haar linkerhand speelde met de onder de fijne wol verstopte hanger.

'Florin!' riep ze opeens uit.

De beide mannen keken haar niet-begrijpend aan.

'Het FL-signet,' legde ze opgewonden uit, en ze haalde ijlings haar hanger tevoorschijn. 'FL is de afkorting voor florin, beter bekend als gulden.

Ik heb het de hele tijd om mijn nek gedragen. Het moet een gulden zijn. Vermoedelijk een opvallend exemplaar.'

McAteer knikte. 'Dat valt uit te zoeken.'

Weer waren er maar een paar minuten verstreken voordat monsignore McAteer de bezoekers naar de Vaticaanse bibliotheek had gebracht en voor een kundige medewerker van de numismatische afdeling had gezorgd: een kleine, mollige franciscaan, die er naast de Ier uitzag als een zwaarlijvige David naast Goliath.

'U zoekt een munt, maar weet niet precies welke?' vroeg de kloosterling geamuseerd. 'Monsignore, we hebben hier zo ongeveer vierhonderdduizend munten en medailles.'

'Het moet een gulden, florin of forint zijn,' preciseerde Sarah.

De frater rolde met zijn ogen, maar ging na een strenge blik van McAteer ijverig aan de slag. Gelukkig was ook de Vaticaanse Apostolische Bibliotheek al in het computertijdperk aanbeland. De zoekactie in de databank leverde een kleine lijst veelbelovende treffers op. Al op de vierde plaats stond een munt waarvan de aanduiding Sarahs aandacht trok:

$$8 \text{ gulden} = 20 \text{ franc}$$

'Guldens en francs?' mompelde ze, en ze las de beschrijving. Het ging om een gouden munt. Als land van oorsprong was Oostenrijk-Hongarije aangegeven. De voorkant toonde een portret van keizer Franz Joseph I met lauwerkrans. Achterop was onder andere een kroon te zien. Meer aanwijzingen had Sarah niet nodig; de herinneringen aan haar vierde windroosetappe, die haar naar het Hongaarse Boedapest had gevoerd, waren nog maar al te levendig. Ze klikte op het catalogusrecord.

'Die daar is het.'

'Breng ons alstublieft de munt, frater Domenico,' zei McAteer op een toon die geen tegenspraak duldde.

Even later hield Sarah het achtguldenstuk in haar – grondig ontvette – handen. De frater keek haar aan alsof ze er ieder moment mee vandoor kon gaan. Toen ze de gouden munt in de lucht gooide, slaakte hij een schelle kreet. Meteen ving ze het kostbare museumstuk weer op, omdat ze het toen ze het in de lucht knipte niet goed met haar vingernagel had geraakt. McAteer duwde de kloosterling met zijn grote handen in de stoel, zodat hij het experiment niet zou verstoren.

Sarah haalde diep adem en zei: 'Tweede poging.' Toen knipte ze de munt nogmaals de lucht in.

Deze keer had ze het beter gedaan. Er was een volle, heldere klank te horen, en voor haar geestesoog verscheen een groengele 8. Voor de zekerheid herhaalde ze de worp nog eens, maar aan het resultaat veranderde niets.

Ze gaf de munt weer aan de bevende kloosterling.

'Was dat alles?' vroeg hij ongelovig.

Sarah knikte. 'Dat was alles.' Tegen Ossip en de monsignore voegde ze eraan toe: 'Laten we naar het archief teruggaan en de purperpartituur ophalen.'

Acht. Ook in Les Baux de Provence had Sarah dit getal gezien. Uiteindelijk paste alles in elkaar als de scherven van een vaas. McAteer zette het sleutelwoord 'balzante' om in een cijferreeks, door de plaats van elke letter in het alfabet te noteren, dus 2 voor b, 1 voor a enzovoort. De 8 zette hij erachter. Uit het resultaat stelde hij, na toevoeging van koppeltekens, een archiefsignatuur samen en daarmee ging hij naar de muziekcatalogi van de jaren 1845 tot 1880. Ademloos keek Sarah toe hoe zijn krachtige wijsvinger door het register ploegde – en abrupt stopte.

'Iets gevonden?' vroegen Ossip en zij als uit één mond.

'Er is een titel onder die signatuur,' antwoordde McAteer.

'Mag ik eens zien?' Sarah was te ongeduldig om de reactie van de monsignore af te wachten. Ze greep gewoon het grote repertorium en las zelf wat onder het titelwoord stond:

Balzac, N.
La Notte, *Parijs, 1862, 1881.*

'N. Balzac,' fluisterde ze. 'Dat moet het zijn!'

Ossip fronste zijn voorhoofd. 'En de jaartallen? Zijn sommige van je klankboodschappen niet na 1862 ontstaan?'

McAteer wees naar de notities die erbij stonden in de catalogus. 'Dit titelwoord is in elk geval pas na 1880 ingeschreven. Misschien heeft het een vroeger vervangen.'

Sarah knikte. 'Zou kunnen. De windroos begint met een compositie waarvan de oorspronkelijke versie in 1866 werd voltooid, maar de definitieve pas in 1880. En hij eindigt met het notenboek uit de Hermitage, dat dateert uit 1862. Daardoor kon de zoektocht naar de purperpartituur pas beginnen nadat het volledige spoor was uitgezet.'

'*La Notte?* Dat is toch een stuk van Franz Liszt, of niet?' vroeg Ossip.

'En niet zomaar een. Liszt had deze elegie voor zijn eigen begrafenis gewild, maar zijn dochter Cosima heeft hem de vervulling van zijn laatste wens ontzegd. *La Notte* werd pas in 1916 voor het eerst uitgevoerd, dertig jaar na zijn dood.'

'Denk je dat zijn neef, de rechtsgeleerde, een eerdere publicatie heeft verhinderd?'

'Dat zou kunnen. Het is wel mogelijk dat hij van dit repertorium wist en de connectie met de werkelijke componist van de elegie wilde verhullen. Laten we het stuk *La Notte* eens bekijken.'

Het duurde niet lang voordat een archivaris vanuit de onpeilbare diepten van het Archivio Segreto Vaticano een onooglijke zwarte map voor de dag had gehaald en hem voor Sarah op de leestafel had neergelegd.

Voor Sarah voelde het ineens aan als een plechtig moment. Ossip zette een stoel voor haar klaar, omdat hij wel vermoedde dat ze die snel zou kunnen gebruiken. Ze ging zitten. De muziekhistoricus en de monsignore bleven elk aan een kant van haar staan. Toen ze helemaal kalm was, sloeg ze de map open.

De map bevatte maar een paar bladen. Bovenop lag daadwerkelijk een partituur: de versie van *La Notte* voor kamerorkest. De ondertitel luidde *Schlummerlied im Grabe* – 'Slaaplied in het graf'. Hoe toepasselijk, dacht Sarah. Wie slaapt, wordt ook ooit weer wakker. En vervolgens stuitte ze op een aanmerkelijk ouder muziekblad, waarvan het opschrift een leek raadselachtig moest voorkomen:

Théorie des Sons de Youbal
– Pour un pipeau de David –

Alleen al de aanblik van het schrijfmateriaal bezorgde Sarah de koude rillingen. De 'klankleer van Jubal', zo stond in het Frans boven de notenbalken, was niet op papier, maar op het allerfijnste perkament geschreven. En daaronder: 'Voor Davids herdersfluit.' Niet een veelstemmig orkest, maar het eenvoudige instrument van een schaapherder vormde dus de sleutel tot de koningin der klanken. Onder het bruinige blad stak de hoek van een ander blad vandaan.

Op de achtergrond hoorde Sarah de stem van de 'wondermaker' McAteer. Sibelius' naam viel. De Ier bracht de kardinaal van het onverwacht snelle resultaat van hun zoektocht op de hoogte.

Intussen betastte Ossip met duim en wijsvinger een hoek van het bovenste blad en zei: 'Dit is velijn. Ook wel maagdenperkament genoemd. Het werd gemaakt van de huiden van ongeboren lammeren of kalveren. Zoiets konden vroeger alleen rijke mensen zich veroorloven.'

Sarah knikte peinzend. 'Ja, bijvoorbeeld iemand als kardinaal Richelieu.' Vervolgens begon ze de purperpartituur te lezen.

Met haar ogen scande ze de handgeschreven, kalligrafisch hoekige noten als het ware in haar niet-vluchtige melodiegeheugen in. Dat ging tamelijk snel, want het ging hier niet om een partituur in de eigenlijke zin van het woord, niet om het samenspel van alle stemmen van een stuk.

Er was er namelijk maar één.

De koningin der klanken was in haar eenvoud een nauwelijks te evenaren lied. Toch werd Sarah er letterlijk in getrokken als in een maalstroom waaraan niet te ontkomen was. Ze werd duizelig. Ze had het gevoel dat ze uit elkaar werd gescheurd en weer opnieuw in elkaar werd gezet. Een paar opgewonden hartslagen lang hield ze verdwaasd op en probeerde zich tegen deze metamorfose te verzetten, maar ten slotte liet ze zich gaan. Ze legde het eerste blad aan de kant, zoog gulzig het tweede in...

En toen was het voorbij.

In de dubbele betekenis van het woord zelfs: ten eerste omdat er geen andere muziekbladen meer waren – hoe kon alle kennis over de klanken der macht ooit in zo'n onopgesmukte, rechtlijnige, simpele, archaïsche melodie zijn gecomprimeerd? – en ten tweede omdat monsignore Hester McAteer nu ingreep. Hij veegde domweg de muziekbladen bij elkaar, klapte de map dicht en stak hem bij zich.

Sarah keek verrast naar de Ier op. 'Wat heeft dit nu te betekenen?'

Hij trok een scheve grijns. 'Het spijt me, madame d'Albis, maar Zijne Eminentie, kardinaal Sibelius, heeft me opgedragen de purperpartituur mee te nemen. Hij zei dat hij het duivelswerk eerst zelf wilde bekijken.'

Briesend van woede stapte ze achter de Ierse bulterriër aan, door gangen en via trappen terug naar het kantoor van Clemens Benedictus Sibelius. Ossip probeerde haar tevergeefs tot bedaren te brengen. Sarah was in alle staten.

Toen het drietal de voorkamer van de kardinaal binnenviel, sprong pater Pinzani van zijn stoel op alsof hij door een adder was gebeten, greep naar het houten kruis op zijn borst en moest zich beheersen het niet naar Sarah uit te steken als naar een vampier. McAteer negeerde hem, klopte een keer op de deur van de werkkamer, rukte die zonder enige aarzeling open en stormde het kantoor in. Ook hij was kennelijk razend.

'Eminentie, wat u nu van me verlangt gaat heel wat verder dan de "gunst" waarom u me had gevraagd. Die vrouw is een furie. Het had niet veel gescheeld of ze was me naar de keel gevlogen.'

Hoewel de Ier Italiaans had gesproken, was zijn gelamenteer voor Sarah goed te volgen. Geflankeerd door Ossip en pater Pinzani was ze even na de monsignore het kantoor binnengestoven.

Sibelius stond achter zijn massieve eikenhouten bureau, hield een telefoonhoorn in zijn hand en reageerde als een priester die betrapt wordt op het moment dat hij net uit een peepshow komt. Snel mompelde hij iets in de hoorn en hing toen op. Vervolgens vond hij zijn waardigheid terug en nam de rol van de gestrenge biechtvader aan.

'Monsignore McAteer, wat denkt u wel? U kunt hier toch niet zomaar binnen komen vallen?'

'Ik heb geklopt,' verdedigde de zondaar zich, en hij stak de zwarte map naar de kardinaal uit. 'Hier is de purperkoraal die u zo graag wilde zien.'

'Purperpartituur,' verbeterde Ossip hem op de achtergrond.

Sibelius liet een hoeveelheid lucht uit zijn toog ontsnappen en zei daarna op mildere toon: 'Laat u maar eens zien.'

McAteer legde de map op het bureau. Sarah, Ossip en pater Pinzani kwamen dichterbij en gluurden om de brede rug van de Ier heen. De kardinaal klapte het omslag open.

'*La Notte*?' fluisterde hij na een korte blik op het bovenste muziekblad.

'Een instrumentale treurzang van Franz Liszt,' verduidelijkte Sarah. Ze was langs de monsignore heen geschoven en stond nu, met haar handen op het bureau geleund, recht voor de kardinaal. 'Op de stukken perkament daaronder staat de purperpartituur.'

Om die goed te kunnen bekijken schoof Sibelius het klaaglied aan de kant. Zijn gezicht verriedt hoe verbaasd hij was. 'Wat is hij sober,' mompelde hij. Toen hij het tweede blad van velijn aan de kant legde, kwam er een derde van papier tevoorschijn, dat Sarah daarvoor niet meer had kunnen lezen. Ze moest zich inspannen om de zinnen ondersteboven te kunnen ontcijferen:

Hoed je, jij die dit lied vindt! Het zal eenieder tot vloek worden die het ten kwade gebruikt, en een zegen voor de rechtschapenen. Gebruik het wijs, ten goede van de mensen. Open hun hart, maar ontneem hun niet hun vrije wil. Want eenieder die dit doet, bezondigt zich aan Gods schepping en zal zijn straf niet ontlopen.

FL

Vrijdag, 12 januari 1883
Venezia la bella: Palazzo Vendramin

Hoewel kardinaal Sibelius het in het Duits opgestelde testament van de Kleurenhoorder Franz Liszt niet zoals Sarah op zijn kop hoefde te lezen, had hij voor de ontcijfering van het krabbelige handschrift meer tijd nodig dan zij. Ze gebruikte de voorsprong om zich over de tijds- en plaatsaanduidingen aan het eind van de ernstige 'afscheidszang' te verbazen.

Liszt had de verdenking gekoesterd – misschien zelfs geweten – dat veel van zijn familieleden en vrienden door de Duisteren om het leven waren gebracht. Deze overtuiging had hem er waarschijnlijk toe gezet een vroegere boodschap door deze 'zegen en vloek' te vervangen – hij kon immers praktisch niets maken zonder het daarna nog eens te corrigeren. Wie weet, dacht Sarah daarom, hoe vaak hij het spoor van de windroos achteraf niet opnieuw had bewerkt voordat dit wonderwerk van een muzikale schatkaart eindelijk aan zijn eisen voldeed.

Eigenlijk was de windroos veel meer dan een zoekwijzer, zoals het briefje onder Sibelius' verbeten gezicht ongetwijfeld bewees. Hij was een manifest, een beginselverklaring waarin Liszt voor de Kleurenhoorders een nieuwe ethiek op schrift stelde. Ze mochten de mensen niet langer manipuleren, maar moesten hun geheime kennis gebruiken om eens en voor altijd een eind te maken aan de onderdrukking door dictators en dogma's. De laatste ware meester der harpen wilde de muziek verheffen tot de universele taal van een kunstvorm die mensen van alle volkeren ontvankelijk maakte voor het nobele en het pure, voor het esthetische en het mooie, zodat hun geest zich van het duister af en naar het licht toe zou wenden.

Plotseling ging de telefoon op het bureau van de kardinaal over.

Te laat merkte hij Sarahs spiedende blik op en gauw klapte hij de map dicht. Even staarden ze allemaal naar de telefoon. Toen het toestel voor de derde keer overging en de secretaris al aanstalten maakte het gesprek aan te nemen, trok Sibelius de hoorn naar zich toe.

'Als u me wilt excuseren.'

Hij draaide zijn gasten de rug toe. Met zijn hand beschermend over de hoorn sprak hij zachtjes met iemand aan de andere kant van de lijn. Sarah hoorde alleen af en toe een Duits 'Ja... Jazeker!' Meer kon ze niet verstaan. Toen hing Sibelius op en draaide zich langzaam weer om. Een paar tellen lang was zijn blik strak op zijn bureau gericht, waar nog altijd de zwarte map met de purperpartituur lag. Zijn gezicht stond hard.

Het volgende moment ontwaakte hij uit zijn verstarring. Hij glimlachte naar Sarah en zei: 'Ik moet iets met mijn broeders bespreken. Als u het niet erg vindt, wacht u hier dan alstublieft even.'

Sarah schudde haar hoofd. 'Geen probleem.'

De kardinaal stak de map bij zich en gebaarde zijn collega's mee te komen. Nadat de zware, beklede deur van het kantoor was dichtgevallen, hoorden ze gemorrel in het slot.

'Hebben ze ons nou ingesloten?' fluisterde Sarah.

Ossip knikte. Hij liep naar de deur, drukte de klink naar beneden en trok eraan. Er gebeurde niets. 'Dit staat me niet aan. Dit staat me hélemaal niet aan,' mompelde hij.

Sarah huiverde. Zou het kunnen...? Ze draaide zich weer om naar het bureau en keek strak naar de telefoon. 'Is het je opgevallen hoe geschrokken de kardinaal leek toen we daarnet zijn kantoor binnenvielen?'

'Dat was moeilijk te negeren. Het gesprek had beslist met ons te maken. Hoe luidde ook alweer het beginvers van de laatste klankboodschap?'

DE KLEURENHOORDERS ZIJN GESPLETEN, SINDS PURPERDRAGERS ERIN OPTREDEN

'Sibelius ís een purperdrager.' Ossip liep om het bureau heen en bestudeerde de toetsen op het uitnodigende apparaat.

Sarah ging bij hem staan. 'Wat zoek je?'

'De herhaaltoets. Misschien ging het geheimzinnige telefoongesprek wel van de kardinaal uit.'

Ze wees naar een knop. 'Wat dacht je daarvan?'

Hij pakte de hoorn op, gaf hem aan haar en zei: 'Jij spreekt Italiaans. Ik niet.' Toen drukte hij op de toets.

Sarah luisterde. Na een korte stilte hoorde ze de typische snelle klankenreeks van het toonkiezen. Aan de andere kant van de lijn ging de telefoon over. Na de derde keer werd er opgenomen.

'Pronto?' Het was een diepe stem, een man.

'Met het kantoor van kardinaal Sibelius. Mag ik vragen met wie ik spreek?' vroeg Sarah in het Italiaans.

Klik! De ander had opgehangen.

Ze keek van het toestel naar Ossip. 'Blijkbaar praat die kerel niet met iedereen. Hij heeft meteen weer...' Ze zweeg, omdat de deur van het kantoor abrupt openzwaaide.

Twee mannen in soutane stormden het vertrek binnen. Ze droegen allebei een gasmasker. De voorste richtte een pistool op Sarahs hoofd en zei tegen Ossip, in een Engels met een sterk Frans accent: 'Eén verkeerde beweging en ze is dood.'

De andere 'priester' hield een apparaat in zijn handen dat aan een designbrandblusser deed denken: een fles van gepolijst staal, met een inslagknop en een glinsterende slang die eindigde in een lange buis. Terwijl er een sissend geluid uit kwam, zwaaide de soutanedrager met het ding voor Sarah en Ossip heen en weer.

'Ze willen ons vergiftigen!' riep ze, en ze trok haar trui bij de V-hals over haar neus en mond. Ossip volgde haar voorbeeld.

'U gaat alleen maar slapen,' weersprak de man met het pistool. 'Blijft u rustig en adem het verdovingsmiddel gelijkmatig in.'

Sarah werd al duizelig. Ze viel tegen Ossip aan en klemde zich aan hem vast. Woede borrelde in haar omhoog als een dikke, zure brij. Haar verontwaardigde protest eindigde in een zo goed als onverstaanbaar gelal.

De mannen in de soutanes lachten, een geluid dat Sarah vreemd hol in de oren klonk. Het leek steeds verder weg en weergalmde tegelijkertijd steeds meer. De zwarte gestalten voor haar ogen vervaagden.

'Joseph!' steunde ze. Ze greep de mouwen van zijn jas vast en keek hem aan, alsof ze zo het effect van de verdoving kon wegnemen. Toen werd het haar zwart voor de ogen en verloor ze het bewustzijn.

45

*Niet de bevrijding en ontplooiing van het Ik zijn het geheim en de vereiste
van de tijd. Wat de tijd nodig heeft, verlangt en zal creëren, dat is – de
angst.*

— Thomas Mann, *De Toverberg*

ROME, 7 APRIL 2005, 16.51 UUR

De soutanedragers hadden niet gelogen. Sarah leefde nog. Toen ze wakker werd, schrok ze van de stilte die haar omringde. Ze was een mens van
klanken. Muziek werd door haar niet alleen als geluid ervaren, maar ook
als vuurwerk van de zintuigen. Nu was er in haar geest echter slechts een
onmetelijk diep zwart.

Uit de diepste regionen van haar bewustzijn steeg een overweldigend
gevoel van beklemming op. Ze schoot overeind en snakte naar adem. Ze
was misselijk. Niet misselijk genoeg om meteen te moeten overgeven, maar
voldoende om dit duistere ontwaken voor haar nog erger te maken. Bovendien bonkte haar hoofd. Waar was ze?

Om haar heen was alles donker. Het was kil. Iemand was zo barmhartig
geweest haar toe te dekken. Met haar handen tastte ze haar directe omgeving
af. Links van haar voelde ze een muur. Grote, rechthoekige, koude stenen.
Als in een kerker...

Nu herinnerde ze het zich weer: Sibelius, die valse slang, had haar en
Ossip in de val gelokt, hen verraden...

De purperpartituur van hen gestolen!

De koningin der klanken... Die was zo heel anders dan Sarah zich had
voorgesteld. Maar wat kon een melodie die zo oud was als de mensheid ook
eigenlijk anders zijn dan een simpel herderslied? Het verbazingwekkende
was alleen: Sarah kende het.

Nou goed, verbeterde ze zichzelf; misschien was ze dan wel niet met elk
detail van de klankenreeks bekend geweest, maar een paar jaar geleden al

had ze met rode oortjes een artikel over de zogenoemde 'oudste melodie ter wereld' gelezen en zich herinnerd dat ze daar op tv een paar fragmenten van had gehoord. In het tijdschrift was een muziekprofessor, ene Andor Izsák, geciteerd; hij leidde het Europese centrum voor joodse muziek in het Duitse Hannover, was Hongaar van geboorte en had aan de Franz Liszt-muziekacademie in Weimar gestudeerd.

Sarah schudde haar hoofd omdat haar gedachten rare sprongen maakten. Ze begon te geloven dat er helemaal geen toeval meer bestond, maar dat alles verband met elkaar hield. De wereld was een geweldige symfonie, gespeeld door een nog geweldiger orkest, waarin sommige musici helaas voor wanklanken zorgden. Als je de Hongaarse professor mocht geloven, was de oudste melodie van de mensheid tot in de moderne tijd bewaard gebleven in een vierenndertighonderd jaar oude joodse geloofsbekentenis, het 'Sch'ma Israel'. Die naam – 'Luister, Israël' – was even simpel als de archaïsche melodie. In de synagogen kon je hem tot op de dag van vandaag horen wanneer de eerste psalm werd ingezet.

En dan was er ook nog die eigenaardige notitie over Franz Liszt, bedacht Sarah nu. De naar het heet zo vrome katholiek had de joodse synagoge van Boedapest bezocht en zelfs op het orgel van het godshuis gespeeld, het toentertijd op twee na grootste van Europa. Zou hij daar ook het 'Sch'ma Israel' gehoord of zelfs ingezet hebben?

Op een manier die niet te beschrijven viel, voelde Sarah dat ze was veranderd, en dat kwam doordat ze de purperpartituur had gelezen. In het begin had ze gedacht dat het een grap van de grote meester van de dubbelzinnigheid was, maar nu begon ze het te begrijpen. De klankleer van Jubal was geen symfonisch reuzenwerk, dat aan de neofiet in een polyfone gecodeerde taal de geheimen van de wereld openbaarde.

Die klankleer was alleen een sleutel.

Sarah duwde de wollen deken van zich af en stond op van de brits, omdat ze het opeens warm kreeg, omdat het plotselinge besef haar bijna dreigde te overweldigen. De koningin der klanken was niet meer en niet minder dan een deuropener voor de zienden. Sarah knikte. Ja, zo zat het gewoon!

Daarom was ze zich bij het lezen van de purperpartituur ook een ander mens gaan voelen. En daarom waren in het neuronale universum van haar geest enkele zonnestelsels verschoven als de pinnen in een gecompliceerd cilinderslot. Ze begon nu te begrijpen wat de klanken der macht werkelijk waren, welke invloed ze op het bewustzijn – of beter gezegd: op het onderbewustzijn – van de mensen hadden. Het was bijna als toen de piano zich voor haar had ontsloten en ze binnen de kortste keren de prachtigste melodieën kon spelen... Haar gedachten stokten, omdat ze net iets had ontdekt – niet een of ander ultieme kennis, maar... een celdeur?

Die bevond zich vlak voor haar en was voorzien van een tralieraam, met een klep ervoor die niet helemaal goed afsloot. Iemand moest daar buiten licht hebben aangedaan, dat nu door een paar kiertjes haar cel binnenviel. Ze hoorde voetstappen en gerinkel. Ditmaal waren het echte sleutels, die aan een ring hingen. Eentje ervan werd in het slot gestoken en omgedraaid. De deur ging open.

In de schelle rechthoek die Sarah verblindde stonden de gestalten van twee mannen – als gestanst. Ze hief haar hand op om haar ogen, waarvan de pupillen zich in het donker hadden verwijd, te beschermen.

'Goedemorgen, madame d'Albis, ik hoop dat u lekker hebt geslapen. Ziet u, het viel allemaal best wel mee,' zei een van de twee kerkermeesters. Hoewel hij nu geen Engels maar verzorgd Frans sprak, herkende Sarah de stem meteen: het was de man met de gasfles.

'Waar is mijn metgezel?' vroeg ze, nog steeds tussen haar gespreide vingers door glurend.

'Die slaapt nog. Hij schijnt niet zo sterk te zijn als u. We zijn gekomen om u aan iemand voor te stellen die u al een hele tijd wil leren kennen. Maar tot nu toe hebt u zich daar steeds tegen verzet.'

De twee mannen lachten.

De handlanger van degene die het woord had gevoerd, stapte de cel in om Sarah bij haar bovenarm te pakken. Hij kwam zo dicht met zijn mond bij haar oor dat ze zijn naar uien stinkende adem kon ruiken, en hij fluisterde: 'Stribbel alstublieft een beetje tegen, dan mag ik u vastbinden.'

Blijkbaar was de mannen opgedragen voorzichtig met de gevangene om te gaan zolang ze meewerkte. Sarah had er geen behoefte aan door die stinkende kerel meer te worden aangeraakt dan nodig was. Daarom hield ze zich koest.

'Dan gaan we maar!' zei de ander.

Ze werd de kerker uit geduwd en een gang in, die haar meteen aan een wijnkelder deed denken. Het gewelf leek heel oud te zijn. Was ze nog altijd in het Vaticaan? Haar twee bewakers hadden in elk geval hun priesterkleding uitgetrokken en droegen nu parachutistenlaarzen, wijde broeken en coltruien met schouderbelegsel, alles in het zwart. Sarah keek langs haar lichaam naar beneden en stelde opgelucht vast dat ze helemaal aangekleed was. Onopvallend ging ze met haar elleboog naar de zijzak van haar bruine wildleren jasje. Ze voelde niets. De mp3-speler met de klanken der macht hadden ze haar dus afgepakt.

Algauw liepen ze over uitgesleten treden naar boven. Aan het eind van de stenen trap lag een wandelgang die aan vier zijden een binnenplaats omsloot, die gedeeltelijk bestraat en gedeeltelijk van groen was voorzien. Aan haar linkerhand lag een overwelfde poort. Sarah werd naar rechts geduwd. Ze liep langs een paar deuren met hoge drempels, sloeg een keer links af en zag aan het eind van de gang een zware deur. Kennelijk een andere uitgang van het palazzo, dacht ze, en ze speelde twee, drie stappen lang met de gedachte zich los te rukken, naar de poort te rennen en...

'Daar zijn we al,' zei de bewaker met de slechte adem, en hij herinnerde haar door een pijnlijke ruk aan haar arm aan haar beperkte bewegingsvrijheid. Ze stonden voor een deur met een hellingbaan. De kerel die eerder de bewustzijnsblusser had bediend klopte aan, en toen er van de andere kant een ijl 'Binnen!' weerklonk, opende hij de deur.

'Kom verder!' hoorde Sarah van binnen een ritselende stem zeggen, en ze kreeg kippenvel. Aarzelend liep ze de hellingbaan over en stapte, op de voet gevolgd door haar bewakers, een groot vertrek binnen dat deed denken aan de vergaderkamer van een renaissancevorst: een lange tafel met daaraan vierentwintig stoelen met hoge leuningen, een bombastische open haard – waarin grote houtblokken rood gloeiden –, een stenen vloer, een beschilderd casetteplafond, saaie portretten, gobelins, drie zware dekenkisten, twee ridderwapenrustingen en een gezapig tikkende staande klok. Hoewel het Sarah nauwelijks zou hebben verbaasd, werd ze niet door een edelman in pofbroek ontvangen, maar door een witharige oude man in een rolstoel.

'Kom maar, Sarah!' zei hij, en hij wenkte alsof er speciaal daarvoor een of ander mechanisme in zijn arm was ingebouwd.

Met beheerste stappen liep ze naar de oude man toe. Hij zag er niet echt uit als een monster, maar toch boezemde zijn aanblik haar angst in. Hij was een levende mummie: een zielig hoopje ellende in een rolstoel, uitgeteerd, met troebele donkere ogen. En ze had nog nooit zoveel rimpels in iemands gezicht gezien.

'Wees maar niet bang. Er heerst wapenstilstand,' maakte haar gastheer haar kenbaar.

'Waarom zou ik u vertrouwen, Nekrasov? U hebt al eens geprobeerd me van kant te maken,' antwoordde Sarah koeltjes.

Hij maakte een gebaar alsof hij haar opmerking als een lastige slang van tafel wilde vegen. 'Dat was een ongelukkige situatie. Met je naspeuringen heb je de Broederschap der Aar behoorlijk in het nauw gedreven, zonder dat je ook maar enigszins wilde meewerken. Maar nu staan de zaken er anders voor.'

Sarah stopte abrupt. 'U bedoelt omdat u de paus hebt vermoord?'

Nekrasov grinnikte. 'Die Karol Wojtyla was een oude stijfkop, zijn geest wilde maar niet begrijpen dat zijn lichaam allang niet meer deugde. Hij had zijn tijd gehad. Net zoals ook mijn tijd er binnenkort op zit.' Hij wees naar de rij stoelen aan de tafel. 'Ga zitten. Ik wil graag even met je praten.'

Ze nam plaats op een stoel die nog minstens drie meter bij de oude man vandaan stond. Vanuit haar ooghoek nam ze een schim waar, en in eerste instantie dacht ze dat een van de twee bewakers naast zijn grootmeester zou gaan staan, maar er voegde zich heel iemand anders bij hem.

'Jij?' riep Sarah, en ze sprong zo bruusk van haar stoel op dat die achter haar met een klap op de vloer belandde. Meteen waren de bewakers bij haar en pakten haar bij de arm.

Nekrasov grinnikte. 'Dat noem ik nog eens temperament! Zo langzamerhand begrijp ik wel waarom zelfs een Oleg Janin deze vrouw niet heeft kunnen temmen.'

Die ging naast de oude man aan de andere kant van de tafel zitten en knikte haar toe. 'Ik ben blij je gezond en wel weer te zien.'

Het liefst was ze opgesprongen en had ze hem de ogen uitgekrabd, maar dat lieten de twee bewakers niet toe, die haar weer op haar stoel hadden geduwd en nog steeds vasthielden. Zodoende had ze alleen nog maar haar tong als aanvalswapen over.

'Verrader! Je hebt je logebroeder vermoord, de hoeders der windharpen en je toenmalige vrouw van kant laten maken, en ook nog eens schaamteloos mijn vertrouwen misbruikt om er voor je geheime club munt uit te slaan.'

Janin knikte. 'Klopt. En jij bent de wereld kennelijk nog steeds voor jezelf aan het goedpraten. Sibelius heeft ons verteld over je plan om je bij de rouwplechtigheid van morgen op te werpen als redster van de mensheid, en mijn dierbare zoon helpt je daar nog bij ook.'

'Stiefzoon!'

'Ik heb hem geadopteerd, hij draagt mijn naam.'

Sarah haalde diep adem om eindelijk de vraag te stellen die haar al sinds Sint-Petersburg had beziggehouden, maar Nekrasov kwam tussenbeide.

'Het is echt heel amusant om naar jullie te luisteren, maar we hebben maar weinig tijd, beste mensen. We mogen door dit heuglijke weerzien niet de ware reden van ons gesprekje vergeten.'

'Ja. Daar ben ik ook zeer benieuwd naar,' zei Sarah strijdlustig.

De oude man glimlachte joviaal. 'Je hebt je de laatste weken kranig geweerd. Alleen een meesteres der klanken zoals Jubal kon de purperpartituur vinden. Je bent een uitverkorene. Met jouw hulp kan de Broederschap der Aar haar utopie verwezenlijken en de mensheid "met zachte hand" naar een nieuw begin leiden.'

'U bedoelt door middel van hersenspoeling, subliminale beïnvloeding of door wat voor manipulatie dan ook? Nee, dank u feestelijk.'

Janin schudde zijn hoofd. 'Wil je soms ontkennen dat de mensheid op een tweesprong staat, Sarah? Die is haar eigen graf aan het graven. Of we het nu over het verwoestende misbruik van het milieu, de dreigende klimaattramp, de toenemende verruwing, de gerichtheid op impulsen, de zelfverafgoding, het verval van waarden of de zucht naar materieel voordeel hebben – uiteindelijk leidt het allemaal naar de ondergang.'

'En jullie willen dat verhinderen?' Sarah snoof.

'Jij kunt daarbij een vooraanstaande rol spelen, de Kleurenhoorders op een dag zelfs weer verenigen en hen als enige meesteres der harp leiden.'

'Bedankt voor het aanbod, maar ik heb andere plannen.'

'Je carrière als pianiste soms?' Hij glimlachte meewarig.

'Nee. Ik zal jullie tegenhouden.'

'Daar heb je noch de macht, noch de tijd voor. Over een paar uur wordt de kist van Johannes Paulus het Sint-Pietersplein op gedragen, en wanneer het koor het Introïtus van het requiem aanheft, breekt een nieuw tijdperk in de geschiedenis van de mensheid aan. Een nieuwe wereldorde. Schaar je aan onze zijde, Sarah.'

Ze schudde haar hoofd. 'Jullie mogen een chaos aanrichten, maar uiteindelijk houdt een orde die gebaseerd is op geweld en onvrijheid geen stand. Liszt wist dat. Hij geloofde dat de vrije wil van mensen een onvervreemdbaar geschenk van God is, dat we moeten koesteren in plaats van er alleen maar lippendienst aan te bewijzen.'

Janin boog zich met gevouwen handen over tafel heen en keek Sarah strak aan. 'Denk goed na over wat je zegt, mijn kind. Dit is ons laatste aanbod. Mocht je blijven weigeren met ons mee te doen, dan rest alleen nog de "brandcultuur". Morgen zullen de belangrijkste politiek en geestelijk leiders op het Sint-Pietersplein verzameld zijn. Veel van de mensen die naar Rome zijn gekomen, hebben aan onze oproep gevolg gegeven. En honderden miljoenen zullen het requiem ook volgen op hun televisiescherm. Onze bevelen zitten allang in hun onderbewustzijn, binnengeloodst door de muziek in kerken, liften, supermarkten, reclamespots, op luchthavens, tijdens feesten, sportevenementen en verkiezingscampagnes... Je weet inmiddels heel goed hoe we werken en wat onze klanken der macht kunnen bewerkstelligen. Als de openingszang van het requiem weerklinkt, wordt er in de hoofden van de mensen een schakelaar omgezet: eerst brengen ze de politieke elite van deze wereld om en dan zal er een storm losbarsten, waarmee vergeleken zelfs de laatste wereldoorlog niet meer dan een briesje was.'

Nekrasov klapte in zijn handen. 'Dat hebt u heel indrukwekkend beschreven, mijn beste broeder.' En zich naar Sarah wendend voegde hij eraan toe: 'Dus hoe zit het? Wil je de grote opstand van de volkeren? Moeten we de oude wereldorde als een stoppelveld platbranden om uit de vruchtbare as weer een nieuwe te laten verrijzen? Of heb je liever de "zachte manier"? In dat geval moet je nú voor ons kiezen.'

Sarah slikte moeizaam. Ze kon zich nog goed Nekrasovs reactie op haar laatste afwijzing herinneren. Toch kon ze het niet over haar hart verkrijgen om te doen alsof ze tot 'het ware geloof' was bekeerd.

'Ik moet erover nadenken,' antwoordde ze ontwijkend.

De twee oude mannen aan tafel keken elkaar vragend aan. Sarah kon zich wel voorstellen wat er in hun hoofden omging.

Verrassend genoeg knikte Janin toen, en hij zei: 'Goed.'

Nekrasov keek naar de staande klok. 'Het is nu halfzes. Laat ons je besluit... laten we zeggen om acht uur weten. En denk aan de mensen wier leven nu in jouw handen ligt. Ze zijn naar Rome gekomen als lammeren naar de slachtbank.' Hij grinnikte. 'Nu ontbreekt alleen nog het dodenlied.'

46

Liszt vertelde me dat hij diegenen die van het begin af aan niets begrijpen ook niets kan uitleggen.

— Alexander Siloti, 1884, over Franz Liszt

Sarah zat in haar donkere cel in kleermakerszit op haar brits en wist zich geen raad meer. Wat kon ze doen? Zou Nekrasov zijn plan laten varen als ze hem zogenaamd beloofde hem te zullen volgen? Haar gevoel zei haar dat een grootmeester van de Duistere Kleurenhoorders zich niet zo gemakkelijk om de tuin zou laten leiden. Waarschijnlijk zou hij een bewijs van haar innerlijke loutering willen hebben. Misschien een praktische toepassing van wat de purperpartituur haar had geopenbaard. Of...

Gerammel aan de deur trok haar aandacht. Was haar bedenktijd nu al voorbij? Ze had toch echt gedacht dat ze nog maar een paar minuten terug was in de kerker. De deur zwaaide open en toonde een lichte rechthoek, waarin deze keer maar één silhouet stond afgetekend; ze zag de contouren van een grote, slanke man.

'Heb je zin om vanavond uit te gaan?' vroeg de schim met Ossips stem.

Ze sprong op van de brits en viel hem om zijn hals.

Plotseling liep er een koude rilling over haar rug. Had Janin bij zijn stiefzoon soms meer succes gehad? Was het hem gelukt Ossip om te turnen, misschien zelfs wel met klanken der macht?

Ze maakte zich uit de armen van haar bevrijder los en deed een stap achteruit. 'Hoe ben je ontsnapt, Joseph?'

Hij haalde zijn schouders op. 'Ik heb me slapend gehouden.'

'Is dat alles?'

'Nee. Kennelijk was onze bewaker er bang voor dat ik ernstige schade had opgelopen door het gas. Hij haalde zijn maat om me te onderzoeken. Toen heb ik ze overweldigd.'

'Overweldigd? Hoe? Met een balpen?'

'Als ik die had gehad, was het makkelijker geweest.' Hij haalde achter zijn rug een pistool vandaan en hield het haar onder de neus. 'Nee, die vent met dit wapen hier is net even te dicht bij me in de buurt gekomen. Ik heb het hem afhandig weten te maken, en de rest was kinderspel. Nu liggen ze met een buil op hun hoofd in mijn cel.'

'Leer je dat soort dingen in Rusland op de universiteit?'

'Nee, in Sint-Petersburg op straat. Ik had je toch al gezegd dat mijn *Sturm und Drang*-periode nogal turbulent was? Kunnen we nu gaan of moet ik nog een eed van trouw afleggen?'

Ze aarzelde. Als Ossip gemanipuleerd was, geloofde hij nu ook zelf in zijn oprechtheid.

Hij pakte haar hand en legde het wapen erin. 'Nu tevreden?'

Vol afschuw staarde ze naar het zwarte ding. Het gaf haar een akelig gevoel en was bovendien verrassend zwaar. Ze zuchtte. Wat kon ze anders dan Ossip vertrouwen? Ze stak het pistool in haar jaszak en zei: 'Kom, we gaan.'

'Weet je de weg naar de uitgang?'

'Ik denk het wel. Het ziet ernaar uit dat we in het keldergewelf van een palazzo zitten. Een paar minuten geleden was ik boven; Nekrasov en je stiefvader hebben me een oneerbaar voorstel gedaan.'

'O?'

'Ik vertel het je later wel. Kom!'

Sarah leidde Ossip naar de trap die ze tevoren met haar begeleiders op was gelopen. Even later waren ze bij de wandelgang van het palazzo aangekomen. Sarah gluurde vanaf de bovenste tree om de hoek.

'Geen sterveling te bekennen.'

'Ik weet zeker dat ze camera's hebben.'

'Dan kunnen we maar één ding doen: ogen dicht en hollen.' Ze beschreef hem de weg naar de uitgang. Ze besloten het stuk te rennen. Met het pistool konden ze deur wel openkrijgen, zei Ossip.

'Ik tel tot drie,' fluisterde Sarah.

'Waarom?'

'Omdat dat zo hoort.'

'Oké.' Met zijn linkerhand pakte hij Sarahs rechterhand, en Sarah telde: 'Eén, twee, drie!'

Toen stormden ze het trapgat uit, eerst rechts af en toen links om. De deur naar de vrijheid lag vlak voor hen, hij vloog op hen af...

Maar opeens versperde, alsof hij pardoes uit de muur kwam, Sergej

Nekrasov hun de weg. Met een behendigheid die Sarah niet van hem had verwacht, draaide hij zijn rolstoel negentig graden, richtte een pistool op Sarah en zei: 'Sta stil, of ik schiet!'

Glijdend kwamen ze slechts een paar passen voor hem tot stilstand. Sarah keek verlangend naar de deur. Nog tien, twaalf meter en...

'Ik wist wel dat ze camera's hadden,' bromde Ossip.

De oude man grinnikte. Opdat ze zijn antwoord, waar de verachting vanaf droop, allebei goed zouden begrijpen, schakelde hij over op het Engels. 'Camera's? Voor jullie hebben we iets beters bedacht. In jullie kleren zitten RFID-chips verstopt, en overal in het gebouw zitten sensoren. Ik was van elke stap van jullie op de hoogte. Broeder Janin komt ook zo. Ik denk dat hij niet erg blij zal zijn dat jullie hem alweer storen bij de voorbereidingen voor onze grote dag.'

'Laat hem maar komen. Dan kan ik hem meteen wurgen,' zei Ossip knarsetandend.

Het pistool zwaaide nu naar hem toe. 'Misschien moeten we de rollen maar omdraaien,' zei Nekrasov. 'Je vriendin ziet je vast liever niet met een gat in je buik.'

'Nee!' riep Sarah uit.

De oude man glimlachte tevreden. 'Je hebt je uitstel zelf verkort, liefje. Ik vraag je nu voor de laatste keer: staak je je verzet en werk je mee? Denk goed over je antwoord na. Een "ja" is in het belang van een betere toekomst voor iedereen, een "nee" betekent de dood. En met je mooie vriend hier beginnen we meteen.'

Sarah stak haar handen diep in de zakken van haar jas. Haar hart klopte in haar keel. Ze mocht Ossip. De laatste dagen had ze zich zelfs afgevraagd of ze geen stel hadden kunnen worden, als ze niet eerst Krystian had ontmoet. Ze kon Ossip niet opofferen, zoals Oleg Janin dat met Tiomkin had gedaan. Aan de andere kant: zou Nekrasov haar geloven? Ze achtte hem ertoe in staat de stiefzoon van zijn logebroeder alsnog om te brengen, alleen maar om te laten zien dat het hem ernst was. Nee, ze moest Ossip op een andere manier redden.

'Als u hem ook maar één haar krenkt, hou ik het geheim van de purperpartituur voor me.' Het was een schot in het duister, maar ze hoopte dat Nekrasov geen meester der klanken was zoals Jubal. Aan een normaal begaafde synnie zoals Ossip zou de klankleer zich niet openbaren.

De loop van Nekrasovs pistool zakte zowaar een stukje omlaag. Hij knikte met een goedkeurende glimlach. 'Het is je dus gelukt om de koningin der klanken te doorgronden.'

Sarah kreeg hoop. 'Ik zou eerder zeggen dat die mij heeft doorgrond.'

De oude man zat nog steeds te knikken. Zijn vriendelijke gezicht verhardde. 'Liefje, is het al eens bij je opgekomen dat ik spuug op die purperpartituur van je?'

Sarah huiverde. 'Wat?'

'Ja. Hij kan me zo ondertussen gestolen worden. We hebben allang besloten wat ons te doen staat. Morgen branden we de akker plat om op de vruchtbare aarde een nieuw vredesrijk te planten.'

Hij hief zijn wapen weer en richtte op Ossip. Een schot galmde door het palazzo. Ergens vlogen duiven op. Er volgden nog twee schoten.

Toen zakte Sergej Nekrasov in zijn rolstoel in elkaar.

Ossips ogen waren wijd opengesperd. Gejaagd voelde hij aan zijn borst en toen hij daar geen gat ontdekte waar bloed uit stroomde, draaide hij zich naar Sarah om. Bij haar ontdekte hij het gat; het gaapte met verschroeide, rafelige draden in haar linkerjaszak.

Ze kon zich niet meer beheersen, wilde ook niet meer sterk zijn, en wierp zich snikkend in Ossips armen. 'Ik kon niet anders dan schieten. Anders had hij jou van kant gemaakt.'

Hij streelde haar hoofd en praatte kalmerend op haar in. 'Je kon niet anders. En daar dank ik je voor. Als je nog maar een seconde had getwijfeld, was ík nu dood... Maar kom nu mee. Ze hebben de schoten vast gehoord.'

Hoewel zijn argumenten wel degelijk tot haar doordrongen, weigerden haar benen domweg om langs Nekrasov te lopen, die onder het bloed zat en in zijn rolstoel onderuithing. Ossip moest haar letterlijk meetrekken. Pas toen de dode uit haar gezichtsveld was verdwenen, kwamen ze sneller vooruit en dichter bij de uitgang.

Toen ze bij de deur waren aangekomen, drukte Ossip de klink naar beneden. 'Op slot. Dat dacht ik al. Geef me het pistool eens, Sarah.'

Ze haalde het uit haar gehavende jaszak en gaf het hem aan.

'Ga maar aan de kant,' zei hij. Vervolgens richtte hij op het slot en schoot. Hij trok aan de klink. De deur kwam in beweging.

'Stop, of jullie zijn allebei dood!' weergalmde een gebiedende stem door de binnenplaats.

Met een ruk draaiden ze hun hoofden om.

Oleg Janin kwam samen met vier donker geklede mannen door de gang op hen af lopen. Twee van zijn metgezellen hadden een buil op hun hoofd. Allemaal droegen ze automatische geweren met laservizier; de rode stipjes dansten over de gezichten van de voortvluchtigen. Janin had alleen een pistool in zijn hand. 'Wapen op de grond en met de voet wegschuiven!' beval hij.

Ossip aarzelde.

Sarah had wel een vermoeden over wat er in hem omging. Hij dacht waarschijnlijk aan zijn vermoorde mamoesjka en aan de kansen om haar hier en nu te kunnen wreken. 'Doe wat hij zegt,' fluisterde ze. 'Ze zijn in de meerderheid.'

Hij bukte zich, legde het pistool op de grond en stootte het met de neus van zijn schoen aan de kant.

'Heel goed, mijn zoon,' zei Janin tevreden.

Sarah wees naar het lijk in de rolstoel. 'Je grootmeester is dood, Janin. Waarom doe je nog zoveel moeite? Willen jij en je broeders soms zonder leider je utopia binnentrekken?'

'Zonder leider?' echode Janin geamuseerd. 'Hoezo zonder leider? Nekrasov was van alles: een meester bij de vrijmetselaars, de laatste uit de kring van vertrouwelingen van een groepering die zich de Orde der Schemering noemde, en hij stond aan de top van Musilizer. Maar in de Broederschap der Aar heeft hij altijd de tweede viool gespeeld. Vanwege zijn connecties en talenten heb ik hem tot mijn plaatsvervanger gemaakt. Ja,' – Janin glimlachte zelfingenomen – 'ík ben de meester der klanken.'

Sarah staarde hem ongelovig aan. Ze werd duizelig. Met haar rechterhand zocht ze Ossips hand.

De ware grootmeester der Duistere Kleurenhoorders schudde zijn vrolijkheid af als iemand die zich van een lastige vermomming ontdoet, maar wat eronder tevoorschijn kwam was niet de tronie van een monster, maar eerder een bezorgd gezicht. 'Waarschijnlijk heeft Nekrasov het je al gevraagd, maar ik wil je toch nog een kans geven, Sarah. Je hebt een unieke gave. Wil je die samen met mij gebruiken om de mensheid te louteren?'

'Met jouw verleidingskunsten soms?' Ze schudde haar hoofd. 'Nee. Dat holt de mensen alleen maar uit. Ik wil hen met mijn muziek vervullen.'

'Holt verleiding hen uit?' herhaalde hij peinzend. 'Denk je daarbij niet toevallig aan je moeder?'

Sarahs hart sloeg een keer over. 'Wat zeg je daar?'

Hij knikte. 'Kijk in je hart. Ik weet zeker dat je hart de waarheid allang kent. Joséphine d'Albis was bijzonder. De Broederschap der Aar heeft sinds de dood van Liszt vele sporen gevolgd, maar bij haar waren we er zo goed als zeker van dat door haar aderen het bloed van de laatste meester der klanken zoals Jubal stroomde. Door haar konden twee reeksen voorouders eindelijk weer worden verenigd en kon de gave, zijn bijzondere audition colorée, weer tot leven worden gewekt.'

'Om de purperpartituur te vinden?'

'En hem te doorgronden.'

Sarah knikte. Ze dacht dat haar hart ineen zou krimpen van bitterheid. 'Dus stuurde het Verbond van broeders haar de geschikte tegenhanger, een wereldwijd gevierde dirigent, Anatoli Akulin genaamd. En dat was jíj! Jíj hebt mijn moeder verleid, zoals Liszt ooit door je voorouder Olga Janina is verleid. En toen het broedsel van de Duisteren in haar rijpte, heb je haar hart gebroken.'

'Joséphine is van míj weggevlucht. Bijna hadden we je niet teruggevonden.'

Zonder aandacht te besteden aan de automatische geweren ging Sarah recht voor Janin staan en zette haar vuisten in haar zij. Ze schuimde van woede. Meer dan dat: alle frustratie en alle razernij uit haar van tranen doordrenkte jeugd braken ineens los, alsof er een dijk in haar was doorgebroken. 'Ach?' spuwde ze haar gal midden in zijn gezicht. 'Nu krijgt zíj zeker nog de schuld van jouw verraad, hmm? Heb je je nooit afgevraagd waarom Joséphine, en voor haar Ludmilla Baranova, van je zijn weggevlucht? Jij zuigt mensen leeg, totdat alle leven uit hen is geweken. Het enige wat je hun in staat bent te geven is de dood. Ik vervloek je, vader! Ik vervloek je met alle vloeken Gods en alle vloeken van deze wereld! Jij bent...'

'Zwijg!' riep hij, en hij stak zijn vlakke hand naar haar uit, alsof hij daadwerkelijk bang was voor de ban van zijn dochter.

Sarah deed er het zwijgen toe. Haar krachten waren uitgeput. Alleen haar tranen stroomden nog. Ze voelde niet eens dat Ossip achter haar kwam staan en haar beschermend in zijn armen nam.

Oleg Janin richtte zich tot de bewapende mannen en beet hun toe: 'Breng ze terug naar de kelder. We moeten opschieten. Het uur van de Kleurenhoorders is bijna daar.'

47

*Voor het nageslacht telt niet wat de kunstenaar wíl, maar wat hem gelukt
is tot uitdrukking te brengen.*

— Franz Liszt

ROME, 7 APRIL 2005, 18.46 UUR

Van een scheiding van de seksen was geen sprake meer. Sarah en haar stiefbroer
werden door de twee Adelaars die Ossip eerder te pakken had genomen ruw in
de eerste de beste cel geduwd. De Duisteren hadden klaarblijkelijk haast.

Op weg naar de gewelven van het palazzo had Sarah zich weer onder
controle gekregen. Op haar wangen glommen nog steeds de tranen, maar
in haar hoofd was al een plan gerijpt. Eigenlijk ging het meer om een wan-
hoopsdaad. De celdeur was nog niet dicht, of ze begon te zingen.

Het was een wonderlijke klankenreeks die uit haar keel opsteeg, vreemder
dan een Chinese opera voor een Europeaan en tegelijkertijd vertrouwder
dan het slaaplied van een moeder voor haar kind.

De twee bewakers schrokken even. Toen grijnsden ze naar elkaar. Een van
de twee draaide zich naar de gevangene om en zei laatdunkend: 'Doe geen
moeite. Dat werkt bij ons niet. We zijn Kleurenhoorders, net als jij.'

Maar Sarah zong verder. Ja, ze legde zelfs nog meer gevoel in haar gezang.
De celdeur knalde in het slot.

'Hou je oren dicht en neurie iets,' fluisterde ze Ossip toe, en vervolgens
liep ze naar het raampje in de deur om haar lied der macht voort te zetten.
De klep voor de tralies werd dichtgedaan. En Sarah zong. De voetstappen
verwijderden zich. Maar ze gaf het niet op. Voor de cel werd het stil...

... en opeens kwamen de voetstappen terug. In het slot werd een sleutel
omgedraaid. De deur ging weer open. Beide bewakers staarden Sarah met
glazige ogen aan.

Ze zette twee stappen naar voren. Het stel maakte geen aanstalten haar
vast te pakken. Sarah begon te begrijpen waarom macht zo'n gevaarlijke

drug was. Ze liep tot op een handbreedte naar de wachtpost toe die het minst stonk en vroeg: 'Wie zie je voor je?'

'De meesteres der harpen,' antwoordde hij.

Ze glimlachte tevreden en deed weer een stap terug. 'Goed. Heel goed. Ik wil graag dat jullie van nu af aan mijn bevelen gehoorzamen. Hebben jullie dat begrepen?'

'Ja, meesteres,' antwoordden ze.

'Jij!' Ze wees naar de man met de uiengeur. 'Vertel me hoe je ongezien het palazzo uit komt.'

Hij dacht even na voordat hij als in trance zei: 'Het tijdstip is gunstig, meesteres, omdat het uur van de Kleurenhoorders nadert. Iedereen is druk bezig met de laatste voorbereidingen. De binnenplaats van het palazzo is op het moment onbewaakt. Over enkele minuten komt daar een bestelbusje aan. Dat moet apparatuur naar het Vaticaan brengen. Die is nodig voor de uitzending van het requiem morgen. Verstop u in de laadruimte, meesteres, zodra het voertuig beladen is.'

Daarmee was ook de vraag beantwoord of ze zich nog in het Apostolisch Paleis bevonden. Sarah knikte tevreden. 'En kleed jullie nu uit. Jullie ondergoed kun je aanhouden.'

Meteen begonnen de wachten zich uit te kleden.

'Wat moet dát nu?' fluisterde Ossip.

'Je hebt toch gehoord wat Nekrasov over die radiochips heeft gezegd? Als we hieruit lopen, stellen we een alarm in werking. Daarom gaan we van outfit wisselen.'

Hij schudde ongelovig zijn hoofd. 'Hoe heb je dat voor elkaar gekregen? Ik dacht dat die kerels immuun waren voor de klanken der macht.'

'Niet immuun, alleen minder ontvankelijk. Ik heb het sterkste geschut tegen hen gebruikt dat een Kleurenhoorder maar kan gebruiken: de koningin der klanken.'

'De purperpartituur?'

'Strikt genomen een nieuw lied dat ik met behulp van de klankleer heb gemaakt.'

Zijn ogen werden groot. 'Maar dat waren toch alleen maar muzieknoten? Hoe heeft de koningin der klanken zich dan voor je ontsloten?'

'Ík heb me voor háár ontsloten.' Ze wees naar de ontklede wachten. 'Ze zijn klaar. Nu zijn wij aan de beurt.'

Sarah gebood de wachten in de cel te gaan liggen slapen en het gewelf de eerste vierentwintig uur niet te verlaten. Toen deed ze de kerkerdeur dicht, overigens zonder hem op slot te doen, en liet zich door Ossip een bundeltje kleren aanreiken. Hij keek haar daarbij heel eigenaardig aan.

Opeens sloeg hij zijn armen om haar heen en drukte hij zijn lippen op de hare. De kus was niet vrij van innigheid, al was het er ook weer niet een van het soort dat ze van Krystian had gekregen. En na een seconde of wat maakte Ossip zich ook alweer los van haar mond, maar hij bleef haar vasthouden.

'Poeh!' Ze knipperde verbouwereerd met haar ogen. 'Wat was dat nou? Een socialistische broederkus?'

Hij glimlachte verlegen. 'Nee, een dankjewel.'

'En waarvoor?'

'Je hebt me een paar minuten geleden het leven gered, of was je dat alweer vergeten?'

Ze schudde ernstig haar hoofd. 'Hoe zou ik dat ooit kunnen? Ik heb een mens gedood.'

'Beter jij hem dan hij mij. Het was noodweer, zusjelief.'

Ze fronste haar wenkbrauwen. Het was de eerste keer dat hij haar zo noemde. Het was een vreemd, kort moment van verbondenheid. Ze vroeg zich af of Ossips blijken van genegenheid behalve door dankbaarheid en broer-en-zusgevoel nog door iets anders werden ingegeven. Op de een of andere manier vond ze ze zijn onhandigheid tegenover vrouwen wel schattig, en ze voelde eens te meer dat hij een allesbehalve kalmerende invloed had op haar gevoelsleven.

Vastberaden schudde ze haar bevangenheid af, maakte zich uit zijn omarming los en zei streng: 'Draai je eens om.'

'Hoezo? We zijn nu toch broer en zus?'

'Stiefbroer en -zus. Draai je om!'

Hij gehoorzaamde.

Met de ruggen naar elkaar toe kleedden ze zich uit.

'De onderbroek ook?' vroeg hij.

'Als je zeker weet dat hij niet vol met afluisterapparatuur zit, kun je hem aanhouden.'

'Dan maar liever bloot.'

Pijlsnel kleedden ze zich om. De wapens van de Kleurenhoorders wilde ze beslist niet meenemen: er had deze dag wel genoeg bloed gevloeid. Op Ossips aandringen pakten ze in elk geval de munitie weg. Terwijl hij de patronen uit de pistolen trok, sloeg ze hem gade. Hij zag er in zijn zwarte outfit heel acceptabel uit, maar zij voelde zich in haar spullen behoorlijk verloren.

'Die plunje stinkt naar uien,' klaagde ze.

Hij grijnsde. 'Niet zeuren. We moeten ons haasten om onze bus te halen.'

Ze kwamen precies op het juiste moment op de binnenplaats aan. Vanuit het keldertrapgat loerden ze naar de uitgang. Onder het poortgewelf stond een lichtgrijs bestelbusje. Er waren net twee zwart geklede mannen uit gesprongen, die de deuren dicht hadden gegooid. Oleg Janin sprak met hen. Wat ze zeiden kon Sarah niet verstaan, maar de twee Kleurenhoorders knikten enthousiast. Alleen aan het eind werd Janins stem luider.

'En nu opschieten. De tijd dringt!'

Het tweetal verwijderde zich in looppas. Janin opende het portier aan de passagierskant en stapte in.

'Dit is onze kans,' fluisterde Ossip. 'Hoofd omlaag en blijf dicht achter me.' Toen zette hij het op een lopen.

Sarah had er moeite mee hem bij te houden. Maar ze moesten zich haasten, want de bestuurder stapte al uit om de poort open te doen. Onder dekking van de bus bereikten ze de overwelfde uitgang. De draaiende motor en het piepende hek maakten genoeg lawaai om het openen van de achterdeur te overstemmen. Snel glipten ze de laadruimte in.

'Hopelijk is dit niet zo'n Japans geval waarbij elke scheet elektronisch wordt geregistreerd,' fluisterde Ossip, terwijl Sarah langs hem glipte.

Ze schudde haar hoofd. 'Hij is Frans.'

Toen het bestelbusje zich met een schok in beweging zette, trok Ossip de deur dicht.

Na een paar meter stopte de bus weer. Sarah hoorde dat er iemand uitstapte, en haar adem stokte. Hadden ze zich dan toch verraden? Ze pakte Ossips hand vast. Allebei spitsten ze hun oren.

Plotseling klonk achter hen het gepiep van het hek. Sarah haalde opgelucht adem. Natuurlijk! De chauffeur was tegelijk ook portier. Weer klapte de deur dicht, en ze reden door.

Algauw werd het verkeerslawaai luider. Kennelijk reden ze nu door een hoofdstraat. Helaas waren de ruiten van de laadruimte met een melkwitte folie beplakt. Daardoor drong er weliswaar een beetje licht naar binnen, maar hoewel Sarah met haar handen tegen het glas een kommetje vormde als steun voor haar hoofd, kon ze niet meer dan een paar wazige vegen onderscheiden. Ze hadden geen schijn van kans om erachter te komen waar het palazzo van de Duistere Kleurenhoorders zich bevond.

Toen ze zich van het raam afwendde, zag ze hoe haar stiefbroer aan een van de drie aluminium kisten die in de bus stonden zat te friemelen. Ze hurkte naast hem neer en fluisterde: 'Ik heb die kisten al eens eerder gezien, eentje zelfs vanbinnen: in de kelder van het Parijse hoofdkantoor van Musilizer.'

'Toen je de archivaris had betoverd?'

'Zo zou ik het niet willen noemen. Wat ben je van plan?'

'Nou, wat dacht je? Kijken wat erin zit... Verdorie!'

'Wat is er?'

'Er zit een speciaal slot op die kist. Zonder behoorlijk gereedschap krijg ik die niet...' Hij zweeg omdat de bus ineens stopte.

Vlakbij hen liep een koor langs – vermoedelijk jonge mensen die ter nagedachtenis aan 'papa', hun paus, een lied aanhieven. Even later trok het busje opnieuw met een ruk op.

Het stoppen en stilstaan herhaalde zich nu steeds vaker. Algauw leek het voertuig helemaal niet meer vooruit te komen.

'De straten zitten dicht,' fluisterde Ossip.

Sarah knikte. 'Die fijne vader van ons heeft de massa's opgeroepen, en nu versperren ze hem de weg. Ik stel voor dat we uitstappen, voordat hij op het idee komt de kisten op een andere manier naar het Vaticaan te brengen.'

Nogmaals schokte het busje een stuk vooruit. Toen ze weer stopten, klonken van buiten kwade stemmen. Iemand beklaagde zich erover dat de chauffeur onverantwoord reed. De man, die klaarblijkelijk dronken was, werd steeds verontwaardigder en timmerde op de carrosserie. De hele wagen denderde ervan. Sarah had het gevoel alsof ze in een steeldrum zat.

'Nu of nooit!' fluisterde Ossip. Hij pakte haar hand, opende de achterdeur en sprong met Sarah op straat. Dat was geen seconde te vroeg, want de bus met de onheilspellende kisten reed alweer verder.

Op de straten en pleinen van Rome heerste chaos. Nog altijd een vreedzame chaos, maar desalniettemin waren het Sint-Pietersplein en de toegangswegen tot de Città del Vaticano al twaalf uur voordat de rouwplechtigheid zou beginnen hopeloos verstopt. Op de meest onmogelijke plekken kampeerden mensen met of zonder slaapzak om een van de begeerde driehonderdduizend plaatsen voor de Sint-Pietersdom te bemachtigen. Voor de overige miljoenen mensen waren op andere *piazza's* grote beeldschermen geïnstalleerd. Het kostte Sarah en Ossip moeite om vooruit te komen.

'We verliezen te veel tijd,' klaagde ze.

'Als ik een engel was, zou ik je door de lucht dragen,' verzuchtte haar stiefbroer.

Ze wierp hem een enigszins wantrouwige blik toe. Was Ossip plotseling in een Romeo veranderd? 'Vertel eens: heb je daarstraks stiekem gekeken toen ik me uitkleedde?'

Hij grijnsde. 'Eén keertje. En maar heel even.'

Ze rolde met haar ogen. 'Mannen! Trouwens, ik moet Andrea bellen. We hebben een telefoon nodig.'

Ossip duwde een al te opdringerige begrafenisganger aan de kant en wees naar voren. 'Daar achter is een openbare telefoon.'

'Heb je kleingeld of een telefoonkaart?'

Hij rommelde wat in de zakken van de broek, die immers niet de zijne was, en haalde er een paar munten uit tevoorschijn.

Even later had Sarah de concertorganisator Andrea Filippo Sarto aan de lijn.

'Sarah, schoonheid, ik maakte me al zorgen. Ben je nog steeds in het Vaticaan?'

'Nee. Ze hebben me eruit gegooid. Maar ik wil er weer in.'

'Ik ben bang dat ik je niet kan volgen.'

'Kardinaal Sibelius is een verrader. Hij heeft ons aan de samenzweerders verraden. We hebben een nieuw contact nodig, liefst zo hoog mogelijk, en wel snel.'

'Ik zal zien wat ik kan doen.'

'Laat je niet afschepen, Andrea. Het is van levensbelang. O, en nog iets! Zorg alsjeblieft dat ik iets anders krijg om aan te trekken. De kleren die ik nu aanheb stinken als een bedorven uientaart.'

Zijne Excellentie de aartsbisschop Giuliano Ascoltato was de meest invloedrijke prelaat van de curie die zich dankzij Sarto's overredingskunst zo snel had laten strikken. In elk geval was hij de plaatsvervanger van de kardinaal-staatssecretaris, tijdens het leven van de paus de tweede man in de kerkhiërarchie. Of simpeler gezegd: Ascoltato was de plaatsvervanger van de plaatsvervanger van de plaatsvervanger van God. Dat was toch behoorlijk hoog.

Sarah en Ossip hadden te voet bij het Vaticaan weten te komen, in het begin door hun ellebogen te gebruiken, later met een politie-escorte, die Sarto had geregeld. Bij de bronzen poort voegde de concertorganisator zich ten slotte hoogstpersoonlijk bij hen; hij had de veiligheid van de ommuurde

Villa Sarto ingeruild voor het tumult van Rome om zijn aanbedene en haar stiefbroer in de ambtsvertrekken van het Apostolisch Paleis bij te staan.

Nu zaten stiefbroer en -zus samen met hun pleitbezorger in een eerbied-waardig kantoor op de derde etage van het Pauselijk Paleis, slechts twee ver-diepingen onder de privévertrekken van het overleden hoofd van de Kerk. Sarah – ze droeg inmiddels een jurk van rode wilde zijde, die haar figuur accentueerde en naar haar idee iets te kort, maar geheel naar Sarto's smaak was – gaf in het Engels een weliswaar beknopte, maar indrukwekkende samenvatting van het bedreigingsscenario ten beste. Aan de andere kant van het zware mahoniehouten bureau zat aartsbisschop Ascoltato erbij als een Europese bidsprinkhaan. Zijn magere, ascetische uiterlijk en zijn strenge gelaatstrekken waren nog eerbiedwaardiger dan zijn werkkamer.

Begrijpelijkerwijs reageerde de bisschop sceptisch, zelfs boos toen Sarah het samenzwerings- en ontvoeringsverhaal had geschetst.

'Sibelius een verrader?' Hij schudde zijn hoofd. 'Dat kan ik me niet voor-stellen. En de rest? Het spijt me, madame, maar het klinkt allemaal als een detectiveroman.'

Sarah zuchtte. 'Ik kan u demonstreren hoe krachtig de klanken der macht werken.'

Ascoltato nam haar scherp van top tot teen op, waarbij Sarah met een zeker onbehagen merkte dat hij voor haar benen wel erg uitgebreid de tijd nam. Gegeneerd trok ze de zoom van haar jurk richting haar knieën. Ein-delijk knikte hij. 'Goed dan. Maar ik beroep me op het Oude Testament: in elk geschil moeten "twee of drie getuigen" het oordeel bevestigen. Ik zal om deskundige assistentie vragen.'

Sarah vreesde het ergste.

De plaatsvervangend bestuurder van de paus pleegde een telefoontje. Na-dat hij had opgehangen, vouwde hij zijn handen over zijn buik en glimlachte. 'We hebben geluk. Monsignore Hester McAteer is nog in het paleis.'

Sarahs adem stokte. Ze protesteerde heftig. De Ier was misschien in het complot verwikkeld, hij moest erbuiten worden gehouden. Maar de bis-schop glimlachte alleen maar nukkig en antwoordde: 'Dat is ondenkbaar. Ik ken de promotor fidei. Hij heeft de naam onomkoopbaar te zijn. Denkt u nu eens goed na: heeft hij u persoonlijk iets aangedaan?'

Ze keek hulpzoekend naar Ossip, die zijn wenkbrauwen optrok, alsof hij wilde zeggen: hij reikt je de hand. Neem hem aan!

Na wat gepieker gaf ze toe: 'Nu ik er goed over nadenk, viel McAteer eerder Sibelius aan – verbaal tenminste, en dan nog de manier waarop hij zijn kantoor binnenstormde. Het zou kunnen dat de kardinaal hem uit de weg wilde hebben om vrij baan voor Janins kornuiten te maken.'

Ernstig knikkend ging Ascoltato's hoofd op zijn lange hals op- en neer. Voor het eerst had zijn glimlach iets innemends. 'Zo zal het gegaan zijn. Vertrouw me maar.'

Wat had ze voor keus? Ze zuchtte en verklaarde zich bereid de klanken der macht in het bijzijn van de monsignore nog eens te laten horen.

Even later verscheen McAteer ten tonele. Het verbaasde hem ook om de pianiste en haar Russische metgezel zo gauw alweer te zien. Inderdaad bevestigde hij dat kardinaal Sibelius hem na het warrige gesprek in zijn kantoor voor zijn hulp had bedankt en hem er toen eigenlijk gewoon had uitgegooid. Sarah hield de mimiek van de Ier in de gaten alsof het de naald van een leugendetector was. Ondanks zijn onbehouwen norsigheid scheen hij in zijn hart een waarheidslievend mens te zijn. Ze besloot hem het voordeel van de twijfel te geven.

Om de vaart erin te houden, koos ze weer haar eigen stem als medium, maar deze keer ging ze wel iets voorzichtiger met de jury om. Ze liet de secretaris van Ascoltato alleen een paar kunstjes opvoeren. Aanvankelijk had ze aan de gebruikelijke hypnose-acts gedacht – iemand uit het publiek zit op een krukje en kraait als een haan –, maar uiteindelijk leek haar dat voor een soutanedrager op de een of andere manier toch ongepast en liet ze de man op zijn stoel een raaf imiteren.

'Dit is niet te geloven!' zei Ascoltato daarna hoofdschuddend.

'Vergeleken bij wat de Duistere Kleurenhoorders van plan zijn, was dit maar een grapje. Ze zijn machtig genoeg de massa's op te stoken. Als het gaat zoals Oleg Janin wil, wordt morgen het Sint-Pietersplein de brandhaard van een wereldwijde vuurstorm.'

'*Santo cielo!* Morgen zullen op het Piazza San Pietro meer dan tweehonderd staatsgasten en praktisch het hele kardinaalscollege zijn verzameld. Als hun iets overkomt, zou dat voor de politieke en religieuze wereld zoveel als een onthoofding betekenen.'

'Dat is ook precies de bedoeling,' zei Sarah. Ze merkte dat ze eindelijk gehoor had gevonden.

'Hoe kunnen we dat verhinderen?' vroeg de bisschop.

'Verandert u het programma van de rouwplechtigheid.'

'Ja,' viel McAteer haar bij.

Ossip en Andrea knikten.

'Onmogelijk,' zei Ascoltato.

Het liefst had ze hard geschreeuwd, maar redelijk beheerst zei ze: 'U zult niet geloven hoe vaak ik dat woord de laatste tijd heb gehoord. Ik dacht dat de Kerk verantwoordelijk was voor wonderen. Verricht u er een!'

McAteer liet een kort lachje horen.

Ascoltato wierp hem een bestraffende blik toe, waarna hij zich weer tot Sarah wendde. 'Het gaat hier niet om wonderen, mijn dochter, maar om de Exequien, het begrafenisritueel van de Heilige Moederkerk. Wonderen, ja – maar een verandering van de traditie?' Hij schudde zijn hoofd.

'Maar mij werd verteld dat de pauselijke ceremoniemeester, aartsbisschop Piero Marini, midden vorige week nog nieuwe regels heeft aangekondigd.'

'Ja, goed, maar zo'n verandering vergt een lang proces van afweging. Ons nieuwe ritueel, dat zich door zijn nobele eenvoud en schoonheid onderscheidt, past helemaal in de geest van het Tweede Vaticaanse Concilie. De voorschriften werden vastgelegd in het boek *Ordo Exsequarum Romani Pontificis*, waar de Heilige Vader zeven jaar geleden zijn zegen aan gaf.'

'Zeven jaar geleden?' vroeg Sarah geschrokken.

'Neem me niet kwalijk, eminentie,' mengde Sarto zich opeens in het gesprek. 'Werd dat nieuwe reglement niet pas ná de dood van de paus openbaar gemaakt?'

'Eh... ja. Dat klopt.'

'Dan zouden de richtlijnen, althans ten dele, dus pas kortgeleden kunnen zijn veranderd?' waagde Sarah te vragen.

De bisschop wrong zich in allerlei bochten. 'Theoretisch wel. Maar dat zou... heiligschennis zijn.'

Je hebt je samenzwering geraffineerd in elkaar gezet, vader, dacht Sarah, maar ze hield haar gedachten voor zich. Met een wetende glimlach antwoordde ze: 'Gelooft u me: zo'n staaltje van "heiligschennis" is voor sommige figuren geen enkel probleem. Verandert u het programma.'

'Het programma veranderen?' Ascoltato's stem liet het afweten. Hij was lijkbleek geworden. Verbijsterd schudde hij zijn hoofd. 'Wat u verlangt is onmogelijk. Het is immers allang begonnen.'

48

Het genie is de macht om God aan de menselijke ziel te openbaren.

— Franz Liszt

De rouwplechtigheid voor Johannes Paulus II begon stipt om tien uur onder groot klokgelui. Meer dan vier miljoen mensen waren voor de dodenmis in Rome samengekomen. Op het Sint-Pietersplein en de straten rondom het Vaticaan zag het gewoon zwart.

Kom hierheen! Kom hierheen!

Sarah stond achter een gordijn op de derde etage van het Vaticaans Paleis, in de ambtsvertrekken van de pauselijke staatsecretaris, met een harde uitdrukking op haar gezicht de ceremonie te volgen. Vreemd genoeg moest ze daarbij aan een passage uit Hans Christian Andersens *De kleine zeemeermin* denken:

> *O, hoe ze luisterde, en wanneer ze dan 's avonds voor het open raam stond en door het donkerblauwe water omhoogkeek, dacht ze aan de grote stad met al zijn lawaai en geluiden, en dan meende ze de kerkklokken helemaal bij haar beneden te kunnen horen luiden.*

En ze herinnerde zich het trieste einde van het sprookje, terwijl ze onder het klokgelui naar het Piazza San Pietro omlaagkeek. Zoals aartsbisschop Ascoltato gisteravond had gezegd, waren aan de openbare dodenmis al andere programmaonderdelen voorafgegaan. Tot de Exequien behoorde ook de ceremonie die 's morgens vroeg al in de Sint-Pieterskerk had plaatsgevonden. Een van de veranderingen was het ritueel van de 'versluiering van het gelaat'. De ceremoniemeester en de privésecretaris van de paus hadden het gezicht van de overledene met een witte zijden sluier bedekt. De met symboliek beladen handeling kreeg voor Sarah een vermoedelijk onbedoelde betekenis: *Alstublieft, Heilige Vader, kijk niet naar ons bij wat we nu doen.*

Daarna was de sobere notenhouten kist het Sint-Pietersplein op gedragen. Maar heel weinig mensen wisten van de extra zinken kist en de kist van cipressenhout hierin, die het stoffelijk overschot samen als een drievoudig beveiligde kluis omgaven.

Het koor hief de beginpsalm van het requiem aan.

De spanning was bijna ondraaglijk voor Sarah. Was ze weer te laat gekomen? Janin had dit moment bedoeld toen hij het over 'het uur van de Kleurenhoorders' had gehad. In de hoofden van de mensen zou een schakelaar worden omgezet en dan zou een nieuw tijdperk in de geschiedenis van de mensheid aanbreken.

Ademloos keek ze toe hoe de prelaten een groot exemplaar van het evangelie op de doodskist legden en hoe de wind vervolgens de bladzijden van het boek omsloeg. Willekeurig, net zoals hij de eolusharp had bespeeld.

Haar blik dwaalde naar de ereplaatsen. Nog in de dood werd de paus door zijn purperdragers geflankeerd. Sibelius ontbrak. Achter de kardinalen zaten aan de ene kant de paars glanzende bisschoppen en aan de andere kant de overwegend in het zwart geklede staatsgasten: de secretaris-generaal van de Verenigde Naties Kofi Annan, de Amerikaanse president George W. Bush, de Britse premier Tony Blair, de president van de Franse republiek Jacques Chirac, uit Duitsland de bondskanselier Gerhard Schröder en bondspresident Horst Köhler, en vele, vele anderen, onder wie ook talloze andere patriarchen. Sarah stelde zich voor hoe het eruit zou zien als de massa's die zich op het Sint-Pietersplein hadden verzameld de veiligheidsmensen gewoon onder de voet liepen en de leiders van de 'oude orde' aan stukken zouden scheuren.

Maar niets van dat alles gebeurde.

Geleidelijk aan kwamen Sarahs zenuwen enigszins tot rust. Slechts een kleine groep mensen was over de dreigende samenzwering van de Duistere Kleurenhoorders op de hoogte, en aartsbisschop Ascoltato had verzocht dit ook zo te laten blijven. Om die reden was het kantoor van waaruit ze de kardinaal-deken Joseph Ratzinger de dodenmis zag leiden uitgesproken leeg, als je bedacht dat zich achter andere ramen, ja zelfs op de pannendaken van de omringende gebouwen talloze geestelijken, nonnen en andere kijklustigen verdrongen. Ossip stond rechts van haar en monsignore McAteer beschermde haar linkerflank.

Ook waren de commandant van de Zwitserse Garde en de speciaal voor de veiligheidsmaatregelen ingezette bijzondere organisatiecommissaris aanwezig, die de hele tijd met hun mobilofoons, gsm's en andere communicatiemiddelen contact onderhielden met de colonnecommandanten van de in totaal vijftienduizend veiligheidsmensen.

'Signora d'Albis?' begon de commandant van de pauselijke bewakingseenheid in het Italiaans tegen Sarah.

Ze draaide zich naar de Zwitser om, een donkerharige man, die ook wel voor een Italiaan had kunnen doorgaan. 'Ja?'

'Ik heb net een telefoontje van de speciale eenheid van de carabinieri gekregen. Ze hebben het palazzo van het geheime genootschap gevonden en bestormd. Zoals u al vermoedde, is het gebouw eigendom van een dochteronderneming van de Musilizer SARL. De vogels waren echter al gevlogen.'

'Geen spoor van Oleg Janin?'

'Jammer genoeg niet.'

'Hebt u nog kunnen achterhalen of Musilizer in Rome of omgeving nog ander onroerend goed bezit?'

'Tot nu toe niet.'

Ze knikte. 'Dank u, commandant.' Daarmee was de kans om het hoofd van de Broederschap der Aar te pakken te krijgen voorlopig verkeken.

'Mogelijk hebben we Janins telefoonnummer,' zei Ossip opeens.

Ze keek hem vragend aan. 'Wat?'

'Nou, Sibelius heeft ons immers via de telefoon aan de Adelaars verraden?'

McAteer schudde zijn hoofd. 'Daar had ik ook al aan gedacht. De kardinaal heeft het telefoongeheugen gewist, en in zijn kantoor konden we ook geen enkele aanwijzing over de Kleurenhoorders...'

'Wacht eens even!' interrumpeerde Sarah. 'Misschien ken ik het nummer.'

'Bent u nu ook nog eens helderziende?' bromde de Ier.

'Nee, maar ik heb een absoluut gehoor: ik kan u op de Hertz nauwkeurig de frequentie van elke toon noemen die ik hoor. En ik heb een goed geheugen voor melodieën. Toen ik op de knop van de nummerherhaling op Sibelius' toestel drukte, hoorde ik een klankenreeks. Daarmee moet het telefoonnummer toch te reconstrueren zijn, of niet?'

De bijzondere-organisatiecommissaris had hen horen praten en zei: 'En óf dat te doen is! Als de kardinaal de leider van het complot niet op een mobiele telefoon, maar in zijn huidige schuilplaats heeft gebeld, kunnen we bovendien aan het adres komen.'

Een halfuur later haastten Sarah en Ossip zich door de tuinen van het Vaticaan, of om precies te zijn: naar de helihaven van de paus. De rouwplechtigheid op het Sint-Pietersplein was nog lang niet afgelopen. De politie had met de klankenreeks die Sarah had beschreven een nummer kunnen reconstrueren en de bijbehorende aansluiting kunnen lokaliseren: hoek Via Annia en Via dei Querceti. De schuilplaats die Oleg Janin had gekozen, lag vlak bij het Colosseum.

Wat daarna in gang was gezet, was een van de moeilijkste operaties in de geschiedenis van de antiterreureenheid van de carabinieri. Binnen een mum van tijd werd er een team dat oorspronkelijk bestemd was om de staatsgasten te beschermen op de beoogde locatie ingezet. Alleen dat al was een uiterst moeizame onderneming. Hoewel de straten voor het normale verkeer waren afgesloten, konden de politiewagens door de mensenmenigte het doelgebied nauwelijks bereiken. Het plan was de huizenblokken rondom Janins vermoedelijke schuilplaats af te zetten en hem met zijn Kleurenhoorders te dwingen de strijd te staken, desnoods gewapenderhand.

Eindelijk hadden Sarah en Ossip de meest westelijke punt van het park bereikt, waar de politiehelikopter op hen wachtte. Ze stapten in, deden hun veiligheidsriemen om en zetten hun helmen op, waarna de machine van de grond kwam. Hoewel er beneden geen doorkomen aan was, was het stuk door de lucht heel snel afgelegd.

Toen de enorme arena van het Colosseum in zicht kwam, stootte Ossip zijn stiefzus aan. 'Weet je nog wat ik gisteren tegen je zei?'

Ze glimlachte flauwtjes. 'Als je een engel was, zou je me door de lucht dragen.'

Hij spreidde zijn handen uit en zei: 'Voilà!'

Ze pakte zijn linkerhand en hield die stevig vast. Het deed haar goed zijn warmte te voelen.

'Dank je dat je me probeert op te vrolijken.'

De helikopter landde in het bovenste deel van het Parco Ninfeo di Nerone, een park ten zuiden van het Colosseum. Hemelsbreed was het van daar tot aan het doelobject ongeveer tweehonderd meter, zei de piloot.

Toen Sarah en Ossip uit de helikopter stapten, werden ze al opgevangen door een carabinieri, die hen naar de oostkant van het park bracht. Onzichtbaar vanuit de schuilplaats van Oleg Janin bevond zich daar de mobiele commandocentrale, een donkerblauwe vrachtwagen, waaromheen een grote bedrijvigheid heerste. De politieman verdween in de wagen om de twee burgers aan te kondigen. Drie of vier minuten later kwam hij met de leider van de mobiele eenheid weer naar buiten.

Commandante Massimo Carotta was een gespierde man, die blijkbaar veel waarde hechtte aan een krijgshaftig uiterlijk: hij droeg net als zijn mannen een zwart gevechtstenue, en zijn hoofd was, op een dun donslaagje na, kaalgeschoren. Over Sarahs aanwezigheid was hij absoluut niet te spreken.

'Eerlijk gezegd begrijp ik niet, signora d'Albis, wat u hier eigenlijk komt doen.'

'Bent u te weten gekomen wie zich in het gebouw bevindt?' vroeg Sarah, alsof ze zijn opmerking niet had gehoord. Vanwege Ossip sprak ze Engels.

De commandant paste zich daaraan aan. 'Ja. U had gelijk. Die Rus zit er inderdaad. Kennelijk alleen. Hij heeft gedreigd zich op te blazen. We evacueren op dit moment de wijk.'

Sarah knikte. 'Ik ken Janin. Hij is een voorstander van de tactiek van de verschroeide aarde en spaart niemand. Niet eens zichzelf, ben ik bang. Dáárom ben ik hier. Hij is mijn vader.'

'O! Dat wist ik niet.'

'Ik wil hem graag spreken.'

Carotta keek haar scherp aan. Toen zei hij: 'Goed dan. Dat zou wel eens kunnen helpen. U krijgt een megafoon.'

'Nee. Ik ga het huis in en praat daar met hem.'

'Dat kan ik absoluut niet toestaan...'

Ossip knikte. 'Hij heeft gelijk, Sarah. Dat is te gevaarlijk. Mijn stiefvader is onberekenbaar.'

'Stiefvader?' bromde de commandant. 'Wat is dit hier? Een familiebijeenkomst?'

'Zoiets ja,' antwoordde Sarah. 'En brengt u me nu naar hem toe.'

Het gebouw waarin Oleg Janin zich had verschanst, was aan twee zijden door straten omgeven – de Via Annia en Via dei Querceti – en aan de andere twee door een grote tuin. Een leuk paleisje, dacht Sarah, maar voor een man die een greep naar de wereldheerschappij deed een haast bescheiden domicilie.

Haar vader was meteen tot een gesprek bereid geweest toen ze hem vanaf de straat met een handmegafoon haar aanwezigheid kenbaar had gemaakt. Van tevoren had de politie haar van afluisterapparatuur voorzien, deze keer met haar toestemming: onder de kraag van haar jas zat een zeer gevoelige microfoon verstopt en op haar rug was de bijbehorende zender geplakt.

Ze ging het gebouw binnen via de hoofdingang. Janin had het slot elektronisch ontgrendeld. Met veel lawaai gooide ze de deur dicht, en ze deed hem meteen daarna weer open, heel zachtjes en ook maar op een kier. Toen stapte ze naar het midden van de entreehal om zich te oriënteren.

Het grootse ovaal was met marmer bedekt: zwarte en witte ruiten. Oeroude vrijmetselaarssymboliek. Drie verdiepingen hoger schitterde een grote kroonluchter. Sarah liep de gebogen trap rechts van haar op. 'Ik ben in de slaapkamer, helemaal boven,' had haar vader uit het raam geroepen.

Toen ze via een minder pompeuze trap de bovenste etage had bereikt, zag ze de slaapsalon. Alsof Janin voor niets en niemand bang was, stonden de dubbele deuren wijd open.

Ze liep erdoor en keek om zich heen. Ja, het was een slaapvertrek, zo weelderig ingericht dat ook een praalzieke vorst hem prachtig zou hebben gevonden: meubels, tapijten, beeldhouwwerken en schilderijen van uitgelezen kwaliteit, al was het naar Sarahs smaak allemaal iets te bombastisch. De rechterkant van de kamer werd ingenomen door een enorm hemelbed. Links stonden boekenkasten en een paar beklede meubels. Janin zat in een zware fauteuil, ver genoeg bij het raam vandaan om geen doelwit voor de scherpschutters van de politie te worden. Naast hem stond een rond tafeltje, waarop de purperpartituur lag.

'Ik wist wel dat mijn dochter me zou vinden,' zei hij.

Sarah bleef op een paar passen afstand staan en nam de man op aan wie ze haar bestaan te danken had. Hij hield een zwart apparaatje in zijn hand, dat eruitzag als de afstandsbediening van een videorecorder. 'En welk orakel heeft je dat verklapt?' vroeg ze. Ze probeerde haar stem niet al te agressief te laten klinken.

Zijn borstkas bolde even op door een lachje. 'Je hebt de purperpartituur gevonden. Hoe zou ik, je eigen vader, me dan voor je kunnen verstoppen? Even uit nieuwsgierigheid: hoe heb je het aangepakt?'

'De telefoon van kardinaal Sibelius werkt met toonkiezen. De klanken hebben me naar jou gebracht.'

Hij lachte zachtjes. 'Natuurlijk. Het zijn altijd de klanken waarmee wij Kleurenhoorders onze plannen verwezenlijken. Je bent gekomen om me om te praten, klopt dat?'

Ze knikte. 'Je grote plan is verijdeld. De wereldbrand blijft uit. Ik zou graag willen dat je je voor je wandaden voor het gerecht verantwoordt.'

'Heb je een wapen bij je?'

'Nee.'

Met hun blikken voerden ze even een stille strijd. Toen knikte hij. 'Ik ken je beter dan je denkt, mijn kind. Je spreekt de waarheid. Zie jezelf vanaf nu als mijn gijzelaar.'

Ze slikte. 'Heb je echt een bom?'

Janin glimlachte. 'Op het gevaar af in herhalingen te vervallen: wij Kleurenhoorders bereiken ons doel met klanken. Ik heb iets veel beters dan een bom.' Hij hield de afstandsbediening omhoog en drukte op een knop.

Sarahs adem stokte. Ze luisterde, maar kon niets zien of horen. 'Wat heb je nu net geactiveerd?'

'Een infrasonisch orgel.'

'Een wat?'

'Het werkt op perslucht. Onze wetenschappers in Marseille hebben het ontwikkeld. De klanken zijn voor het menselijk oor niet waarneembaar, maar als het orgel op vol vermogen werkt, kan het mensen nog op een afstand van acht kilometer doden. Op het ogenblik fluit het alleen op een laag pitje: de maag, longen en het hart van de plichtbewuste carabinieri daar beneden krijgen er met zeven trillingen per seconde behoorlijk van langs. Het effect is vergelijkbaar met zeeziekte. Ze zullen een paar uur lang kotsmisselijk zijn. Als je braaf bent, laat ik het bij deze kleine demonstratie van mijn macht.'

Sarah hoopte van harte dat commandant Carotta haar kon verstaan en zijn mannen nog op tijd in veiligheid kon brengen. Van nu af aan moest ze improviseren.

'De antiterreureenheid heeft op het Colosseum raketten in stelling gebracht. Ze kunnen vanuit de commandocentrale worden afgevuurd, en die bevindt zich hier meer dan acht kilometer vandaan.'

De zelfvoldane uitdrukking op Janins gezicht verdween. 'Je bluft.'

'Nee hoor. Het spel is afgelopen, vader. Kom met me mee; dan word je tenminste niet door de raketten aan flarden gescheurd.'

Hij zei niets. Schijnbaar was hij zijn plannen alweer aan het omgooien. Ze mocht hem nu niet de kans geven een nieuwe strategie uit te denken. Op het tafeltje met de perkamentbladen wijzend, vroeg ze: 'Waar is dat voor?'

Er kwam een stuurse trek om zijn mond. 'Moet ik je dat nu echt nog een keer vertellen?'

'Je gelooft dus echt in je nieuwe wereldorde.'

'Ja.'

'En? Heeft de klankleer van Jubal je de weg naar het utopia van de Kleurenhoorders gewezen?'

Janin schudde zijn hoofd. 'Ik heb hem niet kunnen lezen zoals jij. Het is zoals het is: jíj bent een meesteres der klanken zoals Jubal, niet ik. Wat je met mijn broeders in het palazzo hebt uitgehaald, is het bewijs: zelfs een Kleurenhoorder kan je macht niet weerstaan. Jij hebt gewonnen en ik verloren.' Na een korte stilte voegde hij eraan toe: 'Nu althans.' Zijn blik dwaalde weer naar het zwarte apparaatje.

Sarah huiverde. *De tactiek van de 'verschroeide aarde' is geen typisch Russische uitvinding...* Waren dat niet zijn woorden geweest? Ze had wel een vermoeden wat er op dit moment in zijn psychopatenbrein broeide. 'Wil je duizenden onschuldige mensen doden? Blijf van die afstandsbediening af!' riep ze, niet zozeer omdat ze verwachtte dat hij tot inkeer zou komen als wel om de meeluisterende commando-eenheid te waarschuwen.

Hij lachte. 'De wereld is zijn onschuld allang kwijt, mijn kind. Alleen de doden zijn zonder zonden.' Zijn blik dwaalde weer naar het apparaatje. Janin bewoog zijn duim. En hield hem besluiteloos boven de toetsen.

Luid en krachtig hief Sarah een bezwerend lied aan. De klanken der macht kwamen regelrecht uit haar ziel, uit de diepten waar ze zo lang verborgen hadden gelegen. Ze moest verhinderen dat deze gek al het menselijk leven in een straal van acht kilometer zou vernietigen, maar ze mocht niet gekunsteld overkomen. Daarom weefde ze koortsachtig een simpel bevel in haar melodie in: *Laat de anderen leven!*

Janin keek op van zijn apparaatje. Zijn blik was eerder wrevelig dan geboeid, zoals bij iemand die bij het hoofdrekenen wordt gestoord. Een glimlach gleed over zijn lippen. Waarschijnlijk had niemand het ooit gewaagd het met de klanken der macht tegen hem op te nemen, wel wetend hoe zinloos zoiets was bij een meester der harpen.

Laat de anderen leven!, klonk het bevel telkens weer. Het gezicht van haar vader verstarde. Ze had het gevoel dat ze naar een dode keek. Toch ging ze door. De tranen liepen haar over de wangen terwijl ze haar wilde vastberadenheid uitzong.

Plotseling zakte Janins hand met de afstandsbediening naar beneden en bleef als verlamd in zijn schoot liggen. Geschrokken door de abrupte beweging, zweeg Sarah.

'Laat de anderen leven!' smeekte ze.

Hij glimlachte vermoeid. 'Ja. Ik kan je gewoon niet weerstaan, mijn kind.' Zijn borst verhief zich toen hij diep zuchtte en hij voegde eraan toe: 'Maar waarom heb je voor jou en mij niet om genade gevraagd?'

Toen drukte hij op een knop.

Sarah voelde een koude rilling over haar rug gaan. Had haar vader het klankwapen uitgeschakeld? Zijn gelaten toon beviel haar niet. Met alle overtuigingskracht die ze in zich had zei ze nogmaals: 'Kom nu alsjeblieft mee en geef je aan bij de politie, vader. Of moet ik je eerst dwingen?'

Hij glimlachte treurig en zei: 'Het is te laat, mijn duifje. En bovendien is mijn machine immuun voor je lied.' Hij liet haar de afstandsbediening zien, zoals hij dat al eerder had gedaan, maar deze keer zag Sarah een telmechanisme met rode lichtgevende cijfers. Het telde met de seconde terug.

50, 49, 48...

Ze draaide zich met een ruk om en rende de deur door naar het trappenhuis.

42, 41, 40...

Meer struikelend dan lopend haastte ze zich de trap af. Eerst één verdieping, toen nog één...

21, 20, 19...

Eindelijk was ze bij de gebogen trap. Met een paar treden tegelijk spurtte ze verder naar beneden.

3, 2, 1...

Plotseling voelde ze onder haar voeten een pompende beweging, bijna alsof de vloer van de hal een rubberen onderlegger was die op en neer golfde. Er sprongen scheuren in het zwart-witte marmer, als dunne kronkelende wormen. De trap wankelde. Blijkbaar was een van de infrasonische pijpen op de eigen resonantie van het gebouw ingesteld en bracht het steeds sterker aan het trillen. Toen Sarah de laatste tree had genomen, hoorde ze boven zich een gekraak.

Haar blik flitste omhoog. De enorme kroonluchter was losgescheurd uit het plafond en kwam met een noodgang op haar af. Ze dook naar de uitgang. Op haar buik gleed ze over de vloer. Achter haar rinkelde het. Stukken kristal vlogen als granaatscherven door de lucht. Het hele huis trilde en kreunde als een levend wezen dat kronkelde van de pijn.

Ze was nu vlak bij de voordeur, die nog steeds openstond. Snel krabbelde ze weer overeind en rende de straat op, maar ook daar bleef ze niet staan, ze liep verder naar rechts, naar het park, dat haar voorkwam als een oase midden in alle chaos en vernietiging. Nog voordat ze haar doel had bereikt, stortte achter haar het gebouw als een kaartenhuis ineen.

CODA

LES BAUX DE PROVENCE

✳

We geloven even rotsvast in de kunst als in God en de mensheid, die hier een stem en een verheven uitdrukking in vinden. We geloven aan de oneindige vooruitgang [...] met alle kracht van de hoop en de liefde!

Franz Liszt

Epiloog

Imiteer niemand.
Blijf jezelf trouw.
Cultiveer je eigen creativiteit.

— Franz Liszt

Capitaine Nemo kwispelde opgewonden met zijn staart. Zijn bruine ogen fonkelden gewoon van blijdschap om Sarah weer te zien, terwijl hij hijgend naast haar voorttippelde en haar telkens vol verwachting aankeek. Haar stappen waren afgemeten. Of eerder ingehouden? Ze wist niet zo goed wat haar aan het eind van de weg te wachten stond.

De straten van het Provençaalse dorp Les Baux de Provence waren even hobbelig als eeuwen geleden. De tijd scheen hier stil te staan. En toch was er op deze plek zoveel geschiedenis geschreven, zoveel veranderd. Ook voor haar, de nieuwe meesteres der klanken, zoals Jubal de eerste meester der klanken was geweest.

Soms houdt de wereld even op met draaien, en de mensen merken het niet eens. Terwijl Sarah over de Rue de Lorme Cité liep, moest ze aan de gebeurtenissen van de afgelopen dagen denken.

Paus Johannes Paulus II lag op zijn laatste rustplaats in de crypte van de Sint-Pietersbasiliek. Zijn begrafenis was verder zondere noemenswaardige storingen verlopen. De media hadden alleen melding gemaakt van een of ander verdacht vliegend voorwerp, dat even voor opwinding had gezorgd. Maar het waren geen terroristen die het luchtruim boven het Vaticaan onveilig hadden gemaakt, en ook geen Duistere Kleurenhoorders. Inmiddels was het grootste deel van de begrafenisgangers vredig naar huis teruggekeerd.

Sarah had het verloop van de ceremonie niet meer kunnen veranderen, maar op haar aanraden was wel de geluidstechniek grondig gecontroleerd. Daarbij waren aggregaten gevonden die dienden om een subliminaal signaal in te voeren. Dit zou niet alleen betrekking hebben gehad op de luidsprekers op het Sint-Pietersplein, maar ook op de transmissielijnen van de radio- en televisiestations. Zonder deze akoestische 'katalysator' waren de gemanipuleerde klanken van het requiem zonder effect gebleven, afgezien dan van de tranen die ze op de gezichten van de vele rouwenden hadden getoverd.

Om Oleg Janin daarentegen huilde niemand. Sarah had alleen een wat vaag droevig gevoel gekregen toen men haar vertelde dat zijn aan stukken gereten en verkoolde lichaam was gevonden. Ook de purperpartituur was ten prooi gevallen aan de vlammen. De oorzaak van de brand was volgens de brandweer een gebarsten gasleiding. Sarah zelf had er behalve een paar schrammen en een lading stof niets van overgehouden.

Capitaine Nemo bromde toen een straathond zich te dicht bij zijn baasje had gewaagd. Sarah stelde hem gerust. Ze kon het 'zwaluwnest' al voor zich zien liggen, het huis van Florence le Mouel, de hoedster der windharpen, bij haar vertrouwelingen bekend onder de naam Névél. Toen Sarah de door pijnbomen beschaduwde trap beklom, bleef Nemo aan haar zij. Ze liepen het poortgewelf door dat naar de binnenplaats leidde, en opeens had ze het gevoel alsof ze weer thuiskwam.

De eiken deur met het ijzeren beslag was niet afgesloten. 'Zit, Capitaine Nemo. Waarschuw me als iemand er in of uit wil,' beval Sarah de hond. Hij bleef bij de deur zitten en blafte een keer ter bevestiging. Sarah ging het gebouw binnen zonder aan te bellen; het moest tenslotte een verrassing zijn.

In de kamers en ruimten, die vol stonden met muziekinstrumenten, heerste stilte. Ze liep wat rond, maar kon niemand vinden. Toch had Marya uitdrukkelijk gezegd: 'Ga naar Névéls huis. Daar kun je hem vinden.'

Dus liep Sarah vervolgens de trap naar het dakterras op – die winderige uitkijkplaats waar de eerste hoedster haar destijds met het spel van de windharp had getest. En toen Sarah door de getraliede deur met het liermotief keek, zag ze hem.

Krystian stond voor de balustrade en keek uit over Val d'Enfer, het Helledal.

Sarahs hart begon te hameren. Ze wist nog steeds niet goed wat haar te wachten stond. Het afscheid van Ossip in Rome had ze niet gemakkelijk gevonden. Als haar leven ook maar even anders was gelopen, was ze met hem naar Rusland gereisd. Zou ze spijt van haar keus krijgen? Zou ze uiteindelijk weer alleen zijn, net als aan het begin van haar odyssee?

Voorzichtig deed ze de deur open.

Krystian draaide zich om. Zijn grijsblauwe ogen leken haar aanblik als een verrassende geur in zich op te nemen; even werden ze groot en meteen daarna weer normaal. Zijn gezicht bleef niettemin een raadsel voor Sarah. Las ze er verbazing op? Of ongeloof? Maar toen bewoog hij zijn lippen. Geluidloos noemde hij haar naam. Nee, niet Sarah, maar Kithára.

Opeens wist ze dat ze de juiste beslissing had genomen. En hem verging het waarschijnlijk net zo, want ook hij aarzelde niet langer om zijn gevoelens te tonen. Ze liepen op elkaar af en vielen elkaar in de armen.

'Kithára,' fluisterde hij haar in het oor. Zijn warme adem deed haar rillen. 'Kithára, je bent teruggekomen.'

'Ach, Krystian,' antwoordde ze, overlopend van geluk. 'Waar had ik anders heen gemoeten?'

'Ik weet het niet. Je bent jong, beeldschoon en er zijn veel mannen...'

'Zeg dat wel!' onderbrak ze hem. 'Die zijn er zeker. En eentje had me bijna verleid. Maar toch kon ik de hele tijd alleen maar aan jou denken.'

Hij liet zijn bovenlichaam achteroverhellen, maar zonder haar los te laten. 'Is hij Kleurenhoorder?'

Ze lachte. 'Nu wel, ja. Een van de Zwanen. Hij is mijn stiefbroer, de adoptiefzoon van Oleg Janin.'

'O! Dan hoef ik dus geen jaloerse scènes voor je op te voeren?'

'Nee, spaar je krachten maar liever voor leukere dingen.'

Ze kuste hem, en het was een heel andere kus dan die Ossip haar in het gewelf van het palazzo van de Duisteren had gegeven.

Op een gegeven moment – tijd was voor Sarah totaal niet meer van belang – stonden ze dicht tegen elkaar bij de balustrade samen over Val d'Enfer uit te kijken. Heel rustig, alsof het gewoon een eeuwenoud verhaal was, vertelde ze hem over haar avonturen. Toen zwegen ze en keken rond.

'Dan is de purperpartituur dus waarschijnlijk voorgoed verloren,' zei Krystian na een tijdje.

Sarah lachte fijntjes. 'Nee. Er bestaat nog een kopie.'

Hij keek haar verwonderd aan. 'O ja?'

Ze tikte tegen haar slaap. 'Die zit hier, diep begraven. En weet je wat?'

'Nou?'

'De klankleer van Jubal was helemaal niet de schatkamer van wijsheid en kennis die Janin en zijn Duistere Kleurenhoorders hoopten te vinden.'

'Maar?'

Ze wees naar haar voorhoofd. 'De werkelijke schatkamer ligt erachter. De koningin der klanken is alleen de sleutel geweest die me binnenliet om de kracht van de muziek in zijn volle glorie te kunnen ervaren. Ik heb vroeger al eens door het sleutelgat mogen gluren, wanneer ik de mensen met mijn pianospel betoverde, alleen ben ik het me nooit bewust geweest.'

'En zul je de sleutel ooit doorgeven, zoals je voorvader Franz Liszt heeft gedaan?'

'Dat zou kunnen,' zei ze koket, en ze vlijde haar wang tegen zijn borst. 'Misschien kunnen we samen wel de volgende meester der klanken zoals Jubal zoeken.'

Hij streelde zachtjes haar verwaaide haar. 'Alleen maar zoeken, of zit er eventueel nog iets meer in?'

Ze legde haar hoofd in haar nek en keek hem stralend aan. 'Was dat een huwelijksaanzoek?'

Krystian schonk haar een scheve glimlach. 'Nou ja, ik zou zeggen: het komt in de buurt.'

Sarah sloeg haar armen om zijn hals en gaf hem een lange en tedere kus. Toen haar honger naar hem even was gestild, legde ze haar wang weer tegen zijn borst en zuchtte: 'Dan is dit nu dus het begin van een nieuw spoor van de windroos. Eentje waarbij het alleen om ons tweeën gaat.'

'En om de toekomstige meester.'

Ze glimlachte geamuseerd. 'Hoe weet je dat het een jongen wordt?'

Nawoord van de auteur

✳

Ik heb ijverig moeten zijn;
wie net zo ijverig is,
die zal het net zover kunnen brengen.

— Johann Sebastian Bach

'Met zijn begaafdheid, daden en lotgevallen, altijd eigen en bijzonder, spoort deze kunstfiguur tot dichten en filosoferen aan,' schrijft Hermann Kretschmar in de *Allgemeine Deutsche Biographie* over Franz Liszt. En hij voegt er over deze unieke muziekpersoonlijkheid aan toe dat hij de geschiedschrijver 'voor psychologische en historische problemen stelt waarvoor de middelen om die op te lossen niet altijd toereikend zijn'.

Daar zit iets in. Er bestaan meer dan honderd Liszt-biografieën, en ik wil ook zeker niet de indruk wekken ze allemaal te hebben gelezen. Toch zijn er uiteindelijk zo'n zeshonderd bronnen verwerkt in deze roman, die qua onderzoek zonder meer de meest bewerkelijke uit mijn loopbaan tot nu toe is geweest. Maar het was de moeite waard.

In hun essay *Wirbel um Franz Liszt* vatten Karl Hoede en Reinhold Mueller samen: 'Het leven van Liszt was rijk aan misstappen en teleurstellingen; hij heeft ze met dezelfde gelatenheid aanvaard als zijn ongeëvenaarde successen en huldigingen, die in dergelijke mate slechts weinige stervelingen ten deel zijn gevallen. Ondanks alle moeilijkheden en vijandigheden toonde hij zich innerlijk sterk. Waar het in de kunst om strijd ging, bleef hij een overwinnaar. Wanneer hij zag dat de macht van het lot zich tegen hem keerde, legde hij zich erbij neer, zonder de moed te verliezen. Waar haalde Liszt de kracht voor zulke grootsheid vandaan? [...] Hij was een mens! En niets menselijks was hem vreemd.' Deze standvastigheid maakt Franz Liszt voor mij tot een bijzonder mens.

Is een schrijver bij machte zo'n biografie te weerstaan? Ik heb het althans niet gekund en hoe meer ik me in het leven van Liszt verdiepte, hoe meer ik me ervan bewust werd dat mijn roman op een sterrenbeeld zou lijken: hij is opgebouwd uit de vaste sterren van werkelijke feiten en verbindingslijnen die alleen in de fantasie bestaan. Sommige feiten zijn evenwel zo verbazingwekkend dat je ze voor een product van mijn al te levendige fantasie zou kunnen aanzien. Daartoe behoren bijvoorbeeld de turbulente gebeurtenissen tijdens de Parijse première van Liszts *Missa Solemnis* in de Saint-Eustache; de sensationele vondst van de dwarsfluit van Jacob Denner bij Neurenberg; de windrozen op de binnenplaats van het Weimarse stadsslot, in het grand hotel Russischer Hof en op het terrein van de Stjerneborg op het eiland Ven; de engel met het gezicht van Franz Liszt aan het orgelfront van de Matthiaskerk in Boedapest; de zwarte Balthazar in Les Baux de Provence; de late ontdekking van Liszts vermoedelijke dochter Ilona Höhnel, geboren Von Kovatsits, in Weimar; en ook het verdachte vliegende voorwerp dat tijdens de begrafenisplechtigheid van Johannes Paulus II even voor opwinding had gezorgd. De lijst van feiten waaruit de roman is ontstaan lijkt me achteraf in elk geval aanzienlijk langer dan die van de verzonnen elementen erin.

Een fenomeen dat ook op waarheid berust is Sarahs gave, al heb ik die in haar geval hier en daar wat aangedikt. Status-quo is: de ontdekkingsreizigers in het oerwoud van de synesthesie hebben alleen nog maar de randgebieden verkend. In deze jungle liggen waarschijnlijk nog heel wat geheimen verborgen. Zo vertelde prof. Lutz Jäncke, een van de toonaangevende wetenschappers op dit gebied, mij dat hij nog geen enkel geval heeft kunnen onderzoeken waarbij niet de toonhoogte, maar het timbre de waarneming van de kleurenhoorder bepaalde. Zulke vormen van audition colorée zouden echter zonder meer kunnen bestaan.

Dat lijkt de Russische schilder Wassily Kandinsky te bewijzen. Hij was niet alleen een synestheet, maar ook een goed cellist. Van hem is bekend dat hij in zijn schilderij *Impressie III (concert)*, dat ontstond in 1911, enkele muziekinstrumenten naar verschillende kleurtonen indeelde: zijn eigen instrument, de cello, was blauw, de tuba rood en de fagot paars. Door hem heb ik me laten inspireren bij de beschrijving van Sarahs waarnemingen.

Het is welhaast onmogelijk om de namen op te noemen van alle personen die een bijdrage aan deze roman hebben geleverd. In het bijzonder echter wil ik Karin, mijn vrouw, bedanken voor al haar steun, die met geen goud te betalen is. Van de vele andere mensen die ik dank ben verschuldigd, zou ik graag een aantal – niet naar belangrijkheid, maar alfabetisch – in het bijzonder willen vermelden:

Dr. Frank P. Bähr, afdelingshoofd van de collectie historische muziek-instrumenten in het Germanisches Nationalmuseum in Neurenberg en schrijver van talloze werken over muziekinstrumenten; hij hielp me bij het opsporen van de Denner-fluit. ❀ Maestro Giordano Bellincampi, algemeen muziekdirecteur van de Deense nationale opera Aarhus, voor zijn gastoptreden in de Boreas-episode. ❀ Maximilian Freyaldenhoven, chef de réception (front office manager) van het grand hotel Russischer Hof te Weimar, opende in zijn pand deuren voor me die voor andere gasten gesloten blijven. ❀ Dr. Roland Martin Hanke, voorzitter van het Duitse vrijmetselaarsmuseum in Bayreuth en zijn directieassistent Peter Nemeyer lieten me documenten zien over de vrijmetselaarskant van Franz Liszt. ❀ Dr. Ulrike von Hase-Schmundt, kunsthistorica en achterkleindochter van August von Hase, leverde me foto's en andere details van het toenmalige Hase-huis in Jena. ❀ Roman en Andrea Hocke hielpen me eens te meer het gedeelte dat zich in Italië respectievelijk het Vaticaan afspeelt tot leven te brengen. ❀ Prof. Konrad Hünteler dank ik voor de informatie over de Denner-fluit en het staaltje van zijn kunnen, dat hij met dit uitzonderlijke instrument in de roman heeft gegeven. ❀ Prof. Andor Iszák, directeur van het Europese centrum voor joodse muziek, dank ik voor zijn hulp bij het zoeken naar de oudste melodie ter wereld. ❀ Prof dr. rer. nat. Lutz Jäncke, ordinarius van het Instituut voor neuropsychologie aan de universiteit van Zürich, effende paden in het brein voor me die tot dusver maar weinig mensen hebben bewandeld. ❀ Bij het Deutsches Nationaltheater en de Staatskapelle Weimar lieten de muziekdramaturge Kerstin Klaholz en de medewerkster bij de persdienst Susann Leine mij een – in dit geval niet slechts spreekwoordelijke – blik achter de schermen werpen. ❀ Dagmar Kloth, cultuurmedewerkster van het grand hotel Russischer Hof, nam me mee op een tocht door de cultuurgeschiedenis van Weimar in het algemeen en het Russischer Hof in het bijzonder. ❀ Evelyn Liepsch van het Goethe-Schiller-Archiv ondersteunde me bij mijn onderzoek betreffende de nalatenschap van Franz Liszt. ❀ Dr. Wolf-Ekkehard Lönnig hielp bij vertalingen uit het Latijn ❀ en Rita Müller bij vertalingen uit het Russisch. ❀ Stephan Märki, intendant van het Deutsches Nationaltheater en de Staatskapelle Weimar, is eveneens een van mijn romanpersonages geworden, waarvoor ik hem dank. ❀ Door prof. dr. Karl-Wilhelm Niebuhr van de theologische faculteit van de Friedrich-Schiller-universiteit in Jena kwam ik het berghuis van Karl August von Hase op het spoor. ❀ Het Office du Tourisme van Les Baux de Provence, met name Claire Novi, hielp me erbij het spoor van de 'zwarte prins' Balthazar te volgen. ❋ Reinhard Platzer liet me op ongekende wijze een kijkje in de wereld van de vrijmetselaars nemen en hielp me zo nu en dan uit de nood met zijn kennis van de Franse taal. ❋ Sylvia Schlutius van de C. Bechstein Pianofortefabrik AG gaf me nieuwe inzichten in de wisselwerking tussen compositietechniek en pianobouw aan de hand van het voorbeeld Franz Liszt. ❋ Gerhard Schlecht leende me zijn honderdveertig jaar oude *Stieler's Schul-Atlas*, waarmee ik de kaart van Europa in handen kreeg waarachter Liszts eerste klankboodschap in een doornroosjesslaap verkeerde. ❋ Prof. André Schmidt, bedrijfsleider van de Franz-Liszt-Gesellschaft van Weimar, opende de Altenburg voor me voor een privérondleiding en vertelde me menig interessant detail over de musicus. ❋ Jac van Steen, algemeen muziekdirecteur en eerste dirigent van de Staatskapelle Weimar, was bereid om in het eerste hoofdstuk als *special guest* op te treden. ❋ De fluitiste Elisabeth Sulser proeft, ziet en kleurt muziekstukken; mede door het gesprek met haar werd mijn Sarah leven ingeblazen.

Al deze mensen dank ik van harte. Zonder hun bereidwillige hulp zou deze roman nooit zo hebben kunnen ontstaan.

Blijft uiteindelijk de vraag hoeveel macht de muziek daadwerkelijk heeft. Als die geen invloed op ons zou hebben, waren er ook niet zoveel dure reclamespots met muziek, zouden niet zoveel soldaten erop marcheren, hadden potentaten die niet steeds voor hun doeleinden misbruikt. Waarom wordt muziek altijd weer uitgevoerd? Omdat ze in de allereerste plaats het gevoel en niet het verstand aanspreekt. Muziek is een drug die via de ether verbreid kan worden en niet in het bloed kan worden aangetoond. Totalitaire regimes waarderen zulke eigenschappen.

Frederik de Grote gaf zijn hofkapelmeesters persoonlijk dirigeeraanwijzingen. Napoleon waagde zich aan het schrijven van propaganda-opera's en Josef Stalin verzekerde zich van de diensten van componisten als 'ingenieurs van de menselijke ziel' om zijn beeld van de nieuwe mens te verwezenlijken. De nationaalsocialisten perfectioneerden deze 'kunst'. Nooit tevoren in de geschiedenis van de mensheid werd muziek in zulke mate tot instrument gemaakt als onder Hitler en zijn kunstzinnige propagandaminister Joseph Goebbels. De nazi's zagen muziek als toonbeeld van de Duitse hoogontwikkelde cultuur en de Duitse aard. Ze hebben de verdediging van deze cultuur zelfs als een van de redenen aangevoerd om de Tweede Wereldoorlog te beginnen. Waarschijnlijk is er nooit tevoren zoveel gecomponeerd, gemusiceerd en gezongen als in het Derde Rijk. Zelfs coryfeeën als Herbert von Karajan, Karl Böhm en Richard Strauss lieten zich bereidwillig als boodschappers van de nationaalsocialistische cultuurpolitiek gebruiken. Met dit alles in gedachten ben ik geneigd te zeggen: laat me zien hoe je met muziek omgaat, en ik vertel je wie je bent.

Mogelijk spoort dit boek er ook toe aan om ondanks het genot van een van de meest prachtige attributen van het menselijk bestaan niet de eigen gedachten te vergeten. Het zou rampzalig zijn die aan een ander over te laten. Wie weet, misschien stuit er toch ooit eens iemand op het spoor van de windroos. Uitgesloten is het niet; in juni 2005, kort nadat ons verhaal eindigt, werd immers een aria van Bach herontdekt die als door een wonder de brand in de Herzogin-Anna-Amalia-Bibliotheek had overleefd. En het wordt nog mooier: tijdens de voorbereidingen van een tentoonstelling over de jeugdboekenschrijver Franz Graf Pocci in de Beierse staatsbibliotheek heeft men in München een tot nu toe verdwenen gewaand lied van Franz Liszt ontdekt. Dit werd op 11 juli 2007 voor het eerst uitgevoerd. Heeft iemand de muziekbladen al eens goed bekeken?

Ralf Isau, zomer 2007